GERAINT V. JONES

Teulu
Lòrd Bach

Gomer

Cyhoeddwyd yn 2008 gan
Wasg Gomer, Llandysul, Ceredigion SA44 4JL

Ail-argraffiad – 2009

ISBN 978 1 84851 017 3

Dymuna'r cyhoeddwyr gydnabod cymorth
Cyngor Llyfrau Cymru.

Argraffwyd a rhwymwyd yng Nghymru gan
Wasg Gomer, Llandysul, Ceredigion

I gofio
fy rhieni
a'm
rhieni-yng-nghyfraith

Rhagair

Carwn ddiolch i Gyngor Celfyddydau Cymru am noddi'r nofel hon o dan y cynllun 'Cymru Greadigol'. Heb y nawdd hwnnw, ni fyddai'r gwaith wedi gweld golau dydd o gwbwl – does dim sy'n sicrach. Amser a ddengys a fydd y darllenydd a'r adolygydd yn cymeradwyo'r penderfyniad.

Mae fy niolch yn fawr hefyd i'r canlynol:

Gwasg Gomer am roi cystal diwyg ar y gyfrol ac yn arbennig Bethan Mair am ei chyngor parod ac am y gwaith golygu gofalus a wnaed ganddi.

Elfyn, fy mab, am ymgymryd ar fyr rybudd â'r gwaith sylweddol o ddiweddaru a chywiro'r proflenni.

Gwenda, fy ngwraig, am ddiodde meudwy yn ei thŷ dros fisoedd lawer. Mae hi wedi hen arfer â'r dieithryn hwnnw, bellach, ond dyw fy niolch yn ddim llai iddi, serch hynny, am ei hamynedd a'i goddefgarwch.

Dros gyfnod y sgrifennu daeth rheidrwydd hefyd, o bryd i'w gilydd, i fynd ar ofyn sawl un am wybodaeth arbenigol. Mae fy niolch yr un mor ddiffuant iddyn nhwtha'n ogystal.

Fe wêl y darllenydd anghysondeb yn y defnydd o ddeialog Saesneg, a hynny am y teimlaf bod mwy i'w ennill, weithiau, trwy gadw at yr iaith wreiddiol. Gwelir hefyd ddefnydd llafar neu dafodieithiol o ambell air (megis *dallt* a *gwyneb* a.y.b.) a bod yr 'u' neu'r 'f' yn diflannu, yn amlach na pheidio, o derfyniad enw lluosog neu radd eithaf yr ansoddair (e.e. *llunia*, *llythyra*, *cynta*, *nesa* . . .). Fy nheimlad yw bod peth felly'n stwytho chydig ar yr arddull a'r mynegiant ac yn dod â'r iaith lafar a'r un lenyddol fymryn yn nes at ei gilydd. Ond nid pawb fydd yn cytuno, mae'n siŵr.

Buan y daw rhai darllenwyr yn gyfarwydd â gwir leoliad y nofel hon a dichon y bydd ambell enw yn canu cloch iddyn nhw'n ogystal, ond rhaid pwysleisio mai cwbwl ddychmygol ydi pob un o gymeriada'r stori ei hun, fel hefyd yr hyn a ddigwydd iddyn nhw. Ffuglen, a dim byd mwy na hynny, ydi hanes 'Teulu Lòrd Bach'.

Geraint V. Jones, 2008

Alis
Lòrd Bach

1919
Rhif 1, Stryd Lòrd Bach

'Diolch byth!' meddai hi dan ei gwynt, a gweld ei geiria'n troi'n gwmwl bach gwyn yn y tywyllwch rhyngddi a blac-lèd gloyw'r grât. Gwthiodd ei gwyneb yn nes at y barrau a dechra chwythu'n ysgafn ar y mymryn o gochni a oedd, o'r diwedd, yn cynnal fflam. Tician trymaidd y cloc mawr oedd yr unig sŵn arall drwy'r tŷ.

O bob bore, bore dydd Llun oedd gasaf ganddi. Y codi cynnar ar ôl hoe y Sul. Nid bod y Sul, chwaith, heb ei brysurdeb, ond o leia fe gâi hi swatio yng nghynhesrwydd ei gwely, bryd hynny, nes bod y dydd wedi goleuo. Ar bob diwrnod arall, roedd hanner awr wedi pump yn hwyr iddi godi, oherwydd bod angen tân braf a theciall yn berwi cyn i'r dynion ddod i lawr o'r llofft.

Roedd lludw ddoe wedi'i rawio rŵan i fwced wrth ei hymyl ac ambell golsyn oer wedi'i osod o'r neilltu ar y ffendar, yn barod i'w roi'n ôl ar y tân, unwaith i hwnnw sefydlu'i hun.

Anodd, a deud y lleia, oedd cynnau tân heb bapur iawn o dan y pricia. Ac er bod y rhyfel drosodd ers deufis a mwy, roedd papur yn dal i fod yn beth digon prin o hyd. Heddiw, dim ond tameidia bychain o gardbord a phapur llwyd fu ar gael iddi, a thuedd peth felly, oni châi sylw cyson, oedd mud-losgi, yna mygu a diffodd.

Wrth glywed y pricia o'r diwedd yn dechra clecian a gweld gwreichion yn tasgu ohonyn nhw, estynnodd Alis am y fegin a mentro rhoi tipyn o fôn braich tu ôl i'r chwythu, a dal ati nes bod cochni croesawus yn

11

llenwi'r grât ac yn taflu cysgodion newydd dros y stafell oer. Yna, wedi ychwanegu clap neu ddau o lo at yr ychydig oedd yno eisoes, mentrodd daro ambell golsyn ysgafn yn goron ar y cwbwl. Cyn hir, mi fyddai'r rheini hefyd yn troi'n wynias ac yn ychwanegu mymryn at y gwres.

Yn araf, cododd ar ei thraed ac, wedi sadio'i hun rhag y pen-ysgafnder a sychu'i dwylo mewn rhecsyn glân, dechreuodd rwbio'i phenglinia'n ffyrnig i gael gwared â rhycha'r coco-matin oedd wedi argraffu'u hunain yn ddwfn i'w chroen. Yr un mor ffyrnig, aeth ati wedyn i rwbio'i choesa a'i chlunia, i ddod â rhywfaint o gynhesrwydd yn ôl i'w chorff main. Doedd y ffrog gotwm dena, mwy na'r ffedog fras, yn cynnig fawr o gysur rhag oerni mor ddeifiol.

Wrth groesi at y ffenest, teimlodd ias y llawr carreg-las yn treiddio trwy wadna tyllog y ffaga am ei thraed, ac oerni'r tywyllwch tu allan yn gyrru ei fysedd main o dan y drws i gydio am ei ffera noeth. Wedi taflu'r cyrtans ysgafn ar agor, oedodd eiliad i syllu ar y rhedyn gwyn o rew oedd yn addurn dros bob modfedd o'r gwydyr. Prawf, os oedd angen y fath beth, bod neithiwr eto wedi bod cyn oered noson ag unrhyw un ers gaeafa maith.

Roedd hi'n gwybod y byddai dŵr y tap tu allan wedi rhewi'n gorcyn a diolchodd am i Ifan ei gŵr fod yn ddigon hirben, cyn noswylio neithiwr, i lenwi'r teciall mawr a'r badell bridd. Diolchodd hefyd ei bod hi'n ddechra wythnos-diwedd-mis. Wythnos Sadwrn Tâl! Roedd cael dau ben llinyn ynghyd, ar gyflog bach chwarelwr, yn beth digon anodd ar y gora ond roedd mis pum wythnos – 'mis pump', chwedl y dynion – yn creu'i broblema ychwanegol ei hun. Ac roedd yr

Ionawr hwn wedi bod yn un o'r misoedd hynny! Byddai mwy o groeso i'r Mis Bach.

Doedd Alis ddim yn un i redeg bil rhy fawr yn y Coparét, os gallai hi beidio. Iddi hi, doedd dim byd gwaeth na thâl-diwedd-mis oedd yn llai na'i dyledion. Fe wyddai hi fod amal deulu'n gorfod byw ar ddyled oedd yn cynyddu o fis i fis a bod ambell wraig druan, cyn heddiw, wedi mynd i'w bedd heb fedru gadael digon i dalu am ei chladdu. Dyna oedd hunlle go iawn, i Alis. Gorfod gadael yr hen fyd 'ma yn arch dlawd y plwy!

'Ond ddaw hi ddim i hynny, siawns, oherwydd mae petha'n edrych dipyn gwell arnon ni rŵan. Yn well, yn un peth, am fod Rhys wedi cael dod 'nôl yn saff o'r hen ryfal 'na. Yn well hefyd, am ei fod o wedi cael gwaith ac wedi dechra ennill eto, a ninna'n deulu-dau-gyflog unwaith yn rhagor.'

Cydiodd yn y cudyn gwallt oedd wedi disgyn yn rhydd dros ei thalcen ac ailosod y clip i'w ddal yn ei le.

Dim ond un cwmwl gwirioneddol ddu oedd ar orwel Alis Huws Lòrd Bach bore 'ma ac roedd a wnelo Rhys ei mab â hwnnw, hefyd.

Ugain munud yn ddiweddarach, wedi i'r teciall godi berw ac i'r uwd ddechra ffrwtian yn y sosban fach, daliai'r un meddylia i gorddi yn ei phen. Beth pe bai Ifan a hitha heb gael y colledion chwerw a gawson nhw? Beth pe bai'r teulu, trwy ras Duw, wedi cael aros yn gyflawn? Be wedyn? Fyddai hi wedi llwyddo i gadw deupen llinyn ynghyd, cystal ag y gwnaeth hi? Go brin. Ddim tra oedd y plant yn fach, beth bynnag. Mi fyddai'n stori wahanol erbyn heddiw, wrth gwrs, oherwydd byddai pob un ohonyn nhw, ac eithrio Ifan Bach, wedi tyfu allan o oed ysgol, ac yn medru cadw'u

13

hunain, siawns. Mi fyddai Joseph, pe bai ond wedi cael byw, yn un ar hugain eleni! Yn briod ac yn dad hefyd, mwy na thebyg. Ac Ifan a hitha'n daid a nain! Ond chafodd y cradur bach hwnnw ddim gweld cymaint â dau haf, cyn i'r frech goch ei hawlio. A chafodd hitha, ei fam, mo'r cyfle chwaith i alaru ar ei ôl, am i Rhys benderfynu dod i'r byd ar yr union adeg roedd arch fechan ei frawd mawr yn gadael y tŷ. Dyna boen mwya'i bywyd hi, hyd heddiw! Poen euogrwydd y methu galaru ar ôl ei chyntaf-anedig. Y llais cydwybod oedd fel tiwn gron yn ei hatgoffa'n ddyddiol y dylsai hi fod wedi crio mwy. Do, fe wylodd hi ddagra ar ôl Myfanwy fach. Byddai llygaid glas a gwallt tonnog honno'n un ar bymtheg eleni, pe bai Rhagluniaeth wedi gwenu'n hirach arni. Ac yn fuan wedyn, fe gollodd hi ddagra ar ôl Megan, hefyd. Byddai hitha efo'i llygaid bach croes, yn tynnu am ei phymtheg rŵan, pe bai hi wedi cael byw! Ond dagra wedi'u cuddio rhag y byd oedd y dagra hynny hefyd. Dagra distaw tywyllwch nos. Dagra nad oedd ond Ifan wedi'u clywed. Ond chriodd hi ddim hanner digon, serch hynny, neu fyddai'r dagra ddim yn dal i gronni yn ei brest hi heddiw, fel mynydd o rew nad oedd dadmer i fod arno byth. Roedd hi wedi methu erthylu'i galar. Mor syml â hynny! 'Meddyg da ydi Amser', yn ôl yr hen air. Nid dyna'i phrofiad hi!

'Rhaid i ni gyfri'n bendithion, Alis. Be arall wnawn ni'n de?'

Oedd, roedd geiria Ifan ei gŵr wedi bod yn gysur, amal dro, i'w hatgoffa hi bod Rhys ac Elsi ac Ifan Bach yn dal ganddyn nhw. A phan gâi hi'r tŷ iddi'i hun, doedd hi byth yn fyr o ddiolch am hynny, trwy weddi daer. Os oedd Rhagluniaeth fawr y Nef, trwy'r frech a'r diciâu, wedi hawlio tri o'i phlant, siawns y caniateid iddi ddal gafael ar y tri arall.

Daeth y sŵn troedio trwm ar lawr y llofft â hi allan o'i myfyrdod. Ond daeth hefyd â hen bryder arall i'w ganlyn. Ac ochenaid i ganlyn hwnnw. Roedd Rhys wedi codi o flaen ei dad eto heddiw ac roedd Alis yn gwybod ac yn ofni be oedd ar ddod.

Brysiodd i roi golau ar y lamp baraffîn ar ganol y bwrdd, fel bod golau honno'n erlid rhai o'r cysgodion ac yn rhoi rhywfaint mwy o gysur i'r stafell oer.

Cyn hir, clywodd yr un traed yn symud at ben y grisia ac yn dechra disgyn yn drwm o ris i ris.

Safodd yno i'w gyfarch, yn gweddïo am ei weld yn dod yn waglaw. Ond ei siomi a gafodd hi, oherwydd roedd y corn yn ei law eto bore 'ma, fel pob bore gwaith arall ers iddo ailgychwyn yn y chwarel, wythnos union yn ôl. Cariai gannwyll olau yn y llaw arall.

'Tyrd i nôl dy uwd, machgan i, tra mae o'n boeth,' meddai hi'n obeithiol, gan wingo'n fewnol eto rŵan, wrth edrych arno.

Yng ngwyll y bore cynnar, ac yn fflam aflonydd y gannwyll, allai Alis feddwl am ddim byd ond drychiolaeth wrth edrych ar ei mab. Roedd ei fop o wallt yn rhy ddu i'w wedd lwyd, a'i fwstás yn rhy drwchus i'w wyneb tenau. Ond llonyddwch ei lygaid oedd yn ei dychryn fwya. Y gwacter ynddyn nhw. A'r syllu oer i ryw bellter tu draw i bob man y gwyddai hi amdano.

'Tyrd at y bwrdd, machgan i,' meddai hi eto.

Ond, fel pob bore gwaith arall ers wythnos, dim ond un peth oedd ar feddwl Rhys Lòrd Bach. '*Reveille!*' medda fo'n gwbwl ddiemosiwn, a chamu tuag at ddrws y ffrynt.

'Oes raid i ti, Rhys? Mae'r cymdogion i gyd yn cwyno, wyst ti. Dydi rhai ohonyn nhw ddim isio codi mor gynnar â ni, cofia. A meddylia am Huw bach yn ei grud, drws nesa. Fydd Elsi dy chwaer ddim yn diolch iti os caiff o ei ddeffro mor gynnar â hyn.'

Ond syrthio ar glustia byddar wnaeth ei geiria hi eto heddiw oherwydd roedd y drws eisoes yn agored led y pen ganddo ac ynta'n sefyll yno yn ei grys gwlanen, yn dalsyth yn yr oerni, yn syllu i lawr dros doeau barugog Lòrdstryd a draw i ryw bellter tywyll annirnad.

'Plîs paid, machgan i!' meddai hi'n dawel ond yn daer.

'*Reveille!*' medda fo eto, fel petai'r un gair hwnnw'n egluro pob dim.

Gwelodd hi ei frest yn lledu wrth iddo lenwi'i sgyfaint ag awel rewllyd y bore cynnar. Yna, gwyliodd y ddefod o godi'r corn at ei wefusa, a phan ddaeth y nodyn cynta roedd hwnnw fel sgrech o boen yn hollti'r tywyllwch a'r tawelwch oer tu allan. Felly, hefyd, pob nodyn pur arall a ddaeth i'w ganlyn. Galwad oedd hi i chwarelwyr Blaendyffryn ymfyddino at ryw gad ddychmygol.

Yna, fel roedd y nodyn ola'n cilio mewn adlais pell, ac wrth i'r cloc mawr ddechra taro chwech o'r gloch, cydiodd Alis ym mraich ei mab, i'w annog yn dyner yn ôl i'r tŷ. Ac wrth i'r drws gau o'u hôl, daeth gwaedd ddig o bellter y tywyllwch: 'Dos nôl i dy wely, y diawl hurt!'

Roedd gorfod gwrando ar beth felly hefyd yn ei brifo hi. Doedd y llais ddim yn dallt. Ddim yn trio dallt! A deud y gwir, doedd hitha'i hun ddim yn dallt yn iawn chwaith. Ddim yn dallt be oedd wedi digwydd

i'r bachgen roedd hi wedi'i fagu. Nid dyma'r Rhys oedd
yn arfer llenwi'r tŷ efo'i chwerthin a'i dynnu coes. Na'r
Rhys cerddorol oedd wedi hawlio'i le fel solo hòrn yn y
band. Nid dyma, chwaith, y Rhys caled a hawliai barch
ar gaeau pêl-droed gynt na'r Rhys a berchid yn y seiat
ac mewn cyfarfodydd dirwest. Be oedd wedi digwydd
i'r llanc a fartsiodd allan o'r dre, lai na deunaw mis yn
ôl, fo a chriw o'i gyfoedion, ar ôl enlistio ym myddin
Lloyd George? Oedd, roedd o wedi treulio misoedd
caled yn y ffosydd yn Ffrainc, fe wyddai hi hynny, ond
roedd o wedi dod oddi yno'n groeniach, diolch i Dduw.
Yn dipyn mwy ffodus nag ambell un arall o hogia'r
ardal. Dic Llan, er enghraifft, a gollodd ei goes yn
nyddia cynnar y brwydro. Seimon Creigia, wedyn, yn
colli braich a rhan o'i ysgwydd! A rhyw Dafydd
Thomas, o ben pella'r dre, a ddaeth adre heb ei
ddwygoes na'i olwg, druan bach. A sawl un na chafodd
ddod 'nôl o gwbwl? Cryn ddau ddwsin o ddynion ifanc
glandeg Blaendyffryn! Ond, trwy dosturi'r Duw Mawr,
ac yn ateb i fil o weddïau tawel, roedd Rhys wedi cael
dod adre'n ddi-glwy. Ac eto, doedd petha ddim fel ag y
buon nhw, chwaith. Falla na chafodd ei gorff mo'i
ddryllio ond roedd petha go ddyrys yn digwydd yn ei
ben ac yn corddi'i feddwl, neu fydda fo byth yn
ymddwyn fel roedd o. A fyddai doctoriaid y fyddin
ddim wedi'i anfon o i'r ysbyty yn Sgotland, a'i gadw fo
yno am fis a rhagor ar ôl i'r rhyfel ddod i ben.

O gefn y tŷ daeth clochdar taer y ceiliog, hwnnw'n
amlwg ddrwg-ei-hwyl am i rywun ennill y blaen arno
eto heddiw.

Daeth sŵn traed eraill ar y grisia rŵan, a'r cam
trwm am yn ail â'r un ysgafn yn bradychu cloffni go
ddrwg.

'Mae dy dad yn dod at ei frecwast. Tyrd ditha at y bwrdd rŵan, Rhys, tra mod i'n paratoi'ch tunia bwyd chi.'

Tawedog wrth natur oedd Ifan Garn, a digon surbwch hefyd ym marn llawer. Mor surbwch nes bod amryw erbyn heddiw'n methu dirnad be welodd Alis Puw Lòrd Bach ynddo fo erioed. Creigiwr da a gweithiwr dygyn yn ei ddydd, mae'n wir. Tan y ddamwain!

Saith mlynedd yn ôl, a fynta wrthi'n ebillio ar slont o graig i lawr yn y Twll, efo'r tsiaen yn ddolen am ei glun i'w gynnal, fe ddaeth darn annisgwyl o'r graig yn rhydd a syrthio ar gynffon y gadwyn nes peri i honno dynhau fel chwip trwyddi. Prin y teimlodd Ifan ei metal garw'n cnoi trwy'i gnawd ac asgwrn ei glun oherwydd, erbyn hynny, roedd o'n hongian â'i ben i lawr gerfydd ei goes ddrylliedig, fel doli glwt ddiymadferth. Doedd o'n cofio dim, chwaith, am wrhydri ei gyd-weithwyr i'w gael i lawr yn ddiogel ac i'w gario i olau dydd ac i sylw meddyg. 'Diolch mai ar gynffon y tsaen y syrthiodd y garrag ac nid ar fy mhen i,' medda fo wrth Alis, fel roedd o'n dechra arfer ar ei fagla. Ond roedd mwy o sŵn chwerwedd nag o sŵn diolch yn ei lais, serch hynny. A phan dorrodd y rhyfel yn Ewrop, ddwy flynedd yn ddiweddarach, ac ynta, oherwydd ei gloffni, yn methu listio, fe flagurodd y surni hwnnw. Gweld ei gyfeillion a'i gyfoedion yn heidio wrth y degau i ymuno â byddin Lloyd George, a'u gwylio nhw'n gorymdeithio'n dalog allan o'r dre ar ryw antur fawr ym mhellafoedd byd. A hynny i gyfeiliant 'Marchog, Iesu, yn llwyddiannus, Gwisg dy gleddau 'ngwasg dy glun'! *Clun!* Eironi'r peth! A fynta'n cael ei adael ar ôl yn y chwarel, yn unig yng

18

nghanol hen ddynion a rhybelwyr bach ifanc, yn melltithio Rhagluniaeth am ei amddifadu o'r profiad, ac am roi dim byd amgenach iddo'i neud, bellach, na chriwlio wagenni gwag a llawn i fyny ac i lawr yr Inclên Fawr. Pa ddyn yn ei oed a'i amser fasa ddim wedi chwerwi? 'Does gen ti ddim syniad mor wahanol ydi petha yn y chwaral erbyn rŵan, Alis. Mae'r hen brysurdab wedi mynd. Mae'r galw am lechi wedi mynd. Ac mae'r gymdeithas wedi mynd. *Non-essential industry!* Dyna ydi'r chwareli erbyn heddiw, yn ôl Lloyd George a'i griw! *Non-essential!* 'Dibwys' ydi ystyr peth felly, meddan nhw i mi. Wel os felly, yna rydw inna'n *non-essential* hefyd. Yn ddibwys! A dyna sy'n wir, Alis! Pa fath o waith ydi sefyll ar ben inclên o ddydd i ddydd ac o wsnos i wsnos yn gneud dim byd mwy na gwylio wagenni'n mynd a dod? Ond dyna fo! Dydw i'n da i ddim byd arall, ydw i?'

Ac o orfod gwrando ar yr un chwerwedd drosodd a throsodd, hyd syrffed, fe drodd cydymdeimlad Alis, ymhen amser, yn ddiflastod mud, ac fe aeth sgwrsio call yn beth prin rhyngddyn nhw. Oni bai am y plant, mi fyddai'r awyrgylch yn y cartre wedi mynd yn drech na'r ddau. Rhys efo'i natur agored a'i dynnu coes, diwydrwydd cydwybodol Elsi o gwmpas y tŷ, Ifan Bach efo'i feddwl chwim a'i gwestiynu parhaus . . . Oni bai amdanyn nhw, mi fyddai'r felan wedi llethu Alis ei hun hefyd, a hynny'n fuan iawn.

Ond byr fu parhad pob cysur felly oherwydd, ymhen dwy flynedd, fe ddaeth Rhys i oed listio, a gneud hynny ar y cyfle cynta posib; fo a chryn ddwsin o'i gyfoedion. A phan ddaeth yn amser iddyn nhw fartsio'n dalog ac yn ifanc allan o'r dre, ar ei phen ei hun yr aeth Alis i lawr i Sgwâr y Diffwys i ffarwelio â'i mab, ac i wylio'n ddagreuol – ac yn fyddar i sŵn band a phob sŵn dathlu arall o'i chwmpas – nes ei fod o a'i ffrindia diniwed wedi hen ddiflannu rownd y tro ym mhen isa'r Stryd Fawr.

Prin ddeufis gafodd hi i ymgodymu â cholli Rhys oddi ar yr aelwyd cyn bod storm deuluol arall wedi torri. Elsi fach ddibriod, heb fod eto'n ddwy ar bymtheg oed, yn cyhoeddi trwy'i dagra ei bod hi'n feichiog! Ac i ddilyn y sgytwad hwnnw, y gwarth anochel ohoni'n cael ei thorri allan o'r seiat yng Nghapel Caersalem, a hitha ond newydd gael ei derbyn yn gyflawn aelod yno.

Ar y pryd, fe allai Alis fod wedi gneud fel y gwnaeth Ifan ei gŵr, sef cefnu ar y capel a'i ragrith, ond roedd ganddi ormod o ofn tynnu gwg yr Hollalluog. Ofn iddo Fo'i chosbi hi trwy gosbi Rhys yn ffosydd Ffrainc. Ac am hynny, fe aeth hi i weddïo'n amlach ac yn fwy taer am faddeuant i'w merch ac am achubiaeth i'w mab.

'*Latrine!*' Roedd Rhys wedi llowcio'i uwd ac yn cychwyn rŵan am ddrws y cefn a'r tŷ bach ym mhen ucha'r ardd.

'Paid â mynd yn dy grys gwlanan, machgan i. Mae hi'n ddeifiol o oer tu allan.'

Ond syrthio ar glustia byddar wnaeth yr erfyniad yma hefyd wrth i'w mab gamu allan i lwybyr yr ardd a gadael y drws yn llydan agored o'i ôl. Prysurodd Alis i'w gau.

'Dwi'n poeni'n ei gylch o, Ifan! Mae o wedi newid cymint! Ti'm yn meddwl?'

'Mi wellith gyda hyn,' meddai hwnnw, heb godi'i ben.

'Ti'n gweld drostat dy hun fel mae o! Dio'm fel 'tai

o'n teimlo'r oerni . . . Nac yn poeni, chwaith, am neb na dim yn y lle 'ma, neu fasa fo byth yn chwythu rhyw ryfali gwirion bob bora. Be fedra i neud, Ifan? Cyn wiriad â phadar, mae rhywun yn siŵr o'i riportio fo i'r polîs. Dydi pobol ddim yn mynd i ddiodda'n hir iawn eto gael eu deffro'n gynnar fel hyn bob bora. A be wnawn ni os daw Dêfis Plisman i gnocio ar y drws 'ma? Wyt ti wedi meddwl hynny?'

Unig ymateb ei gŵr oedd mwmblan eto i'w uwd.

'. . . A dyna ti'r geiria Susnag diarth 'na wedyn! Fe'i clywist ti fo rŵan, efo dy glustia dy hun. Yn lle deud lafatri, latrîn medda fo. Ac nid mynd i'w wely mae o mwyach ond mynd i'w *billet* . . . beth bynnag ydi peth felly. A Duw a ŵyr pwy ydi'r *Adjutant* a *Brigadier* a Platŵn-rwbath-neu'i-gilydd mae o'n eu gweld yn ei gwsg bob nos.'

'Rho amsar iddo fo. Mae o'n dal yn ddryslyd. Mi ddaw at ei goed gyda hyn, gei di weld. A gwaith ydi'r peth gora i neud i hynny ddigwydd.' Llyncodd Ifan y llwyaid olaf o uwd a chodi i roi ei gôt liain amdano ac i daro'i gap dros ei wallt tena. 'Wyt ti'n sylweddoli mor lwcus ydi o, o fod wedi cael ei waith yn ôl mor fuan? Chydig iawn sy'n cael eu hailgyflogi yn y chwareli, fel y gwyddost ti'n iawn. Ac mae hynny'n creu chwerwedd, coelia di fi! Llawar o'r hogia'n teimlo'u bod nhw wedi aberthu dros eu gwlad ond yn cael eu taflu rŵan ar y doman. A weli di fai arnyn nhw?'

Dim ond un gofid oedd ar feddwl Alis, serch hynny, a Rhys ei mab oedd canolbwynt y gofid hwnnw. 'Ond os ydi o'n gneud petha fel hyn adra, Ifan, be mae o'n neud yn y chwaral yn ystod y dydd? Dyna sy'n fy mhoeni i.'

21

'Twt! Mae 'na griw iawn yn gweithio efo fo yn Felin Bonc Ucha, ac mi geith o bob chwara teg ganddyn nhw yn fan'no. Mi ofalith yr Hen Ben am hynny, gei di weld.'

Ond doedd Alis Lòrd Bach ddim mor siŵr. Ac mi fyddai ei phryder hi wedi bod yn dipyn mwy pe bai Ifan wedi deud y cyfan wrthi. Pe bai o wedi deud, er enghraifft, fel roedd Rhys, bob bore ar ôl gadael y tŷ, yn martsio, yn union fel milwr, yr holl ffordd i fyny i'r Bonc Ucha dan ganu *'It's a long long way to Tipperary'* drosodd a throsodd ac, ar ddiwedd pnawn, yn martsio'n fwy talog i lawr yn ôl, i gyfeiliant *'Pack up your troubles in your old kit bag and smile, smile, smile'* a *'When Johnny comes marching home again . . . Hurrah! Hurrah!'* Do, fe lwyddodd Ifan i gadw'r poen hwnnw rhagddi, hyd yma. Y poen o weld ei fab yn destun tosturi i rai, crechwen a sbort i eraill.

Chydig funuda'n ddiweddarach, oedodd Alis yn ddigon hir ar garreg y drws i glywed clecian esgidia hoelion y ddau yn ymuno â thramp cyson y fyddin gweithwyr oedd yn llenwi'r llwybyr i fyny am Chwarel y Lòrd. Pe bai hi wedi oedi fymryn yn hwy cyn cau'r drws, byddai nodau cynta *'It's a long long way to Tipperary'* wedi syrthio ar ei chlyw.

Elsi Lòrd Bach

Suddodd Elsi Lòrd Bach yn ddiolchgar yn ôl i feddalwch a chynhesrwydd y gwely plu, efo'r babi sgrechlyd yn ei breichia. Diolch i gampa Rhys ei brawd, roedd y plentyn wedi cael ei ddeffro'n gynnar eto heddiw, ac roedd o rŵan yn nadu'n ddiamynedd am ei fwyd.

Efo'i llaw rydd, teimlodd y fam ifanc drymder y naill fron a'r llall, yna rhyddhaodd yr un chwith o'i choban a thynnu safn agored y plentyn dengmis at y deth. Tawelodd hwnnw'n syth a medrodd Elsi ymlacio a chau llygad yn sŵn y sugno bodlon a nodau ysgafn ei hwiangerdd ei hun:

> Myfi sy'n magu'r baban,
> Myfi sy'n siglo'r crud,
> Myfi sy'n hwian hwian
> Ac yn hwian hwi o hyd.

Roedd amranna Huw Bach yn drymion ond daliai i gwffio yn erbyn cwsg, serch hynny, a pharhaodd hitha i'w siglo fo'n ysgafn gan ddal ati i hanner canu hanner hymian:

> Bu'n crio bore heddiw
> O hanner y nos tan dri,
> Myfi sy'n colli'r cysgu
> Mae'r gofal i gyd arnaf i . . .

nes bod llygaid y bychan wedi cau'n llwyr a'i anadlu'n rheolaidd braf unwaith eto.

Am y pared â hi, roedd ei thaid yn mynd trwy blwc hir arall o besychu caled ac ymladd am wynt a gallai Elsi ddychmygu'i gorff eiddil yn cael ei sgrytian a'i sigo'n ddidrugaredd. Gwnaeth ei gora i gau ei chlustia i'r sŵn, nid am ei bod hi'n ddigydymdeimlad â'r hen ŵr ond am ei bod hi wedi gorfod derbyn ers tro, bellach, nad oedd dim y gallai hi'i neud drosto. Wedi'r cyfan, nid ei thaid oedd yr unig un oedd yn mynd trwy storm gyffelyb bore 'ma. Roedd y dre'n frith o gyn-chwarelwyr tebyg iddo; dynion wedi mynd yn hen o flaen eu hamser oherwydd bod llwch arnyn nhw. A doedd misoedd anwydog y gaea'n gneud dim i wella cyflwr neb.

'Siawns y cysgith Huw am ddwyawr go dda rŵan, wedi cael llond ei fol,' meddai hi wrthi'i hun. 'Fe ga inna godi wedyn, i helpu Mam efo'r golchi a'r gwaith tŷ.'

*   *   *

Yn y llofft gefn, eisteddai Josh Pugh i fyny yn ei wely, ei gorff oedrannus yn crynu yn yr oerni a'i frest yn pwmpio'n gyflymach na'r fegin yn efail Wil Gof. Roedd y plwc pesychu diweddara wedi llenwi'i lygaid llwyd â dagra ac roedd pob anadl yn frwydyr oedd yn costio'n ddrud iddo. Doedd bod heb flanced dros ran ucha'i gorff ddim yn helpu'i gyflwr ond haws oedd meddwl am rewi i farwolaeth na mygu'n gorn.

Ifan Bach Lòrd Bach

'Paid â bod yn hir efo dy uwd, Ifan. Mi fydd raid inni neud tair siwrna . . . falla bedair . . . i Bistyll Tanclogwyn, a dwyt ti ddim isio bod yn hwyr yn rysgol, wyt ti?'

Roedd hi'n gweiddi o'r drws cefn a chlywodd Ifan donc wag y crwc sinc yn cael ei daro ar y stelin tu allan, yn barod at y golchi.

'Dwi'm yn poeni am rysgol, Mam,' gwaeddodd yn ôl. 'Mis arall ac mi fydda i'n gadael beth bynnag.'

Rhaid bod geiria'i mab wedi sobri Alis oherwydd fe ddaeth hi'n ôl i'r tŷ efo golwg drist yn ei llygaid. 'Does

24

dim rhaid i ti fadael, wyddost ti. Fe allet ti aros ymlaen am flwyddyn arall. Pwy ŵyr na chaet ti le fel *pupil teacher*.'

'Peidiwch â mynd dros yr un hen beth eto fyth, Mam. Mi fydda i'n bedair ar ddeg ymhen y mis, ac i'r chwaral dwi am fynd, fel Nhad a Rhys o mlaen i. Mae'r peth wedi'i benderfynu'n barod, fel y gwyddoch chi o'r gora, felly waeth ichi un gair mwy na phregath ddim. Mae angan y pres arnon ni, beth bynnag.'

Trodd Alis draw, fel pe bai hi'n cydnabod gwirionedd ei eiria. 'Does dim fasa'n well gen i na chael dy weld ti'n mynd i'r Iwnifyrsuti ym Mangor ryw ddydd, fe wyddost ti hynny, Ifan,' meddai hi dros ei hysgwydd. 'Mae digon yn dy ben di, yn ôl Mustyr Davies y Sgŵlfistar. Fe glywodd un o ffrindia dy dad fo'n deud, yn rhwla neu'i gilydd, mor dda wyt ti mewn *Arithmetic* ac ar sgwennu *English Composition*. A bod gen ti *handwriting* gwerth chweil. Fel coparplêt! Beth bynnag ydi peth felly. Dy *copybook* di'n werth ei weld, mae'n debyg. Ac roedd Mr Morgan y gweinidog yn dy ganmol di hefyd, ddoe ddwytha'n byd. Deud bod gen ti farn aeddfed ar betha. Dy weld di'n Arolygwr yr Ysgol Sul yn fuan iawn, medda fo. Roedd ynta hefyd, fel y Sgŵlfistar, yn gresynu na fasat ti'n styried mynd ymlaen i Iwnifyrsuti.'

'A lle gaech chi bres i ngyrru fi i le felly, Mam? A be wnawn i ar ôl bod yno?'

'Cael gwaith amgenach na gwaith chwaral, yn reit siŵr. Mynd yn sgŵlfistar dy hun, falla. Neu'n weinidog hyd yn oed! Dyna faswn i'n licio, wyst ti.'

Er yn deud y geiria, fe wyddai Alis mai piso yn erbyn y gwynt yr oedd hi, oherwydd fe gawsai'r petha yma eu trafod hyd syrffed yn barod, ac roedd Ifan y gŵr wedi ochri efo Ifan y mab bob tro. '*Mi neith blwyddyn neu ddwy yn y chwaral fwy o les i'r hogyn na'r un coleg, Alis. Mi roith gyfla iddo fo rymuso tipyn a chael cymysgu efo dynion. Mi geith weld be 'di be, yn fan'no, a be 'di bywyd go iawn. Ac os bydd o am fynd yn sgŵlfistar neu wnidog mewn blynyddoedd i ddod, wel mi all fynd i'r iwnifyrsuti bryd hynny, falla. Ond ar hyn o bryd, fe ddwedwn i mai ysgol brofiad mae'r hogyn isio.*'

Geiria'r tad oedd ar feddwl y ddau, rŵan, wrth iddyn nhw wthio, un ar ôl y llall, rhwng crawiau terfyn yr ardd gefn ac anelu am y llwybyr caregog oedd yn dilyn godre Tomen Bonc Isa ac yna'n dringo i gyfeiriad Pistyll Tanclogwyn, bron chwarter milltir i ffwrdd. Ifan oedd yn cario'r ddau fwced; ei fam y ddau biser.

'Byddwch yn ofalus, Mam. Mae'r llwybyr 'ma fel gwydyr, ac mae'n chwipio rhewi o hyd.'

Doedd y dydd ddim eto wedi goleuo'n iawn.

Yn hytrach na chydnabod y rhybudd, yr hyn a wnaeth Alis oedd cynnig ei chyngor ei hun. 'Dydi'r ffaith dy fod ti'n benderfynol o fynd i'r chwaral ddim yn esgus i ti osgoi'r ysgol heddiw, cofia di hynny. Unwaith y dechreui di feddwl fel'na, yna buan y daw'r amser pan fyddi di'n gneud esgus dros golli dyddia o dy waith, hefyd.'

'Iawn, Mam!'

Fu dim sgwrs arall rhyngddyn nhw wedyn am sbel. Yna'n ddirybudd: 'Cynt y cyferfydd dau ddyn . . .' meddai Ifan,

'. . . na dau fynydd,' meddai Alis yn ateb. 'Trech gwlad . . .'

'. . . nag arglwydd,' medda fynta. 'Yng ngenau'r sach . . .'

'. . . y mae dechra cynilo. O geiniog i geiniog . . .'

Dyma'r gêm fydden nhw'n ei chwarae pan nad oedd unrhyw sgwrs arall yn cynnig ei hun.

'. . . yr â'r arian yn bunt. Hysbys y dengys y dyn . . .'

'. . . o ba radd y bo'i wreiddyn. Bûm yn byw yn gynnil gynnil . . .'

Daeth golwg ddryslyd dros wyneb Ifan rŵan a bu'n rhaid iddo gydnabod cael ei drechu. 'Ildio!' medda fo.

Chwarddodd hitha ac adrodd y pennill yn gyfan:

Bûm yn byw yn gynnil gynnil.
Aeth un ddafad imi'n ddwyfil.
Bûm yn byw yn afrad afrad.
Aeth y ddwyfil yn un ddafad.'

'Rhaid i mi gofio hwn'na!' medda fo, ac ail-adrodd y pennill yn ei ben i neud yn siŵr o hynny. Yna taflodd sialens newydd: 'Adenydd colomen pe cawn . . .'

'Hawdd!' meddai hitha, ac ateb trwy ganu'r llinell nesa. '. . . Ehedwn a chrwydrwn ymhell.'

Ymunodd ynta efo hi, i ganu alto i weddill yr emyn.

''Taen nhw'n ein clywad ni, mi fydda pobol yn deud ein bod ni'n drysu,' meddai Alis dan chwerthin. 'Yn canu emyna fel hyn cyn i'r dydd oleuo'n iawn.'

Doedd neb arall wrth y pistyll pan gyrhaeddon nhw. Tasgai'r dŵr yn oer allan o'r graig gan ddiflannu'n ôl wedyn dan ddaear, i dwll oedd wedi magu coler drwchus o rew o'i gwmpas.

'Welsoch chi'r pistyll ei hun wedi rhewi rioed, Mam?'

'Naddo rioed, cofia.'

Dair gwaith y bu'n rhaid iddyn nhw gludo'r bwcedi a'r piseri'n ôl a blaen cyn i'r crwc sinc ar y stelin fod yn llawn. Erbyn hynny, roedd eu coesau a'u traed yn wlyb diferol oddi wrth y dŵr a fu'n tasgu dros ymyl y bwcedi efo pob cam gwag neu lithriad. Erbyn hynny hefyd, roedden nhw wedi profi cof a gwybodaeth y naill a'r llall ar amryw o hen benillion ac adnodau, gan gynnwys y Gwynfydau ac ambell Salm.

'Gwell i mi gael dau fwcedaid arall, dwi'n meddwl. Mi fydd gen i ddigon at y golchi i gyd wedyn.'

Daeth ei geiria â diflastod i wyneb Ifan ond ddeudodd o'r un gair, am ei fod o'n gwybod bod angen digon o ddŵr at olchi dillad Taid ac Elsi hefyd, heb sôn am rai'r babi. 'Mewn mis arall,' medda fo wrtho'i hun, 'mi fydda i'n gneud gwaith dyn, ac yn gwisgo trowsus llaes!' Edrychodd i lawr ar ei benglinia llidiog, efo'u croen yn torri yn y rhewynt. Mor braf fydd hi wedyn, meddyliodd, i gamu i mewn i drowsus melfaréd chwarelwr. Ac fe ddeuai manteision eraill, hefyd, yn ei sgil. Unwaith y dechreuai weithio yn y chwarel, fyddai dim disgwyl iddo fo ddal at yr arfer plentynnaidd o ddeud adnod ar fore Sul, na mynd o gwmpas bob blwyddyn i hel at y genhadaeth dramor. Ac fe gâi ymuno â dosbarth rhai hŷn yn yr Ysgol Sul. Roedd yn edrych ymlaen at hynny'n fwy na dim, ac at gael cymryd rhan mewn trafodaethau mwy sylweddol ar byncia'r Beibil.

Roedd y daith yn ôl o'r pistyll yn hawlio gorffwys amal oherwydd bod handlenni garw'r bwcedi llawn yn brathu i mewn i gnawd eu dwylo oer. Ac erbyn rŵan, roedd y blinder wedi dod â'u chwarae geiriol i ben hefyd. Prin oedd y sgwrs rhyngddyn nhw, bellach.

'Ydach chi'n gwbod pam bod stryd ni'n cael ei galw'n Little Lord Street, Mam?'

Roedden nhw ar eu hoe olaf cyn cyrraedd adre'n ôl, ac yn sefyll rŵan ar ran o'r llwybyr oedd yn edrych i lawr dros y dre, efo'i rhes ar ôl rhes o dai llwydion yn rhynnu dan farrug disglair. Erbyn canol bore, byddai'r haul wedi dadmer y rhan fwyaf ohonyn nhw. Ond nid y pedwar tŷ yn Little Lord Street! Am fod y rheini'n gorwedd yng nghysgod Tomen Fawr Bonc Isa, chaen nhw mo'u cyffwrdd gan haul y gaea, byth, a fyddai'r barrug ddim yn codi oddi ar eu toeau o un diwrnod oer i'r llall.

'Ydw. Wyt *ti*?'

'Doeddwn i ddim, ond mi rydw i rŵan.'

'Pwy ddeudodd wrthat ti?'

'Dandy ddaru grybwyll y peth yn *Assembly* bora dydd Gwenar . . .'

'Mustyr Davies ydi enw'r dyn!' meddai hi, yn torri ar draws ei mab. 'Ddyliet ti ddim rhoi llysenw gwirion fel'na arno fo.'

'Mae o'n enw digon diniwad, Mam. Daniel Davies ydi'i enw llawn o . . . Dan D. Sut bynnag, ro'n i wedi tybio erioed bod ein stryd ni'n cael ei galw'n *Little* Lord Street am ei bod hi mor fach o gymharu â Lord Street ei hun . . . am mai dim ond pedwar tŷ sydd yn stryd ni a bod mwy na deugian yn nacw . . .' Nodiodd Ifan ei ben i gyfeiriad y stryd oddi tanyn nhw, efo'i dwy res hir o dai yn wynebu'i gilydd. I fyny Lord Street y byddai'r rhan fwya o chwarelwyr y Lòrd yn cerdded i'w gwaith bob dydd, cyn ei gadael hi wedyn, yn ei phen ucha, i ddringo'r llwybyr oedd yn rhedeg rhwng talcen eu tŷ nhw yn Stryd Lòrd Bach a'r Inclên Isa oedd yn cario llechi i lawr o wastad y Bonc Isa i'r cei yn Stesion Grêt.*

'. . . Deud oedd Dandy bod Lord Street wedi cael ei

---

* Gorsaf y Great Western Railway neu'r GWR

henwi ar ôl yr hen Lord Oldbury, yr un sydd wedi
marw ers blynyddoedd, a bod ein stryd ni wedi cael ei
henwi ar ôl ei fab o, y Lord Oldbury sy'n fyw rŵan.
Oedd o'n deud y gwir, Mam?'

Nodiodd Alis ei phen yn araf. 'Dyna maen nhw'n
ddeud, beth bynnag.'

'Pan oedd y Lord Oldbury, sy'n fyw rŵan, yn hogyn
bach, roedd ei fam a'i dad o bob amsar yn ei alw fo'n
"Little Lord", yn hytrach na'i alw fo wrth ei enw iawn.
Ac ar ôl iddo fo dyfu i fyny a dod yn berchennog y
Chwaral ar ôl ei dad, fe ddaru fo roi ordors i adeiladu
stryd ni. A dyna pam y cafodd hi ei galw'n Little Lord
Street, am mai Little Lord ddaru godi'r tai.'

Edrychodd Ifan ar ei fam eto, i chwilio am
gadarnhad bod stori'r sgŵlfistar yn wir.

'Dyna be dw inna wedi'i glywad hefyd, Ifan,'
medda hi. 'Ond tyrd! Mae'r amsar yn mynd. Fedra i
neud dim gwaith i fyny yn fa'ma.'

'Felly, dyna pam mae pawb yn ein galw ni'n Deulu
Lòrd Bach? Am ein bod ni'n byw yn Little Lord Street?
'Ia.'

'Ond dydw i rioed wedi clywad neb yn deud Teulu
Lòrd Bach am Gwil Goch a'i fam, er eu bod nhw'n
byw yn yr un stryd. A chlywis i rioed neb yn deud Eos
Lòrd Bach am yr hen Eos Dyffryn sy'n byw yn nymbyr
thrî.'

'Mae hynny'n wir.'

'A phetai'n dod i hynny, chlywis i rioed neb yn
galw Taid yn Josh Lòrd Bach chwaith. Na 'Nhad yn
Ifan Lòrd Bach o ran hynny! "Josh Puw" ac "Ifan
Garn" ydi rheini i bawb.'

'Ia, ti'n iawn.'

'Dim ond chi, a Rhys ac Elsi a finna, sy'n cael yr

enw "Lòrd Bach". Dwi'm yn dallt hynny. A dwi 'di clywad rhai'n deud "Lòrd Bach yn ei nerth ydi hwn!" pan maen nhw'n siarad amdana i. Pam, meddach chi?'

Roedd ei fam wedi mynd sawl cam ar y blaen iddo erbyn hyn. 'Am ein bod ni'n byw yma o flaen pawb arall, dyna pam,' eglurodd, ac nid heb dinc diamynedd yn ei llais. 'Dim ond ni sydd wedi byw yn Nymbyr Wàn ers i'r tŷ gael ei godi. Fan'no y cafodd pob un ohonoch chi'ch geni . . . Rŵan, brysia, neu mi fyddi di'n hwyr i'r ysgol!'

Fe gyrhaeddon nhw'r tŷ yn ôl heb i Ifan gael eglurhad mwy manwl na mwy boddhaol na hynny.

Caban Bonc Ucha, Chwarel y Lòrd

'Mae'r Tŷ'n agorad!'

Daeth tunia baco a sawl cetyn i'r golwg ac, o'r deunaw oedd yno, dim ond y ddau rybelwr bach oedd ddim yn mynd ati rŵan i baratoi smôc.

Aethai hanner yr egwyl ginio heibio'n barod, gan adael chwarter awr arall iddyn nhw ymlacio uwchben paned a smôc a thrafod materion y Tŷ. Ac yn ôl eu harfer, roedd pob un ohonyn nhw am neud yn fawr o glydwch y Caban cyn i'r corn ei alw'n ôl i'w dwll-hollti drafftiog yn y felin, i handlo cerrig a chynion oedd fel talpiau o rew.

'Mae 'na banad neu ddwy ar ôl yn y tebot. Tro pwy i gael ail banad?'

Fu dim rhaid i Bob Ellis, y llywydd, ofyn ddwywaith oherwydd roedd Twm Gelli eisoes ar ei draed ac yn camu'n dalog at y stôf lle'r oedd y tebot yn ffrwtian.

'Tro Dic, ac wedyn finna, dwi'n credu,' medda fo efo

31

gwên lydan. Cariai ddau gwpan enamel a fu unwaith yn wyn ond oedd bellach yn staeniau melynfrown drostynt ac yn dangos ôl amal gnoc. 'Panad fel troed stôl,' medda fo'n fodlon wrth wylio gweddillion y te'n llifo'n ddeiliog ddu o big y tebot. 'Be na rown i am dair neu bedair llwyad o siwgwr melys yn ei lygad o.'

'Peryg y bydd raid i ti aros sbel eto, Twm,' meddai Bob Ellis, yn siarad trwy gwmwl o fwg aroglus wrth iddo danio'i getyn.

Roedd pob un o'r lleill, hefyd, wedi dechra mygu erbyn rŵan.

'. . . Ond siawns y bydd mwy o betha'n cyrradd y siopa cyn hir, rŵan bod yr hen ryfal 'na drosodd a bod ein llonga ni'n cael llonydd i ddod â bwyd i mewn i'r wlad.'

'Dwi'n edmygu'ch ffydd chi, Bob Ellis,' meddai Twm yn wamal, gan oedi eiliad i gnesu'i ben-ôl wrth y stôf. 'Mae 'na dri mis ers i'r rhyfal orffan. Mi faswn i wedi disgwyl i betha wella cyn hyn.'

'Does gynnon ni fawr o ddewis ond bod yn amyneddgar, Twm,' meddai'r llywydd. Yna, trodd i annerch y criw diysbryd o gwmpas y bwrdd hir. 'Dau gyhoeddiad pwysig bora 'ma, hogia,' medda fo. 'Mae'n debyg ichi weld Evan Jôs y Stiward yn dod ata i yn y felin, ben bora. Ac mae'n siŵr eich bod chi wedi gofyn i chi'ch hunain be oedd o isio. Wel, dod yno'n unswydd oddi wrth y Manejyr oedd o, i roi newyddion da inni . . . a newyddion drwg hefyd, gwaetha'r modd.'

Tynnodd ddwywaith neu dair ar ei getyn, gan edrych arnynt o un i un, trwy len o fwg glas, a gadael i'w chwilfrydedd nhw dyfu. Roedd Bob Ellis – neu Bob 'Rhen Ben fel y câi ei adnabod amlaf – yn un oedd yn mwynhau cynulleidfa.

'. . . Y newydd da'n gynta,' medda fo. 'Fel y gwyddoch chi, mae Cwmni Yale wedi bod yn darparu letrig i'r chwaral 'ma ers sawl blwyddyn bellach. A da hynny, neu mi fyddai hi'n smit* arnon ni heddiw, er enghraifft.' Daliodd lygad dau neu dri o'r rhai hynaf. 'Mae rhai ohonon ni'n cofio'r hen ddyddia, a be fyddai'n digwydd pan fyddai'r dŵr yn rhewi yn y cafna . . .' Trodd at y ddau rybelwr bach, i egluro i'r rheini. ''Dach chi'n gweld, hogia . . . yn yr hen ddyddia, os nad oedd dŵr i droi'r olwyn fawr, yna doedd y peirianna ddim yn troi chwaith, ac mi fyddai hi'n amen ac yn smit arnon ni wedyn. Hynny'n golygu colli stèm** o waith! Colli cymaint ag wythnos gyfan weithia! Ac yn y dyddia calad rheini, doedd neb yn medru fforddio colli *hannar* stèm, hyd yn oed, heb sôn am wythnos gyfan.'

Daeth sŵn cytuno oddi wrth amal un.

'. . . Ond erbyn heddiw, diolch i Gwmni Yale, mae gynnon ni beirianna sy'n gweithio efo letrig. Ac erbyn heddiw hefyd, wrth gwrs, letrig sy'n goleuo Stryd Fawr ein tre ni, ac mae'r diolch am hynny i'r Cyngor Dinesig, wrth gwrs, ac i weledigaeth ac ymdrechion diflino'r cynghorwyr . . .'

Trodd ambell un ei ben draw, i guddio'i wên, o wybod bod Bob Ellis yn un o'r cynghorwyr hynny ei hun.

'. . . 'Dach *chi*, hogia,' medda fo, gan ddal i edrych ar y ddau rybelwr bach, 'yn rhy ifanc i gofio'r lampa *gas* oedd yn arfar goleuo'r Stryd Fawr ers talwm. Wel, gwrandwch ar hyn! Cyn bo hir, nid jest y Stryd Fawr fydd yn cael ei goleuo efo letrig, ond ein tai ni hefyd.'

---

* *Y chwarel yn gorfod cau oherwydd garwedd y tywydd (o'r Saesneg 'submit', efallai)*
** *Diwrnod cyfan o waith*

'Mae sôn am beth felly wedi bod ers talwm iawn, Bob Ellis.'

Crychodd y cadeirydd ei aelia, fymryn, wrth i un o'r ddau ifanc dorri ar ei draws.

'*Ers talwm* ddeudist ti, Robin? A be ar y ddaear wyddost *ti* am *ers talwm,* a chditha ond newydd gamu allan o dy drowsus pen-glin?'

Gwridodd Robin – neu Robin-di-rip fel y câi ei adnabod gan ei gyfoedion – wrth i bawb droi i edrych arno. Gwyddai ei fod wedi derbyn cerydd gan y llywydd am ei hyfdra.

'. . . Ond dyna fo,' meddai Bob Ellis, gan gyfarch pawb eto rŵan, 'i rai mor ifanc â'r ddau yma, mae blwyddyn yn medru ymddangos yn amsar maith, mae'n siŵr. Blwyddyn! Dyna faint sydd ers i'r Cyngor Dinesig ddechra trafod efo Cwmni Yale, i gael letrig i'r tai. Ac mae petha wedi symud ymlaen rhywfaint yn y cyfamsar, a hynny er gwaetha'r hen ryfal 'na. Mewn blynyddoedd i ddod, mi fydd pob tŷ ym Mlaendyffryn yn cael ei oleuo efo letrig. Ond gwrandwch ar hyn! Yn ôl be ddeudodd Evan Jôs Stiward wrtha i, bora 'ma, dydi Lord Oldbury ddim yn fodlon aros yn hwy. Mae o'n awyddus i symud ymlaen *rŵan* i roi letrig yn nhŷ pob un o'i denantiaid. Ac yn fodlon cwarfod y gost o'i bocad ei hun! Mi fydd y gwaith o osod y polion a'r weiars yn dechra'n fuan.'

Os oedd Bob Ellis wedi disgwyl gweld unrhyw newid yn ei gynulleidfa, yna fe gafodd ei siomi.

'. . . Mae o'n newydd rhagorol i ni i gyd,' medda fo, yn ateb i'w diffyg brwdfrydedd. 'Meddyliwch am fedru codi ar fora tywyll, ganol gaea fel hyn, a throi gola letrig ymlaen yn lle gorfod trafferthu efo'r *gas* neu lamp baraffîn.'

34

'Maen nhw'n deud ei fod o'n beth peryg. Y medrwch chi gael eich lladd efo fo.'

Falla nad Lei Tŷ Crwn oedd y mwya chwim ei feddwl ohonyn nhw ond fo, efo'i rimyn tena o sigarét yn hongian o gongol ei geg, oedd wedi mentro cwestiynu'r *newyddion da*. Ac am ei drafferth fe gafodd edrychiad tosturiol yn ôl gan y cadeirydd.

'Os felly, yna mi fedri di gael dy ladd yn y chwaral hefyd, Lei, unrhyw amsar o'r dydd.' Trodd y llywydd i edrych ar y gweddill, fel 'tai o'n teimlo bod angen argyhoeddi pob un ohonyn nhw'n unigol. 'Wrth gwrs nad ydi letrig yn rhwbath i chwara efo fo, mwy nag ydi *gas* . . . neu lamp baraffîn o ran hynny. Dim ond bod yn ofalus, dyna i gyd. Be sy'n bwysig ydi'r ffaith ein bod ni, fel tenantiaid i Lord Oldbury, yn cael cynnig y letrig 'ma yn ein tai ni, *rŵan*. A hynny'n rhad ac am ddim.'

'Be? Fydd dim rhaid talu am gael gola yn y tŷ?'

'Fydd dim rhaid i ti dalu am osod y weiars ac ati, Twm,' meddai Bob Ellis wrth yr holwr newydd, 'ond wrth reswm mi fydd raid i ti dalu am be fyddi di'n iwsio. Maen nhw'n deud i mi mai rhoi ceiniog neu ddwy mewn mîtar fyddi di wedyn a gofalu peidio gadael y gola ymlaen fwy nag sydd raid i ti. Be ti'n ddeud, Sol?' Roedd o wedi sylwi nad oedd Sol Edwards yn dangos fawr o ddiddordeb yn yr hyn oedd yn cael ei drafod.

'Does gen i ddim barn o gwbwl ar y peth, Bob Ellis, gan nad ydw i'n denant i'r stad . . .'

Dyna pryd y cofiodd y cadeirydd fod Sol yn byw ar gyrion y dre a'i fod o'n berchennog ar ei ddyddyn ei hun.

'. . . A deud y gwir, mae gen i fwy o ddiddordab yn y newydd drwg roeddech chi'n cyfeirio ato.'

Crychodd Bob Ellis ei dalcen, i actio gŵr oedd rŵan yn gorfod rhoi ei sylw i destun mwy difrifol. 'Mae a wnelo hwnnw hefyd â Lord Oldbury, gyfeillion . . . ac mae'n wir ddrwg gen i mai fi sy'n gorfod trosglwyddo'r fath newyddion trist i chi rŵan . . . Rywbryd yn ystod oria mân bora ddoe, mi ddioddefodd Lord Oldbury strôc go fawr ac, yn ôl Evan Jôs Stiward, dydi o ddim yn debygol o ddod trwyddi.'

Daeth sawl 'Wel wel!' a 'Tewch â deud!' oddi wrth y cwmni, cyn i dawelwch dwys gydio ym mhawb; pawb ond y ddau rybelwr bach, oedd yn rhy ifanc i ymdeimlo llawer â'r golled.

'Mae o wedi bod yn gyflogwr teg dros y blynyddoedd,' meddai Bob Ellis ymhen hir a hwyr, yn teimlo'r angen i dalu gair o deyrnged i'w gyflogwr. 'Dipyn tecach na'i dad o'i flaen.'

'Ti'n iawn yn fan'na, Bob,' meddai Abram Jôs, oedd yn eistedd agosa at y llywydd. 'Mae'r Little Lòrd yn amgenach peth na'r Hen Lòrd ei dad, yn reit siŵr.'

'Sut bynnag, gyfeillion,' meddai Bob Ellis dan godi, yn synhwyro bod y corn ar fin eu galw nhw'n ôl at waith, 'allwn ni neud dim mwy na gobeithio'r gora i'r gŵr bonheddig, a chofio amdano fo yn ein gweddïa, bob nos.'

'Ia wir. Ond os ydi'r Lòrd ar ei wely anga, be fydd yn digwydd i'r cynllun letrig?'

'Neith hynny ddim gwahaniaeth, Lei. Yn ôl Evan Jôs Stiward, mae pob dim felly wedi cael ei roi ar y gweill yn barod. Does ond gobeithio y ceith y Lòrd weld gwireddu'i gynllunia'n de?'

'Ia wir,' cytunodd sawl un.

'Cyn y caniad, Bob Ellis, mae gen i gais oddi wrth nifar ohonon ni . . .'

Arhosodd y llywydd ar ei draed i glywed be oedd Sol Edwards ar fin ei ofyn.

'. . . Fi sydd wedi sôn wrth rai ohonyn nhw am yr hyn ddeudodd Twm Ffitar wrtha i, ar y ffordd i'r gwaith bora 'ma. Deud roedd Twm bod cwarfod dirwast go arbennig wedi cael ei gynnal yng nghapal Caersalem nos Sadwrn dwytha 'ma, ac mai i chi'r oedd y diolch am hynny.'

Wnaeth y llywydd ddim byd rŵan ond plygu'i ben yn wylaidd a disgwyl i Sol fynd ymlaen.

'. . . Deud roedd Twm eich bod chi wedi rhoi darlith benigamp iddyn nhw nos Sadwrn ar achosion ac ar hanas y rhyfal. Rhwbath dipyn amgenach, yn ôl Twm, na'r canu a'r adrodd a'r darllan salmau di-ben-draw sy'n mynd ymlaen yno fel arfar. Noson addysgiadol iawn, medda fo.'

'Wel . . .' Roedd Bob Ellis yn gneud ei orau i beidio edrych yn hunanfodlon. 'Roedd Twm Ffitar yn garedig iawn yn deud y fath beth, Sol.'

Gwyddai pob un ohonyn nhw am allu arbennig eu llywydd ac fel roedd o'n cael ei styried yn ddarllenwr mawr; yn hyddysg nid yn unig yn ei Feibil ond hefyd yng ngweithiau awduron dyrys megis Thomas Carlyle a John Bunyan a'u tebyg. Ac roedd yn hysbys i bawb hefyd ei fod o'n darllen *Baner ac Amserau Cymru* o glawr i glawr bob wythnos ac mai ei arwyr mawr oedd dynion fel Abraham Lincoln, William Wilberforce a Robert Owen, y Cymro oedd wedi gneud cymaint i wella byd ei weithwyr a'u teuluoedd i fyny yn Lanark Newydd yn yr Alban. Yng Nghymru, wedyn, rhai fel Morgan Llwyd o Wynedd, Jac Glan y Gors a Syr O. M. Edwards oedd yn cael ei edmygedd. Roedd ei wybodaeth yn ddihareb drwy'r ardal gyfan, ffaith a barodd i rywun rywdro ddeud fod Bob Ellis, pen blaenor Capel Caersalem, yn 'dipyn o hen ben'. A Hen Ben, neu Bob Hen Ben, fuodd o byth ar ôl hynny.

'Gan nad oedd yr un ohonon *ni* . . .' Arwyddodd Sol efo'i law at bawb arall o'i gwmpas. '. . . ac eithrio Abram Jôs wrth gwrs . . . yn bresennol yn y cwarfod nos Sadwrn . . . mwya'r cwilydd i ni, mae'n siŵr! . . . yna rhyw feddwl oedden ni y basach chi'n fodlon traddodi'r un sgwrs, yma yn y Caban . . . yn sbesial i ni fel 'tai.'

'Weeeel!' meddai Bob Ellis, yn amlwg yn falch o'r cynnig ond yn gweld problem yr un pryd. 'Faswn i ond yn rhy barod i neud hynny, Sol . . .' Edrychodd o gwmpas y bwrdd. '. . . ond fasa'r amsar ddim yn caniatáu i mi neud cyfiawndar â'r testun 'dach chi'n gweld, hogia.'

'Rydan ni'n sylweddoli hynny, Bob Ellis.' Roedd Sol, hefyd, wedi rhag-weld yr un rhwystyr. 'Ond fyddai hi ddim yn bosib i chi gyflwyno'ch darlith fesul pennod, fel 'tai? Fel roedd Daniel Owen yn sgwennu'i nofela yn y papur slawar dydd. Chwartar awr heddiw, chwartar awr fory . . . nes bydden ni wedi cael y ddarlith i gyd? Yn de, hogia?'

Daeth murmur cytuno o fysg y criw.

'Ac mi fedren ni fod yn trafod y testun wedyn am ddyddia lawar. Wythnosa, hyd yn oed! Ac fe gâi Abram Jôs, fel ein hysgrifennydd ni, nodi'r cyfan yn y llyfr cofnodion a rhoi adroddiad yn y *Rhedegydd* o wythnos i wythnos . . .'

'Ac yn *Baner ac Amserau Cymru,*' awgrymodd rhywun arall yn gall.

'Ia. Hwnnw hefyd, wrth gwrs,' meddai Sol, yn cynhesu iddi. 'Be 'dach chi'n ddeud, Bob?'

'Iawn ta, Sol. Mi geisia i neud hynny, os mai dyna'ch dymuniad chi. Mi geisia i roi trefn ar betha, fel mod i'n cael cychwyn arni ymhen yr wythnos.'

Dyna pryd y canodd y corn, a chododd pob un i fynd 'nôl i oerni ei dwll-hollti, yn y felin. Y llywydd oedd yr olaf i adael y Caban, a chau'r drws ar ei ôl.

'Mae 'na rwbath mawr yn *bod* arno fo, Bob Ellis . . .'

Roedd Twm Gelli wedi oedi tu allan.

'. . . Sbïwch arno fo, bendith y Tad ichi! Mae o'n llwyd fel llymru ac wedi fferru at fêr ei esgyrn, siŵr gen i. Does bosib nad ydi o'n teimlo'r oerni, ynghanol y fath farrug. Mi fydd cricmala wedi cydio ynddo fo, gewch chi weld, ac mi fydd o'n hen ŵr cyn troi rownd . . . a derbyn na fydd y niwmonia wedi'i hawlio fo ymhell cyn hynny.'

Roedd Twm yn edrych draw tuag at waelod yr Inclên Fach, lai na chanllath i ffwrdd, lle'r oedd ffigwr unig yn eistedd fel delw yng nghysgod haul, a'r barrug yn wyn o'i gwmpas.

'Trist!' oedd y cwbwl fedrai Bob Ellis ei ddeud.

'Fo ydi'r cynta i nôl ei banad bob dydd. Mae o'n ei thywallt hi cyn i'r te gael cyfla i stwytho'n iawn yn y tebot, a fan'cw mae o wedyn yn byw yn ei fyd bach ei hun, fel 'tai o ddim yn teimlo'r oerni nac yn gwbod be sy'n mynd ymlaen o'i gwmpas o. Fel ro'n i'n deud, Bob Ellis, mae 'na rwbath mawr yn bod ar yr hogyn.'

'Effeithia'r rhyfal, Twm! Dyna sy'n bod arno fo. Effeithia'r rhyfal! Mae'r peth yn drist.'

'Ia. Dyna mae Jim fy mrawd yn ddeud hefyd, ac fe ddylia fo wbod, a fynta wedi bod trwy'r drin ei hun. Ond be sy'n rhyfadd, Bob Ellis, ydi bod hwn . . .' ac amneidiodd i gyfeiriad yr adyn yn yr oerni, 'wedi cael gwaith yn syth, tra bod Jim ac eraill sy'n . . . sy'n . . .'

Roedd yn ymwybodol bod yn rhaid iddo ddewis ei eiria'n ofalus. '. . . sy'n iach o gorff a meddwl, yn methu cael gwaith o gwbwl.'

Nodiodd Bob Ellis ei ben i ddangos ei fod yn dallt.

'. . . A phan eith o'n ôl i'r felin rŵan, mi fydd o wrthi'n hollti a naddu yn fan'no, fel lladd nadredd, o hyn tan ganiad pump o'r gloch, heb ddeud yr un gair wrth neb na dim. 'Dach chi wedi'i weld o drosoch eich hun, Bob Ellis! Mae o fel 'tai o ar grwsâd. Does dim digon o gerrig* iddo fo'u cael.'

'Mi wn i, Twm. Dwi wedi sylwi. Ar y dechra, wrth ei weld o'n rhuthro trwy'i waith, doedd gen i mond ofn gweld ei fysedd o'n mynd i'r gyllall, ond erbyn rŵan dydw i ddim yn poeni cymaint, oherwydd mae o i'w weld yn fwy nag abal. Beth bynnag arall sy'n bod arno fo, mae'r bachgan yn amlwg yn chwarelwr penigamp. Fe gâi hynny ei ddeud amdano fo pan oedd o'n gweithio yn y Felin Ganol, cyn iddo fo fynd i'r rhyfal. Dyna, meddan nhw, sut y cafodd o ei waith yn ôl yma mor fuan ar ôl dod adra, a pham bod Dafydd Owen, yr hen Lygad y Geiniog, wedi bod mor barod i'w gymryd o'n bartnar; am fod gair mor dda iddo fo fel gweithiwr. Fel ti'n deud, mae llawar o'r hogia – a Jim dy frawd yn eu mysg, dwi'n gwbod – yn dal i ddisgwyl am waith, ddeufis a mwy ar ôl dod adra'n ôl. Ond rwyt ti'n iawn, Twm, mae Rhys Lòrd Bach yn gweithio'n rhy gyflym o lawar er ei les. Sut bynnag, mi a' i draw i gael gair efo fo rŵan, i'w atgoffa fo bod y corn wedi canu.'

Gwahanodd y ddau ac anelodd Twm Gelli'n ôl am y felin gan adael Bob Ellis i brysuro draw at y llanc oedd yn dal i eistedd fel delw yn oerni'r barrug. Ond

* *h.y. cerrig i'w hollti a'u naddu*

hyd yn oed wedi i Bob Ellis ei gyrraedd, a sefyll wrth ei
ysgwydd, daliai Rhys Lòrd Bach i syllu'n syth o'i flaen
trwy lygaid llonydd.

'Yfaist ti mo dy de, Rhys.'

Roedd y mygaid o de gwan, cyn iddo fo oeri, wedi
gneud nyth bychan glas iddo'i hun ar wyneb y garreg.
Yn ymyl hwnnw safai tun bwyd gwag, a thu draw iddo
gwelodd Bob Ellis siapiau yn y barrug, wedi cael eu
gneud efo blaen bys. Llun tanc oedd un. Gwn mawr
oedd y llall, efo magnel yn saethu allan o'i faril hir. Ar
yr olwg gynta, gwaith llaw plentyn oedd y lluniau ond
fe wyddai Bob Ellis yn amgenach. Gwyddai fod llawer
o ing ynddyn nhw'n ogystal. Yr hyn a roddodd fwyaf
o sgytwad iddo, fodd bynnag, oedd gwedd glaer-ulw-
wyn y gŵr ifanc ei hun, a'r barrug eisoes wedi dechra
magu dros ddüwch ei wallt a'r blew trwchus o dan ei
drwyn.

'Y peth tebyca i gorff marw ar ei eistedd!' meddai'r
hen chwarelwr wrtho'i hun. Yna'n uchel wrth y gŵr
ifanc oedd yn edrych flynyddoedd yn hŷn na'i oed,
'Dwi isio picio 'nôl i'r Caban, Rhys, i nôl rhai petha.
Ddoi di efo fi, 'rhen foi?'

Wrth deimlo llaw ar ei ysgwydd, daeth mab Alis
Lòrd Bach allan o'i freuddwyd bell ac yna, heb air y
naill ffordd na'r llall, anelodd ei draed am y Caban,
gam neu ddau ar y blaen i Bob Ellis.

'Tra'r wyt ti'n cnesu wrth y stôf,' meddai hwnnw,
wedi iddyn nhw gyrraedd, 'mi bicia i draw i'r felin,
rhag ofn i'r Stiward alw heibio.'

Ond prin ei fod o allan drwy'r drws nad oedd Rhys
Lòrd Bach wrth ei sodla, ac yna'n martsio heibio iddo,
ar frys mawr. Ac erbyn i Bob Ellis gyrraedd ei dwll-
hollti ei hun yn y felin, roedd Rhys eisoes wedi setlo ar

ei flocyn tin, efo morthwyl mewn un llaw, cŷn manollt yn y llall, a chlwt o garreg las rhwng ei ddau ben-glin yn barod i ddechra hollti.

'O wel!' meddyliodd y chwarelwr oedrannus. 'Mi wnes i 'ngora, am wn i.' Yna trodd at Abram Jôs yn y twll-hollti agosa ato. 'Dwi'n poeni am y bachgan, Abram. Mae peryg iddo fo neud niwad mawr iddo fo'i hun. Dwi wedi trio egluro i Ifan Garn, tad yr hogyn, ond dydi hwnnw ddim fel 'tai o'n cymryd yn ei glust, rywsut. Mae gen i ofn bod Ifan yn dal dig tuag ata i o hyd, wyst ti. Byth ers i Elsi'i ferch gael ei thorri allan o'r seiat! Mae o'n rhoi y bai i gyd arna i, fel pen blaenor, mae'n siŵr. 'Tai o ond yn gwbod, Abram! Mi wnes i ngora i ddadla achos yr hogan. Petawn i gallach o neud hynny, wrth gwrs! Mi fedri di ddychmygu pa mor anodd oedd cael amball aelod – heb sôn am amball flaenor! – i gytuno efo fi. Sut bynnag, fy nhrechu gês i. Yng ngolwg rhai ohonyn nhw, roedd Elsi druan . . . chwaer y Rhys 'ma . . . wedi cyflawni'r pechod gwaetha posib.'

'A does dim maddeuant i fod, mae'n siŵr,' meddai Abram Jôs efo gwên fach drist. 'Ond paid â phoeni, Bob. Mae 'na ddigon o rai tebyg iddyn nhw yng nghapal Carmel 'cw hefyd, sti.'

'Oes, mae'n siŵr. Sut bynnag, dwi'n meddwl mai cael gair efo mam yr hogyn fasa ora imi. Fel y gwyddost ti, Abram, mae Alis Lòrd Bach yn hogan gall iawn, ac yn gwbod sut i gadw'i hurddas. Hynny'n bluan go fawr yn ei het hi, ddwedwn i, o gofio na chafodd hi erioed fam i'w magu hi. Os medra i gael gair efo hi rhwng rŵan a'r Sul, ynglŷn â Rhys, yna mi fydd fy nghydwybod i'n esmwythach o gymaint â hynny.'

*   *   *

42

Ar ei ffordd adre ddiwedd y pnawn, yng nghwmni Abram Jôs a Ted Evans, fe gafodd Bob Ellis achos i ail-adrodd ei benderfyniad. Uwchlaw sŵn trichan pâr o sgidia hoelion, clywodd lais treiddgar Rhys Lòrd Bach yn gweiddi gorchmynion dwl. *'Keep in step! That's an order, soldier!'* Yna, *'Fix bayonets! We go over the top at dawn!'* Yna, mwya sydyn, fe roddodd yr arthio le i nodau hapus *'When Johnny comes marching home again . . .'* Ac wrth i ddau neu dri o rybelwyr bach ymuno yn yr *'Hurrah! Hurrah!'* tybiodd Bob Ellis mai cymysgedd o ofn a rhyddhad, yn hytrach na sbòrt, oedd i'w glywed yn eu lleisia.

'Mae'n bechod drosto fo, hogia.'

'Ydi,' cytunodd Abram Jôs. 'Biti garw dros ei rieni fo hefyd.'

Ddaru Ted Evans ddim ymateb ar ei union. Yna, mewn llais tawel, 'O leia fe gafodd o ddod adra!' medda fo.

Dyna pryd y cofiodd y ddau arall fod Ted wedi colli un o'i feibion ym misoedd cynnar y rhyfel. Tawedog fu'r tri ohonyn nhw wedyn.

Rhif 1, Stryd Lòrd Bach

Roedd Alis wedi llwyddo i gadw ffagal o dân i fynd drwy'r dydd, trwy'i 'huddo fo bob hyn a hyn â llwch glo, a thaflu dail te o'r tebot yn wlych dros y cyfan. Rŵan, wrth glywed sŵn traed y dynion yn dod i lawr o'r chwarel, gwthiodd brocar drwy'r crystyn myglyd fel bod aer yn cael tynnu ar yr ychydig gochni oedd yn dal yno. Ar unwaith, saethodd fflamau siriol i fyny am y simnai a thrawodd Alis ddau glap sylweddol o lo gloyw yn eu canol. Aeth wedyn i gynnau'r lamp baraffîn ar y bwrdd. Roedd yn bwysig bod y dynion yn dod adre i rywfaint o gysur ar ôl bod yn fferru yn y chwarel drwy'r dydd. Sosbenaid o botes poeth oedd yn eu haros heno, ond heb damaid o gig ynddo, gwaetha'r modd. Yna, dysglaid o bwdin reis i ddilyn; hwnnw wedi treulio pnawn cyfan yn y popty bach, yn magu trwch bendigedig o groen melynfrown.

'Mae'n hen bryd i'r Llywodraeth ddod â'r *food control* 'ma i ben,' meddai hi wrthi'i hun, wrth gofio'i hymweliad â siop Guto Jenkins Bwtsiar yn gynharach y pnawn. Os oedd coel ar hwnnw, roedd perchnogion lladd-dai yn dal i orfod anfon *returns* wythnosol i'r *Food Office* a phob cigydd yn dal i orfod cadw *register* o bob dim roedd o'n werthu, er bod y rhyfel wedi dod i ben ers tri mis a mwy. A doedd hi'n ddim gwell ar y ffarmwrs chwaith, yn ôl pob sôn, oherwydd roedd Lord Rhondda wedi gorchymyn unwaith eto na chaen nhw ddim lladd yr un anifail heb roi o leia wythnos o rybudd o'u bwriad i'r *Local Food Committee*. Gymaint yr addewidion y ceid gweld petha'n gwella, unwaith y deuai'r rhyfel i ben ac y câi'r llongau marsiandïol lonydd oddi wrth longau rhyfel y Jyrmans! Digonedd o fwydydd yn y siopau wedyn. Dyna'r addewid! 'Hy! Addewidion gwag, pob un ohonyn nhw!' meddai Alis wrthi'i hun yn chwerw.

Roedd hi wedi cael dydd Llun prysur, fel pob dydd Llun arall. Wedi bwydo'r ieir, yna blacledio'r grât a gloywi tipyn ar y ffendar, fe aeth gweddill ei bore i neud y golchi. Do, fe gafodd hi rywfaint o help gan Elsi'i merch ar y sgrwbin ac i droi'r mangl, tra bod Josh ei thad yn cadw golwg ar Huw Bach, yn ei grud, drws nesa, ond tywydd sychu digon pethma fu hi drwy'r dydd. O fewn awr i'w rhoi ar y lein, roedd pob dilledyn llonydd wedi rhewi'n gorn, ac o weld hynny, fe benderfynodd Alis ddod â'r cwbwl yn ôl i'r tŷ, i'w taenu dros y ceffyl pren oedd yn hongian uwch y lle tân. Ac yn fan'no roedden nhw wedi araf ddadmer, i ollwng eu diferion o uchder yr hòrs ddillad i'r crwc sinc a osodwyd ganddi ar y coco-matin oddi tanynt.

Yn ôl ei harfer, roedd hi hefyd wedi picio drws-nesa-ond-un i nôl ychydig ddillad budron yr Eos ac i neud ffagal o dân iddo ynta, erbyn pan godai. Roedd yr hen gymydog yn tynnu am ei bedwar ugain oed erbyn hyn ac yn un o drigolion hynaf Blaendyffryn, siŵr o fod. Ond er ei fod o'n wyneb cyfarwydd i bawb yn y cylch, doedd neb a'i galwai wrth ei enw bedydd. 'Yr Hen Eos' neu 'Eos y Dyffryn' oedd o i bawb, sef yr enw eisteddfodol y cafodd ei urddo ag ef yn Arwest Glan Geirionnydd, slawer dydd.

Cystadlu mewn eisteddfoda mawr a mân fu diléit yr Eos erioed, ac os llwyddai i ennill ambell ddeuswllt neu hanner coron yn y fargen, yna byddai hynny'n achos dathlu go iawn. Dathlu dwbwl os llwyddai ei gydymaith eisteddfodol i neud rhywbeth tebyg.

Moelfardd oedd y cydymaith hwnnw, prydydd oedd yn cystadlu am bob gwobr lenyddol oedd yn mynd, ac fe gâi'r ffaith honno ei hedliw iddo'n gyson yn y wasg leol gan ei arch-elyn barddol, Moelwydon. Yn ôl Moelwydon, doedd Moelfardd yn ddim amgenach na rhigymwr-talcen-slip, yr hyn a brofid, meddai, gan ei ddiffyg llwyddiant o steddfod i steddfod.

Os oedd cythral canu rhwng corau a bandiau pres y cylch, roedd digon o gythral barddol yno hefyd!

Ar droed – neu efo'r *trên ddau*, chwedl ynta – yr arferai'r Eos a'i gyfaill fynd i bob steddfod, waeth beth

fyddai'r pellter na'r tywydd, ac amal i waith y clywodd
Alis, wrth orwedd yn effro yn oriau mân y bore, giât yr
Eos yn agor a chau a sŵn ei gamau ansicir wedyn ar
gerrig glas y llwybyr at ddrws ei dŷ.

Ond dyddia wedi mynd heibio oedd y rheini hefyd,
bellach. Erbyn heddiw, roedd Moelfardd yn ei fedd, a'r
Eos ei hun yn rhy fusgrell i fentro hyd yn oed cyn
belled â Steddfod Nadolig Capel Caersalem, bellach.

Brechdan grasu a thamaid o gaws a gafodd Alis i'w
chinio. Yna, i lawr i'r Coparét i weld be oedd gan
fan'no i'w gynnig, ac ymlaen wedyn i siop Guto
Jenkins Bwtsiar, yn y gobaith o gael tamaid o goes las
i'w roi yn y potes. Ond ei siomi a gafodd hi. Roedd y
siop wedi cau. A chofiodd mai tridia'n unig o'r
wythnos y câi bwtsieriaid fod ar agor y dyddia yma, a
bod y *Food Control Committee* yn cadw llygad barcud ar
y lladd-dai. Doedd yr un bwtsiar byth yn brin o gwyno
am y sefyllfa. Ond cwyno wrth eu cwsmeriaid a wnaen
nhw bob amser; byth wrth y rhai oedd yn gweinyddu'r
drefn.

Er bod y siop wedi cau, roedd Guto Jenkins ei hun
yn digwydd bod i mewn yno, yn sgwrio'r cownter
pren. 'Galwa bnawn fory, Alis,' medda fo, cyn iddi gael
gofyn dim. 'Dwi'n disgwyl anifail neu ddau i'r lladd-
dy, min nos heno. Fe ddylia fod gen i damaid o bòrc
go neis iti erbyn fory. Ac mi ofala i am asen fras i fynd
efo fo.'

'Diolch yn fawr.'

Fyddai'r asen fras yn costio dim iddi, wrth gwrs, ac
mi fyddai Guto Jenkins wedi gofalu gadael mwy nag
arfer o gig ar yr esgyrn.

Oedd, roedd hi'n cael ffafriaeth ganddo. A rheswm
da pam! Onid hogyn i frawd y bwtsiar oedd tad

plentyn Elsi? Tad Huw Bach! Ac onid oedd y dewyrth yn teimlo rhywfaint o euogrwydd ar ran ei nai, gan mai chydig iawn o edifeirwch a ddangosodd y cena hwnnw erioed, ym marn Alis.

Deilliodd un fendith arall o'i thrip i lawr i'r Stryd Fawr y pnawn hwnnw. Fel roedd hi'n camu allan o siop wag y bwtsiar, pwy ddaeth wyneb yn wyneb â hi ond Laura, gwraig Harri Hughes y Band, ac fe fanteisiodd Alis ar ei chyfle.

'Deudwch i mi, Laura Huws! Ydi Mustyr Huws yn bwriadu galw'r band at ei gilydd yn o fuan?'

'Mae'n siŵr y gneith o mewn amsar, ond ddim ar hyn o bryd, Alis. Pam ti'n gofyn?

'Meddwl cael gair efo fo ynglŷn â'r corn sydd acw, dyna i gyd.'

Nodiodd Laura Hughes ei phen yn ddwys rŵan, fel petai hi'n dallt trywydd Alis. 'Mae Harri'n ymwybodol y bydd yn rhaid iddo fo neud rhwbath yn weddol fuan, wrth gwrs, ynglŷn â'r offerynna. Ond rhyw daflu'r peth heibio mae o, o hyd. Ti'n gweld, Alis, cyn y medar o ailffurfio'r band, mi fydd yn rhaid iddo fo fynd o gwmpas tai yr hen aeloda, i ofyn am yr offerynna'n ôl. A dyna sy'n stwmp ar ei stumog o, ti'n dallt, oherwydd mi fydd raid iddo fo guro ar ddrysa pobol fel Annie Powal a Jane Llety'r Allt, i ofyn am iwffoniym Gwyn y mab a thrombôn Dic y gŵr yn ôl. Sut mae o'n mynd i neud peth felly, medda chdi, o gofio na ddôth Gwyn Powal na Dic Llety'r Allt – yr un o'r ddau – yn ôl o Ffrainc?'

'Fydd hi ddim yn hawdd, Laura Huws, ond . . .'

'Mi ddeuda i gymaint â hyn wrthat ti, Alis . . .' Roedd yn amlwg bod y wraig hŷn isio cael bwrw'i bol cyn gwrando ar be oedd gan Alis Lòrd Bach i'w ofyn.

'Mae'r hen ryfal 'na wedi gneud Harri'n ddyn chwerw
ar y naw, cofia. Wyddost ti, ar fin nos weithia, mi
ddaw allan mwya sydyn efo rhwbath fel *Diawl erioed,
Laura! Dwi wedi colli rhai o'm hogia gora, sti.* Ac mi eith
ymlaen i sôn am hwn-a-hwn wedi'i ladd a hwn-ac-
arall wedi colli braich neu goes. *Sut gythral mae disgwyl
i hogia un fraich chwara cornet neu drymbôn? Sut ddiawl
mae dynion un goes yn mynd i fartsio mewn na chymanfa
na charnifal byth eto?* Ti'n gwbod dy hun, Alis, na fydda
fo byth yn rhegi ers talwm. Ond rŵan does dim dal
arno fo. Mae o fel 'tasa fo'n cael ei gorddi gan y peth, a
dwi'n poeni'n ei gylch o, i ti gael dallt.' Edrychodd
draw am eiliad, fel petai hi'n sylweddoli ei bod hi wedi
deud mwy nag oedd raid. Yna edrychodd eto i fyw
llygaid Alis. 'Pam oeddat ti'n holi, beth bynnag?'

'Mae gen inna 'mhryderon hefyd, Laura Huws, fel y
gwyddoch chi dwi'n siŵr. Cyfeirio rydw i at be sydd
wedi bod yn digwydd bob bora, yr wsnos ddwytha
'ma.'

Sylwodd y wraig hŷn fod Alis yn cael trafferth
rheoli'r cryndod yn ei llais.

'Dwi'n cymryd mai cyfeirio rwyt ti at y chwythu
corn ben bora. Do, dwi wedi clywad rhai'n deud mai
Rhys chi sydd wrthi. Ond mae pawb yn dallt, Alis, mai
ei salwch o sy'n gyfrifol.'

Er mai cynnig cysur oedd bwriad Laura Hughes, eto
i gyd fe gafodd Alis Lòrd Bach dipyn o sgytwad wrth ei
chlywed hi'n defnyddio'r gair *salwch*. Hyd yma, doedd
hi ddim wedi styried cyflwr Rhys yn salwch fel y
cyfryw. Wedi'r cyfan, roedd ei mab hi'n dal i fod yn
gryf o gorff ac yn weithiwr heb ei ail. Ac roedd ganddo
fo archwaeth iach am fwyd bob amser. Rhy iach yn
amal! Ac os oedd o'n ymddwyn yn od ar adega, wel

doedd hynny ond i'w ddisgwyl, o styried y profiada roedd o wedi'u cael yn erbyn y Jyrmans. Ond iddo fo ddod i arfar efo bywyd normal unwaith eto, ymysg ei deulu a'i ffrindia, yna buan y deuai Rhys yn ôl i'w iawn bwyll. Neu felly roedd hi wedi cysuro'i hun hyd yma, beth bynnag. Ond rŵan dyma'r gair *salwch* gan Laura Hughes yn disgyn fel huddug i botas ac yn corddi'r hen ofnau yn ei hisymwybod hitha.

'Dydw i ddim yn siŵr os *ydi* pawb yn dallt, Laura Huws. Dyna pam mod i wedi'ch holi chi ynglŷn â'r band, a pham mod i mor falch o glywad bod Mr Huws yn bwriadu hel yr offerynna at ei gilydd. Be liciwn i fasa cael dod â chornet Rhys draw acw heddiw, os ydi hynny'n iawn efo chi.'

'Ia, gwna di hynny, Alis! Ond mi fydd Harri'n awyddus i Rhys barhau'n aelod o'r band, cofia, unwaith y penderfynith o ailgychwyn petha. Dwi wedi'i glywad o'n deud fwy nag unwaith mai dy fab di oedd un o'r chwythwrs gora oedd ganddo fo yn yr hen fand.'

'Mi geith Rhys blesio'i hun ynglŷn â hynny, Mrs Huws. Ond am rŵan, mi faswn i'n ddiolchgar tu hwnt pe bawn i'n cael deud wrth Rhys bod Mr Huws, trwyddoch chi, wedi *gofyn* am y cornet yn ôl. A mod i wedi'i roi o ichi. Dydi deud rhyw gelwydd bach gola fel'na ddim yn bechod, does bosib.'

'Gwna di hynny ar bob cyfri, Alis. Mi fydd Harri'n dallt yn iawn.'

Fel rheol ar bnawn Llun, gartre'n smwddio y byddai'r rhan fwya o'r gwragedd, ond roedd rhew neithiwr wedi drysu cynllunia llawer iawn ohonyn nhw ac oherwydd hynny roedd y Stryd Fawr yn llawnach nag yr arferai fod. O ganlyniad, fe gafodd

Alis ei chadw i sgwrsio gan hon ac arall. Nid bod fawr o amrywiaeth yn yr hyn a gâi ei ddeud, chwaith. Cwyno'r oedd pob un ohonyn nhw, os nad am galedwch y tywydd yna am galedi'r oes, y cyfloga bach a'r prinder oedd mor amlwg ar silffoedd y siopau.

Erbyn galw efo Elsyn Teiliwr, i agor cyfri tuag at gael trowsus melfaréd i Ifan ei mab, ac yna yn siop y crydd, i hwnnw osod dwy glèm newydd ar esgidia-min-nos Ifan ei gŵr, roedd yn tynnu at amser te. Roedd y criw plant arferol yn llenwi Lòrdstryd efo sŵn eu chwarae, rhai o'r hogia'n cynnal cystadleuaeth chwipio top, dau arall yn ffraeo hyd at daro bron ynghylch gêm farblis, a nifer o genod naill ai'n sgipio neu'n chwarae London.* Prysurodd Alis heibio iddyn nhw i gyd ac yn ôl i'r tŷ, i estyn y cornet o lofft Rhys. Fe gâi Ifan, pan gyrhaeddai adre o'r ysgol – pryd bynnag fyddai hynny! – fynd â'r offeryn i dŷ Harri Huws ac fe gâi hitha, wedyn, awr go dda i boeni ynghylch ymateb Rhys pan gâi hwnnw glywed be oedd wedi digwydd.

Roedd y pryder yn dal ar ei meddwl am bump o'r gloch, pan ganodd corn y gwaith ac y dechreuodd y dynion lifo i lawr o'r chwaral. Gwrandawodd Alis ar sŵn trwm eu traed ar y llwybyr, a'r sŵn hwnnw'n cynyddu fel sŵn byddin yn dod o bell. Ac fel roedd y rhai cynta ohonyn nhw'n mynd heibio talcen y tŷ, dechreuodd y cryndod arferol oedd yn peri i'r llestri ysgwyd ar silffoedd y dresal. Chwarelwyr y Bonc Isa oedd y ceffyla blaen, fel rheol, wedyn deuai criw'r Bonc Ganol ac yna, yn olaf, hogia'r Bonc Ucha, gan fod gan y rheini fwy o bellter i'w gerdded na neb arall.

* 'hopscotch'

50

Felly, yn ôl trefn petha, fe ddylai Ifan ei gŵr, er gwaetha'i gloffni, gyrrraedd adre o flaen Rhys bob dydd. Ond nid dyna oedd yn digwydd, byth. Rywsut neu'i gilydd, fe lwyddai Rhys i gyrraedd y tŷ o leia bum munud o flaen ei dad bob dydd. Hynny'n golygu ei fod yn brasgamu'r holl ffordd i lawr o'r Bonc Ucha ac yn gwthio neu yn gwau ei ffordd heibio'r dynion eraill ar y llwybyr, fel 'tai o isio bod ar y blaen i bawb. Ia, rhan o'i *salwch* oedd peth felly, hefyd! 'Pa bwynt gwadu, bellach?' meddai hi wrthi'i hun.

Yna, fel petai o am gystadlu â llestri'r dresel, dechreuodd caead y sosban sgrytian wrth i'r potas godi berw unwaith eto.

Wrth blygu i edrych y pwdin reis yn y popty bach, tybiodd Alis ei bod hi'n clywed sŵn canu o bell. Rhai o'r dynion yn canu wrth ddod i lawr Llwybyr y Chwarel? Tybed? Doedd peth felly ddim yn arferol; ddim ar ôl diwrnod caled o waith! Aeth i agor y drws cefn i wrando, a gweld Rhys yn camu'n gefnsyth orchestol i lawr llwybyr yr ardd, tuag ati. Roedd ei wyneb esgyrnog o liw pwti oer a doedd y gwyll ddim yn gallu cuddio'r cleisia duon o gylch ei lygada llonydd. Teimlodd Alis ei chalon unwaith eto'n gwaedu dros ei mab.

Os *bu* canu, roedd hwnnw wedi peidio erbyn rŵan, beth bynnag!

Camodd o'r neilltu i Rhys gael gwthio heibio iddi, i'r tŷ.

'Sut ddiwrnod gest ti?'

'*All quiet on the Western Front!*' medda fo ac, wedi'r cyhoeddiad, aeth i eistedd ar y coco-matin o flaen y tân a dechra llwytho baco i fowlen ei getyn clai.

Ysgydwodd Alis ei phen mewn gwewyr anobaith a phenderfynu peidio crybwyll Harri Huws na'r corn nes i Ifan ei gŵr gyrraedd adre. Ond pan gerddodd hwnnw i mewn, rai munuda'n ddiweddarach, roedd ei wyneb ffidil yn deud wrthi bod rhywbeth wedi'i yrru ynta hefyd oddi ar ei echel.

'Mae'ch swpar chi'n barod pan 'dach chi,' meddai hi'n swta a throi draw, i sychu deigryn o gornel ei llygad. Ac wrthi'n bwyta roedd y ddau pan gerddodd Ifan Bach i'r tŷ, a'i wyneb yn wên o glust i glust. 'Diolch am gael gweld rhywun yn gwenu,' meddai'r fam wrthi'i hun.

'Newydd weld Thomas Rees Gernant, Dad!'

'Be ddeudodd o?'

'Deud ei fod o'n fodlon fy nghymryd i, cyn bellad â bod ei ddau bartnar yn y Twll yn cytuno. Mi geith air efo rheini fory, medda fo.'

Dalltodd Alis yn syth be oedd yn mynd ymlaen. Roedd Ifan ei gŵr wedi awgrymu i'r hogyn pwy fasa'n fwya tebygol o'i gymryd o fel rhybelwr bach.

'Fydd hynny ddim yn broblem, gei di weld. Mae Ellis, un o bartneriaid Twm Rees, yn hen stamp iawn, a mae o'n siŵr o gytuno. Nid yn unig hynny ond mae o mewn bargan go dda ar y funud, yn ôl pob sôn. Dydi Twm Rees byth yn brin o gerrig, beth bynnag.'

Syllodd Alis yn hir ar ei gŵr ond roedd hwnnw'n osgoi ei llygaid hi bob gafael, fel tae o'n euog o fod wedi gweithredu tu ôl i'w chefn. 'Tyrd at dy fwyd, wir, hogyn!' meddai hi'n ddiamynedd wrth ei mab.

'Ddeudodd o rwbath arall wrthat ti?'

'Fel be 'lly, Dad?'

'Ddaru o ddim gosod amoda o ryw fath?'

Daeth y wên yn ôl i wyneb Ifan Bach. 'Roeddach chi'n gwbod, mae'n siŵr? Dyna pam ddaru chi awgrymu Thomas Rees Gernant, ia? Am eich bod chi'n gwbod y basa fo'n gosod telera.'

Wrth weld cysgod gwên yn cyffwrdd gwefus ei gŵr, cyffrowyd chwilfrydedd Alis. 'Telera? Pa delera, yn enw'r Tad?'

'Mae o'n barod i nghymryd i, ar yr amod fy mod i'n dal i fynd i'r Ysgol Sul . . .'

'Twt!' medda hitha'n ddiamynedd. 'Fasa'r cwestiwn hwnnw ddim yn codi, beth bynnag. Fasa fo?'

'Na fasa, wrth gwrs. Ond roedd ganddo fo amod arall hefyd, Mam.'

'O?'

'Gan y bydda i'n gorffan yn 'rysgol, yna mi fydd raid i mi ddechra mynychu Ysgol Nos, medda fo. Roedd o'n awgrymu mod i'n dysgu *short hand* fel mod i'n cael *qualifications* i neud gwaith amgenach na gwaith chwaral ryw ddiwrnod. Ac mi fydd o'n disgwyl i mi neud defnydd o'r Llyfrgell a'r *Reading Rooms* medda fo, a darllan y *classics* i gyd. Roedd o'n falch o glywad mod i wedi darllan *Treasure Island* a *Pilgrim's Progress* yn barod, a llyfra Mark Twain i gyd.'

Edrychodd Alis ar ei gŵr ac adnabod yr olwg hunanfodlon ar wyneb hwnnw. Roedd o wedi trafod petha ymlaen llaw efo Thomas Rees Gernant, felly. 'Diolch am synnwyr cyffredin pobol fel Thomas Rees, ddeuda i,' meddai hi, a thaflu gwên sydyn i gyfeiriad ei gŵr, i ddangos ei bod hi wedi dallt. Dim ond problem y corn oedd yn aros rŵan. Trodd eto at ei mab ienga. 'Deuda i mi, Ifan,' meddai hi, yn ddigon uchel i bawb glywed, 'be oedd gan Harri Huws y Band i'w ddeud, pan est ti â'r corn yn ôl iddo fo?'

'Dim ond diolch,' meddai Ifan yn ddiniwed, 'a deud y basa fo'n gadal i Rhys wbod pryd y bydd y practusys yn ailddechra.'

Disgwyliai Alis weld rhyw fath o ymateb oddi wrth

y mab hynaf ond doedd hwnnw ddim fel petai o'n cymryd yn ei glust o gwbwl.

'Gweld Laura Huws yn Stryd, pnawn 'ma, wnes i,' eglurodd Alis i'r ddau ddyn. 'Hi'n deud bod Harri Huws yn bwriadu ailgychwyn y Band yn o fuan a'i fod o'n hel yr offerynna i gyd at ei gilydd, fel bod trefn at y practus cynta. Mi ddaru mi addo y basa Ifan 'ma – ar ôl iddo fo ddod adra o'r ysgol – yn mynd â dy gorn di draw iddo fo, Rhys. Roedd yn iawn imi neud hynny, gobeithio?'

'Oes 'na ragor o botas? . . .'

Gollyngodd Alis Lòrd Bach ochenaid fechan o ryddhad a chydio ym mowlen ei mab hynaf, i'w haillenwi. Doedd petha ddim cyn ddued wedi'r cyfan!

'. . . A mwy o *bully beef* ynddo fo, tro yma!'

Rhif 4, Stryd Lòrd Bach

'Mae Ifan Ly . . . Lòrd Bach wedi cy . . . cael lle'n chwaral, medda *fo*.'

Cododd Gaenor Goch ei golygon wrth synhwyro'r eiddigedd yn llais ei mab, a'i weld yn syllu'n bwdlyd i'r tân.

'Sut ti'n gwbod?'

'Newydd fod yn shy . . . siarad efo fo rŵan. Roedd o jy . . . jest â thorri'i fol i gael dy . . . deud wrtha i. Thomas Rees Gy . . . gernant wedi cytuno i'w gy . . . gymryd o, medda fo. Dy . . . diawl lwcus!'

'Sdim isio rhegi! . . . Lle mae'r Thomas Rees Gernant 'ma'n gweithio, 'lly?'

'Bonc Isa Chy . . . chwaral Lòrd.'

O ran oed, tridia'n unig oedd rhwng Gwil Goch ac Ifan Lòrd Bach ac, o gael gwaith, roedd y ddau'n bwriadu gadael yr ysgol efo'i gilydd ymhen y mis.

'Rhaid i ti drio'n gletach, dyna i gyd,' meddai Gaenor, gan wthio'i bysedd fel crib trwy'i gwallt coch trwchus, i'w yrru'n ôl o'i llygaid ac oddi ar ei thalcen. 'Dwi'n deud wrthat ti rŵan, cofia! Chei di ddim gadal 'rysgol nes dy fod ti wedi cael lle. Fedra i ddim fforddio dy gadw di adra, yn gneud dim. I bwy wyt ti wedi gofyn, beth bynnag?'

'Dwi wedi gy . . . gofyn i amryw yn Chy . . . chwaral Llechwadd, ond doedd neb yn by . . . barod i nghymryd i. Deud nad ydyn nhw'n cael dy . . . digon o gy . . . gerrig iddyn nhw'u hunain heb sôn am fy . . . fedru cadw rhybelwr bach mewn cy . . . cerrig hefyd.'

'Sut mae hogyn Alis wedi bod mor lwcus ta?'

'Sut gwn i? Py . . . petha'n well yn Ly . . . lòrd nag yn Lly . . . lly . . . llechwadd, falla. Ond i Lly . . . llechwadd dwi isio mynd, Mam.'

'Wel rhaid iti drio'n gletach ta, dyna i gyd.'

''Dach chi di dy . . . deud hyn'na'n barod, ddy . . . ddynas!' meddai'r hogyn yn flin, wrth i'w siom gael y gorau arno. Roedd y brychni ar groen gwelw'i wyneb yn amlwg yng ngolau'r tân.

'Paid ti â chodi dy lais ata i, machgan i!' Taniai llygaid y fam hefyd, rŵan. 'Os na chei di le yn y chwaral, yna fydd gen ti ddim dewis ond chwilio am waith yn un o'r siopa.'

Tro'r mab oedd codi'i olygon rŵan, ac edrych yn anghrediniol ar ei fam. 'Be? Jy . . . job tu ôl i gy . . . gowntar 'dach chi'n feddwl?'

'Hynny neu waith cario allan. Pam nad ei di i holi manejyr y Coparét?'

'Cy . . . calliwch wir Dduw, ddy . . . ddynas! Dwi'n dy . . . dy . . . deud hyn wrthach chi rŵan: Welwch chi my . . . mo'no i'n mynd ar fy . . . feic o dŷ i dŷ efo

negeseua py . . . pobol. Lle yn y chy . . . chwaral dwi
isio. Gy . . . gwaith dyn!'

'Wel byhafia fel dyn ta, yn hytrach nag ista'n
fan'na efo dy ben yn dy blu! Fel dwi 'di deud yn barod
– a phaid ti â meiddio edliw hynny imi'r eilwaith! – os
mai gwaith yn chwaral wyt ti isio, yna pa ddewis sy
gen ti ond trio'n gletach? *Y ci a gerddo a gaiff,* chwedl
yr hen Eos-drws-nesa. Ac fe ddyla fo wbod!' Oedodd
Gaenor yn ddigon hir rŵan i glywed ei mab yn
mwmblan cytuno. 'Ac os mai methu cael lle yn
Chwaral Llechwadd wyt ti, yna pam nad ei di i holi yn
rhai o'r chwareli erill? Duw a ŵyr, mae 'na ddigon
ohonyn nhw yn y cylch. Pam nad Chwaral Lòrd? Mae
hon'no ar garrag ein drws ni. Ac os ydi hi'n ddigon da
i hogyn Alis Lòrd Bach, yna mae hi'n ddigon da i titha
hefyd, siawns.'

Pe bai'n onest, byddai Gwil Goch wedi cyfadde
rŵan, iddo fo'i hun ac i'w fam, pam bod Chwarel
Llechwedd yn apelio mwy iddo fo na Chwarel Lòrd. O
gael gweithio yn Llechwedd – neu yn y Chwarel Fawr
o ran hynny! – fe gâi gerdded adre trwy ganol y dre,
bob dydd, yn rhan o'r fyddin oedd yn llenwi'r Stryd
Fawr, a'i esgidia hoelion yn atseinio ac yn peri cryndod
dan draed. Cael gweld gwragedd a phlant yn camu o'r
neilltu i neud lle iddo *fo,* Gwil Goch, yn ei drowsus
melfaréd llychlyd, ei gap wedi'i wthio'n ôl ar ei gorun
a'i gôt wedi'i tharo'n ddifater dros ysgwydd. Châi o
mo'r pleser hwnnw pe bai'n gweithio yn Chwarel
Lòrd, a hynny oherwydd lle'r oedd o'n byw. Ond falla
nad oedd ganddo fo lawer o ddewis, bellach, ac y
byddai'n rhaid cymryd be oedd ar gael. Y broblem
oedd bod y rhan fwyaf o'r chwareli'n dal i weithio
tridia o'r wythnos yn unig, byth ers dyddia'r rhyfel.

Roedd Chwarel y Lòrd yn eithriad, a hynny oherwydd iddi ennill contract go fawr i anfon llechi i Ddenmarc i doi rhyw amgueddfa go urddasol oedd yn cael ei chodi yn fan'no.

'Picia drws nesa i weld os ydi'r Eos angan rhwbath. Dydw i ddim wedi gweld arlliw ohono fo heddiw.'

'Ia, iawn,' meddai'r hogyn yn syrffedus, a chychwyn am y drws. Dyna reswm da arall dros fynd i'r chwaral. Fyddai dim disgwyl iddo fo redeg i neud gwaith merched a phlant bach wedyn.

Y Parch. T. L. Morgan, *Gweinidog Capel Caersalem yr Annibynwyr*

'Fe garwn i gael eich cyngor chi, Mustyr Morgan, pan fydd hynny'n hwylus i chi.'

Roedd hi wedi oedi yn ei sedd tra bod y gynulleidfa'n llifo allan o'r capel, gan ymateb efo gwên gwrtais i ambell un ac edrych draw neu ostwng ei golygon yn fwriadol dan gantal ei het rhag dal llygad ambell un arall. Fe wyddai hi'n union pwy oedd wedi codi llaw dros ddiarddel Elsi o'r Seiat a phwy ohonyn nhw oedd wedi dangos ysbryd maddeuant.

'Wrth gwrs, Musys Huws. Garech chi ddod efo fi i'r tŷ neu a fyddai'n well gynnoch chi gael trafod yma, yn y capel?'

Roedd y tosturi yn ei wên yn dangos i Alis ei fod o eisoes yn gwybod am ei phryderon diweddara hi. Tebyg bod Bob Ellis, y pen blaenor, wedi cael gair efo fo'n barod, i'w baratoi.

Yn yr wythnos a aethai heibio, er mawr ryddhad i'w fam, doedd Rhys ddim wedi holi rhagor ynghylch y corn ac fe gafodd y cymdogion lonydd bob bore i ddeffro pryd y mynnen nhw. Ond bu digon o bethau eraill i bryderu yn eu cylch, serch hynny.

'Mi neith fa'ma'r tro'n iawn, Mustyr Morgan, os nad ydi hynny o wahaniaeth gynnoch chi.'

'Yna, mi fasa'n well imi gau'r drws allanol, dwi'n meddwl, neu mi fyddwn ni wedi fferru yma.'

Esgus oedd cau'r drws. Fe wyddai Alis hynny. Isio bod yn dawel ei feddwl oedd y gweinidog nad oedd unrhyw aelod mwy busneslyd na'i gilydd wedi oedi yn y cyntedd i glustfeinio.

'Wel rŵan!' medda fo wrth ddychwelyd, a mynd i eistedd yn y sedd o'i blaen hi, gan roi hanner tro yn fan'no, i'w hwynebu. 'Sut fedra i'ch helpu chi, Musys Huws?'

'Dydw i ddim yn gwbod a fedrwch chi ai peidio, Mustyr Morgan, ond rydw i angan siarad efo rhywun neu mi fydda i wedi drysu'n reit siŵr. Mae'n ddrwg gen i fynd â'ch amsar chi, a chitha'n ddyn mor brysur . . .'

'Peidiwch ag ymddiheuro, da chi! Dyma ngwaith i, wedi'r cyfan.' Daliodd ei llygad hi rŵan gydag edrychiad craff. 'Rhys, ia?'

'Mae Mustyr Ellis wedi sôn wrthach chi, felly?'

'Dim ond gair tawal yn fy nghlust . . . yn y festri fach, bora 'ma, cyn yr oedfa. Mae ein Pen Blaenor yn ŵr doeth, fel y gwyddoch chi o'r gora. Dydi o ddim yn un i drafod busnas pobol eraill. Y cyfan ddeudodd o oedd y byddech chi isio gair efo fi, i drafod rhai o'ch pryderon. Fi dybiodd mai Rhys oedd achos y pryderon hynny. Ond falla mod i'n rhoi'r drol o flaen y ceffyl . . .'

'Na, 'dach chi'n llygad eich lle, Mustyr Morgan. Cyflwr Rhys ydi mhryder i bora 'ma . . . ac *wedi* bod hefyd, byth ers iddo fo ddod adra o'r hen ryfal felltith 'na. Ond dwi'n teimlo'n euog, serch hynny, yn dod â mhryderon atoch chi, fel hyn. Wedi'r cyfan, mae rhai o'ch aeloda chi wedi diodda tipyn mwy na fi. Rhai ohonyn nhw wedi cael colledion enbyd ac wedi bod trwy Uffern ei hun, siŵr o fod.'

Cododd y gweinidog law i atal ei llif geiriau. 'Fel ro'n i'n deud, Musys Huws: dyma ngwaith i. Trwy ras Duw, rydw i yma i gynnig cymorth i bwy bynnag sydd ei angan o. Felly, sut alla i'ch helpu chi?'

Roedd meddwl am yr union eiliad hon wedi bod yn stwmp ar stumog Alis Lòrd Bach gydol yr oedfa, a phe bai'r fath beth â bod y gweinidog yn ei holi hi rŵan ynglŷn â thestun ei bregeth, yna fyddai ganddi mo'r syniad lleia sut i'w ateb o oherwydd doedd hi'n cofio fawr ddim a gafodd ei ddeud o'r pulpud y bore hwnnw.

'Pryderu am Rhys ydw i, Mustyr Morgan. Fedra i ddim gweld ei fod o fymryn gwell heddiw nag oedd o fis yn ôl, pan gyrhaeddodd o adra. Fel y gwyddoch chi, chydig wythnosa cyn y cadoediad ym mis Tachwedd, fe gafodd Rhys ei anfon i'r ysbyty 'na efo'r enw hir, yn Sgotland, ac fe gafodd o'i gadw yn fan'no am ddeufis a mwy cyn i'r doctoriaid benderfynu'i fod o'n ddigon da i ddod adra . . .'

Nodiodd y gweinidog ei ben yn ddwys. Roedd o wedi ymweld ag aelwyd Alis Huws fwy nag unwaith yn ystod y cyfnod hwnnw, i holi ynglŷn â Rhys ac i gynnig gair o gysur i'r teulu.

'. . . ond fedra i yn fy myw â'i weld o'n gwella rywsut. Dwi'n gwbod y galla i ddeud y petha yma wrthoch chi, Mustyr Morgan, ac na fyddan nhw'n mynd dim pellach . . .'

'Wrth gwrs hynny.'

Roedd gair y gweinidog cystal â banc. Dyna un rheswm pam bod cymaint o barch tuag ato yn yr ardal.

'. . . Wyddoch chi mai prin mod i'n nabod fy mab fy hun, erbyn rŵan? 'Dach *chi*, Mustyr Morgan, yn cofio cystal â neb sut un oedd Rhys cyn iddo fo ymuno â byddin Mustyr Lloyd George. Chwerthin a thynnu coes oedd ei betha fo . . .' Oedodd nes gweld y gweinidog yn nodio'i ben yn ddwys. '. . . A bob amsar yn barod i gymryd rhan mewn cyfarfodydd cyhoeddus, yn enwedig yma yn Caersalem . . .'

Daliai'r gweinidog i gytuno'n dawel efo'i ben.

'. . . Aelod o'r band ac o'r *town team*. Pob dim fel'na!'

'Ac yn un am y merched hefyd, os cofia i'n iawn!' medda fo gyda gwên.

Daeth ei eiriau â gwên drist i wyneb Alis hefyd. 'Ond rŵan does dim posib ei gael o i ymddiddori mewn dim. Prin bod gair i'w gael am geiniog ganddo fo, Mustyr Morgan. Ac mi fyddwch chi mor ymwybodol â neb nad ydi Rhys ddim wedi tywyllu lle o addoliad ers iddo fo ddod adra'n ôl. Mae peth felly'n boen ar f'enaid i hefyd, cofiwch. Dwi wedi trio ngora glas i'w gael o i ddod i'r oedfa efo Ifan Bach a finna, ond does dim yn tycio, mae gen i ofn. Mae o'n mynd allan o'r tŷ ar fora Sul . . . a phob pnawn Sadwrn hefyd ar ôl dod adra o'r chwaral a chael ei ginio . . . a than neithiwr doedd gen i mo'r syniad lleia i ble'r oedd o'n mynd na be oedd o'n neud yno ar ôl cyrraedd. Ond, ar ôl cinio ddoe, fe rois siars i Ifan ei frawd i'w ddilyn o . . .' Oedodd Alis rŵan, fel pe bai hi'n teimlo cywilydd. 'Ydw i wedi'i fradychu fo trwy neud y fath beth, deudwch, Mustyr Morgan?'

'Wrth gwrs ddim! Greddf naturiol mam a barodd i chi neud peth felly, Alis Huws. Mi fyddai unrhyw fam gwerth ei halen wedi gneud yr un peth â chi.'

'A dyna pam dwi wedi gofyn i Ifan ei ddilyn o eto bora heddiw, yn hytrach na dod efo fi i'r oedfa. Duw a faddeuo imi am hynny.'

'Os mai consýrn ynglŷn â'i frawd sydd wedi cadw Ifan draw o'r oedfa bora 'ma, yna mi fedrwch chi fod yn dawal eich meddwl mai gneud gwaith yr Arglwydd y mae o.'

'Diolch, Mustyr Morgan. Mae'ch clywed chi'n deud hyn'na'n galondid o'r mwya imi.'

'Mae beth bynnag a welodd Ifan bnawn ddoe yn amlwg wedi bod yn dipyn o sgytwad ichi.'

Cuddiodd Alis ei gwyneb gwelw yn ei dwylo, a thybiodd y gweinidog am eiliad ei bod hi'n crio. Ond ddaeth dim dagra. Dim ond cryndod i'w llais. 'Mynd i lawr i Goed Cwm wnaeth o, medda Ifan, a . . . a . . .' Gwyrodd ei phen, rŵan, yn y frwydyr i gael at y geiria. '. . . Mynd yno i chwara sowldiwrs oedd o, Mustyr Morgan. A'r tebyg ydi mai dyna mae o wedi bod yn ei neud bora heddiw eto. Chwara sowldiwrs! Ar ddydd yr Arglwydd o bob diwrnod! Mi ddaw adra i'w ginio, 'run fath ag arfar mae'n siŵr, a diflannu wedyn tan amsar te.'

'Be am y nos? Fyddwch chi'n cael cyfla i ymlacio bryd hynny?'

'Ifan Bach sy'n ei chael hi waetha yn ystod oria'r nos, Mustyr Morgan. Mae o a Rhys yn gorfod rhannu llofft, wrth gwrs . . . a rhannu'r un gwely . . . ac, yn ôl Ifan, mi fydd Rhys wrthi am hydoedd weithia yn tynnu'r dillad gwely o un i un, ac yn dal cannwyll o dan yr hem. *Cael gwarad â'r chwain!* Dyna mae o'n

ddeud wrth ei frawd! Ond does dim chwannan yn agos
at y lle, Mustyr Morgan. Mi fedra i'ch sicrhau chi o
hynny, efo'm llaw ar fy nghalon.'

'Mi wn i hynny'n iawn, Musys Huws!' Roedd gwên
y gweinidog yn dosturiol. Onid Alis Lòrd Bach oedd
un o'r gwragedd mwya particlar cyn belled â bod
glanweithdra yn y cwestiwn?

'Mae Ifan yn gorfod bod am ei fywyd rhag iddo fo
roi'r llofft – a'r tŷ i gyd – ar dân. Dro arall mi fydd Rhys
yn troi a throsi yn ei gwsg ac yn gweiddi petha anllad.
Gweiddi rhybuddion gwyllt weithia, a gorfodi'i frawd i
guddio rhwng y gwely a'r parad, rhag y sneipars a'r
shrapnel medda fo, beth bynnag ydi petha felly. Dwi'n
deud wrthoch chi Mustyr Morgan, mae enaid Rhys yn
cael ei rwygo gan ddrychiolaetha. Does gynnoch chi
ddim syniad yr Uffern mae o'n ei diodda. Mi fydda i'n
meddwl, weithia, mai cosb Duw ydi hyn i gyd, am fod
Rhys wedi torri Ei orchymynion. *Câr dy gymydog fel ti
dy hun,* medda'r Gair, ond fe gododd Rhys wn yn
erbyn ei gyd-ddyn. Ac mae meddwl y galla fo fod wedi
gneud gwaeth na hynny, hyd yn oed . . . y galla fo fod
wedi dwyn enaid dyn arall . . . yn fy nghadw inna
hefyd yn effro'r nos. *Gwyn eu byd y tangnefeddwyr,
canys hwy a elwir yn blant i Dduw.* Yr unig gysur sydd
gen i, Mustyr Morgan, ydi mai'r Jyrmans, ac nid ni,
ddaru gychwyn y rhyfal. A bod sowldiwrs gwledydd
eraill wedi gneud petha lot gwaeth na be wnaeth ein
hogia ni. Wyddoch chi bod sowldiwrs y Jyrmans, yn ôl
be glywais i, wedi croeshoelio merched a babis bach yn
Belgium? Be 'dach chi'n feddwl, Mustyr Morgan? Ydw
i'n pechu trwy geisio cyfiawnhau Rhys fel hyn?'

'Mae'r hen ryfal 'na wedi rhwydo'r cyfiawn a'r
anghyfiawn, Alis Huws. Ond rhaid cofio bod y Bod

Mawr yn gallu darllan calonna pob un ohonon ni. Mae O'n gwbod am y daioni sy'n gynhenid yn Rhys, ac mewn hogia ifainc eraill tebyg iddo fo. A phwy ydw i, mwy na neb arall, i ddeud nad dyma ffordd yr Hollalluog rŵan o roi Rhys ar ei brawf, ac y bydd y bachgan yn dod trwy hyn oll wedi'i lanhau a'i buro. Cofiwch eiria'r emynydd, Musys Huws: *Trwy ddirgel ffyrdd mae'r uchel Iôr . . .'*

'. . . *Yn dwyn ei waith i ben . . .*' medda hitha'n dawel, yn union fel petai hi'n chwarae gêm efo'i mab ienga.

Daeth gwên fach chwareus i lygaid y gweinidog. '*Bwriadau dyfnion arfaeth gras ar fyr aeddfeda'n llawn . . .*' medda fo, yn neidio i bennill ola'r emyn ac edrych arni fel petai'n gosod sialens newydd iddi.

'. . . *gall fod y blodau'n chwerw eu blas, ond melys fydd y grawn.*'

Gwyrodd y Parchedig ei ben i gydnabod ei champ. ''Dach chi'n amlwg yn hyddysg yn y *Caniedydd*, Musys Huws! Ia wir, *melys fydd y grawn*! A phwy sydd i ddeud nad profiad yr emynydd fydd profiad Rhys hefyd, yn y pen draw?'

'Dydi ngweddïa fi fyth yn brin o ofyn am hynny, Mustyr Morgan, coeliwch fi. Sut bynnag, dwi wedi bod isio gofyn eich cyngor chi ers tro, ond wedi methu magu'r plwc, tan bora 'ma. A go brin y baswn i yma rŵan chwaith oni bai am be ddeudodd Robat Ellis wrtha i, cyn yr oedfa. Deud roedd o ei fod o'n pryderu am Rhys yn y chwaral. Poeni bod Rhys ddim yn edrych ar ôl ei hun, medda fo. A rhag-weld y bydd ei iechyd yn diodda os na cheith rhwbath ei neud yn fuan. Mae'r ddau'n cydweithio yn Felin Bonc Ucha yn Y Lòrd, 'dach chi'n dallt . . . Dwi bron â drysu, Mustyr

Morgan . . . Yn enw'r Duw Mawr, be wna i, meddach chi?'

Roedd dagra'n mynnu hel yng nghorneli ei llygaid, a sychodd hitha nhw'n ddiamynedd â chefn ei llaw.

Yn rhinwedd ei swydd, roedd y gweinidog wedi gorfod trafod amryw byd o sefyllfaoedd anodd cyn hyn, ond dyma sefyllfa oedd yn cynnig sialens newydd sbon iddo. 'Garech chi i mi gael gair efo Rhys, Musys Huws?'

'Mi fydda i'n ddiolchgar am beth bynnag allwch chi'i neud, Mustyr Morgan. Yn ddiolchgar iawn hefyd!' Cododd Alis. 'Mi a' i rŵan, i chi gael mynd am eich cinio.'

*   *   *

'Felly, wnei di gymryd fy nosbarth i, pnawn 'ma, Gwyneth?'

Dros ginio roedd o wedi ailadrodd wrthi'r sgwrs fu rhyngddo ac Alis Huws Lòrd Bach.

'Wyt ti'n siŵr dy fod ti'n gneud y peth iawn, Tomos? Ei ddilyn o i Goed Cwm, o bob man? Sbeio arno fo o bell? Ydi peth felly'n foesol, dywed?'

Gwyrodd ynta'i ben a chau ei lygaid, a meddyliodd Gwyneth Morgan fod ei gŵr yn rhoi ystyriaeth ddwys i'w geiria hi. Naill ai hynny neu roedd o'n gofyn am arweiniad dwyfol.

'Fedra i weld dim llwybyr arall yn agorad imi,' medda fo ymhen sbel. 'Os oes disgwyl i mi helpu Rhys Huws, yna fe fydd raid imi weld drosof fy hun be ydi'r drychiolaetha yn ei enaid o.'

'Wel paid â gwisgo dy sgidia gora beth bynnag wnei di. A phaid â sefyllian yn rhy hir yn yr oerni neu mi fyddi di wedi dal annwyd neu niwmonia.'

Ddeng munud yn ddiweddarach, am bum munud ar hugain wedi un, roedd gweinidog Capel Caersalem yn loetran yn euog yng nghyffinia'r llwybyr oedd yn arwain i lawr i Goed Cwm. Roedd ei feddwl yn ôl yn oedfa'r bore, ac ynta unwaith eto'n syllu i lawr o'i bulpud, yn ystod emyn, ac yn cyfri'r bylchau yn rhengoedd duon y gwahanol deuluoedd. Roedd y rhyfel wedi hawlio cynifer ag un ar ddeg o aeloda Caersalem yn unig, tra bod y cyfanswm yn ddau a deugain i'r dref i gyd. Y fath wastraff! Cenhedlaeth gyfan wedi'i cholli am byth! A faint mwy o rai eraill, a Rhys Huws Lòrd Bach yn eu mysg, oedd wedi troi cefn ar yr eglwys ac a oedd bellach yn dewis treulio'u dyddia yn y tafarndai, a'u Suliau yn gwagswmera o gwmpas y lle? Roedd llai o barch heddiw at y Sabath nag y gallai ef ei gofio yn ei oes. Ac roedd meddw-dod ac iaith aflednais yn fwy cyffredin nag y buon nhw erioed. Oedd, roedd y rhyfel wedi gosod sialens enbyd i eglwys Crist.

Cerddodd sawl un heibio, ar eu ffordd i Ysgol Sul rhyw gapel neu'i gilydd, a synnu gweld gweinidog Caersalem yn sefyllian ac yn synfyfyrio yn fan'no. *'Be mae hwn yn neud yn fa'ma, tybad?'* oedd y cwestiwn yn llygaid rhai ohonyn nhw. *'Oes ganddo fo ddim dosbarth Ysgol Sul yn aros amdano?'* Cyffwrdd cantal ei het yn barchus a wnâi yntau i gyfarch pob un.

Wrth i'r munuda lithro heibio, dechreuodd amau a fyddai Rhys yn ymddangos o gwbwl ond, o'r diwedd, fe'i gwelodd yn dod yn y pellter, o gyfeiriad y groesffordd yng ngwaelod Lòrdstryd. Nid yn cerdded yn hamddenol fel pawb arall ar y Sul ond yn brasgamu'n gefnsyth, efo'i freichia'n pendilio'n ôl a blaen o boptu iddo, a phedola ei sodla'n clecian ar wyneb metlin y ffordd.

Rhag tynnu sylw'r llanc, aeth y gweinidog i bwyso ar wal gyfagos gan smalio syllu i lawr i'r cwm oddi tano. Roedd y gwynt yn cryfhau o'r gorllewin ac roedd glaw neu eirlaw yn ei chwythiad, siŵr o fod. Cofiodd rybudd ei wraig. Pe deuai'n gawod drom, byddai'n gwlychu at ei groen!

Trwy gil ei lygad, gwelodd Rhys yn martsio heibio iddo ac yn anelu am y llwybyr caregog i lawr i Goed Cwm, llwybyr nad oedd ond megis llwybyr defaid, yn dolennu'i ffordd trwy redyn crin a rhwng meini anferth, cyn diflannu i gysgod deri gaeafol, di-ddail Coed Cwm.

Arhosodd y gweinidog nes i'r llanc fynd o'i olwg cyn mentro ar ei ôl. Roedd gofyn troedio'n ofalus rhag baglu neu lithro ar y llwybyr anwastad ond, o'r diwedd, arweiniodd ei draed ef i gysgod canghenna noeth y coed. Yma, roedd meini anferth yn gorwedd blith draphlith rhwng boncyffion mwsoglyd y deri, heb ddim i egluro'u tarddiad nhw. Doedd dim sôn am Rhys yn unman. Roedd fel petai'r ddaear wedi ei lyncu'n llwyr.

Aeth munuda heibio, a'r Parch. T. L. Morgan yn dal i syllu o'i gwmpas mewn dryswch. Yna, pan oedd ar fin anobeithio a throi'i drwyn yn ddigon parod yn ôl am adre, cafodd gip o ben du yn ymddangos o gysgod un o'r meini a gwelodd bâr o lygaid yn craffu'n wyliadwrus dros ymyl y garreg.

Yn reddfol, ciliodd y gweinidog y tu ôl i foncyff coeden, rhag cael ei weld, gan gywilyddio ar yr un pryd ei fod yn ymddwyn gyda chyn lleied o urddas. O'i guddfan, gwelodd Rhys Lòrd Bach yn araf sythu i'w lawn faint. Mewn un llaw, daliai ddarn o gangen a llafn gloyw wedi'i glymu ar ei flaen. Cydiai'r llaw arall mewn darna llai o goed, oddeutu troedfedd o hyd. Yna, wedi rhoi'r gangen i orwedd ar wyneb y maen, dechreuodd hyrddio'r pytia coed mor bell ag y gallai oddi wrtho gan neud sŵn ffrwydro cras yn ei wddw wrth i bob un syrthio i'r ddaear. *'Give the bloody Boche a taste of your Mills' bombs, lads!'* gwaeddodd. Yna, roedd yn gwibio'n igam-ogam rhwng y coed a'r cerrig, gan ddal y gangen fel gwn o'i flaen, a'r llafn hir – cyllell fara Alis Huws, fe dybiai'r gweinidog – yn fidog miniog oedd yn chwilio am gnawd rhyw elyn dychmygol. *'Over the top, lads!'* gwaeddai. *'Over the top, over the top and never come back again!'* Ac fel roedd y gweiddi hwnnw'n gostegu, *'For king and country!'* bloeddiodd wedyn. *'Capture the Kaiser!'* Ac yna, yr un mor uchel, ac yn llawn balchder o'i gatrawd, *'Stick it, the Welch!'* Anogaeth oedd y geiria olaf i ymosod ar foncyffion y coed agosa ato, gan eu procio'n ffiaidd efo'r bidog ffug.

Erbyn rŵan, teimlada dryslyd iawn oedd rhai'r Parch. T. L. Morgan. Ofn . . . tosturi . . . ffieidd-dra . . . i gyd yn gymysg. Ofn cael ei weld . . . ofn i'r bachgen lloerig ymosod arno ynta . . . tosturi dros y gŵr ifanc ei hun, a thros ei deulu . . . ffieidd-dra tuag at yr hyn yr oedd y rhyfel wedi llwyddo i'w greu. Roedd o wedi gweld digon, meddyliodd. Y cyfan mor farbaraidd o afreal! A hynny ar awr pan ddylai pawb fod yn yr Ysgol Sul, yn trafod efengyl Crist ac adnoda fel 'Câr dy gymydog fel ti dy hun' a 'Canys yr ydych chwi eich hunain wedi eich dysgu gan Dduw i garu eich gilydd.' Ond cofiodd hefyd fod Ioan, y Disgybl Annwyl, wedi rhoi tystiolaeth bur wahanol am y ddynoliaeth: 'Ond myfi a'ch adwaen chwi, nad oes gennych gariad Duw ynoch.'

Un peth oedd yn siŵr. Doedd y profiad annymunol

yma ddim wedi ateb yr un o'r cwestiyna oedd yn ei boeni. Sut, er enghraifft, oedd o'n mynd i gadw'i addewid i Alis Huws Lòrd Bach? A sut ar y ddaear roedd o'n mynd i erlid y drychiolaetha oedd yn arteithio'i mab? O'r hyn roedd o newydd fod yn dyst iddo, roedd ar y bachgen angen help amgenach na dim y gallai ef ei gynnig iddo. Ac eithrio gweddi daer ar ei ran, wrth gwrs.

'The sentence of this court martial is that you be shot at dawn, for cowardice and desertion.'

Wrth glywed y geiria hyn eto'n atsain drwy'r coed, brysiodd y Parchedig T. L. Morgan yn ôl i fyny'r llechwedd, a theimlo'n euog o fod yn gneud hynny yn ei gwman, eto fyth rhag cael ei weld.

Josh Pugh, 2 Stryd Lòrd Bach

Dacw Mam yn dŵad, ar ben y gamfa wen,
Rhwbath yn ei ffedog a phiser ar ei phen;
Y fuwch yn y beudy, yn brefu am y llo,
A'r llo yr ochor arall yn gweiddi 'Jim Cro'.

Dechreuodd Elsi fownsio'r plentyn i fyny ac i lawr ar ei glin gan beri i hwnnw fyrlymu chwerthin yn sŵn ei chanu hi.

Jim Cro Crystyn, one two four,
A'r mochyn bach yn eistedd mor ddel ar y stôl.

Am y tân â nhw, efo'i lygada ynghàu a'i anadlu'n llafurus, eisteddai Josh Pugh, y Taid a'r Hen Daid. Doedd o ddim yn cysgu, ond doedd ganddo fawr o amynedd, chwaith, efo'r sŵn chwarae di-baid oedd yn llenwi'r gegin. Roedd o isio deud wrth Elsi am fynd drws nesa at ei mam, er mwyn iddo ynta gael awr neu ddwy o lonyddwch. Yn bymtheg a thrigain oed, ac ar ôl bore mor flinedig, siawns nad oedd o'n haeddu hynny.

'*Mae Mustyr Roberts yn gofyn a fedrwch chi bicio i lawr i'w offis o, rywbryd heddiw. Mi fasa fo'n licio cael gair efo chi.*' Roedd y cais wedi dod ganol bore, newydd i Elsi fynd â'r plentyn allan ar ei braich, 'am dipyn o awyr iach, ar Lwybyr y Chwaral'. Ac, fel y digwyddodd petha, roedd Alis hefyd wedi'u gweld nhw'n cychwyn ac wedi penderfynu taro côt dros ei brat a mynd efo nhw'n gwmni. A diolch eu bod nhw wedi mynd, neu mi fyddai'r ddwy wedi ei holi fo'n dwll pam bod clarc William Roberts Twrna wedi galw'n unswydd i'w weld o, yn ei gartra.

'Ond mi fydd raid iddyn nhw gael gwbod, yn hwyr neu'n hwyrach,' meddai Josh wrtho'i hun, rŵan, wrth gofio'r cyfarfod efo'r Twrna. 'Ond nid gen i! Nid fy nghyfrifoldab i ydi egluro'r petha yma iddyn nhw.'

Ar hyd y blynyddoedd, roedd o wedi cymryd yn ganiataol na fyddai'r sefyllfa hon byth yn dod i'w ran; y bydda fo wedi hen gau'i lygaid cyn bod angen i Alis gael gwybod dim. Ond dyma Ragluniaeth, rŵan, yn gweld petha'n wahanol!

Ochneidiodd Josh wrth i 'Dacw Mam yn dŵad' gychwyn o'r newydd. Nid yn unig bod Elsi'n ymdebygu i'w mam o ran pryd a gwedd, a'r un llygaid glas trawiadol, ond roedd lleisia'r ddwy yn hynod o debyg hefyd, hyd yn oed wrth iddyn nhw ganu.

'*. . . picio i lawr i'w offis o . . .*' Hy! Hawdd iawn fu i William Robas Twrna ofyn peth felly. Doedd *o* ddim yn diodda efo llwch! A pha gamp ei fod o'n medru dal ati i weithio, yn bump a thrigain oed! Onid oedd o wedi cael pob moethusrwydd yn ei oes? Ceffyl a thrap i'w gludo fo'n ôl a blaen i'w waith bob dydd, fel lòrd. A rŵan, car moto newydd sbon!

Ufuddhau i wŷs y twrna a wnaeth o, serch hynny, er gwaetha'r tywydd oer a'r mygni a'r poen brest. Ac ar ôl cyrraedd yno, gorfod chwythu'i ffordd wedyn i fyny dwsin a mwy o risia culion i gyrraedd y llawr cyntaf, lle'r oedd llwydni hen bapura'n cau ar ei bibella gwynt.

Doedd newyddion y cyfreithiwr ddim, wir, wedi ei synnu, a hynny am ei fod o wedi hanner-amau'r rheswm tu ôl i'r alwad. Ugain mlynedd yn ôl, byddai gwŷs o'r fath wedi ei gyhyrfu. Ond ddim heddiw. Erbyn rŵan, roedd henaint a salwch wedi ei neud yn ddifater i broblema a lles pobol eraill. Hyd yn oed i les Alis a'i theulu! Oedd, roedd o wedi gwrando ar William Robas yn mynd trwy'i betha, heb ryfeddu rhyw lawer at fyrdwn ei neges, a hynny am fod ganddo'i bryderon ei hun. Sut i gyrraedd adre'n ôl, yn un peth! Y dringo hir a graddol i fyny Lòrdstryd, ac yna'r canllath mwy serth i'w gartre yn Stryd Lòrd Bach. Ond fe lwyddodd i ddod i ben â hi o'r diwedd, a rŵan roedd o'n gorfod talu'r pris trwy frwydro am bob anadl!

> Fuost ti rioed yn morio?
> Wel do mewn padell ffrio,
> Chwythodd y gwynt fi i'r Eil o' Man
> A dyna lle bûm i'n crio.

O'r nefoedd! meddyliodd. Mae sŵn y plant 'ma'n fy mlino i. A thamprwydd offis y twrna'n dal yn gaeth yn fy mrest.

70

Caban Bonc Ucha

'. . . ac fe ddylai'r cadoediad fod wedi dod lawar iawn ynghynt. Mi fyddai hynny wedi arbad dega o filoedd o'n hogia ni rhag cael eu lladd, heb sôn am golledion trwm i'r gelyn hefyd . . .'

'Be 'dach chi'n ddeud felly, Bob Ellis? Bod y rhyfal wedi cael ei hymestyn yn fwriadol?'

'Dyna sy'n cael ei ddeud, Seimon Jôs,' meddai'r llywydd, trwy gwmwl o fwg doeth.

Edrychodd nifer ar ei gilydd rŵan, fel 'taen nhw'n synnu at y geiria, neu'n amau eu gwirionedd.

'Ond pwy fasa wedi gneud y fath beth?'

'Prydain Fawr, ymysg eraill. Ffrainc hefyd, wrth gwrs. A'r Mericia.'

Rhagor o furmur a syndod, a rhywfaint o sŵn anghytuno hefyd o fysg y deunaw oedd yn eistedd o gwmpas y bwrdd hir. Yn ôl ei addewid, roedd Bob Ellis wedi bod wrthi ar hyd yr wythnos yn crynhoi ei ddarlith ar achosion ac effeithia'r rhyfel, a heddiw eto roedd ei sylwada'n destun trafodaeth.

'Gobeithio nad at Mustyr Lloyd George 'dach chi'n pwyntio bys, Mustyr Llywydd?' Roedd sŵn eitha bygythiol yng nghwestiwn Evan Thomas, oedd yn rhoi ei hun yn Rhyddfrydwr mawr ac a oedd bob amser yn barod i sbowtio'n danllyd mewn cyfarfodydd gwleidyddol cyn lecsiwn.

'Dydw i'n pwyntio bys at neb yn benodol, Evan Thomas, ond mae'r cyhuddiad wedi cael ei neud fwy nag unwaith yn y papura newyddion bod y cynghreiriaid wedi ymestyn y rhyfel yn ddiangan, waeth beth fyddai'r gôst.'

'Lol i gyd! Dydi peth felly'n gneud dim synnwyr,

siŵr. Pam fasa neb isio gneud y fath beth, deudwch?'
Her yn fwy na chwestiwn oedd eto yng ngeiria'r
Rhyddfrydwr.

'I gael yr Almaen ar ei glinia, mae'n debyg, Evan
Thomas.'

'Dyna holl bwrpas y rhyfal, ia ddim? Rhoi'r *Boche*
yn eu lle, unwaith ac am byth?'

Clywyd cefnogaeth o sawl cyfeiriad rŵan, ac yn
arbennig oddi wrth y ddau ienga oedd yno.

Tynnodd y llywydd unwaith eto ar ei getyn a
gollwng cwmwl hamddenol o fwg rhyngddo fo a'i
wrandawyr. Roedd ei holl ystum yn awgrymu hunan-
sicrwydd a hunanfeddiant. 'Gwrandwch ar hwn,
gyfeillion!' medda fo, gan estyn am ei lyfr nodiada, i
ddarllen ohono fo unwaith eto: '*Y mae y sefyllfa, erbyn
hyn, y fath ag i wneyd parhad y rhyfel yn drosedd
anesgusodol yn erbyn y ddynoliaeth; y mae y cri am
"Heddwch drwy fuddugoliaeth milwrol", gan bwy bynnag
y'i codir, yn baganiaeth noethlymun, yn llwyr unol ag
ysbryd Prwssia, yn seiliedig ar athroniaeth fas arwynebol a
cham-ddealltwriaeth sylfaenol o'r natur ddynol . . .*'

'Swnio fel *double-Dutch* i mi,' meddai un llais, i sŵn
chwerthin un neu ddau arall.

'Yn hollol!' meddai Evan Thomas, yn synhwyro'i
fod o ar fin cael y llaw drecha ar y llywydd am
unwaith. 'Sut bynnag, hawdd iawn ydi bod yn ddoeth
wedi'r digwydd, Bob Ellis.'

'*Double-Dutch* i ti, falla, Wil, ond deud mae awdur
yr erthygl bod y penderfyniad i ymestyn y rhyfal ac i
barhau'r lladd yn ein gneud ni'n ddim gwell na'r
Ellmyn eu hunain. Ac er gwybodaeth i titha, Evan
Thomas, fe ddaru'r geiria dwi newydd eu darllan
ymddangos ym *Maner ac Amserau Cymru* nid *wedi*'r

digwydd fel rwyt ti'n honni ond dros flwyddyn gron
yn ôl! Hynny ydi, roedd yna bobol bryd hynny, hyd
yn oed – pobol hirben – oedd yn teimlo'n gryf y dylid
trefnu cadoediad ac nad oedd dim mwy i'w ennill trwy
ymestyn y brwydro.' Oedodd Bob Ellis 'Rhen Ben am
rai eiliada i edrych o gwmpas y bwrdd ac i ddal llygad
Evan Thomas yn arbennig. 'A phe bai'r gwleidyddion
wedi gwrando, mi fyddai Maldwyn Llwyn Crwn a Dic
Llety'r Allt, a miloedd o rai tebyg iddyn nhw, wedi cael
dod adre'n fyw o Facedonia a Ffrainc a llefydd eraill.'

Syrthiodd tawelwch dros y cwmni, ond nid yn hir.
Roedd Evan Thomas yn teimlo rheidrwydd i achub
enw da ei arwr.

'Rhad arnoch chi, ddeuda i, Bob Ellis, yn pardduo
cymeriad Mustyr Lloyd George fel hyn. Lle byddai
Prydain Fawr heddiw oni bai am ei arweiniad cadarn o
yn ystod y cythrwfwl sydd wedi bod?'

Eto daeth sŵn cytuno oddi wrth rai o'r lleill.

'Ti, nid fi, ddaru enwi Mustyr Lloyd George, Evan!
Hwyrach y gallai hwnnw fod wedi gneud mwy i geisio
cadoediad. Pwy ŵyr? Ond nid dyna oedd rhai o'r
cynghreiriaid isio, 'dach chi'n dallt. Roeddan nhw isio
cael rhwbio trwyn y Kaiser yn y baw. A'i gadw fo yno!
A dyna'r rheswm bod Mustyr Lloyd George a Mustyr
Balfour yn cael cymaint o drafferth yn Ffrainc ar hyn o
bryd, yn y trafodaetha i lunio Cytundeb Heddwch . . .'

Gan ei fod o'n siarad am betha na wyddai'r lleill
fawr ddim yn eu cylch a bod neb, felly, yn debygol o
dorri ar ei draws, fe gymerodd Bob Ellis eiliad neu
ddwy eto rŵan i gael ei wynt ato, fel bod ei eiria nesa'n
golygu rhywbeth iddyn nhw.

'. . . Yn ôl be dwi'n ei ddarllan, mae'r Prif Weinidog
yn cytuno efo President Wilson o'r Mericia. Deud

mae'r ddau ohonyn nhw bod rhaid ymbwyllo rhag gosod amoda rhy lym ar yr Almaen ac Awstria, rhag i hynny arwain at fwy o drafferthion yn y dyfodol. Ond dydi Mustyr Clemenceau o Ffrainc na Mustyr Orlando o Itali ddim yn cytuno, wrth gwrs. Amsar yn unig neith ddangos pa un ai nhw ynte Mustyr Lloyd George sy'n iawn . . .'

Er nad oedd neb yn deud dim, eto i gyd gallai'r llywydd synhwyro gelyniaeth Evan Thomas ac ambell un arall, a hynny am iddo fo feiddio awgrymu bod y Prif Weinidog yn euog o ymestyn y rhyfel yn ddiangen.

'. . . Mae gen i gymaint o feddwl o Mustyr Lloyd George â'r un ohonoch chi . . .' medda fo.

Daeth 'Hm!' amheus o gyfeiriad rhywun neu'i gilydd, i atgoffa Bob Ellis nad oedd parch rhai ohonyn nhw tuag at eu llywydd yn ymestyn mor bell â'i ddaliada gwleidyddol o. Yn un peth, roedden nhw'n dal i gofio fel roedd o wedi gwrthod condemnio brad y Gwyddelod, ar adeg pan oedd gweddill yr Ymerodraeth, ym mhedwar ban byd, yn codi arfau o blaid Prydain Fawr yn erbyn y Kaiser dieflig. Roedden nhw hefyd yn cofio'i fod o hyd yn oed wedi dadla'r achos dros *Home Rule* i Iwerddon. Iddyn nhw, roedd diffyg teyrngarwch y Gwyddelod i'w Brenin yn Llundain yn gyfystyr â diffyg teyrngarwch i'r Brenin Mawr ei hun.

'. . . *Ni fu erioed yr un rhyfel da na chwaith yr un heddwch gwael*. Onid Mustyr Lloyd George biau'r geiria yna, gyfeillion? A faint ohonoch chi sydd wedi darllan, yn y papur, yr araith bwysig ddaru'r Prif Weinidog ei thraddodi i gynrychiolwyr Undebau'r Crefftwyr, ddeufis yn ôl? . . .' Gan nad oedd yn disgwyl

ymateb rŵan chwaith, fe aeth Bob Ellis yn ei flaen heb
oedi. 'Yn yr araith honno, mi ddeudodd o nad ceisio
dinistrio'r Almaen a'i phobol, nac Awstria-Hwngari
chwaith, oedd ein bwriad ni. Ac mi ddaru o hefyd
wfftio'r cyhuddiad, oedd yn cael ei neud gan rai, bod
Prydain Fawr yn bwriadu ychwanegu prifddinas Twrci
at ei hymerodraeth. Mae o wedi dadla hefyd, wrth
gwrs, bod yn rhaid adfer Serbia a Montenegro a
chenhedloedd eraill i'w tiroedd cynhenid.' Roedd her
yn llygad Bob Ellis erbyn hyn. 'Yn fy marn i, dim ond
gwleidydd cyfiawn fyddai'n siarad fel'na. A dyna pam
fy mod i'n parchu'r dyn, os nad yn meddwl llawar o'i
blaid o. Rhaid cofio mai arweinydd coalishwn ydi
Mustyr Lloyd George, a bod ei blaid o ei hun mewn
lleiafrif yn y glymblaid honno.' Daliodd lygad Evan
Thomas am eiliad, i'w atgoffa bod y Prif Weinidog
wedi derbyn mwy o gefnogaeth gan yr Undebwyr yn
y lecsiwn, ddechra Ionawr, na chan yr aeloda
Rhyddfrydol. Gobeithiai hefyd y byddai Evan Thomas
yn cofio gneud ffŵl ohono'i hun yn un o gyfarfodydd
gwleidyddol y Blaid Lafur yn ddiweddar, trwy weiddi a
chwibanu'n wirion mewn ymgais i foddi pob dim
oedd yn cael ei ddeud o'r llwyfan, gan gynnwys araith
Bob Ellis ei hun.

Dyna'r eiliad y canodd y corn, i'w galw nhw'n ôl at
waith. Evan Thomas oedd gynta allan o'r Caban.

'Fe'i rhoist ti fo yn ei le, Bob.'

'Wyt ti'n meddwl hynny, Abram? Nid dyna oedd fy
mwriad i, cofia, ond roedd Evan ei hun wedi gneud y
peth yn anochel, rywsut.'

'Eitha peth iddo fo, ddeuda i! . . . A! Mae Twm wedi
achub y blaen arnat ti heddiw, dwi'n gweld.'

Dilynodd Bob Ellis edrychiad ei gyfaill a gweld

Twm Gelli yn cyd-gerdded efo Rhys Lòrd Bach yn ôl am y felin.

'Mae 'na hen ruddin iawn yn Twm, wyst ti,' meddai Abram eto. 'Braidd yn arw, falla, ond mae'i galon o yn y lle iawn.'

'Dydi o'n altro dim, ydi o Abram? . . . Rhys, dwi'n feddwl.'

'Bach ydi'r arwydd, Bob, mae'n rhaid i mi ddeud. Ond mae o'n dal ati'n rhyfeddol, cofia. Mi glywist ti be wnaeth o, nos Wenar tâl?'

'Rhoi'r cerrig i'r ddau rybelwr bach, ti'n feddwl? Do.'

'Ddeudodd o ddim gair wrth yr un o'r ddau, mae'n debyg. Dim ond rhoi pum mwrw* bob un iddyn nhw. Mae'n siŵr ei fod o wedi sylwi nad oedden nhw'n mynd i neud llawar o dâl-diwadd-mis, felly mi rôth rywfaint o'i gerrig ei hun iddyn nhw.'

'Gafodd Dafydd Owen glywad, sgwn i? Fydda *fo* ddim yn hapus, dwi'n siŵr. Mwy nag y bydda Gron Fawr.'

Chwarddodd Abram Jôs yn fyr ac yn ddihiwmor. 'Ti'n iawn yn fan'na, Bob! Dydi'r hen Lygad y Geiniog ddim mor hael â Rhys yn reit siŵr . . .'

Partneriaid Rhys yn y Fargen oedd Dafydd Owen a Gron Fawr. Nhw oedd y creigwyr, i lawr yn y Twll, oedd yn gyrru cerrig i fyny i'r gwynab i Rhys Lòrd Bach eu trin. Fel pob partneriaeth arall yn chwareli'r cylch, roedd cyfloga'r tri ar ddiwedd mis – sef y 'tâl mawr', chwedl y dynion – yn dibynnu ar faint o lechi oedd wedi cael eu cynhyrchu ers y tâl diwetha.

Hen lanc oedd Dafydd Owen a thros y blynyddoedd roedd o wedi ennill – a llawn haeddu

* *Byddid yn cyfri'r llechi fesul mwrw, sef nifer o dair.*

76

hefyd – y llysenw Llygad y Geiniog am ei fod o mor arw am bres. Fydda *fo*, beth bynnag am Gron Fawr, ddim yn hapus bod Rhys wedi rhannu cymaint â deg mwrw o gerrig, sef cyfanswm o ddeg llechen ar hugain i gyd, rhwng y ddau rybelwr bach.

Daeth mwy o ddireidi i lygad Abram Jôs, rŵan. '. . . Yn ôl Twm Gelli, wnaethai'r Hen Lygad ddim rhannu'i faw efo neb, heb sôn am ddim byd arall. Oni bai ei fod o'n cael rhwbath amdano fo, wrth gwrs.'

Chwarddodd Bob Ellis. 'Un ffraeth ydi Twm,' medda fo. 'A dydi o ddim yn bell o'i le, chwaith, yn deud peth fel'na am Dafydd Owen.'

Erbyn hyn, roedd pawb yn ôl yn y felin ac yn prysur ailgydio yn eu gwaith. Aeth Bob Ellis ati i bileru slediad* go fawr ac Abram Jôs i hollti'r pentwr clytiau roedd o wedi treulio bore cyfan yn eu llifio i'w maint. O fewn dim, roedd y felin yn llawn sŵn unwaith eto; sŵn lli'r bwrdd bach yn grwnian ei ffordd trwy slediad, sŵn gordd ar garreg, sŵn morthwyl ar ben cŷn, sŵn cyllyll yn naddu'r cerrig glas yn *duchesses, countesses* ac ati.

Dyna pryd y torrodd gwaedd uwchlaw'r cyfan.

Cododd Bob Ellis ei olygon yn wyllt oherwydd roedd natur y gweiddi'n deud wrtho bod damwain wedi digwydd. Sythodd eraill hefyd i syllu i ben arall y felin, o ble'r oedd y gweiddi'n dod.

'Mae ei law o wedi mynd i'r gyllall!' bloeddiodd rhywun, a dechreuodd pawb redeg i gyfeiriad y ddamwain.

Bob Ellis oedd un o'r rhai olaf i gyrraedd. 'Gadwch imi ddod trwodd, hogia!' medda fo'n bryderus, gan

* *Hollti darn llydan yn ei hyd.*

wthio'i ffordd drwy'r cylch. Roedd o wedi sylweddoli pwy oedd wedi cael y ddamwain. 'Be ddigwyddodd?'

'Iesu gwyn! Mae o wedi colli tri bys!' meddai Robin, un o'r ddau rybelwr bach, a chael clupan greddfol ar draws ei ben gan rywun neu'i gilydd, am gablu. 'Ond sbïwch! Mae o'n gwenu!' Yn ei ddychryn, prin bod Robin wedi teimlo'r glupan.

Llygad-dynnwyd Bob Ellis gan y gwaed oedd yn diferu'n drwm i'r clai gwlyb wrth draed Rhys Lòrd Bach.

'Rhywun fynd i nôl *first aid*, wir Dduw, yn lle sefyll yn fan'na'n gneud dim!' Twm Gelli oedd yn gweiddi ond feiddiodd neb roi clupan iddo *fo* am gabledd. Roedd o ym mraich Rhys, yn gwasgu gwythïen ei arddwrn i geisio atal rhywfaint ar y llif dugoch. 'Arglwydd mawr! Brysiwch!' medda fo'n ddiamynedd eto, a rhythu nes gweld rhywun neu'i gilydd yn ufuddhau.

'Rhywun arall i fynd i nôl Evan Jôs y stiward!' meddai Bob Ellis, ynta hefyd yn gneud ei orau i gadw'i ben, 'ac i fynd ymlaen wedyn i alw'r doctor.'

'Mae o'n gwenu! Sut mae o'n medru gneud hynny?' Roedd golwg-methu-credu ar Robin.

'Fydd o ddim yn gwenu mewn munud, wàs!' sibrydodd rhywun yng nghlust y rhybelwr bach. 'Dydi'r teimlad ddim wedi dod 'nôl i'w law o, eto. Mae'i fysidd o'n dal i fod yn ddiffrwyth, ti'n dallt.'

'Wyt ti'n iawn, Rhys?' Cymerodd Bob Ellis gam yn nes.

'Am ddiawl o gwestiwn gwirion!' sibrydodd rhywun yng nghlust un arall.

'Rho fo i ista, Twm,' meddai Bob Ellis wedyn, 'rhag ofn iddo fo lewygu.'

Ond er i Twm Gelli geisio tywys Rhys i gyfeiriad ei

flocyn tin, i'w roi i eistedd yn fan'no, tynnu'n styfnig yn ei erbyn a wnâi Rhys Lòrd Bach a dal i syllu i wyneb Bob Ellis.

'Cwshi!' medda fo o'r diwedd, a'i wên yn llydan braf. *'I'm off to blighty, lads!'*

'Be ddeudodd o?' meddai rhywun.

'Susnag!' meddai rhywun arall.

Cyrhaeddodd rhywun efo'r tùn *first aid* ac ymhen dim roedd llaw Rhys o'r golwg mewn cadacha, a Bob Ellis a Twm Gelli yn ei arwain allan i gyfeiriad Swyddfa'r Manejyr ar lefel Bonc Isa.

'Pam oedd o mor hapus? Dyna dwi'n fethu dallt!' Y rhybelwr bach oedd eto'n holi. 'A pham oedd o'n siarad Susnag? Roedd y peth yn òd!'

'Mae o'n meddwl ei fod o'n dal yn y rhyfal,' eglurodd Ted Ifans. *'Cushie* oeddan nhw'n ddeud yn fan'no pan oedd rhywun yn brifo jest digon i gael ei yrru'n ôl o'r *trenches*. Ac os oedd yr anaf yn ddigon drwg, roedd o'n cael dod 'nôl i *Blighty*. Hynny ydi, dod 'nôl i'r wlad yma.'

Gwyddai pawb fod Ted Ifans yn siarad o brofiad. Roedd Ellis, ei fab o ei hun, wedi cael ei anfon adre o Ffrainc ar ôl cael darn cas o *shrapnel* yn ei goes.

Ar wahân i Abram Jôs ac un neu ddau arall, doedd neb yn dangos unrhyw frys i ddychwelyd at ei waith, a dal i siarad roedd y rhan fwya ohonyn nhw pan gyrhaeddodd Bob Ellis a Twm Gelli yn ôl, y naill â'i wyneb yn glaerwyn ar ôl clywed be oedd y llall newydd ei ddeud wrtho, ar y ffordd yn ôl. 'Mae'r peth yn efengyl ichi, Bob Ellis. Fe'i gwelis i fo'n digwydd efo'm llygid fy hun. Nid damwain oedd hi. Wir i chi! Efo'm llygid fy hun, mi welis i Rhys yn gwthio'i law i mewn i'r injan naddu.'

Y Parch. T. L. Morgan

Roedd y gweinidog yn gysgwr da, fel rheol. Byddai Gwyneth ac ynta'n noswylio o gwmpas deg o'r gloch bob nos, ac eithriad oedd iddo ddeffro cyn hanner awr wedi saith unrhyw fore, hyd yn oed ar y Sul. Ond ers y profiad o wylio Rhys Lòrd Bach yn mynd trwy'i betha yng Nghoed Cwm, doedd y Parch. T. L. Morgan ddim wedi cael un noson lawn o gwsg. Wrth neud ei addewid i Alis Huws, roedd o wedi meddwl yn siŵr y gallai helpu rhywfaint ar ei mab hi. Gwahodd y bachgen ato i'r tŷ . . . ei gael i siarad yn rhydd am ei brofiada yn Ffrainc a'r hunllefa oedd yn drysu'i feddwl . . . tawelu'i gydwybod, os mai dyna'i boen . . . cyd-blygu glin mewn gweddi . . . Fe gâi'r llanc adferiad buan. Neu felly roedd o wedi tybio ar y pryd! Ond ar ôl gweld drosto'i hun, yng Nghoed Cwm bnawn Sul diwetha, be oedd gwir gyflwr y bachgen, roedd o bellach yn ama'i allu i wireddu'i addewid. Oedd o, wir, isio gwahodd y bachgen i'w dŷ? Beth pe bai hwnnw'n cael ffit o wallgofrwydd yng ngŵydd Gwyneth? A pha sicrwydd y bydda fo'n barod i rannu'i brofiada, beth bynnag?

'Mae 'na rwbath yn dy boeni di, Tomos!'

'Dim byd i ti bryderu'n ei gylch, Gwyneth.'

Roedd hi wedi dilyn ei gŵr oddi wrth y bwrdd cinio a thrwodd i'w stydi.

'Paid â meddwl y cei di daflu llwch i'm llygid i, Tomos,' meddai hi. 'Wyt ti'n meddwl nad ydw i'n dy glywad di'n troi a throsi, ganol nos? Rŵan, be sy'n dy boeni di? . . . Rhys Lòrd Bach, ia?'

Gwenodd y gweinidog wên gam. Roedd hi'n medru'i ddarllen o fel llyfr, meddai wrtho'i hun. Fe wyddai Gwyneth am yr addewid a wnaed i Alis Huws a chafodd hi ddisgrifiad manwl ganddo hefyd o'r hyn a welsai yng Nghoed Cwm bnawn Sul diwetha. Ond dewis cadw'i bryderon iddo'i hun wnaeth o ar ôl hynny.

'Wyt ti wedi cael gair efo fo?'

'Efo Rhys? Naddo, ddim eto.'

'Wyt ti'n bwriadu gneud?'

Ysgydwodd T. L. Morgan ei ben yn ddryslyd. 'Anodd gwbod lle i ddechra, rywsut.'

'Am nad wyt ti'n dallt ei gyflwr o, ia?'

Yn hytrach na'i hateb yn syth, aeth y gweinidog i sefyll at y ffenest, nid i edrych allan ar yr ardd nac i wylio'r mynd a dod ar y Stryd Fawr tu draw iddi, ond yn hytrach i styried cwestiwn ei wraig. 'Ia, am wn i,' medda fo o'r diwedd, gan ryfeddu eto at ei chraffter hi.

'Wel, pam na wnei di rwbath ynglŷn â'r peth, ta?'

'Gneud rhwbath? Fel be, felly, Gwyneth?'

'Fel gofyn barn rhywun arall.'

Trodd i edrych arni gyda pheth syndod. 'A barn pwy fasat ti'n awgrymu? Y blaenoriaid?'

Pwff o chwerthin oedd ei hymateb cynta hi. 'Tomos bach!' meddai hi wedyn. 'Mae dy flaenoriaid di mewn cymaint o niwl â thitha! Na, dy unig ddewis di, ddwedwn i, ydi cael gair efo rhai o'r hogia sydd wedi bod trwy'r drin eu hunain . . . drwy'r un uffern â Rhys ei hun. A Duw a ŵyr, mae 'na ddigon ohonyn nhw i'w gweld yn crwydro'r Stryd Fawr y dyddia yma.'

Felly, yn hytrach na setlo wrth ei ddesg i weithio ar bregethau'r Sul, fe aeth y Parch. T. L. Morgan am y llofft i chwilio am ei goler gron a'i gôt ail-orau. Nid pob un o aeloda Caersalem oedd yn hoffi'r goler gron, wrth gwrs. Iddyn nhw, sioe Eglwys Loegr a'r

Pabyddion oedd y 'goler ci'. 'A dichon eu bod nhw'n iawn, hefyd,' meddai T. L. wrtho'i hun, rŵan, wrth durio mewn drôr. 'Ond mae gen i reswm ymarferol hefyd dros ei gwisgo hi.'

Y gwir plaen oedd, nad oedd ganddo ar ei elw ond un crys gwyn, a thair coler starts i fynd efo fo. A rhaid oedd cadw'r rheini at achlysuron arbennig. Be ddwedai aeloda parchus Caersalem, tybed, pe gwydden nhw nad oedd eu gweinidog yn gwisgo crys o gwbwl efo'r goler gron? Mai dim ond pwt o frethyn du dros ei frest oedd ganddo, i guddio'i grys gwlanen? Mi fyddai rhai yn dallt yn iawn, mae'n siŵr, ond eraill yn rhyfeddu ac yn gwgu.

'Do'n i ddim wedi bwriadu i ti fynd ynglŷn â'r peth y funud yma, siŵr iawn!' gwaeddodd Gwyneth, wedi iddi sylweddoli be oedd bwriad ei gŵr.

'Na, dwi wedi taflu'r peth heibio'n rhy hir fel ag y mae hi,' gwaeddodd ynta'n ôl, gan deimlo pang bychan o gydwybod wrth gofio fel roedd Ifan, mab ienga Alis Huws, wedi dod â hanner dwsin o wyau iddo, ar ei ffordd i'r ysgol, fore Llun. Dim gair i egluro'r caredigrwydd, wrth gwrs. Dim byd ond: 'Mae Mam yn anfon rhain ichi.' Ond roedd o'n gwybod pam! Ac roedd Gwyneth yn dallt hefyd.

Y peth cynta a'i trawodd wrth gamu allan o'r tŷ oedd bod y tywydd wedi cynhesu, o'r hyn roedd o wythnos yn ôl. Dim ond y gwynt oedd yn fain, bellach, ac oni bai am hwnnw, gallai fod wedi hepgor ei gôt. Ond mis Mawrth oedd hi, serch hynny, er bod hwnnw'n mynd allan fel oen.

'Pnawn da, Mr Morgan.'

'Pnawn da, Mùs Davies. Mae'n bnawn eitha dymunol.'

'Ydi wir!' Ac aeth dirprwy organyddes y capel heibio iddo'n fân ac yn fuan, heb brin arafu'i cham.

Daeth sawl *'Pnawn da'* arall, a sawl *'Sut ydach chi, Mr Morgan?'* yn ystod y munuda nesa, a theimlodd ynta'n gynnes o'i fewn. Dyn dŵad oedd o i Flaendyffryn, wedi'r cyfan, ond chafodd o erioed achos i deimlo'n ddiarth yma, oherwydd wyddai pobol Blaendyffryn ddim be oedd ystyr y dywediad 'pobol ddŵad'. Serch hynny, swydd unig oedd swydd pob gweinidog, waeth pa enwad. Doedd wiw cael cyfeillgarwch rhy agos â neb, dim ond bod yn agored ac yn glên efo pawb, yn ddiwahân. *Ffrindia-hyd-braich,* chwedl Gwyneth.

Bu'n ffodus iawn o'i wraig; fe wyddai hynny. Roedd hi'n wraig-gweinidog benigamp, yn weithgar yn y gobeithlu a'r Gymdeithas Ddiwylliannol ac yn gymeradwy tu hwnt gan holl chwiorydd yr eglwys. A dyna reswm arall pam bod y ddau ohonyn nhw wedi treulio deuddeng mlynedd mor hapus ym Mlaendyffryn. Dim ond un gofid oedd, a thawelwch yr aelwyd oedd hwnnw. Fe garen nhw fod wedi cael plant, ond wireddwyd mo'r freuddwyd honno a rhaid fu plygu i'r Drefn.

Daeth sŵn rhedeg i'w glyw. Esgidia hoelion yn clecian ar wyneb metlin y ffordd tu ôl iddo, yn union fel ceffyl John Jôs Glo ar garlam. Yn reddfol, camodd T. L. o'r neilltu i neud lle i bwy bynnag oedd ar y fath frys. Gwnaeth eraill yr un fath, a syllu'n chwilfrydig ar y chwarelwr bach a ruthrodd heibio iddyn nhw efo'i wynt mewn un dwrn a'i law arall yn dal ei gap stabal rhag chwythu oddi ar ei ben.

'Oes yna rwbath wedi digwydd yn y chwaral, 'dach chi'n meddwl?' gofynnodd un wraig yn bryderus i un arall.

'Damwain yn Chwaral Lòrd hwyrach! Ac mae'r bachgan yn rhedag i nôl y Doctor Bach, gewch chi weld.'

'Dim byd difrifol, gobeithio,' meddai'r gynta, a mwmblan gair o ddiolch nad yn y chwarel honno roedd ei gŵr hi'n gweithio.

Dywedodd T. L. Morgan, hefyd, air tawel o weddi wrth wylio'r rhedwr yn pellhau, a sŵn ei hoelion yn marw yn y pellter. Ei obaith wrth gychwyn i fyny'r Stryd Fawr oedd dod wyneb yn wyneb â chyn-filwr y gallai fod yn ddigon hyf arno i'w holi am y brwydro yn Ffrainc. Milwr cyffredin. Nid rhywun fel y Cadben T. Pikton, er enghraifft. Er bod hwnnw'n hanu o'r dre ac yn siŵr o fod wedi gweld yr un math o erchyllter â Rhys Lòrd Bach a'i gyfoedion, ac wedi dangos gwrhydri anghyffredin hefyd, yn ddi-os, i haeddu anrhydedd y Groes Filwrol, eto i gyd, milwr proffesiynol oedd Pikton. Ac uwch-swyddog at hynny! Felly, go brin y bydda *fo*'n barod i roi o'i amsar i drafod cyflwr sowldiwr cyffredin fel Rhys.

Cerddodd y Stryd Fawr ar ei hyd heb weld yr hyn y chwiliai amdano. Gwragedd oedd i'w gweld fwyaf, a'r rheini'n crwydro o ffenest siop i ffenest siop efo basgedi gwag, neu'n hel at ei gilydd i sgwrsio. Eithriada'n unig oedd y rhai na chodent ben i ddymuno pnawn da iddo. Câi ei gyfarch, hefyd, gan ambell siopwr a safai'n segur yn nrws ei siop neu a gadwai'n brysur trwy sgubo'r pafin glân yn lanach.

Wedi cyrraedd gwaelod y stryd, doedd dim amdani wedyn ond troi ei drwyn siomedig yn ôl am adre. Teimlai'n ddiysbryd iawn, ac yn euog hefyd o gofio'i fod wedi bwyta'r olaf o wyau Alis Huws i'w frecwast y bore hwnnw. Ond yna, wrth ddod unwaith eto i olwg tafarn y Queens a Siop Fawr Miss Brymer, fe'u gwelodd nhw. Tri, yn dwr bychan mewn sgwrs go fywiog! A dau ohonyn nhw'n wyneba cyfarwydd. Un yn arbennig felly, am ei fod o'n aelod yng Nghaersalem. Ond doedd Alun Gwyn, mwy na Rhys Lòrd Bach, ddim wedi mynychu oedfa na chyfarfod gweddi na dim ers iddo ddychwelyd o Ffrainc.

Fe wyddai'r gweinidog fod Alun yn parhau'n ddi-waith. Felly'r ddau arall hefyd, a barnu oddi wrth yr olwg dlodaidd arnyn nhw. Gwelodd dwll mewn blaen esgid ac mewn penelin côt, a doedd yr un o'r tri wedi siafio ers dyddia. Sylwodd fod y dieithryn yn eu mysg o leia ddeng mlynedd yn hŷn na'r ddau arall.

Wrth dynnu'n nes, teimlodd T. L. ei benderfyniad yn gwanio rywfaint wrth i'w chwerthin a'u trafod swnllyd nhw daro ar ei glyw. Yr hynaf o'r tri oedd uchaf ei gloch. 'Ond damia unwaith! Cachgi oedd y diawl! Roedd o'n haeddu . . .'

Bu clywed y rhegfeydd yn ddigon i'w yrru o'r tu arall heibio, ond dim ond cyn belled â ffenest Siop Fawr Miss Brymer. Oedodd yn fan'no gan smalio cymryd diddordeb yn yr amrywiaeth bychan o nwydda oedd yn cael eu harddangos. Roedd y dieithryn yng nghwmni Alun Gwyn, pwy bynnag oedd o, yn rhy lawn ohono'i hun o'r hanner. Siawns, felly, na fyddai Alun yn oedi'n rhy hir yn ei gwmni.

'Enjoy a cup of DWYRYD TEA' meddai un hysbyseb wrtho trwy wydyr y ffenest; 'PEPS for coughs & colds' meddai un arall. A doedd dim byd gwell, mae'n debyg, na 'DOAN'S KIDNEY PILLS' at boen cefn, tra bod OLEW MORRIS EVANS yn mendio pob anhwylder. Roedd yno hefyd boster yn cyhoeddi 'ORGAN

RECITAL' yng Nghapel Caersalem gan Caradog Roberts Mus.Doc.; FRCO; ARCM; CRAM a'r elw i fynd at godi cofeb deilwng i hogia'r cylch a laddwyd yn y Rhyfel Mawr. Oedd, roedd yr ymgyrch i godi arian wedi dechra o ddifri, meddyliodd y gweinidog, a chyn hir byddai trigolion yr ardal yn cael cyfle i bleidleisio ar y math o gofeb y caren nhw'i gweld yn cael ei chodi. Roedd tri chynnig eisoes gerbron – cofadail o lechfaen efo enwa'r merthyron i gyd arni, Llyfrgell Goffa lle gallai'r cenedlaetha-i-ddod ehangu eu meddylia a'u gorwelion, neu Ysbyty Coffa i wasanaethu cleifion yr ardal. Doedd fawr o amheuaeth pa un fyddai'n cario'r dydd. Onid oedd pobol y cylch wedi bod yn galw'n daer am ysbyty ers blynyddoedd lawer, byth oddi ar i haint y teiffoid bladuro'i ffordd drwy'r ardal? Gwyddai T. L. fod nifer o feirdd y cyfnod wedi llunio penillion i'r aflwydd ac ers iddo ddod i'r ardal i fyw, roedd o ei hun wedi clywed amryw o'r penillion hynny'n cael eu hadrodd ar goedd, mewn cyngherdda ac eisteddfoda capel. Ond dim ond un pennill oedd wedi aros yn ei gof, a hynny oherwydd y cabledd a'r celwydd oedd ynddo:

> Y *typhoid fever*, gwas Duw Iôn,
> Sydd yma'n brysur iawn,
> Mae'n rhoi rhai sydd yn y bore'n iach
> Ar styllen y prynhawn.

Gwingodd y gweinidog wrth adrodd y geiria yn ei feddwl. Pwy, yn ei iawn bwyll, gofynnodd iddo'i hun, fyddai'n meiddio beio'r Hollalluog am rywbeth nad oedd ond Dyn ei hun, trwy ei ddiffyg glanweithdra, yn gyfrifol amdano?

Chwiliodd am rywbeth arall i'w ddarllen:

Menyn ffres	2/2 y pwys
Pytatws	1/- am 7 bwys
Moron	1/- am 7 bwys
Porc	1/6 y pwys
Cig oen	1/4 y pwys

Ond roedd llinell wedi'i thynnu drwy'r eitem olaf i hysbysu cwsmeriaid nad oedd cig oen ar gael, ar hyn o bryd. Roedd Gwyneth yn llygad ei lle, meddyliodd, pan ddeudodd hi fod bwyd yn dal yn ddrud.

O ddrws agored y dafarn syrthiodd nodau ansoniarus ar ei glyw wrth i ddwy garfan gystadlu yn erbyn ei gilydd yn y taprwm.

O mor drwm yr ydym ni!

O mor drwm yr ydym ni! bloeddiai un criw yn llawn afiaith meddw, tra bod y lleill yn holi pwy oedd wedi gweld *hen ffon fy nain.*

Trodd ei gefn ar y ffenest a rhoi sylw eto i'r tri chyn-filwr oedd yn dal i sgwrsio'n swnllyd ychydig lathenni oddi wrtho, pob un â'i gap wedi'i wthio'n ôl oddi ar ei dalcen. 'Be wna i?' gofynnodd iddo'i hun, wrth weld nad oedd osgo gwahanu arnyn nhw. 'Torri ar eu traws, ta be? Fedra i ddim dal i sefyllian yn fa'ma drwy'r pnawn.' Ond wedi clywed y rhegfeydd digywilydd rai munuda'n ôl, doedd ganddo fawr o awydd gofyn barn y tri efo'i gilydd. Cael gair efo Alun Gwyn ar ei ben ei hun fasa'n ddelfrydol ond doedd y dewis hwnnw ddim yn mynd i ddod iddo, yn ôl pob golwg.

Mi fedra fo sleifio adra, wrth gwrs, a gobeithio am gyfla rywbryd eto, ond dewis llwybyr cachgi fasa peth felly.

Trwy gymorth hon y troediai gynt
I'r capel . . .

Melys iawn yw cael rhyw sleisen
O gig mochyn gyda'r daten . . .

'Fedra i gael gair efo chi, hogia?'

Ar Alun Gwyn roedd o'n edrych, ond nid Alun a'i hatebodd.

'Os mai dŵad yma i bregethu dirwast wyt ti, gyfaill, yna piso'n erbyn y gwynt fyddi di.'

Roedd llygaid y dieithryn ar y goler gron a gallai'r gweinidog weld crechwen yn magu ar ei wefus. Nid yn unig hynny, ond roedd ogla cwrw hefyd yn drwm ar anadl y dyn. Fel ag ar wynt Alun Gwyn a'r bachgen arall hefyd, o ran hynny! A dyna pryd y sylweddolodd y gweinidog nad wedi digwydd taro ar ei gilydd ar y stryd oedd y tri ond eu bod nhw, yn hytrach, wedi treulio'r pnawn efo'i gilydd yn nhafarn y Queens.

'Mae'n ddrwg gen i darfu arnoch chi,' medda fo'n wan, eisoes yn difaru ei fod wedi agor ei geg o gwbwl. 'Meddwl cael eich cyngor chi oeddwn i.' Pe bai o wedi edrych i wyneb Alun Gwyn rŵan, yn hytrach nag ar y dieithryn difanars, yna byddai wedi gweld cywilydd yn neidio i lygaid hwnnw.

Erbyn hyn, roedd selogion y taprwm wedi claddu'r 'Mochyn Du' a 'Hen Ffon fy Nain' ac yn gweiddi ar rywun neu'i gilydd i roi solo. 'Tyrd â 'Hen Feibil Mawr fy Mam' i ni Wil!' gwaeddodd un. 'Bugail Aberdyfi' meddai rhywun arall.

'Cyngor, ddeudist ti? Pa gyngor, meddat ti, all tri phechadur fel ni, sy'n mynychu tŷ Satan . . .' Chwifiodd law ddramatig i gyfeiriad y dafarn tu ôl iddo. '. . . ei roi i was Duw? Y?'

88

Synhwyrodd gweinidog Capel Caersalem fod y ddrama'n denu chwilfrydedd sawl un arall ar y stryd erbyn hyn. Roedd y dieithryn am godi cywilydd arno! A phe câi ei ffordd byddai'n llwyddo! Llyncodd ei boer a magu penderfyniad.

'Gyfaill!' meddai'n gadarn. 'Dod i ofyn eich cyngor chi wnes i, nid dod i gael fy ngwawdio oherwydd fy nghred.'

'Sut allwn ni'ch helpu chi, Mishtyr Morgan?' Er bod ei dafod yn dew, sŵn gwylaidd oedd yn llais Alun Gwyn.

> . . . mai rhywbeth cysegredig
> Oedd Beibl mawr fy mam.
> Mil harddach yw'th ddalennau . . .

Roedd Wil, pwy bynnag oedd o, yn denor heb ei ail, ac yn sobrach na gweddill criw'r taprwm.

'Meddwl cael trafod problema un o aeloda Capel Caersalem efo ti oeddwn i, Alun.'

'Rhysh Lòrd Bach?'

'Ia. Fe wyddost ti, felly?'

'*Shellshock*, Mishtyr Morgan!' eglurodd y llanc, a chael trafferth ynganu'r gair cynta oherwydd ei dafod dew. 'Dyna shy'n bod ar Rhysh.'

'Fyddet ti'n barod i siarad efo fi am y peth . . . pan fydd hi'n hwylus iti?' *Pan fyddi di wedi sobri* oedd y geiria ar feddwl y gweinidog.

'Arglwydd Mawr! Isio gwbod mwy, ddeudist ti? Hy! Rhedag i ffwrdd oeddat ti a dy siort yn arfar neud . . .'

'Paid, Moi!' Y tro yma, fe welodd T. L. y cywilydd ar wyneb Alun Gwyn. 'Wedi yfad mae o, Mishtyr Morgan. Peijiwch â chymryd shylw.'

Ond doedd gan Moi, pwy bynnag oedd o, ddim

bwriad gwrando ar rybudd ei ffrind iau. Roedd yn sgwario'i ysgwydda ac roedd ei lygaid yn tanio. 'Isio gwbod mwy am Ffrainc wyt ti, Mustyr Gweinidog-yr-Efengyl? Wel mi fetia i swllt nad wyt ti'n gwbod diawl o ddim . . .'

'Cadwch eich llais i lawr, gyfaill!' Teimlai T. L. Morgan fel cwningen wedi ei dal yng ngolau lamp y potsiar neu gan lygad y wenci. Gallai droi cefn a cherdded ymaith, i sŵn gwawd a chwerthin, neu ddal ei dir i ymresymu efo'r dyn aflednais.

'. . . Be wyst ti am sefyll mewn ffos ddydd a nos, at dy geillia mewn dŵr a mwd? Y? A hwnnw'n gwasgu'n dynnach am dy glunia di wrth iddo fo rewi'n gorn! Sgen ti syniad be 'di aros am oria efo gwn a *bayonet* fel talp o rew yn dy ddwylo, yn disgwyl i ryw blydi offisar chwythu'i wisl i dy yrru di dros y top? . . .'

'Nid i hyn y dois i . . .'

'Sgen ti syniad be 'di bod ag ofn trwy dy din? . . . Yn llythrennol felly, os ti'n dallt be sgin i!' Chwarddodd Moi yn chwerw. 'Gweld dy fêts yn cael eu chwythu'n jibadêrs a meddwl yn siŵr mai chdi fydd nesa.' Cododd ei lais, i bawb ei glywed. 'Be wnaech chi 'taech chi'n gorfod mesur eich bywyda bach mewn eiliada yn hytrach na blynyddoedd? Y?' Yna, wedi gweld syndod a dychryn ar ambell wyneb, anelu'i eiria unwaith eto at y gweinidog. 'Welist ti ddyn mawr cry yn crio erioed? Yn crio fel babi? Ac yn crefu ar ei fêts: *Sut bynnag y ca i fy lladd, cofiwch ddeud wrth Mam mod i wedi marw'n syth, a heb ddiodda dim.* Gofyn iddyn nhw ddeud celwydd drosto fo, Mustyr Gweinidog-yr-Efengyl! Dwyn cam-dystiolaeth! Pechod o'r mwya, yn ôl dy lyfr di, ia ddim? Y Llyfr Mawr! . . .'

'. . . *Nid amharch wnaeth dy faeddu,*' cyhoeddodd

Tenor y Taprwm, yn union fel petai wedi amseru'r pennill i herio cabledd Moi.

> *Nid anghof rois it gam,*
> *Ond trysor penna'r teulu*
> *Oedd Beibl mawr fy mam.*

'Gyfaill! . . .'

'. . . Dwyt ti'm yn gwbod be 'di *shellshock*, meddat ti. Wel gad i mi ddeud wrthat ti, ta! Meddylia am ynnau mawr Jeri'n rhuo am oria . . . dyddia weithia . . . nes bod y ddaear i gyd yn ysgwyd dan dy draed di, a'i *shells* o'n disgyn fel pys o dy gwmpas di ym mhob man ac yn hannar dy gladdu di o dan gawodydd o fwd a darna o gyrff dy fêts. Meddylia am fraich neu goes waedlyd yn landio o dan dy drwyn di! Neu falla damad o frêns yn disgyn yn glowt ar d'ysgwydd di, brêns rhywun roeddat ti falla'n sgwrsio efo fo bum munud ynghynt . . .'

'Gyfaill! . . .'

'Moi! Plîsh!'

Ond doedd Moi ddim am wrando ar brotest y naill na'r llall ohonyn nhw. Roedd rhyw ddiawledigrwydd wedi cydio ynddo wrth i argae dorri o'i fewn. 'Wyt ti wedi clywad *shrapnel* yn ffrwydro erioed? Naddo, siŵr Dduw dwyt ti ddim! Sŵn ffrwydro gwag rwla uwch dy ben di, fel twll yn tanio a hwnnw heb ei bowdro'n iawn, a'r darna *shrapnel* yn disgyn fel bwledi o genllysg poeth, neu lafna cyllyll allan o dân Uffern, a dynion yn sgrechian mewn poen o dy gwmpas di ym mhob man. A gorfod gwrando ar rai o dy fêts yn crefu am gael marw . . . allan yn fan'cw . . .' Efo'i law, arwyddodd Moi at Dir Neb dychmygol, rywle ar y Stryd Fawr o'i flaen. 'A chditha'n methu gneud *bugger-*

all i'w helpu nhw, am na fedri di ddangos dy ben dros y *parapet* heb i sneipar Jeri roi blydi bwlat trwy dy frêns di. Welist ti gorff, erioed? . . .'

'Gwrandwch, gyfaill! . . .'

Ond protest ddi-fudd oedd hon eto.

'. . . Mae'n siŵr dy fod ti wedi claddu digon, ac wedi'u gweld nhw'n gorwadd yn eu heirch, wedi'u diweddu'n ddel ac mewn amdo lân, ond mi fetia i na welist ti erioed gorff yn pydru mewn mwd . . .'

'Moi! Rho'r gora iddi! Rŵan! Plîs!' Roedd cywilydd Alun Gwyn o'r diwedd yn cael y gora ar ei feddwdod, a'i ynganu hefyd yn gliriach oherwydd hynny. Ond doedd dim a wnâi gau ceg ei ffrind.

'. . . Mewn diwrnod neu ddau mae o'n chwyddo – hynny ydi, wrth gwrs, os na fydd y llygod mawr wedi cael eu dannadd iddo fo'n gynta! – ac mae'r drewdod yn cario ar y gwynt. Mae croen y gwynab yn troi'n llwydfelyn . . . wedyn yn goch . . . yna'n biws . . . yn wyrdd ac wedyn yn ddu. Ond erbyn hynny, dydi o'n ddim ond slafan anghynnas.'

'Moi!' meddai Alun eto'n chwyrn, tra bod ei weinidog yn teimlo'i ginio'n corddi yn ei stumog.

Roedd pawb a gerddai heibio – merched gan mwya – yn troi llygad beirniadol i edrych arnyn nhw, rhai'n twt-twtian yn ddiamynedd ac yna'n mwmblan ymysg ei gilydd yn ddig, tra bod eraill yn creu pellter bwriadol trwy groesi i ochor arall y stryd. 'A phwy all eu beio nhw,' meddai'r Parch. T. L. Morgan wrtho'i hun, 'am wgu ar y fath sioe gyhoeddus?'

Yna'n ddirybudd, 'Cywilydd arnoch chi, ddyn!' meddai llais chwyrn o'r tu ôl iddo.

Am eiliad meddyliodd mai fo oedd targed y geiria, ond yna gwelodd mai Moi oedd yn ei chael hi gan

Annie Edwards Bryn Golau. Roedd hi a'i ffrind,
Morfudd Jôs, wedi cerdded heibio rai munuda
ynghynt ond rhaid eu bod nhw rŵan wedi penderfynu
troi'n ôl i achub cam eu gweinidog.

'. . . Dyn yn eich oed a'ch amsar chi – beth bynnag
ydi'ch enw chi – yn creu stŵr fel hyn ar y Stryd Fawr,
gefn dydd gola, ac yn siarad mor amharchus efo
gweinidog yr Efengyl. Ac yn ddigon hy i ddeud *chdi*
wrtho fo! Be s'arnoch chi, ddyn?'

Er i'w geiria roi taw annisgwyl ar Moi, ofnai T.L.
glywed hwnnw'n troi ei gynddaredd arni *hi*, rŵan. Ond
sefyll yno efo'i llygaid yn tanio a wnâi Annie Edwards,
mewn ystum o herio unrhyw un, ac yn arbennig Moi,
i'w hateb hi'n ôl. Am y tro cynta ers iddo'i chyfarfod hi
erioed, fe welodd y gweinidog fod Annie Bryn Golau
yn llawn haeddu'r gair o fod yn dipyn o stormas.

Yn hytrach na ffrwydro yn ei dymer, fel y
disgwyliai pawb iddo'i neud, lledodd cwmwl o
ddieithrwch dros wyneb Moi a daeth lleithder a
thristwch annisgwyl i'w lygaid, fel petai o newydd
sylweddoli lle'r oedd o, ac efo pwy roedd o'n siarad.
Yna, wedi sychu deigryn o gornel ei lygad efo cefn
chwyrn ei law, trodd ar ei sawdl, mwmblan
ymddiheuriad a cherdded i ffwrdd.

'Faswn i feddwl hefyd!' meddai Annie Edwards yn
fuddugoliaethus ar ei ôl. 'Ddylech chi ddim cymysgu
efo'i deip *o*, Mustyr Morgan. A dwi'n rhyfeddu atat ti,
yn reit siŵr, Alun Gwyn! Ac atat titha hefyd, Jim Gelli!
Tyrd, Morfudd!'

Chafodd y gweinidog ddim cyfle i achub ei gam
nac i ddiolch iddi oherwydd roedd y ddwy wedi troi a
hwylio i ffwrdd, fel dau Farchog Iesu ar grwsâd.

'Gwell i minna fynd hefyd, dwi'n meddwl!' meddai

cyfaill arall Alun efo gwên a winc. *Rhag ofn i'r ddwy acw ddod 'nôl*, oedd y geiria ar ei feddwl.

'Mae'n wir ddrwg gen i am hyn'na, Mustyr Morgan. Ddylai Moi ddim bod wedi siarad fel'na efo chi.'

Roedd y bachgen wedi sobri'n rhyfeddol o sydyn a gwelodd y gweinidog ei gywilydd.

'Does dim disgwyl iti ymddiheuro, Alun. Mae'n amlwg bod dy ffrind o dan dipyn o deimlad. Ond mae o'n ddiarth i mi. Pwy ydi o, felly?'

'Fasach chi ddim yn ei nabod o, Mustyr Morgan. Moi Sowth mae o'n cael ei alw, am iddo fo dreulio mis neu ddau yn gweithio yn y pylla glo, rywdro neu'i gilydd. Ond baricsio yn y Chwaral Fawr oedd o'n arfar neud, cyn mynd allan i Ffrainc. Hogyn o Ddyffryn Nantlle'n wreiddiol, dwi'n meddwl. Ond faswn i ddim yn ei alw fo'n ffrind, cofiwch! Digwydd taro arno fo pnawn 'ma wnaeth Jim a finna.'

Wrth i sŵn moto-câr ddod i'w clyw ac i nifer o ferched symud o ganol y ffordd i neud lle iddo, trodd Alun Gwyn a'i weinidog i wylio'r Doctor Bach yn chwyrnellu heibio yn ei Morris Cowley, a llanc o chwarelwr yn eistedd wrth ei ochor, yn gwenu fel giât o fod yn cael ei bàs cynta erioed mewn moto-câr.

'Fasat ti'n meindio cydgerddad efo fi, Alun, gan ein bod ni'n dau'n mynd i'r un cyfeiriad?'

'Dwn 'im be am hynny, Mustyr Morgan. A deud y gwir, mae gen i gwilydd, ar ôl be sydd newydd ddigwydd.'

'Twt! Tyrd! Mae gen i angan dy help di, machgan i.' A chydiodd y gweinidog yn ei fraich, i'w dywys ymlaen. 'Bydd yn onast! Ai ceisio nychryn i oedd y Moi 'na, ynte oedd o'n deud y gwir?'

'Am y rhyfal, 'dach chi'n feddwl?'

'Ia. Ti'n gweld, Alun, dwi wedi addo i Musus Alis Huws Lòrd Bach y baswn i'n gneud pob dim fedra i i helpu Rhys. Ond mae'n anodd gneud hynny oni bai mod i'n dallt yn iawn be sydd wedi digwydd iddo fo.'

Bu tawelwch rhyngddyn nhw wedyn am o leia ddeg cam. Yna, 'Ia, mae'n siŵr mai trio'ch dychryn chi roedd Moi, Mustyr Morgan, ond doedd o ddim yn gor-ddeud chwaith, cofiwch, yn yr hyn ddeudodd o. Ond fasa fo ddim wedi agor ei geg o gwbwl, dwi'n gwbod, oni bai ei fod o wedi . . . wel, wedi cael chydig gormod i'w yfad. Ac mi fasa'n well gen inna hefyd, cofiwch, beidio sôn am y petha erchyll mae rhywun wedi'u gweld . . .'

Aeth chwech neu saith cam arall heibio.

'. . . Ond gan mai chi sy'n gofyn . . .' Oedodd eto. 'Peidiwch â meddwl yn rhy ddrwg ohonon ni am fynychu'r dafarn, Mustyr Morgan. Wyddech chi mai unig bleser y dydd i ni yn Ffrainc, pan oedden ni allan yn y ffosydd, oedd y joch o *rum* oedd yn cael ei rannu ar y *dawn stand-to?*' Chwarddodd yn fyr ac yn chwerw. 'Os oedd yno brinder bwyd, doedd yno byth brinder o *rum* . . . Fe gewch *chi* ddyfalu pam!'

Nodiodd y gweinidog yn ddwys. Roedd o wedi clywed y geiria *cannon fodder* yn cael eu defnyddio fwy nag unwaith, a chofiodd hefyd ddarllen geiria Lord Carson, pan oedd y brwydro yn Ffrainc ar ei ffyrnicaf. *'The necessary supply of heroes must be maintained at all costs.'* Pwrpas y joch o *rum* oedd pylu ofn y dynion.

'Roedd dy ffrind yn teimlo'n chwerw tuag at grefydd, Alun. A thuag ataf inna, fel gweinidog yr Efengyl . . .'

Nodiodd y bachgen ifanc un ar hugain ei ben yn ddwys, fel petai'n ansicr sut i ymateb i'w weinidog.

'. . . Fedri di ddeud wrtha i pam?'

Erbyn hyn, roedden nhw wedi gadael y Stryd Fawr ac yn pwyso ar ganllaw pont y rheilffordd. Ym mhellter y de, cyhoeddai pluen wen o fwg fod trên ar ei ffordd i mewn i orsaf y *Great Western* ym Mlaendyffryn.

Wedi styried am eiliad neu ddwy, aeth Alun Gwyn i'w boced a thynnu allan lyfryn bach brown. 'Welsoch chi un o'r rhain o'r blaen, Mustyr Morgan?'

Cydiodd y gweinidog ynddo a'i ddal ar gledr ei law. Ar y clawr, mewn llythrennau euraid aneglur, gwelodd *ACTIVE SERVICE TESTAMENT 1914.* Gwenodd. 'Dyma'r Testament lleiaf i mi erioed ei weld, dwi'n tybio,' medda fo.

'Dwi wedi cario hwn'na efo fi i bob man, o'r diwrnod cynta y cefais i o.'

'Da iawn, machgan i. Ac fe ddaeth â thi'n ddiogel drwy'r drin.'

Brathodd Alun ei dafod rhag edliw bod miloedd o destamenta tebyg wedi cael eu claddu ym mhridd y Somme.

'Darllenwch be sydd tu mewn i'r clawr, Mustyr Morgan.'

LORD ROBERTS' MESSAGE oedd teitl yr hyn y cyfeiriai Alun Gwyn ato, ac oddi tano, mewn llawysgrifen dwt, y dyddiad: *25th August 1914.* Yna'r neges hon: *I ask you to put your trust in God. He will watch over you and strengthen you. You will find in this little book guidance when you are in health, comfort when you are in sickness, and strength when you are in adversity.* Ac oddi tano, y llofnod-un-gair *Roberts.*

'Ac fe gefaist ti arweiniad a chysur a nerth ohono fo dwi'n siŵr, machgan i.'

Brathodd Alun Gwyn ei dafod am yr eildro wrth roi'r Testament yn ôl yn ei boced. 'Roeddech chi'n gofyn pam bod Moi Sowth yn sur tuag at y capal a thuag at grefydd, Mustyr Morgan. Mae Moi yn hŷn na fi, wrth gwrs. Roedd o mewn oed enlistio pan dorrodd y rhyfal. Wyddoch chi pam ddaru o enlistio? Am ei fod o wedi gwrando ar y gweinidog Methodus 'na o Sir Fôn, yr un oedd yn gwisgo iwnifform ac yn mynd o gwmpas i annog yr hogia i fynd i ryfal. Clywad hwnnw'n deud bod y rhyfal yn un cyfiawn, a bod Duw o'n plaid ni.' Gwnaeth sŵn chwerthin chwerw yn ei wddw. 'Dyna oeddwn inna'n arfar ei gredu hefyd, wyddoch chi. Credu mai'r Caisar oedd y Diafol!'

'Fe wnaeth hwnnw waith y Diafol yn reit siŵr.'

'A Mustyr Lloyd George a'i debyg yn gneud gwaith Duw, ia?'

Cafodd y gweinidog gip annisgwyl o'r un chwerwedd yn llygad Alun Gwyn ag a welsai ar wyneb Moi Sowth, rai munuda ynghynt.

'Goeliwch chi bod Moi hefyd, er mor rhyfadd ydi o, wedi cario'i destament efo fo drwy'r rhyfal . . .'

'Fe gafodd ynta gysur o fewn ei dudalenna, felly.'

'. . . tan bora 'ma?'

'O?'

'Bora 'ma, mewn ffit o wylltinab wrth gerddad dros Bont Afon Felin, mi daflodd ei Destament dros y canllaw i'r dŵr a dŵad yn syth wedyn i dafarn y Queens . . . i chwilio am *gysur go iawn*, medda fo.'

'Gresyn iddo fo neud peth felly!' meddai'r gweinidog yn ddistaw ac yn llawn siom.

'Goeliwch chi fod Moi wedi bod yn grefyddol iawn ar un amsar? Neu dyna ddeudodd o wrthon ni, beth bynnag! Yn hogyn pymthag oed, mi fuodd o'n gwrando ar Evan Roberts y Diwygiwr yn pregethu, medda fo, ac mi gafodd hwnnw ddylanwad arno fo.'

'Rargian fawr! A rŵan mae o wedi mynd ar ddisberod yn llwyr? Be wnaeth iddo fo golli'i ffordd, os gwn i?'

Ochneidiodd y gŵr ifanc, yn fwy oherwydd naïfrwydd ei weinidog na dim arall. 'Y rhyfal, Mustyr Morgan!'

'Ond i daflu gair Duw i Afon Felin! Ac ynta wedi cael y fath fraint o weld y Goleuni unwaith!'

Roedd ar flaen tafod Alun Gwyn i ddeud wrtho bod mwy o dywyllwch Uffern na goleuni dwyfol yn ffosydd Ffrainc, ond brathu ar ei eiria wnaeth o eto fyth. 'Oni bai i chi fod yno'ch hun, Mustyr Morgan, allwch chi byth ddychmygu sut roedd hi arnon ni, ar y Ffrynt. Mae'n beth mawr i'w ddeud – a Duw a faddeuo imi am ei ddeud o! – ond yng nghanol y fath orffwylltra, rhywbeth yn perthyn i fyd a bywyd arall oedd dysgeidiaeth Iesu Grist.'

Tro'r gweinidog oedd brathu tafod rŵan, wrth i'r llanc gael ei lethu gan atgofion ac i'w lygaid lenwi â dagra.

'. . . Mi welis i hogia, tra'n aros i fynd dros y top, yn defnyddio tudalenna'u Testament i rowlio baco ynddyn nhw, i neud sigarét. Roeddech chi'n holi ynghylch agwedd Moi tuag atoch chi. Rhaid ichi beidio meddwl mai rhwbath personol oedd hynny, Mustyr Morgan.'

'Ond be arall alla fo fod, Alun?'

Syrthiodd tawelwch rhyngddyn nhw eto, am eiliad neu ddwy, tra bod y gŵr ifanc yn magu digon o blwc i ateb.

'Doeddwn i ddim wedi meddwl deud hyn wrthoch

chi, rhag tramgwyddo mwy nag oedd raid. 'Dach chi'n gweld, Mustyr Morgan, pan oedd y cwffio ar ei waetha, roedd rhywun yn gweld petha erchyll iawn, lle bynnag roedd o'n troi. Wna i ddim manylu. Mae Moi wedi gneud digon o hynny'n barod! Ond ar adega felly, roedd doctoriaid yn gorfod dod i'r *trenches* at rai o'r cleifion, i roi morffîn a phetha felly iddyn nhw cyn i'r *stretcher bearers* eu cario nhw'n ôl i'r *field hospital*. Y gwir ydi bod y *medics* yn mentro'u bywyda lawn cymaint â ninna, ac yn gneud hynny heb feddwl ddwywaith. Dyna pam bod gan yr hogia gymaint o barch tuag atyn nhw, dach chi'n dallt.'

Camodd y ddau'n ôl oddi wrth ganllaw'r bont wrth i'r trên ddiflannu oddi tanyn nhw a'u carcharu am eiliad mewn cwmwl o stêm gwyn sylffiwrig.

'. . . Roedd disgwyl i'r *brigade chaplain*, hefyd, ymweld â'r ffrynt, i gynnig cysur i'r rhai oedd mewn poen difrifol, neu ar farw . . .'

'Mi fedra i ddallt hynny.'

'Wel . . . Dwn i ddim sut i ddeud hyn wrthoch chi, Mustyr Morgan, ond . . . wel, doedd gan yr hogia mo'r un parch at y *chaplains* ag oedd ganddyn nhw tuag at y *medics*, mae gen i ofn.'

'Pam hynny?'

'Am na fyddai'r *chaplains* byth yn aros yn hir efo'r cleifion yn y *trenches*. Picio yno i fwmblan gweddi sydyn, cyn brysio'n ôl wedyn tu ôl i'r lein, i fod yn saff.'

'Deud wyt ti, Alun, bod y caplaniaid i *gyd* yn llwfr? Go brin bob hynny'n wir nac yn deg.'

Syllodd Alun ar ei draed, yn gwybod ei fod wedi tramgwyddo'i weinidog.

''Dach chi'n iawn, wrth gwrs. Roedd rhai o'r

chaplains hefyd yn ddewr. Mi fedra i feddwl am un yn arbennig, oedd â'i enw'n ddiharab yn y batalion oherwydd y ffordd roedd o'n mentro'i fywyd. Mi fydda fo'n gwibio'n ôl a blaen drwy'r *trenches*, i roi bendith ar gleifion oedd tu hwnt i allu'r *medics*. A deud y gwir wrthach chi, Mustyr Morgan, dyna un o'r dynion dewraf dwi wedi'i weld erioed.'

'Wel dyna ni, ta!'

Swniai T.L. fel petai wedi achub cam pob gweinidog anghydffurfiol yn y Deyrnas benbaladr a doedd gan Alun mo'r galon wedyn i ddeud wrtho mai offeiriad Catholig oedd y caplan dan sylw.

'Ond isio dallt cyflwr Rhys Huws Lòrd Bach ydw i, Alun . . . Dallt y profiada sydd wedi creu ei . . . ei . . .'

'Ai *gorffwylltra* ydi'r gair 'dach chi'n chwilio amdano, Mustyr Morgan?'

'Ia, mae'n siŵr,' meddai'r gweinidog yn drist. 'Welist ti ddynion eraill yn yr un cyflwr â fo, Alun?'

Nodiodd Alun Gwyn ei ben y mymryn lleia. 'Do, gwaetha'r modd! Does gynnoch chi ddim syniad, Mustyr Morgan, o'r effaith roedd sŵn y gynna mawr a'r *mortars* yn ei gael arnon ni. Roedd o'n mynd ymlaen am oria weithia, a doedd Moi ddim yn gorddeud, wyddoch chi, wrth sôn am y ddaear gyfan yn ysgwyd o dan ein traed ni. A'r Nefoedd uwch ein penna ni hefyd, o ran hynny! Roedd y peth yn ddigon i ddrysu unrhyw un. A dyna oedd *yn* digwydd i rai, gwaetha'r modd. Hurtio'n llwyr!'

Gwelodd y gweinidog fod y bachgen dan deimlad dwfn a tharodd fraich ar ei ysgwydd i gynnig rhywfaint o nerth iddo.

'. . . Dwi'n cofio unwaith, wedi i'r gynna mawr dawelu, gweld un o'n hogia ni'n dringo allan o'r *trench,* cyn i'r offisyr chwythu'i wisl hyd yn oed, a dechra rhedag fel peth lloerig ar draws *no man's land* gan weiddi *"Capture the Kaiser! Capture the Kaiser!"* dros bob man, yn union fel 'tai o ar grwsâd personol. Dychmygwch yr olygfa, Mustyr Morgan! Neb arall ond fo yn baglu mynd trwy'r mwd a'r dŵr oedd rhyngddon ni a'r *Boche.* Dwi'n ei weld o rŵan! Fel hunlla yn fy meddwl i. Pawb ohonon ni'n edrych yn syn ar ein gilydd, jyst yn disgwyl i fwledi Jeri rwygo trwy'i gorff o. Ond rhaid eu bod nhwtha hefyd wedi cael eu synnu gan be oedd yn digwydd oherwydd mi gafodd y cradur bach fynd cyn bellad â'u weiar bigog nhw cyn iddyn nhw neud dim.'

'Ac fe'i lladdwyd o?'

Nodio pen yn ddistaw oedd ateb Alun. 'Dwi'n dal i weld ei gorff o'n hongian ar y weiar bigog, fel dillad budur ar lein yn sychu. Roedd o'n fab i rywun, Mustyr Morgan, ac ro'n i'n dychmygu tristwch ei fam a'i dad wrth iddyn nhw dderbyn telegram neu weld ei enw fo ar dudalenna papur Saesneg y *Times.* A dwi wedi gweld rhai yn rhedeg y ffordd arall hefyd, cofiwch, oddi wrth y gelyn. Ac yn cael eu saethu gan eu pobol eu hunain am fod yn llwfr. Os mai llwfrdra oedd peth felly, yna llawn cystal i chi ddeud mai dewr ac nid hurt oedd y llall, yr un a redodd at y gelyn.'

'A dyna mae *shellshock* yn ei neud i ddyn? Peri iddo fo ymddwyn yn . . . yn afresymol? Dyna wyt ti'n ddeud, Alun?'

'Ia. A dyna sy'n bod ar Rhys Lòrd Bach. Dim byd sy'n sicrach, Mustyr Morgan. Mae sŵn y gynna mawr yn dal i bwnio yn ei ben o.'

'Ai rhwbath dros dro ydi peth felly, wyt ti'n meddwl?'

'Alla i ddim deud . . . Wir i chi! . . . oherwydd mae'r rhyfal wedi effeithio arnon ni i gyd mewn ffyrdd gwahanol.' Edrychodd yn hir i lygad ei weinidog cyn penderfynu mynd ymlaen. 'Dydw i ddim wedi deud hyn wrth neb o'r blaen, Mustyr Morgan, rhag iddo fo ddod i glustia Mam a Nhad ac iddyn nhw boeni mwy nag sydd raid yn fy nghylch i, ond mi ddeuda i wrthoch *chi*. Falla y byddwch chi'n dallt cyflwr Rhys Lòrd Bach yn well wedyn.' Oedodd rai eiliada eto. 'Y ffaith ydi fy mod inna hefyd yn cael hunllefa. Ddydd a nos! Clywad sŵn yr *howizers* a'r *mortars* yn tanio yn fy mhen i a gweld y *shells* yn byrstio'n gawodydd o bridd a thân o nghwmpas i ym mhob man. Dro arall, wrth gerddad y Stryd Fawr mi fydda i'n ochor-gamu er mwyn osgoi'r cyrff dwi'n weld yn gorwadd ar y ffordd o mlaen i. A weithia, nid gwyneba pobol Blaendyffryn dwi'n weld ar y stryd ond gwyneba hen ffrindia a gafodd eu lladd yn Ffrainc.' Ymdawelodd am rai eiliada eto, i adfeddiannu'i hun yn ogystal ag i roi cyfle i'w weinidog gnoi cil ar yr hyn a glywsai. 'A dwi'n gwbod bod Moi a rhai o'r hogia eraill yn cael profiada tebyg hefyd. Yr unig wahaniaeth rhyngon ni a Rhys Lòrd Bach, Mustyr Morgan, ydi mai hunllefa-dros-dro ydyn nhw i ni, tra'u bod nhw'n betha parhaus iddo fo, dwi'n tybio. Fel clais yn gwrthod cilio oddi ar ei feddwl, os mynnwch chi. Ond peidiwch â gofyn i mi sut mae cael gwarad â'r clais, oherwydd fedra i mo'ch helpu chi, mae gen i ofn.'

*   *   *

'Dal ei dir mae o, meddan nhw. Ond fedar o ddim deud yr un gair, ac mae'i fraich chwith o'n ddiffrwyth.'

'Adra yn y Plas mae o, ia? Ynte yn ei gartra arall, tu draw i Lundain yn rwla?'

'Na. Yma mae o! Ac mae'r Doctor Bach yn galw heibio i'w weld o ddwywaith y dydd, meddan nhw i mi. A nyrs yn cael ei chyflogi i ofalu amdano fo rownd y cloc, cofia! . . . Sut wyt ti, Alis?'

Gwenodd y ddwy i gyfarch Alis Lòrd Bach.

'Ti wedi'i gadael hi'n hwyr iawn cyn gneud dy siopa,' meddai'r un fwya siaradus, gan daflu llygad ar fasged wag Alis. 'Mae'r plant adra o'r ysgol.'

'Picio i nôl nionyn neu ddau, dyna i gyd. Meddwl gneud tatws llongwr yn swpar chwaral i'r dynion 'cw. Anodd gwbod be i'w gael, efo bwyd mor brin.'

'Fe geith rheicw neud ar fara llefrith heddiw, wir. Maen nhw'n reit ffond o fwyd llwy, beth bynnag. Jest yn deud wrth Catrin oeddwn i rŵan, Alis, mod i wedi clywad mai digon cwla ydi'r Lòrd o hyd. Mae o wedi colli'i leferydd ac iws ei fraich chwith, meddan nhw. Ond dyna fo! Be sydd i'w ddisgwyl, a fynta wedi cael strôc mor drom?'

Gwyddai Alis pam bod Catrin Owen Berth Ddu yn anniddigo rŵan wrth glywed Margiad Now Twm yn mynd trwy'i phetha. Yn wahanol i Margiad, roedd Catrin yn enedigol o Flaendyffryn ac felly'n gyfarwydd â'r straeon fyddai'n cael eu hadrodd slawer dydd; sibrydion celwyddog a fu'n achos iddi hi, Alis, gasáu pob eiliad o'i dyddia ysgol. Ond roedd y dyddia pell rheini'n ddiarth i rywun fel Margiad gan mai symud yma i fyw, lai na deng mlynedd yn ôl, wnaeth hi a Now Twm ei gŵr, ac erbyn hynny roedd y sibrydion gwirion wedi hen fynd yn angof i bawb.

'Wyt ti wedi clywad rhyw newyddion o'r Chwaral, Alis?'

Catrin Berth Ddu oedd yn holi rŵan, er mwyn troi'r stori.

103

'Pa newyddion, Catrin? Pa chwaral?' Gallai glywed ei chalon yn cyflymu.

'Chwaral Lòrd, am wn i. Fe aeth moto'r Doctor Bach heibio fel cath i gythral ryw awr yn ôl, yn canu'i gorn wrth fynd, fel 'tai hi'n ddiwadd byd. Yn do, Margiad? A dwi bron yn sicir mai hogyn Wil Êl oedd yn cael pàs efo fo. Ac yn Chwaral Lòrd mae hwnnw'n gweithio, ia ddim?'

'Mi gododd y moto gwirion ddigon o ofn ar geffyl Lei Ffrŵts beth bynnag,' meddai Margiad yn feirniadol. 'Ac arna inna hefyd, 'ta hi'n dod i hynny! Roedd Lei wrthi'n pwyso deubwys o foron imi ar y pryd, a chafodd o mond rhuthro i ffrwyn y ceffyl neu Duw a ŵyr be fasa wedi digwydd. Mi fyddai'r ceffyl a'r drol ffrwytha filltiroedd i ffwrdd erbyn rŵan. Dwi'n deud a deud! Mae'r motos 'ma'n felltith.'

Ond roedd gan Alis rywbeth amgenach na cheir modur a cheffyl Lei Ffrŵts i boeni'n ei gylch. Rhys oedd ar ei meddwl hi. Os oedd y Doctor Bach wedi cael ei alw i'r Chwaral, yna rhaid bod damwain wedi digwydd yno, a mynnai rhyw lais bach sibrwd enw Rhys drosodd a throsodd yn ei phen hi.

'O! A gwrandwch ar hyn!' Roedd helynt y ceffyl eisoes yn angof a Margiad Twm, trwy oslef ei llais a'i llygada mawrion, yn cyhoeddi ei bod newydd gofio rhywbeth syfrdanol a gwerth ei glywed. 'Wnewch chi byth gredu pwy sydd adra'n ôl . . .' Oedodd yn ddigon hir i weld chwilfrydedd, ar wyneb Catrin Owen o leia. '. . . Dora Pen Bont!'

'Be? Ac mae'i gŵr hi wedi'i chymryd hi'n ôl?'

'Do. Mwya'r ffŵl fo . . .'

'Rhaid i mi fynd,' meddai Alis. Cip o Ifan ei mab ar ei ffordd adre o'r ysgol oedd ei hesgus hi i ddianc.

'Haia, Mam!' meddai hwnnw, a'i wên barod yn lledu o glust i glust ac yn amlygu dwyres o ddannedd gwynion. Ond doedd y wên honno ddim yn cuddio'i welwedd, serch hynny. Na'r cleisia duon o dan ei lygaid. Diffyg cwsg oedd bennaf cyfrifol am betha felly, fel y gwyddai Alis yn iawn. Ac fe wyddai hefyd mai ei mab ienga fyddai'r olaf i gwyno am gael ei gadw'n effro'r nos gan ei frawd.

'Dim ond pythefnos arall tan fy mhen blwydd.'

Ffordd Ifan o ddeud mai pythefnos yn unig o ysgol oedd ganddo ar ôl ac nad oedd y pentwr gwaith cartre o dan ei fraich yn gymaint o fwgan ag arfer.

'Ti'n hwyrach o'r ysgol heddiw, choelia i byth?' Holi, yn fwy na dim, er mwyn erlid ei phryderon am Rhys. 'Hôm wỳrc ydi hwnna, debyg?'

'Ia. Inglish ac Arithmetic a Jograffi,' meddai'i mab yn dalog. 'Ond fydda i fawr o dro wrthi.'

Roedd yn disgwyl iddi holi mwy ond wnaeth hi ddim.

'Dysgu barddoniaeth Susnag erbyn bora Llun. Ond dwi'n ei wbod o'n barod, fwy neu lai. *Season of mists and mellow fruitfulness, Close bosom friend of the . . .*'

'O! Dyna chdi 'lly!'

Roedd hi wedi torri ar ei draws! Nid bod hynny o dragwyddol bwys ond dangos gormod o ddiddordeb fyddai hi fel rheol, nid rhy ychydig.

'. . . Ac mi ofynnodd Dandy imi aros ar ôl am chydig funuda . . .' Disgwyliai iddi ei ddwrdio, rŵan, am alw'r prifathro wrth ei lysenw, ond wnaeth hi ddim. 'Dyna pam mod i'n hwyrach nag arfar, heddiw. Wedi clywad mod i'n pasa stydio *shorthand* yn Ysgol Nos, medda fo. Ac mi roddodd hwn imi.'

Daliodd lyfr clawr glas iddi allu darllen ei deitl. *Pitman's Shorthand*.

'Chwara teg iddo fo'n de, Mam?'

'Ia.'

''Dach chi ddim yn sâl, ydach chi Mam?' Roedd ei phellter yn ei synnu braidd.

Newydd droi'r gornel yng ngwaelod Lòrdstryd oedden nhw, ac yn wynebu llond ffordd o blant o bob oed, yn chwerthin a chwarae ar ôl cael eu rhyddhau o garchar ysgol am wythnos arall.

'Sâl? Nac'dw i! Pam ti'n gofyn?'

''Dach chi'n arfar holi mwy, dyna i gyd! Am y gwaith cartra dwi'n feddwl.'

'O! Meddwl rhywun oedd yn bell, am wn i,' medda hi'n ymddiheurol. 'A be ydi dy hôm wỳrc di, ar wahân i ddysgu barddoniaeth Susnag?'

'Hannar dwsin o *problems* yn *Mathematics,* ac yn Jograffi gneud rhestr o bob un o wledydd y *British Empire.'*

'Hm! A lle cei di wbod peth felly?'

'Dwi'n eu gwbod nhw'n barod,' medda fo'n dalog. 'Maen nhw wedi'u lliwio'n goch ar y map o'r byd sy'n hongian ar wal y dosbarth. Dwi'n eu cofio nhw i gyd – Canada, India, Australia, New Zealand, South Africa, Rhodesia, Tanganika, Nigeria . . . O! Gyda llaw,' medda fo, yn fodlon o fod wedi profi'i wybodaeth iddi, 'choeliwch chi ddim be oedd y peth ola ddeudodd Dandy wrtha i, fel ro'n i'n gadael ei stafall o? *"Dwi'n dymuno'r gora ichi, Ifan Huws,"* medda fo, *"ond peidiwch â threulio'ch oes yn y chwaral. Mae gormod yn eich pen ichi neud peth felly."* Fe ges i ffasiwn sioc o'i glywad o'n siarad Cymraeg, Mam. A finna wedi meddwl erioed mai Sais pur oedd o.'

Bu'n rhaid iddyn nhw gamu'n reit sydyn o'r neilltu, rŵan, wrth i griw o'r plant ddod yn syth amdanynt, yn gweiddi anogaeth i ddau mewn ras. Bachyn â phowl yn erbyn beic trwm tair olwyn! A chân y bowl ar wyneb y ffordd i'w chlywed uwch sŵn y gweiddi i gyd. 'Traed arni, Tomi!' gwaeddodd Ifan dan chwerthin, wrth nabod y beiciwr bach chwyslyd. 'Mae gen *ti* dair olwyn! Dim ond un sgynno *fo*!' Ond y traed cyflym efo'r bowl a enillodd y ras, serch hynny.

Yn uwch i fyny'r stryd roedd criw iau o fechgyn a merched yn chwarae 'Faint o'r gloch, Mustyr Blaidd?' a'r genod yn sgrechian fel petha lloerig a rhedeg am eu hoedl wrth i 'Mustyr Blaidd' droi'n sydyn efo'r waedd 'Amsar cinio, i mi gael eich bwyta chi i gyd'.

'Chwara plant!' meddai Ifan wrtho'i hun, yn cofio'r dyddia pell hynny pan fyddai ynta hefyd yn chwarae'r un gêm. A than yn ddiweddar, yn rhedeg powl, hefyd! Cofio'i bowl yn dianc unwaith o'r bachyn ac yn cyflymu a chyflymu nes taro yn erbyn Wal y Bont a thorri. A Tomos Jôs Gof, yn yr efail, yn soldro'r toriad ac yn cyfanu'r cylch iddo, a hynny heb godi'r un ddimai goch y delyn am ei drafferth. Ond un peth na chafodd o erioed oedd beic! Yr unig feic iddo fod arno oedd beic-cario-allan Siop Elias Edwards, efo'i ffrâm-fasged drom uwchben yr olwyn flaen. A pha obaith rasio ar beth felly?

'Wyddoch chi be mae Flem Inglish yn annog i mi'i neud, Mam, ar ôl i mi ddechra gweithio?'

'Rhag dy gwilydd di! Mustyr Fleming ydi enw'r dyn!'

'Cadw *diary*, cofiwch!' meddai Ifan, yn anwybyddu'r cerydd gan nad oedd hwnnw mor llym ag arfer.

'Be 'di peth felly, dŵad? Mae'n ddigon i ni fod yn cadw ieir.'

Chwarddodd Ifan, cyn sylweddoli nad gwamalu yr oedd hi ond ei bod hi'n gwbwl o ddifri.

'Cadw *diary* ydi sgwennu, mewn llyfr, pob dim sy'n digwydd o ddwrnod i ddwrnod . . . ar yr aelwyd, yn y chwaral, yn y capal. Hynny ydi, pob dim o bwys.'

'Ac i be wnei di beth felly, dŵad?'

'Mi fydd yn gofnod hanesyddol ryw ddwrnod, medda fo. Ac mi fydd fy Susnag i'n gwella hefyd, fel mod i, ryw ddwrnod, yn cael gwaith amgenach na gweithio yn y chwaral. Dyna ddeudodd o, beth bynnag.'

'Wel gobeithio y byddi di'n gwrando ar ei gyngor o, felly.'

Er ei bod hi'n dangos rhywfaint o ddiddordeb, synhwyrai Ifan fod rhan o'i meddwl hi'n dal i fod yn rhywle arall.

'A mae o wedi rhoi *copybook* newydd sbon imi, cofiwch. Ond wyddoch chi be dwi am neud, Mam? Dwi am sgwennu'r *diary* yn Gymraeg i ddechra a'i droi o wedyn i Susnag *shorthand*, ar ôl i mi ddechra yn yr Ysgol Nos. Mi fydd o'n bractus da imi, 'dach chi'm yn meddwl?'

'Hm! Susnag yn bwysicach iti!' oedd ei hunig ymateb hi a syrthiodd tawelwch eto rhyngddyn nhw.

'Cheith neb basio heb dorri'i dafod!'

O'u blaen, safai rhes o blant bach yn cydio dwylo i ffurfio rhwystr ar draws y ffordd. 'Cheith neb basio heb dorri'i dafod!' medden nhw wedyn, yn llafarganu'r geiria, eu llygaid yn llawn disgwyl am ymateb Ifan Lòrd Bach a'i fam.

'Dowch yma'r cnafon!' meddai Ifan, gan smalio rhuthro i'w dal, a chwerthin yn uchel wedyn wrth eu gweld nhw'n sgrechian a sgrialu i bob cyfeiriad.

Ond doedd dim gwên ar wyneb ei fam, na math o ymateb ganddi i'r hwyl diniwed.

'Mi dafla 'maich oddi ar fy ngwar . . .' medda fo rŵan, yn disgwyl iddi ymateb yn y ffordd arferol. Ond ddaeth ail linell yr emyn ddim.

'Ydi'r hen Bantycelyn wedi mynd yn angof, ta be?'

Erbyn hyn, roedden nhw wedi cyrraedd pen ucha Lòrdstryd ond yn hytrach na throi i fyny am Lwybyr y Chwaral a'u cartre yn Stryd Lòrd Bach, fe safodd Alis i wrando ac i graffu'n syth ymlaen at lle'r oedd Ffordd y Chwaral yn dringo'n llychlyd heibio tai Owen's Row yn y pellter, cyn diflannu wedyn rownd troed un o'r tomennydd llwydlas. Chydig iawn o chwarelwyr fyddai'n dewis cerdded y ffordd honno i'w gwaith bob dydd. Gwell ganddyn nhw'r Llwybyr, am fod hwnnw'n fyrrach ac yn gynt.

'Be sy, Mam? Be 'dach chi'n glywad?'

'Glywi di sŵn moto?'

'Moto-câr 'dach chi'n feddwl? . . . Dacw fo!'

'Dacw fo!' meddai hitha ar yr un eiliad, a thawelu wedyn i wylio ac i wrando ar foto'r Doctor Bach, efo'i gynffon o fwg a llwch, yn sgrytian ac yn pesychu i lawr tuag atynt dros wyneb anwastad y ffordd.

'Pam 'dan ni'n aros, Mam?' Roedd ei anesmwythyd ynta'n tyfu wrth yr eiliad, heb iddo ddeall yn iawn pam. Moto'r Doctor Bach! . . . Ar ei ffordd i lawr o'r chwaral! . . . Damwain! . . . Ei fam yn pryderu! . . . 'Rhys!' meddai'r llais bach yn ei ben ynta hefyd, rŵan.

Wrth i'r moto ddod yn nes, gallent synhwyro cynnwrf cynyddol y naill a'r llall; y ddau'n gobeithio'i weld yn sgrytian heibio iddynt ac i lawr Lòrd Stryd i gyfeiriad y Stryd Fawr. Ond roedd ei daith mor boenus o araf a thaglyd nes i Ifan fynd i feddwl y gallai Bess,

caseg John Jôs Glo, efo throl lawn tu ôl iddi, gael y
gora ar y Morris Cowley mewn ras.

'Mae o'n arafu!' meddai Alis mewn ebychiad bloesg.
'Dduw Mawr! Fo ydi o, hefyd!' meddai hi wedyn, wrth
adnabod ei mab hyna yn eistedd wrth ochor y Doctor
Bach. 'Mae o'n glaer-ulw-wyn! Mae 'na rwbath mawr
wedi digwydd iddo fo!'

'Dim byd mawr, Mam, does bosib,' meddai Ifan, fel
gair o gysur. 'Mae o'n fyw! A sbïwch! Mae o'n gwenu.'

Stopiodd y moto-câr gyferbyn â nhw ac wedi
tynnu'n ffyrnig ar y brêc, dringodd y Doctor Bach
allan a mynd i agor y drws i Rhys, fel pe bai hwnnw'r
brenin ei hun.

'Paid â dychryn, Alis! Damwain fach, dyna i gyd. Ei
law dde wedi mynd i'r gyllall a mae o wedi colli pen ei
fysedd.'

'Machgian i!' meddai'r fam, a'i gwyneb hitha hefyd
yn glaer-ulw-wyn erbyn rŵan, ac yn boen i gyd. Ond
roedd rhywfaint o ryddhad yn ei llygaid, serch hynny.
O leia roedd Rhys yn fyw! Ac roedd sawl chwarelwr,
dros y blynyddoedd, wedi cael damwain debyg ac wedi
mendio'n iawn wedyn.

Daliodd Ifan ei wynt yn swnllyd wrth weld ei frawd
yn dringo allan o'r moto efo'i law dde o'r golwg mewn
cadach gwyn wedi'i staenio'n goch gan waed. 'Wyt ti'n
iawn, Rhys?' gofynnodd, a synnu ato'i hun yn gofyn
cwestiwn mor hurt.

Yn ateb, cododd Rhys Lòrd Bach ei law anafus i
fyny fymryn. 'Cwshi!' medda fo, mewn gwên oedd yn
mygu poen.

Gwingodd ei fam wrth sylwi nad oedd dannedd
gwynion ei mab fawr gwynnach na lliw ei groen.

'Tria'i gael o i orwadd yn llonydd am awr neu

ddwy, Alis, i roi cyfla i'r gwaed geulo. Mae o wedi cael powdwr gen i at y boen. Mi alwa i heibio eto, cyn nos, i weld sut y bydd o. Mi fydda i wedi cymysgu powdwr cryfach erbyn hynny, fel ei fod o'n cael cysgu'r nos.'

'Diolch o galon, Doctor! Tyrd, machgian i!'

'*Back to blighty!*' meddai Rhys yn galonnog, a chychwyn i fyny'r llwybyr am ei gartre yn Stryd Lòrd Bach, efo Ifan ei frawd yn hanner rhedeg i gadw i fyny â fo. '*Stretcher bearers! Escort walking wounded to dressing station!*'

'Mi fydda i isio gair efo ti a'r gŵr, heno, yn ei gylch o, Alis,' meddai'r Doctor Bach, gan ddringo'n ôl i'w gar.

$$*\qquad*\qquad*$$

'Pwy oedd y bachgan 'na, Ifan?' gofynnodd y fam, wedi gwylio'r ymwelydd ifanc yn diflannu i'r gwyll tu draw i giât yr ardd.

'Robin-di-rip,' meddai ei mab. 'Rhybelwr bach yn Felin Bonc Ucha. Roedd o yno pan gafodd Rhys y ddamwain.'

'Chwara teg iddo fo am alw, ddeuda i. Ond fe ddylet ti roi ei enw iawn iddo fo, yn lle rhyw lysenw gwirion fel'na.'

'Robin-di-rip oedd pawb yn ei alw fo yn yr ysgol hefyd, Mam.'

'Oherwydd y pennill gwirion 'na, mae'n debyg?'

Gwenodd Ifan yn llydan ac adrodd y geiria

> Robin-di-rip
> A'i geffyl a'i chwip
> A'i gap yn ei law
> Yn rhedag drwy'r baw.

111

'Ddylet ti ddim cyfeirio at neb wrth lysenw.'

'Sosban!'

'Be?'

'Sosban yn galw'r teciall yn ddu!' meddai'r mab yn gellweirus. 'Gaenor Goch fyddwch chi'n galw mam Gwil Atal Deud, bob gafael.'

Daeth edrychiad llym i lygad y fam rŵan. 'Gwranda di arna i, machgian i!' medda hi'n siarp. 'Dwi'n derbyn bod *Robin-di-rip* yn llysenw digon diniwad. *Gaenor Goch,* hefyd, oherwydd dyna liw ei gwallt hi. Ond mae'n beth creulon gneud sbort am ben rhyw ddiffyg neu'i gilydd mewn rhywun, waeth pwy ydi o. Does gan Gwil, mab Gaenor, ddim help bod atal ar ei leferydd, felly ddylet ti ddim rhoi'r llysenw yna arno fo. Mae o'n beth creulon i'w neud.'

'Ond dwi wedi'ch clywad *chi*'n sôn am *Huws Ceffyl Blaen* a *Gruff Wagan Gynta.*'

Crychodd Alis ei thalcen, naill ai mewn poen neu benbleth. 'Do, dwi'n gwbod,' meddai hi. 'A ddyliwn i ddim, mae'n siŵr. Ond mae na wahaniaeth rhwng llysenwa fel'na a'r un rwyt ti newydd ei ddefnyddio. *Huws Ceffyl Blaen* am ei fod o mor llawn ohono fo'i hun ac isio cael ei weld yn gyhoeddus. A *Gruff Wagan Gynta* am fod hwnnw mor ddigywilydd.'

'Fel wagan gynta'r *run,*' meddai Ifan, i ddangos ei fod ynta'n gyfarwydd â iaith y chwarel. 'Yn barod i wthio'i ffordd o flaen pawb.'

'Yn hollol! Ti'n gweld, Ifan, mae 'na rai pobol sydd wedi haeddu eu llysenwa, ond mae 'na lysenwa eraill sy'n greulon. Cofia di hynny! Ac mae *Gwil Atal Deud* yn un o'r rheini. *Dic Llygad Croes* yn un arall. A dwi wedi clywad rhai pobol yn galw William Morris, Tŷ'n Coed, yn *Wil Hyll* ac yn *Wil Gwynab Mwnci.* Falla nad

William Morris, gradur bach, ydi'r mwya golygus o blant dynion, ond mae rhoi llysenw fel'na arno fo yn rhwbath creulon ac annuwiol i'w neud. Rwyt ti dy hun wedi cael dy frifo cyn heddiw wrth glywad dy dad yn cael ei alw'n *Ifan Coes Glec*. Fel 'tai ganddo fo help ei fod o'n gloff!'

Ar y gair, agorodd y drws cefn a cherddodd Ifan Garn i mewn ar ei hyll. 'Sut mae o?' holodd yn syth, ei edrychiad gwyllt yn adlewyrchu'i bryder.

'Cadw dy lais i lawr! Mae o'n cysgu ar ôl i'r Doctor Bach roi powdwr iddo fo, i ladd y boen. Mi ddaw 'nôl cyn nos efo powdwr cryfach, medda fo. Glywist ti be ddigwyddodd?'

'Ei law o wedi mynd i'r gyllall. Dyna'r stori glywis i. Sawl bys mae o wedi'i golli?'

Cyn i Alis gael ateb, daeth cnoc ar ddrws y ffrynt ac aeth Ifan Garn i'w agor. Safai Bob Ellis, Abram Jôs a Twm Gelli yno, y tri wedi galw heibio ar eu ffordd o'u gwaith.

'Dim ond galw i weld sut mae o, erbyn rŵan,' meddai Bob Rhen Ben, 'ac i ddod â'i gyflog iddo fo.' Daliodd y pecyn pae i Ifan Garn ei gymryd. 'Na, ddown ni ddim i mewn, Ifan,' medda fo wedyn, wrth weld hwnnw'n symud o'r ffordd i'w cymell nhw i'r tŷ, ond yna, efo'r symudiad lleia o'i ben, gwnaeth arwydd ar y tad i'w danfon nhw i lawr at y giât.

'Dwêd wrth Ifan be welist ti, Twm,' meddai Bob Ellis, pan oedden nhw'n ddigon pell o'r tŷ.

Wrth wrando ar Twm Gelli yn adrodd be oedd wedi digwydd yn y felin a bod Rhys wedi rhoi ei fysedd yn fwriadol yn y gyllell, ochneidiodd y tad, fel petai'n cydnabod bod ei ofnau'n cael eu gwireddu.

'Ti'n gweld ein cyfyng-gyngor ni gobeithio, Ifan?'

meddai Bob Ellis. 'Hyd yma, dim ond ni'n pedwar, ar wahân i'r Doctor Bach, sy'n gwbod nad damwain oedd hi. Ond os daw'r peth i glustia Evan Jôs Stiwart, wel dyna hi'n Amen wedyn ar i Rhys gael unrhyw fath o iawndal. Nid yn unig hynny, ond mae'n fwy na thebyg y bydd o'n colli'i waith yn ogystal. Yr ofn mwya sydd gen i, fodd bynnag, ydi y bydd Rhys yn gneud rhwbath gwaeth iddo fo'i hun y tro nesa.'

Wedi diolch iddyn nhw, aeth y tad yn ôl am y tŷ gan ymdrechu i gelu'r pryder o'i lygaid ac o'i lais.

*   *   *

Galwodd nifer o gymdogion yn ystod y min nos i holi am Rhys, a'r Parch. T. L. Morgan yn eu plith. Erbyn hynny, roedd effaith bendithiol powdwr y Doctor Bach wedi cilio, a'r claf yn troi a throsi yn ei wely, mewn poen.

'Mae'n wir ddrwg gen i drosoch chi, fel teulu,' meddai'r gweinidog, a chafodd Alis gip o'r euogrwydd yn ei lygaid. 'Digwydd gweld yr *advertisement* yma ym *Maner ac Amserau Cymru* wnes i, a meddwl . . .'

Yn hytrach na gorffen y frawddeg, dangosodd y papur i Alis. Taflodd hitha gip tawel dros y geiria: '*Yr ydym wedi cyrraedd cyfnod ar y Rhyfel pan y mae y NERFAU yn cael prawf llym.*' Syr Edward Carson oedd wedi deud y geiria, mae'n debyg, a neb llai na Syr Edward Marshall Hall wedyn yn ymateb trwy argymell '*cymryd SANATOGEN i wella'r nerfau drylliedig.*'

'Meddwl oeddwn i, Musus Huws, os ydi dynion enwog fel nhw yn rhoi eu ffydd mewn Sanatogen, yna fe ddyla fo neud byd o les i Rhys hefyd.'

'Diolch, Mustyr Morgan,' oedd y cwbwl ddeudodd hi a rhoi'r papur yn ôl iddo.

Yr olaf i alw oedd y Doctor Bach. 'Fe ddylia fo gysgu drwy'r nos rŵan,' meddai hwnnw, wedi gwylio Rhys yn llyncu'r cymysgiad. 'Mi alwa i eto, ben bora.'

Roedd o wedi bwriadu trafod efo'r rhieni yr hyn a ddywedwyd wrtho gan Twm Gelli yn y chwaral ond roedd Ifan Garn wedi pledio'n daer arno i beidio sôn gair wrth Alis am y peth. 'Digon i'r diwrnod ei ddrwg ei hun. 'Dach chi'm yn meddwl, doctor?' Ac roedd ynta, y Doctor Bach, wedi cytuno.

Wedi iddo fynd, ac wedi i'r cloc mawr dorri ar drymder y stafell trwy daro hanner awr wedi wyth, dechreuodd Alis ar ei threfniada. 'Bydd raid i Rhys gael y gwely iddo fo'i hun heno,' meddai hi wrth y ddau ddyn. 'Hynny'n golygu y bydd raid i chi'ch dau gysgu yn y llofft ffrynt ac y bydd raid i minna, felly, fynd drws nesa at Elsi a nhad. Fydd peth felly ddim yn ddrwg i gyd, gan nad ydi hwnnw, chwaith, ddim hannar da. Yn ôl Elsi, mae o wedi bod yn mygu'n gorn ers oria. Dwn i ddim be ddoth dros ei ben o, wir, i fentro i lawr i'r Stryd Fawr bora 'ma, ar dywydd mor oer. Sut bynnag, os bydd Rhys yn deffro yn ystod y nos, gofalwch fod un ohonoch chi'n dod drws nesa i'm nôl i.'

Ac efo'r ddealltwriaeth honno y noswyliodd y tad a'r mab, awr yn ddiweddarach, gan adael Alis yn esgus 'twtio'r gegin at y bora'. Ond unwaith y cafodd hi'r lle iddi'i hun, aeth trwodd i'r parlwr gora, i ymbalfalu mewn tywyllwch oer yn fan'no am y pecyn llythyra a gadwai yn y cwpwrdd cornel, cyn brysio'n ôl efo fo wedyn i gynhesrwydd cymharol y stafell fyw.

Aeth i eistedd at y bwrdd a datod y llinyn oedd yn dal y deunaw llythyr efo'i gilydd yn bentwr bychan cysegredig. Cydiodd yn yr amlen uchaf a'i hagor.

On Active Service
WITH THE BRITISH EXPEDITIONARY FORCE

Yng ngola aflonydd y lamp baraffîn, craffodd ar y llawysgrifen fân yn y gornel chwith uchaf:

Pte R. Hughes No. 200490
A Coy 17th Batt RWF
B.E.F. France

July 27 1917 oedd y dyddiad. Yna'r cyfarchiad:

Annwyl rieni,

Yr wyf yn gobeithio eich bod i gyd mewn iechyd fel yr wyf innau ymma. Dyma ni o'r diwedd wedi croesi y môr ac yn gwersylla ar dir estron. Mae hon yn wlad wastad iawn efo coed tal ac ystwyth yn tyfu o boptu'r ffyrdd ym mhobman a'r caeau gwair yn llawn meillion a llygad llo bach, blodau'r menyn a poppies. Nid ydym yn agos at y brwydro ond mae sŵn y gynau i'w glywed bob dydd yn y pellter. Roeddem yn gallu eu clywed hyd yn oed cyn gadael Lloeger, fel sŵn taranau o bell. Mae'r tywydd yn braf ymma. Ddoe y cyrhaeddasom y fan hon ar ôl bod yn martsio am bum diwrnod cyfan ac mae pob un ohonom wedi ymlâdd ac yn cwyno bod ei draed yn boenus. Ond rhaid cael parêd bob bore serch hyny. Byddwn o leiaf ddeuddydd arall cyn cyraedd maes y brwydro, meddan nhw, ond cyn hyny byddwn yn mynd i le o'r enw Etaples am ragor o training.

Nid yw pobol y wlad yn glên iawn tuag atom ac mae rhai o'r hogiau yn gofyn pam ein bod ni ymma o gwbwl i ymladd drostynt. Roedd tipyn o helynt ymma ddoe am fod rhai o'r hogiau wedi mynd i gwt ieir un o'r trigolion ac wedi dwyn wyau oddi yno a

rhoi tro yng ngwddf un o'r ieir er mwyn cael
rhywbeth blasus i swper. Ond peidiwch a phoeni,
Mam, ni wnaf i ddim byd fel yna, byth. Rwyf yn dal
i gofio'ch gwers chi inni pan yn blant. A ddwg wy a
ddwg fwy. Roedd y geiriau fel adnod gennych ac
rwyf yn gallu eu gwerthfawrogi heddiw.

Mae nifer dda o'r hogiau sydd yn y Company yn
siarad Cymraeg, diolch am hynny, ond mae'r
Platoon Sergeant a rhai o'r officers yn troi'n gas pan
maent yn ein clywed ni'n siarad Cymraeg efo'n
gilydd. Nid ydynt yn hoffi'r Cymry rhyw lawer. Mae
rhai o'r bechgyn, sy'n deall Saesneg yn iawn, wedi
eu clywed yn dywedyd nad yw'r Cymry yn dda i
ddim ond fel cannon fodder. Beth fuasai Mr Lloyd
George yn ddywedyd, tybed, pe buasai'n eu clywed
yn dywedyd peth felly?

Anfonaf air eto'n fuan ac edrychaf ymlaen at
glywed oddi wrthych chwithau. Os gallwch anfon
ychydig tybaco yna byddaf yn ddiolchgar iawn.

Hyn yn fyr, eich mab Rhys.

Sychodd Alis Lòrd Bach ddeigryn o gornel ei llygad
ac agor yr amlen nesaf yn y pentwr, i weld llythyr
wedi'i ddyddio bythefnos yn ddiweddarach.

Annwyl rieni,

O'r diwedd dyma fi'n cael cyfle i ysgrifenny
atoch. Byddwn yn gadael y training camp ymma
fory yn Ate Apples – dyna mae'r Saeson yn galw'r
lle, a ninnau'r Cymry yn ei alw'n Bwyta Afala – ac
rydym i gyd yn edrych ymlaen at wneyd hynny. Y
Bull Ring yw'r enw sy'n cael ei roi ar y training
camp ei hun ac enw addas ydyw ef hefyd oherwydd

117

*mae'r discipline yn ofnadwy o galed yma. Rydym yn
cael ein trin fel anifeiliaid gan y Canaries. Hwy sydd
yn ein dysgu ni sut i saethu a sut i ddefnyddio
bayonet ac ati. Maent yn cael eu galw yn Canaries
am eu bod yn gwisgo rhuban melyn rownd eu
capiau. Os na fyddwn yn gwneuthur yn union fel ag
a ddywedant yna rydym yn cael ein gwawdio a'n
cicio ganddynt. Nid ydynt yn parchu neb na dim ac
oherwydd hynny mae pawb yn eu casáu. 'Trwy
ddangos parch y mae ennill parch', dyna fyddech
chi'n arfer ei ddweyd wrthyf ers talwm Mam ac
rwy'n gweld yn awr mor wir oedd eich geiriau. Mae'r
hogiau i gyd yn dweyd y bydd yn well ganddyn nhw
wynebu'r Bosh nag aros yn fan hyn ddiwrnod yn
hwy, felly rydym yn edrych ymlaen at adael yfory.*

*Nid oes raid ichi boeni yn fy nghylch. Mae gennyf
griw da o ffrindiau ymma. Diolch am y gacen a'r
tybaco a dderbyniais echdoe. Roeddynt yn
dderbyniol dros ben. Rwyf yn anfon fy nghofion at
bawb ym Mlaendyffryn ac yn arbennig atoch chi fy
rhieni ac at Elsi ac Ifan Bach a Taid. Rwyf yn siwr y
bydd y rhyfel drosodd gyda hyn ac y caf trwy ras
Duw eich gweld chwi'n fuan. Rwyf yn meddwl
llawer iawn amdanoch.*

Eich annwyl fab,

Rhys.

'Machgian i!' meddai hi wrthi'i hun, gan roi'r
llythyr hwn eto'n ôl ac estyn am un arall, o ganol y
pentwr y tro hwn, gan sylwi nad oedd y llawysgrifen
ar yr amlen mor fân nac mor daclus, bellach, a bod ôl
bysedd a bodiau mwdlyd ar y papur. Doedd dim
dyddiad arno.

Annwyl rieni,

Rwyf yn gobeithio eich bod i gyd mewn iechyd fel yr wyf innau ymma. Diolch am y parsel efo'r tybaco a'r papur newyddion. Roedd y gacen yn flasus iawn o'i chymharu a'r bisgedi sydd yn cael eu rhanu i ni ymma. Mae rheini mor galed fel nad ydyw'n bosibl brathu trwyddynt. Eu taflu ar y tân fyddwn ni'n ei wneyd gan amlaf am eu bod nhw'n llosgi bron cystal â choed ond mae rhai o'r hogiau yn eu taflu nhw allan tuag at ffosydd y Jeris yn y gobaith y bydd rheini yn torri eu danedd wrth drio'u cnoi nhw ac yn diodde'r ddannodd yn hir wedyn.

Gwenodd Alis yn drist cyn darllen ymlaen.

Mae pethau wedi bod yn reit ddiflas ymma ers i mi anfon gair atoch ddiwethaf. Mae wedi bwrw glaw yn ddibaid ers tridiau ac mae'r lle yn fôr o fwd. Brynhawn ddoe, ar y ffordd yn ôl o'r lein, fe gamodd un o'r bois oddi ar y duckboards a diflannu at ei ganol yn y budreddi. Blinder oedd yn gyfrifol am iddo wneuthur peth felly. Roedd wedi mynd i gysgu ar ei draed meddai ef wrthom ni wedyn! Chredech chi ddim y drafferth a gawsom ni i'w lusgo ef allan. Roedd yn ofni y byddai'n cael ei adael yno fel un o'r wagenni sydd byth a hefyd yn suddo at eu hechelau yn y mwd, neu ambell ful neu pack pony y mae'n rhaid eu gadael yno i farw am nad oes gobaith i'w tynu nhw allan. Roedd o'n gweld ei hun yn mynd yn fwyd i'r llygod mawr, medda fo. A Duw a ŵyr, mae digon o'r pethau anghynes rheini o gwmpas y lle.

Mae pawb yn gobeithio y bydd y rhyfel drosodd cyn y gaeaf. Yn ôl rhai o'r bois sydd wedi cael y

119

profiad, mae'n gallu bod yn drybeilig o oer ymma yn
ystod misoedd y gaeaf, a'r dŵr a'r mwd yn rhewi'n
galed bryd hynny. Wn i ddim ai gwell ynteu gwaeth
fydd peth felly.

Sut bynag, roedd hi mor braf cael dod allan o'r
lein brynhawn ddoe a chael tynu'r trench coat wlyb
am y tro cyntaf ers tridiau a chael crafu'r mwd oedd
wedi cacenu dros fy esgidiau a'r puttees a'm dillad i
gyd. Fe gysgais yn sownd am bymtheg awr, cymaint
oedd fy mlinder.

Ni welsom olwg o'r gelyn tra'r oeddem ni yn y lein
y tro hwn ond fe gafodd un o'r hogiau ei ladd gan
sneipar. Ei fai ef, a dweyd y gwir. Ddylia fo ddim bod
wedi dangos ei ben dros y parapet. Ond does dim isio
i chi boeni yn fy nghylch i, Mam. Wna i byth wneyd
peth gwirion fel yna. Sut bynag, mae sôn y bydd y
rhyfel drosodd gyda hyn. Mi fydd y batalion yn
gwneud Push mawr, yn ôl pob sôn, ac mi fydd y Jeris
yn cael eu sgubo'n ôl i'r lle y daethant ohono. Ond
rydym ni wedi clywed addewidion fel yna o'r blaen,
sawl tro. Y gwir yw mai'r Brigadier Generals fydd yn
penderfynu pethau felly, yn eu cwt bach clyd, bedair
milltir tu ôl i'r lein. Does gan neb o'r hogiau ffydd yn
rheini erbyn hyn. Pan oeddem ni'n sgwrsio yn y
trench, ddoe, fe ddywedodd un o'r hogiau ei hanes
ym mrwydr Mametz Wood, y llynedd. Roedd y lle fel
Uffern ei hun, medda fo. Nid yn unig bod gynau
mawr y gelyn yn tanio'n ddibaid atynt ond roedd ein
bombardment ni hefyd yn syrthio'n fyr ac fe gafodd
ein hogiau ni eu dal yn ei chanol hi. Mae'n dda genyf
ddweyd nad wyf i fy hun wedi cael profiad tebyg, nac
yn debygol o gael chwaith, Mam, oherwydd ein bod
ni mewn rhan ddigon tawel o'r ffrynt, heb fod ymhell

120

o dref Ypres. Rwyf yn gallu gweld adeiladau'r dref hono ar y gorwel o'm blaen, y funud hon, hyny sydd ar ôl ohonynt.

Gyda llaw, fe welais aeroplanes am y tro cyntaf heddiw. Wyth ohonynt yn cael dogfight uwch ein penau. Tair Jyrman a phump o rai Ffrainc. Cafodd dwy o aeroplanes y Jyrmans eu saethu i'r ddaear ond fe lwyddodd y drydedd i ddianc. Yr oedd un o'r hogiau'n taeru mai'r peilot enwog Baron von Richthofen oedd hwnnw ond chwerthin wnaeth gweddill y bois a dweyd wrtho am beidio malu awyr. Mae sôn bod gan y Ffrancwyr beilot sy'n well na'r Barwn Coch hyd yn oed ond allaf i yn fy myw â chofio beth yw ei enw.

Doeddwn i ddim wedi bwriadu ysgrifenu llythyr mor faith y tro hwn, ond dyna fo. Jest gobeithio na fydd y sensors yn ei ddarllen yn rhy fanwl ac yn rhoi côrt marshial imi am fy mod i'n gweld bai ar y brigadiers. Ond y gwir yw nad wyf yn malio'r un botwm corn be ddeudan nhw bellach.

Anfonwch air yn ôl yn fuan i ddweyd sut mae pawb ym Mlaendyffryn. Cofiwch fi at Elsi ac Ifan Bach a Taid a hefyd at Taid a Nain Garn os byddan nhw rywbryd yn cyrraedd. Rhowch siars i Ifan Bach wneuthur ei orau yn yr ysgol.

Eich annwyl fab,
Rhys.

'Hwn'na eto'n llythyr digon rhesymol,' meddai Alis wrthi'i hun. 'Er, dydw i ddim yn credu pob dim sydd ynddo fo, chwaith, erbyn heddiw. Ond dyna fo, celwydd i drio tawelu fy ofnau i oedden nhw, mae'n siŵr. Celwydd gola.'

121

Estynnodd rŵan am y llythyr yng ngwaelod y pentwr. Y llythyr olaf iddo'i anfon adre, ac un hynod o fyr. Y dyddiad arno oedd *2.9.18*. Ymhen y mis, byddai Rhys yn cael ei yrru o Ffrainc i ysbyty yn yr Alban i dderbyn triniaeth at *shellshock*.

Annwyl mam,

Dim sôn am ei dad y tro yma!

Dyma fi allan o'r lein eto, am ryw hyd. Cur pen mawr. Gynau'r bloody Jeri ddim yn stopio tanio, ddydd na nos, ac mae pob cwsg yn hunllef. Byddai'n dda gennyf gael breuddwydio weithiau amdanoch chi, gartre ym Mlaendyffryn, ond gynted ag yr wyf yn cau fy llygaid nid wyf yn gweld dim ond cyrff a gwaud ym mhobman, a chyrff fy ffrindiau ydynt i gyd. Pan ysgrifenodd y Bardd Cwsg ei Weledigaeth o Uffern yna rhaid mai fan hyn oedd ganddo mewn golwg. Fan hyn ydi'r Uffern go iawn.

Fe ysgrifenaf eto ar ôl i'r bloody gynau dawelu a phan gaf lonydd gan y sŵn yn fy mhen.

Rhys.

Teimlodd Alis ddeigryn yn gollwng gafael ar ei grudd a gwelodd ef yn syrthio'n dwt ar enw'i mab gan beri i'r inc redeg yn wlyb unwaith eto. Cofiodd ei theimlada cymysg, chwe mis yn ôl, pan ddarllenodd hwn gyntaf. Cofiodd fel roedd y rhegfeydd ynddo wedi peri syndod a siom iddi, a'i dallu hi i'r gwewyr oedd tu cefn i'r cyfan. Cri am help oedd y llythyr byr yma, pe bai hi ond wedi sylweddoli hynny ar y pryd.

Gyda gofal, clymodd y llythyrau unwaith eto ynghyd a mynd â nhw'n ôl i'r parlwr ffrynt. Yna, wedi cau'r drws cefn yn ofalus ar ei hôl a gollwng y glicied yn dawel i'w lle, aeth drws nesa, i dŷ ei thad, i rannu gwely efo Elsi a Huw Bach, heb fawr feddwl beth oedd yn ei haros dros y dyddia nesaf a'r newid oedd ar ddod i'w bywyd.

*   *   *

Ychydig iawn o gwsg a gafodd Alis Lòrd Bach y noson honno, rhwng bod yn meddwl am ddamwain Rhys, gwrando ar rochian llafurus ei thad am y pared â hi a'i hofn symud rhag deffro Huw Bach. Gynted ag y caeai hi ei llygaid deuai darlun o law waedlyd ei mab i'w meddwl ac ni allai hi feddwl, chwaith, am ddim ond rhugl angau wrth wrando ar ei thad yn brwydro am wynt, yn y llofft arall. Roedd y dirywiad ynddo mewn cyn lleied o oriau yn ddychryn iddi. Oedd, roedd ei frest yn ddrwg, ond be arall oedd i'w ddisgwyl ar ôl gweithio'r holl flynyddoedd o dan ddaear, yng nghanol y fath lwch? Ond roedd rhywbeth arall hefyd, yn ystod yr oria diwetha, wedi gwaethygu'i gyflwr. Y mentro gwirion i lawr i'r Stryd Fawr a gâi'r bai gan Alis ac roedd yn ddryswch iddi o hyd pam bod ei thad wedi gneud y fath beth ar fore mor oer. Beth bynnag y rheswm, roedd o'n gorfod talu'n hallt am ei ryfyg rŵan, beth bynnag!

Wrth glywed plwc eto fyth o besychu caled yn dod o'r llofft ffrynt, ochneidiodd Alis yn dawel a rowlio'n ofalus allan o feddalwch a chynhesrwydd y gwely plu, i ymbalfalu am y ganhwyllbren a'r bocs matsys. Yna, rhag deffro Elsi a'r plentyn, aeth allan ar y landin cyn tanio'r fatsen.

Daliodd ei hanadl wrth i olau fflam y gannwyll syrthio ar y corffilyn llegach, yn methu credu bod y ffasiwn newid yn bosib mewn cyn lleied o amser.

Ysgafn a gwydn o gorff fu ei thad erioed, fe wyddai hi hynny, ond roedd y gwahaniaeth ynddo rŵan yn peri dychryn iddi. Croen yn felyn-dynn am esgyrn y benglog, llygaid caeedig a'r rheini wedi suddo'n ddu rhwng aeliau trymion a chernau esgyrnog, ceg lydan agored yn sugno'n swnllyd am aer a'r bocha yn bantia dyfnion.

Roedd Elsi wedi ymorol bod padell o ddŵr oer a chadach glân ar y bwrdd bach wrth droed y gwely. Gwlychodd Alis y cadach a'i wasgu'n ysgafn rŵan ar wefusa'i thad gan beri i'r geg gau ac agor yn ddiolchgar wrth deimlo'r lleithder.

'Mae o wedi gwaelu'n gyflym, Mam.'

Heb i Alis sylwi, roedd ei merch wedi ymuno â hi.

'Ydi.'

'Ac i feddwl bod doctoriaid y chwaral yn honni bod llwch ar y frest yn gallu bod yn llesol.'

'Mi *fasen* nhw'n deud hyn'na, yn basan? Rhag gorfod talu *compensation* . . . Ond mae rhwbath mwy na llwch ar dy daid, erbyn rŵan, mae gen i ofn.'

'Ddylien ni alw'r Doctor Bach ato fo, dach chi'n meddwl?'

Ysgydwodd y wraig hŷn ei phen yn araf a sibrwd, 'Anodd gweld be all hwnnw'i neud, chwaith, efo petha fel maen nhw. Dwi'n ofni bod dy daid wedi dal bronceitus neu niwmonia, a rhwng hwnnw a'r llwch . . .'

Wrth i Elsi sylweddoli arwyddocâd y frawddeg anorffen, syrthiodd distawrwydd dwys rhyngddyn nhw, efo dim ond brwydr y taid am wynt i dorri ar y tawelwch.

'Wyddoch chi nad ydw i erioed wedi meddwl gofyn ei oed o,' meddai Elsi, ymhen sbel, gan edrych ar ei

124

mam am ateb, a synnu at y dagra yn llygaid honno. Celu ei theimlada a wnâi Alis Lòrd Bach fel rheol.

'Mae o bum mlynadd dros Oed yr Addewid, i ti gael gwbod.'

'O! Mae o wedi cael oes hir, felly. Er gwaetha'r llwch!'

'Mi fydd yn chwith garw i mi . . . i ni i gyd . . . os digwydd rhwbath iddo fo. Mae o wedi bod yn dad ac yn fam i mi . . .'

Gwyddai Elsi rywfaint o'r hanes, ond nid pob dim, o bell ffordd. Gwyddai fod ei nain wedi marw ar enedigaeth Alis, a bod Taid Josh, efo tipyn o help gan ei chwaer, wedi magu'r plentyn.

'. . . Oni bai amdano fo a Modryb, does wbod be ar y ddaear fasa wedi digwydd i mi.'

'Ond mi fuoch chitha'n dda wrtho ynta hefyd, Mam. Cadw tŷ iddo fo ar ôl i Modryb farw, a gofalu amdano fo hyd yn oed ar ôl i chi briodi Nhad.'

'Doedd hynny ddim yn anodd, o styried ein bod ni'n byw drws nesa i'n gilydd. Ond gwranda! Waeth i ti heb ag oeri yn fan hyn. Does dim angan i'r ddwy ohonon ni aros ar ein traed, felly pam nad ei di 'nôl i dy wely. Mi ddeffra i di os bydd raid.'

Wedi gwylio'i merch yn gadael, taflodd Alis Lòrd Bach garthen dros ei hysgwydda a mynd i eistedd ar y gadair galed wrth erchwyn gwely'i thad.

*   *   *

Cystal â'i air, fe alwodd y Doctor Bach ben bore drannoeth a chael y tŷ yn wag, ond am Rhys a'i frawd.

'Drws nesa maen nhw, Doctor,' meddai Ifan. 'Taid ddim hannar da. Aeth Nhad ddim i'w waith bora 'ma.'

'Hm! Petha'n o ddrwg, felly. Mi bicia i draw i gael

golwg arno fo. Be amdanat ti, Rhys? Sut mae dy law di?'

Yn hytrach nag ateb, daliodd hwnnw ei fraich allan, i'r meddyg gael datod y cadacha.

'Hm! Ti 'di gwaedu tipyn yn ystod y nos, dwi'n gweld. Rhaid dy fod ti wedi bod yn rhwyfus. Faint o gwsg gest ti?' Yn hytrach na phwyso am ateb, nad oedd am ddod beth bynnag, trodd at y brawd iau. 'Oes yna ddŵr berwedig yn y teciall, Ifan? Dos i dywallt peth i ddesgil imi.'

Daeth penysgafnder dros Ifan wrth iddo wylio'r meddyg yn golchi briwiau cignoeth ei frawd.

'Wyt ti am lyncu powdwr arall at y boen? . . . Na? . . . Iawn ta!' Wrth iddo siarad, syllai'r Doctor Bach i fyw llygaid Rhys, fel petai'n ceisio darllen ei feddwl. 'Wyst ti be, Rhys? Mae'n braf gweld yr hogia'n dod 'nôl o un i un. Ti'm yn meddwl? Pam bod angan cymaint o amsar i ddisbandio rhai o'r catrawdau yn Ffrainc, Duw a ŵyr! Mae hi rŵan yn fis Mawrth! Mae'r rhyfal drosodd ers pedwar mis bron.'

Dim ymateb.

'Ddeudis i wrthat ti, dŵad, mod i allan yn Sowth Affrica, ugian mlynadd yn ôl, yn rhyfal y Boers? A deud y gwir wrthat ti, mi fues i'n lwcus iawn i gael dod o'no'n fyw . . . fel chditha o Ffrainc . . . ac i gael ailgydio yn fy mywyd, yma ym Mlaendyffryn.'

Eto dim ymateb. Ond parablu ymlaen a wnaeth y Doctor Bach, serch hynny, tra ar yr un pryd yn plastro eli'n drwchus ar y doluria.

'Wyddost ti, mae'n mynd i fod yn ddrwg yn y trefi mawr 'ma, gyda hyn, efo'r holl filoedd sy'n ddi-waith . . . yr hogia'n ôl o'r rhyfal, y *munitions factories* wedi cau . . . Ti'n un o'r rhai lwcus, wyddost ti, i gael dy le'n ôl yn

126

y chwaral. Duw a ŵyr, mae'n fyd digon tlawd fel ag y mae o rŵan ond dwi'n rhag-weld mwy o drafferthion. Marcia di ngeiria i! Gwaethygu wneith petha i goalishwn Mustyr Lloyd George. Be wyt ti'n feddwl?'

Pan na ddaeth ateb eto fyth, taflodd y meddyg gip i gyfeiriad Ifan a sylweddolodd hwnnw mai holi er mwyn asesu cyflwr meddwl Rhys yr oedd y Doctor Bach.

'. . . A dyna ti'r trafferthion yn Iwerddon, wedyn, a'r galw am *home rule*. Go ddyrys ydi petha yn fan'no hefyd, yn ôl pob sôn.'

Ond dal i syllu'n syth ymlaen a wnâi Rhys, gan roi'r argraff o fod yn fyddar i bob dim a gâi ei ddeud. Dechreuodd y meddyg lapio'r llaw mewn cadacha glân.

'. . . Ac yn ôl y papura, mae'r gwrthryfel yn Rwsia yn un gwaedlyd ofnadwy, hefyd. Wyt ti wedi darllan rhywfaint o'r hanas, Rhys?'

Pan sylweddolodd nad oedd yn mynd i gael unrhyw ymateb, y naill ffordd na'r llall, ochneidiodd y meddyg a chodi i adael. 'Wel, dyna hyn'na wedi'i neud! Mi alwa i yn drws nesa rŵan, i gael golwg ar eich taid,' medda fo, a mynd am y drws.

'Diolch ichi am alw, doctor,' meddai Ifan Lòrd Bach, wrth ei wylio'n camu allan dros y trothwy. 'Yn de, Rhys?'

'*Thank you very much, doctor,*' meddai'i frawd, yn ei Saesneg gora.

*   *   *

Dros y Sadwrn a'r Sul bu Alis ac Elsi yn eistedd am yn ail wrth erchwyn gwely Josh Pugh, a'i weld yn dirywio'n gyflym. Y trefniant oedd i'r ddau Ifan gadw gwylnos; y tad ar y nos Sadwrn a'r mab ar y nos Sul gan mai haws fyddai i Ifan Bach golli ysgol fore Llun nag i'w dad golli o'i waith.

'Be am y cwarfod dirwast heno, Mam?' gofynnodd Elsi, wrth iddi dynnu am chwech o'r gloch nos Sadwrn. ''Dach chi ddim am fynd? Mi arhosa i efo Taid, unwaith y ca i Huw Bach i'w wely.'

'Na. Adra mae fy lle i, heno, ngenath i. Sut bynnag, does gen i fawr o awydd cychwyn allan, efo petha fel ag y maen nhw. Ond fe geith Ifan Bach fynd. A nos fory, os bydd dy daid yn dal ei dir yn o lew, yna falla'r af i i'r oedfa gymun. Mi faswn i'n licio gallu mynd, beth bynnag.'

Ond adra y bu'n rhaid iddi fod nos drannoeth hefyd, am i gyflwr ei thad waethygu cymaint yn y cyfamser.

Yn dilyn yr oedfa nos Sul, o glywed bod Joshua Pugh ar ei wely angau, galwodd y gweinidog a'i ben blaenor heibio, i gynnig eu gwasanaeth pe bai ei angen mewn unrhyw ffordd. Cynigiodd Bob Ellis aros ar ei draed yn llofft y claf y noson honno, er mwyn i Alis a gweddill y teulu gael gorffwys. Ond gwrthod ei gynnig a wnaeth Ifan Garn. 'Diolch ichi am gynnig, Bob Ellis, ond fy nyletswydd i ydi bod efo fo. Fi ac Ifan Bach. Mae hwnnw'n tyfu'n ddyn rŵan, ac yn aeddfed i ysgwyddo rhai o gyfrifoldeba'r teulu.'

Parodd geiria'i dad i Ifan Lòrd Bach ymsythu'n falch, a chafodd ei blesio ymhellach wrth i Bob Ellis gadarnhau'r farn honno amdano trwy daro'i law drom ar ei ysgwydd. Rai oriau'n ddiweddarach, fodd bynnag, yn awyrgylch drymaidd canol nos, wrth iddo wrando ar anadlu llafurus ei daid a gwylio golau'r gannwyll yn chwarae'n felyn aflonydd ar groen tyn ei wyneb, ni

128

theimlai'n hanner cymaint o ddyn. Doedd dim rhaid i neb ddeud wrtho, bellach, mai Angau oedd yn creu'r fath ddieithrwch yng ngwyneb ei daid. Y llygaid yn dylla duon . . . y ffroena tyn . . . y geg lydan agored yn chwilio am yr aer . . . y bocha yn bantia dyfnion. Cofiodd am siars ei fam i'w deffro hi pe bai cyflwr ei daid yn mynd o ddrwg i waeth. Oedd achos gneud hynny rŵan? gofynnodd iddo'i hun. Na, gwell gadael iddi hi orffwys sbel eto.

Rywbryd rhwng un a dau o'r gloch y bore, fe aeth cwsg yn drech na fo a phan ddaeth ei fam i mewn i'r llofft dywyll am bump o'r gloch roedd Ifan yn dal i gysgu'n drwm, efo'i ben yn gorwedd ar erchwyn gwely'i daid. Erbyn hynny, doedd dim ar ôl yn y ganhwyllbren ond pwll bychan o wêr meddal.

'Ym! Rhaid mai newydd gau fy llygid oeddwn i,' medda fo'n euog wrth sylweddoli lle'r oedd o, a pham ei fod o yno. Yn reddfol, gwrandawodd am yr anadlu poenus, a gollwng ochenaid fechan o ryddhad wedyn o glywed bod ei daid yn dal ar dir y byw. Beth pe bai Taid Josh wedi marw yn ystod y nos, tra oedd o, Ifan, yn cysgu? Beth pe bai ei fam wedi cerdded i mewn i'r llofft fore heddiw i weld ei thad yn gorff oer, a fynta, Ifan, yn cysgu'n drwm? Teimlai y dylai ymddiheuro iddi ond doedd ganddo mo'r wyneb i gyfadde'i fod wedi cysgu'r rhan fwyaf o'r nos.

'Paid â phoeni, machgan i. Rhaid i bawb gael hepan fach weithia, wyst ti.' Chymerodd hi ddim arni ei bod wedi taro'i phen i mewn yn y llofft rywbryd yn yr oria mân a'i bod hi wedi ymweld yn rheolaidd ar ôl hynny.

*   *   *

'Sut mae o, bora 'ma?'

Roedd Alis ar ei ffordd yn ôl i'r tŷ o gwt yr ieir, efo'r wyau yn ei ffedog, pan glywodd y cwestiwn. Cododd ei phen i weld Gaenor Parry yn pwyso ar y crawia, dri lled gardd i ffwrdd. Roedd hi ar ganol pegio llond lein o ddillad ond wedi gadael y gwaith er mwyn cael holi Alis.

'Gwaelu mae o,' meddai Alis, gan ysgwyd ei phen yn ddwys. 'Mae Elsi'n ista efo fo rŵan, i roi cyfla i mi neud tipyn o waith o gwmpas y tŷ. Fe wyddoch chi fel mae hi ar fora Llun, Gaenor.'

Roedd deng mlynedd rhwng Alis Lòrd Bach a'i chymdoges Gaenor Parry, er y gellid yn hawdd feddwl bod y bwlch yn fwy na hynny, hefyd. Tra bod llygaid llwydwyrdd Gaenor yn ddisglair ifanc o hyd a chroen ei dwylo, fel croen ei gwyneb, wedi cadw'i lyfnder, roedd llygaid brown Alis, ar y llaw arall, wedi hen golli eu direidi a chroen ei dwylo, bellach, yn galed a chras, diolch i flynyddoedd o ddŵr sebon coch a thrymwaith. Ac wrth i Gaenor bwyso mymryn ymlaen rŵan dros grawia'r ardd, teimlodd Alis eiliad o eiddigedd wrth gymharu annibendod a brithni cynnar ei gwallt ei hun efo'r rhaeadr coch graenus oedd yn syrthio dros ysgwydda ei chymdoges iau. Yn reddfol, ailosododd y clip oedd wedi gollwng ei afael ar gudyn rhydd uwch ei thalcen.

'A be am Rhys? Ydi o'n weddol ddi-boen erbyn hyn?'

'Cystal â'r disgwyl, Gaenor, diolch i chi am ofyn.'

'Dwi'n trio darbwyllo Gwilym 'cw i beidio mynd i'r chwaral wyddoch chi.'

'Be? Ydi o wedi cael cynnig lle yno?'

'Wel . . . na, ddim hyd yma. Dydi o ddim wedi

trio'n galad iawn, a deud y gwir. Dwi'n gneud fy ngora i'w ddarbwyllo fo i fynd am job gyfforddus mewn offis neu rwla felly.'

Bu ar flaen tafod Alis i gwestiynu dymuniad – heb sôn am allu – Gwilym i neud y math yna o waith. I ysgol yr *Higher Grade* roedd o'n mynd, wedi'r cyfan, a hynny am iddo fo fethu yn y Sgolarship. Roedd llawer o hogia galluog wedi mynychu'r *Higher Grade* oherwydd na allai eu rhieni fforddio'u gyrru nhw trwy'r *County School*, ond doedd Gwil Goch ddim yn un o'r rheini, fel y gwyddai Alis yn iawn! Ac fe wyddai hi hefyd, trwy Ifan Bach, fod hogyn Gaenor wedi bod yn crwydro'r chwareli i gyd ers mis neu fwy, yn y gobaith o gael rhywun i'w gymryd fel rhybelwr bach.

'Wrth gwrs, mae o wedi cael cynnig job yn barod yn y Coparét, ond dal i obeithio am le yn y chwaral mae o. Mi fuodd Ifan chi yn lwcus iawn i gael lle, mor fuan, Alis Huws.'

'Do, mae'n siŵr,' meddai Alis, ac ailgychwyn unwaith eto am y tŷ.

'A Rhys hefyd, 'tai hi'n dod i hynny! Mi gafodd ynta'i gymryd yn ôl yn barod iawn, yn do?' Trwy oslef ei llais, roedd Gaenor yn awgrymu bod rhywbeth mwy na lwc yn gyfrifol am yr ailgyflogi. 'Yn enwedig pan styriwch chi fod cymint o'r hogia erill ddoth 'nôl o Ffrainc yn cael y fath draffarth i gael unrhyw fath o waith.'

Wedi cael taflu'i hawgrym ac wrth synhwyro bod ateb brathog ar fin dod yn ôl, prysurodd y gochan i droi'r stori: 'Gyda llaw, dydi'r hen Eos ddim hannar da heddiw, chwaith.' A nodiodd ei phen at y tŷ drws nesa. 'Wedi cael mymryn o annwyd medda fo wrth Gwil ni, bora 'ma, ond dwi'n ama bod ei wres o'n reit uchal hefyd. Gobeithio wir nad ydi o wedi dal y *Spanish Inffliwensa* 'na. '

'O! Mi dria i gael amsar i daro i mewn i'w weld o, felly,' meddai Alis yn sychlyd, a'i gneud hi unwaith eto am ddrws y tŷ.

'Na, mae gynnoch chi ddigon ar eich dwylo, Alis Huws,' meddai Gaenor, yn addfwynach rŵan, fel petai hi eisoes yn difaru ei thôn edliwgar eiliada ynghynt. 'Mi ofalwn ni . . . Gwil a finna . . . am yr Eos. Peidiwch â phoeni.'

*   *   *

'Dwi'n gneud y gwaith yma ers bron i chwartar canrif a dydw i rioed yn cofio wythnos mor brysur â hon . . .'

Roedd Dei Twm y Saer – neu Dei Claddu Pawb fel y byddai rhai yn ei nabod – wedi rhoi ei forthwyl yn ôl ar y fainc ac wedi dod i bwyso ar ymyl yr arch o bren llwyfen. Dechreuodd gyfri ar ei fysedd:

'. . . Josh Pugh nos Lun . . . wel, bora dydd Mawrth erbyn i mi gael clywad . . . wedyn Lisabeth Tomos yr Iard a Moses Ifans Cwrt, y ddau yr un diwrnod . . . yr Hen Eos nos Ferchar . . . Winston Griffis bnawn dydd Iau . . . a rŵan y Lòrd ei hun.'

'Be? Ydi Lòrd Oldbury wedi marw hefyd?'

Roedd sŵn morthwylio yng ngweithdy Dei Twm cyn sicred â dim o ddenu rhai i mewn yno, fel gwenyn at bot jam, ac yn amlach na pheidio byddai'r saer ei hun yn croesawu'r cwmni. Twm Gelli oedd heddiw wedi taro i mewn, ar ei ffordd adre o'i waith, nid yn gymaint i gael gwybod pwy oedd newydd adael y fuchedd hon ag i fochel rhag y gawod annisgwyl oedd rŵan yn sgrytian y to sinc uwch eu penna ac yn taflu ei thywyllwch i mewn i'r gweithdy.

'Mi gafodd strôc fawr arall ben bora heddiw ac mi fuodd honno'n ddigon iddo fo.'

'Taw â deud! Be oedd ei oed o, dywad?'

'Newydd gael ei flwydd yn bedair a thrigian.'

'Wel, wel! A chdi fydd yn claddu?' Ni cheisiai Twm Gelli gelu'r syndod o'i lais na'i wyneb.

'Ia, cofia! Tipyn o sioc, a deud y gwir, yn enwedig o gofio mai *undertaker* o rwla pell i ffwrdd ddaru gladdu'i dad o. Ond dyna fo, yma yn y Llan y mae bedd y teulu, wedi'r cyfan, felly mae'n gneud mwy o sens i mi fod yn gyfrifol am y trefniada. Dyna ddeudodd William Robas Twrna, beth bynnag. Fo sy'n gyfrifol am *affairs* y Lòrd i gyd, yn ôl pob golwg.'

'Taw â deud! Wel wel! Pwy fasa wedi meddwl ynde? Ond dyna fo, roedd y *Little Lord* yn hen stamp iawn, chwara teg. Mi wnaeth dipyn mwy dros y dre 'ma na'r hen lòrd ei dad, beth bynnag. Yli di fel mae o wedi trefnu i'w denantiaid i gyd gael letrig yn eu tai, a hynny heb orfod talu ceiniog.' Wrth glywed y gawod ar y to yn gostegu, cychwynnodd Twm Gelli am y drws. 'Prysur ar y naw wyt ti felly, Dei?'

'Paid â sôn, wir Dduw! Mae'n beryg na wela i mo ngwely o gwbwl heno, Twm. Mi fydd raid i mi orffan hon . . .' Curodd efo'i figyrna ar banel yr arch y pwysai arni. '. . . a gneud arch y Lòrd hefyd cyn y bora, gan y bydd oria'r dydd fory yn mynd i gnebrynga Mùs Tomos yr Iard a Josh Pugh. Wedyn, claddu Mos Ifans Cwrt fora Llun a'r Eos yn y pnawn . . . a Winston Griffis bnawn dydd Mawrth. Ond dydw i ddim yn gwbod eto pryd y bydd cnebrwng Lord Oldbury. Mwy o waith trefnu ar beth felly, ti'n dallt. Ac ar ben pob dim, mi fydd gofyn golchi'r hèrs a pharatoi'r ddau geffyl cyn pob cnebrwng hefyd. Ond dyna fo, busnas ydi busnas, Twm.'

'Ia, debyg,' atebodd y chwarelwr, yn brathu'i dafod rhag edliw bod y busnes dan sylw yn un oedd yn talu'n arbennig o dda. O brofiad, fe wyddai mor groendena y gallai Dei Claddu Pawb fod ynglŷn â phres a phetha felly. 'Gyda llaw, mi ddaru mi alw efo Alis Lòrd Bach ddoe, i gydymdeimlo efo hi. Wyst ti be, Dei, mae 'na stormydd go egar yn curo arni hi a'i theulu y dyddia yma.'

'Welist ti'r arch?' gofynnodd y saer, yn union fel petai heb glywed y sylw.

'Do. Neis iawn,' meddai Twm, yn gwybod bod disgwyl iddo ganmol.

'Ysgafn fydd hi sti. Mi fydd pedwar yn ddigon i gario. Doedd yr hen Josh yn ddim ond croen am asgwrn erbyn y diwadd.'

'Nagoedd, mae'n siŵr!' Cofiai Twm ei dad ei hun yn marw'n ifanc efo'r llwch. 'Pnawn fory mae'r cnebrwng, yn ôl Alis.'

'Ia. Dwi wedi trefnu i gladdu Lisabeth Tomos yr Iard yn y bora a Josh am ddau o'r gloch pnawn, gan mai cnebrwng i ddynion yn unig ydi hwnnw i fod. Mi roith gyfla i bawb gyrraedd adra o'r chwaral.' Yna, fel petai newydd gofio, ychwanegodd, 'A dyna iti beth arall y bydd raid i mi'i neud heno hefyd. Mynd i Stryd Lòrd Bach i gau ar Josh.'

Yn sŵn y geiria prysur hynny y ffarweliodd Twm Gelli â gweithdy'r saer.

Dau Angladd

Cynhebrwng ei daid oedd yr angladd cynta i Ifan Lòrd Bach fod ynddo erioed. A'r Parch. T. L. Morgan yn cymryd y gwasanaeth, eisteddent yn deulu bychan o

134

gwmpas yr arch yn y parlwr cyfyng; Ifan Garn ac Alis ar y soffa isel, rhieni Ifan o Garndolbenmaen yn y ddwy gadair feddal; wedyn Rhys ac Elsi ar y cadeiria cefnsyth caled, ac Ifan Bach yn sefyll y tu ôl iddyn nhw. Yn y drws rhyngddynt a'r gegin, safai Dei Claddu Pawb fel plismon, yn amneidio ar y galarwyr eraill i wthio'n dynnach at ei gilydd yn y pasej rhag i neb fod allan yn y glaw.

Gorweddai Beibl y teulu ar gaead yr arch tra darllenai'r gweinidog y drydedd salm ar hugain ohono. Yna, yn dilyn gair o weddi, caed teyrnged fer i ddiwydrwydd Joshua Pugh ar hyd ei oes. I ddiweddu'r gwasanaeth, lediodd T. L. emyn newydd sbon y bardd Elfed:

Cofia'n gwlad, Benllywydd tirion,
dy gyfiawnder fyddo'i grym . . .

emyn anangladdol ond un oedd wedi cydio yn nychymyg cynulleidfaoedd trwy Gymru benbaladr ac un a fu'n ffefryn mawr gan yr ymadawedig. Ar arwydd Dei Twm, trawodd Reuben Lloyd, codwr canu Capel Caersalem, y nodyn cynta o dôn Ieuan Gwyllt ac, o fewn dim, roedd y tŷ'n ysgwyd yn sŵn y pedwar llais, efo rhai o'r dynion yn cynnal yr alaw ac Alis a'i mam-yng-nghyfraith ac Ifan Bach yn cymryd yr alto. Dau'n unig oedd ddim yn canu: Elsi am ei bod hi'n tagu ar ei dagra a Rhys ei brawd, a oedd rŵan yn sefyll yn unionsyth, fel milwr ar barêd:

. . . nefol Dad, boed mawrhad
ar d'Efengyl yn ein gwlad.

Nefol Dad, boed mawrhad . . .

Wrth i Reuben Lloyd aildaro'r cwpled olaf, daeth Rhys Lòrd Bach â'i law dde gadachog i fyny at ei arlais, i saliwtio gweddillion ei daid yn ei arch. Tan yr eiliad honno, roedd ei fam wedi llwyddo i reoli'i dagra.

Y dynion yn unig a gerddodd i fynwent y plwy, yn ddau a dau drwy'r glaw ac yn gynffon barchus bennoeth tu ôl i'r hers. Yna, ar lan y bedd, wedi i'r galarwyr gydganu emyn arall o waith Elfed – 'Rho im yr hedd na ŵyr y byd amdano' – rhoddodd Rhys Lòrd Bach ei saliwt filitaraidd yr eildro, wrth i'r gweinidog offrymu'r Fendith ac i arch ei daid gael ei gostwng yn araf i'r pridd.

JOSHUA PUGH, 75 OED meddai'r llythrennu anghelfydd ar blât yr arch, i gyhoeddi bod yr hen chwarelwr unwaith eto'n rhannu tŷ efo'r wraig ifanc a gollodd bum mlynedd a deugain ynghynt.

*   *   *

'Dydd Gwenar? Bobol bach! Ti'n ei gadw fo'n hir iawn, Dei?'

Roedd y glaw wedi peidio a'r galarwyr, efo'u capia a'u hetia unwaith eto ar eu penna, yn sgwrsio'n barchus dawel ar eu ffordd allan o'r fynwent gan droi clust fyddar i sŵn y cawodydd pridd ar gaead yr arch.

'Mi fydd hi'n wsnos gyfan erbyn hynny,' meddai un arall o'r cwmni oedd wedi oedi i siarad efo'r saer ac i roi sylw hefyd i'r ddau geffyl du ar flaen yr hers. Angladd Lord Oldbury oedd testun eu trafod.

'Ond dyna fo, dydi'r Saeson a'r bobol fawr 'ma ddim yn gneud petha yr un fath â ni, debyg.'

'Fawr o ddewis, hogia,' meddai Dei Claddu Pawb, yn gneud iddo'i hun swnio'n bwysicach nag oedd raid. 'Rhaid i chi gofio bod mwy o waith ar yr arch yn un

136

peth, gan na wnaethai dim byd y tro ond arch dderw, wrth gwrs. Wedyn, roedd yn rhaid i mi gysylltu efo'r teulu yn Lloegar, yn ogystal â threfnu i gael agor y *vault* ym mynwant y Llan.'

'A! Wrth gwrs! Fan'no mae'r Oldburys i gyd wedi'u claddu,' cofiodd un arall o'r criw. 'Ond faint o deulu ohonyn nhw sydd ar ôl, Dei? Doedd gan Little Lord ddim plant . . . ddim i mi wbod, beth bynnag.'

'Na. Cefndryd a chneitherod, dyna i gyd. Ar wahân i'w wraig, wrth gwrs.'

'Ond hi, Lady Oldbury, geith bob dim ar ei ôl o, mae'n siŵr, gan gynnwys y chwaral. Be neith hi efo honno sy'n fy mhoeni i.'

'Amsar a ddengys, hogia!' meddai Dei Twm yn ddoeth. 'Ia wir! Amsar a ddengys! Ond o leia mi gewch chi, hogia Chwaral Lòrd, hannar stèm o wylia ar ei gorn o. Yn ôl be ddeudodd William Robas Twrna wrtha i, ddoe, mae ewyllys y Lòrd yn deud y bydd y chwaral ar gau, bnawn y cnebrwn, fel bod pawb sy'n dymuno mynd i'w gladdu fo yn cael gneud hynny heb golli cyflog . . .'

'Gwylia o ddiawl!' meddai un llais chwerw. 'Fedrwn ni ddim gneud cerrig tra mae'r chwaral ar gau, siŵr Dduw! Hynny'n golygu mêc llai erbyn Sadwrn Tâl.'

'Ac mi fydd yr ysgolion yn cau hefyd, yn ôl pob sôn,' meddai Dei Twm, yn dewis anwybyddu'r llais cwynfannus, 'fel bod yr athrawon yn medru dod â'r plant i sefyll o boptu'r ffordd i wylio'r hers yn mynd heibio.'

'Tipyn o sioe, felly, Dei?' Llais gwahanol y tro yma, efo'r awgrym *Fe gei ditha dy weld* ynghlwm wrtho.

'Bydd. Defis Plisman yn cerddad o flaen yr hers, yna tri motorcar du tu ôl i honno, i gario'r teulu. A thu ôl i'r rheini, bydd y bobol bwysig yn cerddad. Yr Aelod Seneddol ochor-yn-ochor efo'r *High Sheriff* i ddechra, wedyn perchnogion a *managers* pob un o'r chwareli, yna aeloda'r Fainc. Mi fydd y *Freemasons* i gyd yno hefyd, wrth gwrs, yn martsio efo'i gilydd, a hannar dwsin ohonyn *nhw* fydd yn cario'r arch i lawr i'r *vault*.'

'Be? Dwyt ti rioed yn deud y bydd rheina i gyd yn cerddad yr holl ffordd o'r eglwys i lawr i fynwant Llan? Tair milltir? Be 'tai hi'n tresio bwrw? Un peth ydi i *ni* lychu, ond . . .'

'Gobeithio'r Nefoedd mai sych fydd hi, hogia,' meddai'r saer, gan roi ei law yn dyner ar war un o'i geffyla, 'oherwydd mi fydd y ddau yma'n gwisgo'u plu mawr duon a dydw i ddim isio gweld rheini'n cael eu difetha yn reit siŵr.'

'Fel ro'n i'n deud,' meddai'r siaradwr cynta eto. 'Tipyn o sioe! . . . Tipyn mwy nag a gafodd yr hen Josh, yn reit siŵr.'

'Methu dallt ydw i pam na chynhalian nhw'r gwasanaeth yn eglwys Llan, beth bynnag. Dyna fasa'n gneud mwya o synnwyr, 'dach chi'm yn meddwl?'

'Ond fasa 'na ddim parêd wedyn, fasa 'na?'

'Gwell i mi ei throi hi am adra, dwi'n meddwl,' meddai Dei Claddu Pawb, yn anniddigo braidd, 'i newid i fy ofarôls. Mae gen i lot o waith yn aros amdana i.'

*   *   *

Ar y bore Llun, yn dilyn angladd Lord Oldbury, cychwynnodd Ifan Bach yn dalog yng nghwmni'i dad am y chwarel, yn ffansïo'i hun yn arw yn ei drowsus llaes – hwnnw, fel ei gôt liain lwyd, yn newydd sbon o Siop Elsyn Teiliwr.

I'w frawd yr oedd y diolch am y trowsus melfaréd,
gan mai'r peth cynta a wnaethai Rhys ar ôl dod ato'i
hun yn o lew, a deall bod Bob Ellis wedi dod â chyflog
iddo, oedd dosbarthu'r arian ar y bwrdd o'i flaen,
rhoi'r papur chweugain arferol i'w fam, yna gwthio'r
newid mân i gyd – dau hanner coron, pishyn swllt, a
dau bishyn tair ceiniog – i gyfeiriad ei frawd.

'I ti gael trowsus melfaréd newydd . . .' medda fo,
gan greu eiliad o syndod ac o obaith yn llygad ei fam.
'. . . i fynd i'r ffrynt lein.'

Wedi cychwyn y ddau i'w gwaith a sicrhau bod
Rhys yn dal i gysgu, aeth Alis yn ôl i dŷ ei thad, i neud
tân erbyn y byddai Elsi a Huw Bach yn codi. *Tŷ Nhad!*
Ia, dyna fydd o imi am byth,' meddai hi wrthi'i hun, a
theimlo ton o chwithdod yn llifo drosti. 'Ond be fydd
yn digwydd iddo fo rŵan, sgwn i? Go brin y bydd y
Stad yn fodlon i Elsi a'r bychan gael aros yma. Bydd
raid ei osod i deulu o chwarelwyr, mae'n siŵr.'

Ychydig a feddyliai y byddai hi, cyn nos, wedi cael
ateb annisgwyl i'w chwestiwn, ac i sawl cwestiwn arall,
hefyd, o ran hynny.

*   *   *

'Wnewch chi gadw llygad ar Huw Bach, Mam, tra bydda
i'n picio i lawr i'r becws i nôl torth? Fydda i ddim yn hir.'

Ugain munud yn ddiweddarach, cyrhaeddodd
Elsi'n ôl efo'i gwynt yn ei dwrn a disgleirdeb newydd
yn ei llygaid, a'r disgleirdeb hwnnw'n ychwanegu at ei
phrydferthwch hi.

'Be feddyliech chi?' meddai hi, gynted ag y camodd
hi i mewn i'r tŷ. 'Mae Elsyn Teiliwr newydd gynnig
gwaith imi.' A chwarddodd yn nerfus, fel petai hi ddim
yn credu'i geiria'i hun.

139

'O?'

'Wedi clywad,' medda fo, 'mod i'n wniadrag go dda. Isio rhywun yn y borea'n unig, i altro dillada. Rhoi hem ar sgertia, trowsusa . . . Rhyw waith felly.' Roedd ei chyffro'n amlwg yn ei gwên ac yn ei bwrlwm geiria.

'Ro'n i'n meddwl mai gwaith Harri'r mab oedd peth felly?'

'Deud wnaeth Elsyn ei fod o ei hun yn diodda'n arw efo cricmala erbyn rŵan a bod yn rhaid i Harri ymgymryd â'r gwaith teilwra.'

'O! A be ddeudist ti wrtho fo, ta?'

Chwarddodd Elsi'n fyr ac yn nerfus unwaith eto. 'Diolch am y cynnig, wrth gwrs, ond egluro na fedrwn i ddim, gan fod gen i Huw Bach i'w fagu.'

Cyn i'w mam gael holi rhagor, daeth curo ar y drws.

'Musus Alis Hughes?'

'Ia?' Roedd gwyneb y dyn yn lled-gyfarwydd iddi.

'Fi ydi clarc Mustyr William Roberts y twrna. Gofyn mae o a fedrwch chi bicio i lawr i'w weld o, bnawn heddiw ryw ben.'

Teimlodd Alis ei chalon yn methu curiad, a'i stumog yn rhoi tro. 'Fi?' meddai hi'n anghrediniol. ''Dach chi'n deud bod Mustyr Robas isio ngweld *i*? . . . Ond pam? Ac i be?'

'Dydi Mustyr Roberts ddim yn trafod materion cyfrinachol efo'i glarc, Musus Huws. Fe wyddoch chi lle mae'i swyddfa fo, dwi'n siŵr. Fedrech chi ddod yno at . . . dweder dau o'r gloch?'

*   *   *

Dryslyd, a deud y lleia, fu meddwl Alis Lòrd Bach
weddill y bore a chadwodd ei hun yn brysur trwy
redeg yma ac acw rhwng y ddau dŷ, yn gneud y peth
yma a'r peth arall. Un o'r gorchwylion hynny fu
gneud trefn ar ddillad ei thad, yr ychydig oedd
ganddo, a meddwl sut y gallai Elsi a hitha eu haddasu
nhw at ddefnydd Ifan ei gŵr neu Rhys ei mab. Neu
Ifan Bach hyd yn oed! Roedd hwnnw'n tyfu'n gyflym,
rŵan, a buan y byddai ei gorff yn grymuso wedi iddo
ddechra gweithio yn y chwarel.

'Wyst ti be, Elsi?' meddai hi, ar eiliad wan. 'Mi allet ti
ddysgu llawar iawn trwy weithio i Elsyn Teiliwr. Fasa hi
ddim yn well i ti ddeud wrtho fo, dŵad, dy fod ti wedi
newid dy feddwl? Mi gymera i Huw Bach i'w fagu.'

*   *   *

'Steddwch, Musus Huws!'

Ochneidiodd hitha'n nerfus a mynd am yr unig
gadair wag yn y stafell.

Er molchi'n lân a gneud ymdrech i dwtio'i gwallt
a'i gwisg, fe deimlai Alis yn flêr yng ngŵydd y dyn
bach trwsiadus hwn a eisteddai tu ôl i'w ddesg, yn ei
dei-bô coch tywyll a'i siaced lwyd, yn gwenu'n
nawddoglyd arni. Anodd deud ei oed. 'Dros ei drigain
yn reit siŵr,' meddai Alis wrthi'i hun. 'Ond ddim eto
wedi cyrraedd Oed yr Addewid, chwaith!'

Tynnodd goler ei chôt orau yn dynnach amdani,
nid am ei bod hi'n oer – i'r gwrthwyneb, roedd y
stafell yn rhy fyglyd ac yn rhy lawn o arogleuon
lleithder a hen bapura – ond er mwyn cuddio
teneuwch ei gwddw noeth.

Edrychodd o'i chwmpas. Os oedd y dyn bach

bochgoch yn daclus ei wisg, go brin y gellid deud yr un peth am ei ddesg. Roedd gwyneb honno, pob modfedd ohono, o'r golwg dan flerwch papur.

'Yn y lle cynta, Musus Huws, ga i estyn cydym-deimlad efo chi ar golli'ch tad yn ddiweddar.'

'Diolch.'

'Ro'n i'n gwbod, wrth gwrs, bod ei frest o'n ddrwg ond ddaru mi ddim dychmygu am eiliad bod y diwadd mor agos iddo.'

'O?' Y dryswch ar ei gwyneb yn awgrymu *Wyddwn i ddim eich bod chi hyd yn oed yn nabod fy nhad.*

'Fe gafodd o air efo chi?'

'Gair? Pwy? Nhad? . . . Am be, felly, Mustyr Robas?'

'Ar ôl iddo fo alw i ngweld i, bythefnos yn ôl.'

Cynyddodd y dryswch. 'Galw i'ch gweld chi? Nhad? . . . Pam, ar y ddaear, fasa fo'n gneud peth felly, deudwch?'

'Ynglŷn â'r ewyllys.'

Trodd y dryswch yn syndod. 'Ewyllys? Pa wyllys, Mustyr Robas? 'Dach chi'n siarad mewn damhegion, mae gen i ofn. 'Dach chi rioed yn deud bod Nhad wedi gneud wyllys?' Iddi hi, roedd y syniad yn un chwerthinllyd, am na fu gan ei thad erioed ddim byd o werth i'w adael i neb.

Ysgydwodd y cyfreithiwr ei ben yn ddifrifol, i ddangos ei rwystredigaeth. 'Roedd o wedi addo egluro petha ichi, Alis. 'Dach chi ddim yn meindio imi'ch galw chi wrth eich enw cynta, gobeithio?'

'Na, dim o gwbwl,' atebodd hitha'n fyr, a thôn ei llais yn awgrymu *Ewch ymlaen i egluro, da chi!*

'Dwi'n eich cofio chi'n hogan fach, dyna pam. Sut bynnag, mae'n ymddangos mai fi fydd raid egluro ichi, wedi'r cyfan.' Ymbalfalodd yng nghanol y papura ar y ddesg o'i flaen nes dod o hyd i'r ddogfen y chwiliai amdani. Ond esgus yn unig oedd y syllu hir ar y papur wedyn; esgus i hel ei feddwl at ei gilydd. O'r diwedd, gofynnodd: 'Be wyddoch am eich tad?'

Chwarddodd Alis Lòrd Bach yn fyr ac yn nerfus. 'Be 'dach chi'n feddwl, Mustyr Robas? Be sy 'na i'w wbod amdano fo, yn fwy na be mae pawb yn ei wbod yn barod?'

Rhedodd y cyfreithiwr gledr ei law dros y gwallt gwyn uwchben ei glust dde a gwenu'n ansicir. 'Be wyddoch chi am eich mam, ta?'

Parhâi'r olwg ddryslyd ar wyneb Alis. Doedd ganddi hi ddim syniad pam ei bod hi wedi cael ei galw yma o gwbwl, nac i be. 'Does gen i ddim co o fath yn y byd am Mam, Mustyr Robas. Mi fuodd hi farw ar fy ngenedigaeth i. Pam 'dach chi'n holi?'

Rhoddodd y cyfreithiwr y ddogfen o'r neilltu unwaith eto a phwyso mlaen dros ei ddesg. 'Dwi'n cofio'ch mam yn iawn, Alis. Roedden ni tua'r un oed. Merch brydferth iawn . . .'

'Felly dwi wedi'i glywad, Mustyr Robas, ond . . .'

'. . . 'Dach chi'n ddigon tebyg iddi, a deud y gwir.' Oedodd y twrna eto, fel pe bai mewn cyfyng-gyngor. 'Fe ddaru'ch tad addo, pan oedd o yma bythefnos yn ôl, y bydda fo'n egluro pob dim ichi.'

'Dyna'r diwrnod yr aeth o'n sâl, dwi'm yn ama.'

'A! Falla mai dyna'r eglurhad, felly, pam na chadwodd o at ei addewid.'

'Deudwch, da chi, be oedd o i fod i'w egluro imi.'

Ymlaciodd y dyn bach yn ei gadair unwaith eto ac anadlu'n ddwfn. 'Pan oedd eich mam yn bedair ar ddeg oed, fe gafodd hi waith yn gweini yn y Plas. Mi wyddech chi hynny?'

'Gwyddwn, mi wyddwn i hynny,' meddai Alis; ei geiria hi rŵan yn ddim ond sibrydiad gwyntog wrth i hen amheuon gynhyrfu'r cof.

'A'i bod hi'n dal yno, ddwy flynadd yn ddiweddarach, pan ddaeth mab y Plas adre'n ôl, o'i ysgol fonedd yn Lloegar. Ymhen rhai misoedd wedyn, roedd eich mam yn feichiog.'

Wrth ei gweld hi'n dal ei hanadl ac wrth i'r gwrid godi'n boeth i'w gruddia gwelw, sylweddolodd y cyfreithiwr fod Alis Lòrd Bach yn gyfarwydd â rhywfaint o'r hanes.

'. . . A rŵan,' medda fo, 'mae'n ymddangos bod y cyfrifoldab o ddatgelu'r cyfan ichi wedi syrthio ar f'ysgwydda i, Alis. Joshua Pugh oedd i fod i ddeud wrthach chi ond mae'n ymddangos bod salwch annhymig wedi'i rwystro fo rhag gneud hynny.'

Caeodd Alis ei llygaid yn dynn a rhoi ei gên i bwyso ar ei brest wrth iddi sylweddoli bod sibrydion cas y gorffennol ar fin dod yn wir.

'Y gwir ydi, Alis . . . ond falla'ch bod chi wedi amau hyn yn barod . . . mai Lord Oldbury oedd eich tad iawn chi. Yn fuan wedi iddo ddod 'nôl i'r Plas i fyw, fe gymerodd fantais ar un o'r morwynion bach yno, a'i gneud hi'n feichiog. O leia, dyna a gâi ei ddeud ar y pryd. Elsi Morris, eich mam, oedd honno.'

Fe gymerodd rai eiliada i Alis ymateb. 'Pam deud hyn wrtha i rŵan, newydd i mi golli Nhad? Pam na fasech chi wedi deud wrtha i pan oedd o'n fyw?'

O'r ddau ohonyn nhw, dim ond y twrna a welodd eironi'r geiria, a bu ond y dim iddo ofyn am ba dad roedd hi'n sôn.

'Nid fy nghyfrifoldab i oedd gneud hynny, Alis,' medda fo'n amddiffynnol, 'ond mi ddeuda i gymaint â

hyn wrthach chi – Pan ddaeth Joshua Pugh i ngweld i,
bythefnos yn ôl, doedd ganddo fo ddim gwrthwyn-
ebiad o gwbwl i chi gael gwbod y gwir ynglŷn â'ch tad
go iawn.'

'Ond pam rŵan? Pam nad flynyddoedd yn ôl?'
Roedd sŵn dagra rhwystredigaeth yn ei llais.

Cydiodd y cyfreithiwr unwaith eto yn y ddogfen.
'Oherwydd hon,' medda fo. 'Ac oherwydd na fedra i,
yn gyfreithiol, ddim anwybyddu'i chynnwys hi.'
Disgwyliai iddi ymateb ond wnaeth hi ddim. ''Dach
chi'n gweld, Alis, roedd Joshua Pugh yn was bach yn y
Plas flynyddoedd cyn i'ch mam ddechra gweini yno o
gwbwl. A'r Lòrd ei hun . . . yr hen lòrd dwi'n feddwl,
wrth gwrs! . . . ddaru drefnu i Josh briodi'ch mam, er
mwyn symud y cyfrifoldab oddi ar ysgwydda'i fab.
Does dim rhaid deud bod Josh wedi neidio at y cyfla.
Wedi'r cyfan, roedd eich mam yn un o genod tlysa'r
ardal 'ma bryd hynny, tra bod Josh o leia ddeuddeng
mlynadd yn hŷn na hi ac wedi dechra ofni, falla, na
châi o wraig byth. Ond roedd 'na ystyriaetha pwysig
eraill iddo, hefyd, cofiwch. Cael cynnig gwaith yn y
chwaral yn un peth, yn ddigon pell o'r Plas! Swm go
lew o arian, wedyn, i fagu'r plentyn. A thŷ yn ddi-rent
yn gartra iddo fo a'i deulu. Ond ar ôl i'ch mam farw,
mae'n debyg bod yr hen Lòrd wedi mynd yn ôl ar ei
air ynglŷn â'r rhent, ar yr esgus bod eich modryb wedi
symud atoch chi i fyw.'

Nodiodd Alis ei phen yn ddwys wrth gofio'r hen
ferch a'i magodd hi. Modryb nad oedd mwyach yn
fodryb! Doedd fawr ryfedd bod honno mor llym ei
thafod ac mor barod i estyn am y wialen fedw ar yr
esgus lleia. Wedi'r cyfan, doedd y 'nith' yn perthyn yr
un dafn o waed iddi!

'Sut fy mod i'n gwbod y petha yma i gyd, Alis, ydi am mai nhad, yn y dyddia hynny, oedd yn gweithredu ar ran Lord Oldbury yn y mater. Fo oedd yn gyfrifol am lunio'r telera rhwng yr hen Lòrd ar y naill law a Joshua Pugh a'ch mam a'i rhieni ar y llaw arall.'

Fedrai Alis neud dim ond ysgwyd ei phen yn ddryslyd. 'Dydw i ddim yn cofio Nhaid a Nain, o ochor fy nhad nac o ochor Mam,' meddai hi. 'Ond waeth gen i be ddeudwch chi, Mustyr Roberts, dim ond un tad fydd gen i byth, a hwnnw ydi'r tad ddaru fy magu i a rhoi cartra da imi dros y blynyddoedd. Oni bai amdano fo, does wbod be fyddai fy hanas i erbyn heddiw. Felly gwell ichi beidio sôn am yr un tad arall. Dydw i ddim yn ama'r hyn 'dach chi newydd ei ddeud wrtha i, cofiwch, ond pe bawn i wedi dibynnu ar bobol y Plas . . .'

'Mi fedra i ddallt eich chwerwedd chi, Alis Huws, ond rhaid i chitha ddallt bod 'na rai petha na wyddoch chi ddim oll amdanyn nhw. Rhaid i chi gofio mai dyn calad iawn oedd yr hen Lord Oldbury. Dyn wedi arfar cael ei ffordd ei hun efo pawb a phopath. Dyn balch iawn, a ffroenuchal. Cofiwch hynny! Sut bynnag, yn dilyn yr hyn roedd o'n ei weld fel gwarth ar ei deulu, y peth cynta wnaeth o oedd anfon ei fab i ffwrdd, dramor. Ac i ffwrdd y buodd y *Little Lord* – dyna oedden nhw'n ei alw fo, bryd hynny – am bron i ddwy flynadd, yn crwydro'r byd ar ryw fath o *Grand Tour*, *"i ehangu'i addysg a'i orwelion"* medden nhw. Dim ond ar ôl dod adra'n ôl o'i drafals y cafodd o glywad bod eich mam wedi marw ar eich genedigaeth chi, dros flwyddyn ynghynt.'

O fod yn cael ei chorddi gan chwerwedd, methai Alis ag aros yn llonydd ar ei chadair – roedd fel petai'n diodde llyngyr yn ei phen-ôl – ac ofnai'r cyfreithiwr mai arwydd oedd hynny ei bod hi ar fin codi i adael.

'Peidiwch â bod yn rhy lym arno fo, Alis. Wyddoch chi fod cydwybod y Lòrd Bach wedi bod yn faen melin am ei wddw fo gydol ei oes?'

'Hy! Bach iawn oedd yr arwydd, Mustyr Robas.'

'I chi, hwyrach, ond nid i mi. Wyddoch chi mai un o'r petha cynta a wnaeth Lord Oldbury ar ôl i'w dad farw ac iddo ynta etifeddu'r stad, oedd dŵad yma i ngweld i? Wyddoch chi i be?' Oedodd y twrna bach nes gweld llygedyn o chwilfrydedd yn tanio yn ei llygad hi. 'I holi'ch hynt a'ch helynt chi, Alis. Dyna ichi be! I holi sut gartra oedd gynnoch chi ac i orchymyn i mi adfer yr hen gytundeb oedd yn rhoi'r tŷ unwaith eto'n ddi-rent i'ch tad . . . hynny ydi, i Joshua Pugh.'

'Soniodd Nhad erioed wrtha i am y peth.'

'Naddo, wrth gwrs, neu mi fydda fo wedi gollwng y gath o'r cwd. A threfniant arall, na wyddech chi ddim oll yn ei gylch, oedd bod Joshua Pugh i dderbyn swm o arian – dwybunt y mis – tuag at eich cadw chi. Rhyw bedair blynadd, os cofia i'n iawn, y parhaodd y trefniant hwnnw. Fe ddaeth i ben pan briodsoch chi Ifan Huws o Garndolbenmaen.'

'Alla i ddim credu hyn, Mustyr Robas! Welis i rioed mo Nhad yn derbyn ceiniog gan neb.'

Mentrodd y cyfreithiwr wên fach rŵan. 'Naddo, dwi'n gwbod. A rheswm da am hynny. Dach chi'n gweld, Alis, fi, fel cynrychiolydd cyfreithiol Lord Oldbury, oedd yn gyfrifol am neud y taliada hynny ond roedd Joshua Pugh yn daer nad oedd o'n mynd i dderbyn yr un geiniog ohonyn nhw.'

'Be? Fe wrthododd Nhad ddwybunt y mis am bedair blynadd gron?' Allai hi ddim cadw'r syndod o'i llais. ''Dach chi'n meddwl deud wrtha i, Mustyr Robas, ei fod o wedi taflu ffortiwn heibio?'

147

Gwenodd y dyn bach yn lletach rŵan. 'Dwn 'im be am ffortiwn, Alis Hughes! Yn ôl y cyfri dwytha, cant namyn chwephunt sydd yn yr *account*. Ac mae hwn'na'n cynnwys y *bank interest*, wrth gwrs.'

'Bobol bach! Os nad ydi cant namyn chwephunt yn ffortiwn, yna be sy?' Yn sydyn, daeth cwestiwn arall i'w llygad hi. 'Yn yr acownt, ddeudsoch chi? Be'n union ydi peth felly, Mustyr Robas?'

Trodd gwên lydan y cyfreithiwr yn chwerthiniad bach gyddfol rŵan. '*Account* yn y banc, Alis. *Deposit account* yn enw Joshua Pugh. Ond chi fydd pia'r pres hwnnw rŵan.'

Methai Alis ag amgyffred yn iawn yr hyn oedd yn cael ei ddeud. Dyma, felly, yr ewyllys y cyfeiriodd y twrna ati. Ewyllys ei thad! Canpunt namyn chwephunt! A hi, rŵan, oedd pia nhw! Be wnâi hi â'r fath gyfoeth? Ond roedd dryswch arall yn ei phoeni. 'Os ydw i wedi'ch dallt chi'n iawn, Mustyr Robas, yna mae'r pres yma yn y banc ers cyn i Ifan a finna briodi, ddwy flynadd ar hugian yn ôl?'

'Ydyn.'

'Ond pam na fasa Nhad wedi'u hiwsio nhw i'w bwrpas ei hun, meddach chi?'

'Am ei fod o'n teimlo mai chi ddylai'u cael nhw, medda fo wrtha i.'

Roedd ar fin tafod Alis i edliw y byddai'r arian wedi bod yn fwy bendithiol iddi hi ac Ifan tra oedd y plant yn fach a'r caledi'n brathu, ond ymlaen yr aeth y twrna bach cyn iddi hi gael cyfle i ddeud dim:

'Ac mi fydd swm yr *account* yn treblu rŵan, Alis Huws,' medda fo.

'Sut 'dach chi'n geirio, Mustyr Robas?' meddai hi, eto'n ddi-ddallt.

Cododd y cyfreithiwr y llaw efo'r ddogfen yn dal ynddi. 'Ewyllys Lord Oldbury,' eglurodd. 'Dyna'n bennaf pam fy mod i wedi gofyn ichi ddod i ngweld i, pnawn 'ma.'

'O?'

'Fel ro'n i'n deud gynna, hyd yn oed ar ôl yr holl flynyddoedd, roedd y Lòrd yn dal i deimlo'n euog iawn ynglŷn â be ddigwyddodd i'ch mam. Roedd o'n barod i ymddiried ei deimlada i mi, am ryw reswm. Am ein bod ni'n dau tua'r un oed am wn i, ac am nad oedd ganddo fo neb yn y Plas y galla fo ymddiried ynddyn nhw. Ddim yn ei wraig yn reit siŵr, o gofio'i bod hi wedi methu rhoi plant iddo. Sut bynnag, pan ddaeth o yma i ngweld i, rhyw dair blynadd yn ôl, bellach, i neud ei ewyllys, fe gyfaddefodd fod ganddo fo dipyn o feddwl o'ch mam, a hitha ohono fynta. Hynny ydi, roedden nhw mewn cariad, Alis. Wel rŵan, dychmygwch be oedd adwaith yr Hen Lòrd pan ddalltodd o hynny. Mab y Plas mewn cariad ag un o'r morwynion bach! A honno'n feichiog! Wnâi peth felly mo'r tro, yn reit siŵr! Felly, fe wnaeth o i'r holl beth ymddangos yn fudur ac yn bechadurus. A'ch mam ddaeth allan ohoni waetha, wrth gwrs, oherwydd fe ofalodd yr Hen Lòrd mai ei chymeriad hi a neb arall oedd yn cael ei bardduo. Sut bynnag, 'dach chi'n gwbod rŵan, Alis, pam bod Lord Oldbury wedi cofio amdanoch chi yn ei ewyllys. Am fod ganddo fo gywilydd o bob dim a wnaeth ei dad, flynyddoedd yn ôl.'

Eisteddai Alis yn gegrwth ac yn syfrdan. 'Cofio amdana i yn ei wyllys?' meddai hi'n anghrediniol. 'Cofio amdana i?' meddai hi wedyn, fel petai hi'n amau ei chlyw ei hun. 'Y Lòrd?'

149

'Dau ganpunt, Alis! Mae Lord Oldbury wedi gadael dau ganpunt ichi yn ei ewyllys. Ac nid hynny'n unig.' medda fo, a'i wên yn lledu eto wrth ei gweld hi'n geg-agored. 'Rydach chi'n ddigon hen i gofio mai un o'r petha cynta a wnaeth y Lòrd Bach ar ôl etifeddu'r Stad oedd gorchymyn codi rhesi o dai newydd i'w chwarelwyr a bod Stryd Lòrd Bach yn un ohonyn nhw. A fi, fel *agent* y Stad, oedd yn gyfrifol am ddewis tenantiaid i bob un o'r tai newydd. Yr unig amod ddaru'r Lòrd ei osod arna i ar y pryd oedd bod y dewis cynta yn cael ei roi i chi a'ch tad. A hynny am fod y tŷ roeddech chi'n byw ynddo fo ar y pryd yn rhy fychan ac yn rhy laith. 'Dach chi'n siŵr o fod yn cofio'r amsar, Alis? Roeddech chi tua phymthag oed erbyn hynny, siŵr o fod.'

Nodiodd hi ei phen y mymryn lleia.

'Sut bynnag, dewis tŷ pen y rhes wnaethoch chi. Ac wedyn, pan briodsoch chi efo Ifan Hughes, bedair blynedd yn ddiweddarach, yn y tŷ hwnnw y gwnaethoch chi'ch cartra, ac mi aeth Josh Pugh, eich ... ym ... tad, i fyw drws nesa, pan aeth hwnnw'n wag. Ydw i'n iawn?'

'Ydach.'

'A'r cyfarwyddyd a ddaeth o'r Plas oedd fod dim dimai o rent i gael ei godi ar yr un o'r ddau dŷ.'

Agorodd llygaid Alis yn fawr mewn syndod. 'Ar y *ddau* dŷ? Wyddwn i mo hynny! A doedd Ifan y gŵr ddim yn gwbod, chwaith! Ers i ni briodi, roedd Nhad yn mynnu talu'n rhent ni, am fy mod i'n cadw tŷ iddo fo, medda *fo*; yn gneud ei olchi bob wsnos ac yn paratoi swpar chwaral iddo fo ar noson waith, a chinio ar y Sadwrn a'r Sul. Ac mi fynnodd ddal ati i neud hynny hyd yn oed ar ôl iddo fo orffan gweithio yn y

150

chwaral. Yn ddiweddar, mae Elsi'r ferch 'cw wedi ysgwyddo llawar iawn o'r cyfrifoldab o ofalu am ei thaid, chwara teg iddi.' Daeth deigryn i lygad Alis. 'Ond doedd dim rhent i'w dalu o gwbwl, meddach chi? Roedd fy nhad yn deud celwydd, felly! Pam, Mustyr Robas? Pam oedd o isio'n twyllo ni fel'na?'

'Os deudodd eich tad gelwydd, Alis, yna celwydd gola oedd o. A'i ddeud o er mwyn eich arbed chi. Sut arall fasa fo wedi egluro nad oedd Lord Oldbury'n codi rhent ar yr un o'r ddau dŷ? Felly, peidiwch â meddwl yn llai ohono fo am hynny. Ar y llaw arall, mi welwch chi fod y Lòrd hefyd wedi gweithredu'n reit anrhydeddus dros y blynyddoedd.'

Caeodd Alis ei llygaid wrth i nifer o atgofion fflachio trwy'i phen. Ymweliad y Lòrd â'r ysgol, pan oedd hi ond rhyw wyth neu naw oed! Ei gofio fo'n sefyll o flaen y dosbarth, yn siarad efo'r sgwlfistar. Cofio'r ffordd roedd o wedi edrych tuag ati, yna edrych draw; edrych yn ôl wedyn ac edrych draw eto; ac wrth adael y stafell, yr un edrychiad cyflym dros ysgwydd, y nòd lleia efo'i ben a'r cysgod gwên ar ei wefus. Oedd hi wedi synhwyro ar y pryd mai arni hi roedd o'n edrych? O feddwl yn ôl, oedd!

'O hyn ymlaen, chi fydd pia'r pedwar tŷ yn Little Lord Street, Alis.'

'*Be?*' Methodd ymatal rhag neidio i'w thraed, rŵan. 'Be ddeudsoch chi?'

'Steddwch, Alis Huws,' meddai'r cyfreithiwr bach efo gwên, gan chwifio dogfen yr ewyllys unwaith eto o'i flaen. 'Dyna ddymuniad olaf Lord Olbury. Eich bod chi'n derbyn dau ganpunt yn swm arian a hefyd y pedwar tŷ yn Little Lord Street.'

'Ond . . . ond . . .'

'Gadwch betha yn fy nwylo i am rŵan. Mi ofala i am drosglwyddo'r arian yma i'r *account* yn y National Provincial Bank, a threfnu i newid yr enw ar yr *account* hefyd, wrth gwrs. Ac mi fydd fy ngwasanaeth i yn rhad ac am ddim, cyn bellad ag yr ydach chi yn y cwestiwn, gan mai'r Stad fydd yn talu i mi am weithredu'r ewyllys. Ond trïwch alw i mewn i ngweld i eto, gyntad ag sydd bosib, Alis, er mwyn i ni gael trafod pwy gewch chi'n denant newydd i Nymbyr Thrî, rŵan bod yr Eos wedi'n gadael ni. Ac mi fydd raid i chi feddwl hefyd, wrth gwrs, sut i fynd o'i chwmpas hi i gasglu'r rhent ar y ddau dŷ. Fel ro'n i'n deud, gynna, fi oedd yn gyfrifol am drefnu hynny i Lord Oldbury ac mi allwn i neud yr un peth i chitha hefyd, am gydnabyddiaeth fechan. Ond falla mai gwell gynnoch chi fydd gneud peth felly drosoch eich hun.'

Roedd Alis Lòrd Bach mewn gormod o sioc i sylweddoli arwyddocâd y geiria olaf, ac mewn breuddwyd y cerddodd hi adre i baratoi swper chwarel i Ifan ei gŵr ac i'r rhybelwr bach.

*　　　*　　　*

Dros fwyd y noson honno, roedd Ifan Bach yn llawn o'r chwarel ac yn awyddus i egluro pob munud o'i ddiwrnod iddyn nhw. Roedd Thomas Rees wedi deud y peth yma a'r peth arall, a hwn-a-hwn wedi tynnu'i goes neu chwarae tric arno. O wrando arno, gellid meddwl mai Caban Bonc Isa dros ginio oedd y lle mwya difyr dan haul.

'A faint o gerrig wnest ti?' gofynnodd ei dad gan roi winc slei ar y lleill, cystal â deud *Gwrandwch ar hyn!*

Daeth cwmwl o siom i lygad y rhybelwr bach.

'Dim un . . . heddiw,' medda fo, 'ond mae'n siŵr y bydda i wedi gneud toman o gerrig erbyn diwadd mis.'

'Dim un?' Smaliai'r tad syndod. 'Be fu'st ti'n neud efo chdi dy hun drwy'r dydd, ta?'

'Dysgu iwsio cowjan, bora 'ma.'

'Be ar y ddaear ydi peth felly, dywad?'

Ochneidiodd y mab wrth glywed cwestiwn ei fam, a gneud pâr o lygada ar ei dad a Rhys, i awgrymu nad oedd gan ferched y syniad lleia am waith dynion yn y chwarel. 'Math arbennig o gŷn, siŵr iawn, Mam. Tomos Rees isio i mi ddysgu sut i gydio mewn mwrthwl a sut i iwsio cŷn, medda fo, ac mi anfonodd fi at y doman i bractisio ar ryw hen luro mawr yn fan'no.'

'Luro?'

'O, Mam!' medda Ifan eto, cystal â deud *'Dach chi'n gwbod rwbath am chwaral, deudwch?* 'Hen lwmp mawr o garrag ydi luro, siŵr iawn! Da i ddim ond i'w daflu ar y doman. Fedrwch chi neud dim byd â fo. Neith o ddim hollti na dim. Gofynnwch i Rhys!'

Am ei fod o'n edrych tuag at ei frawd mawr am gefnogaeth, welodd Ifan mo'r wên lydan ar wyneb ei dad.

'Sut bynnag, mi wnes i fel roedd Tomos Rees yn ddeud. Practisio trwy dorri fy enw ar y garrag, a rhoi'r dyddiad – E.H. am Evan Hughes ac wedyn y flwyddyn 1919. Mewn can mlynadd mi fydd rhywun neu'i gilydd yn ei weld o ac yn gofyn *Os gwn i pwy oedd yr E.H. 'ma?*'

'Oedden nhw'n drwm, machgan i? Y mwrthwl a'r gowjan?'

'Argol, oeddan, Nhad! Yn enwedig erbyn y diwadd! Erbyn i mi orffan doedd gen i ddim teimlad o gwbwl yn fy mraich dde. Roedd hi fel lwmp o blwm.'

153

Gwenodd y tad eto. 'A be arall gest ti i'w neud?'

'Gwatsiad Twm Rees yn hollti a naddu. Roedd o'n dangos i mi sut mae defnyddio'r cŷn manollt, ac fel mae'n rhaid hollti clwt yn ei hannar i ddechra, yna'n chwarteri ac yn y blaen . . . Ac roedd o'n dangos imi sut i naddu efo'r . . .' Dyna pryd y cofiodd Ifan am law ei frawd yn mynd i'r gyllall. 'Sut bynnag, mae Tomos Rees wedi gaddo y ca i glwt i'w hollti fy hun, fory.'

Awr yn ddiweddarach, roedd y gegin yn hollol dawel ond am sŵn anadlu'r pedwar oedd yno. Ar ôl helpu'i mam i olchi'r llestri, roedd Elsi wedi dychwelyd drws nesa i roi Huw Bach yn ei wely gan adael ei thad wrth y tân yn darllen *Gweithiau Josephus*, ei brawd mawr gyferbyn â fo, yn syllu'n swrth i dwll y grât, a'i mam a'i brawd llai wrth y bwrdd, y naill yn trwsio saneua a'r llall yn brysur yn sgrifennu mewn *copybook*.

'Be ti'n sgwennu, Ifan?' gofynnodd Alis ymhen hir a hwyr, wrth glywed ambell ochenaid yn dod oddi wrtho. Tan rŵan, roedd hi wedi diodde'n ddistaw dincial cyson y penholdyr yng ngheg y botel inc a sŵn y *nib* yn crafu'r papur.

'Sgwennu *diary*, Mam! Fel roedd Flem Inglish isio i mi'i neud.' A chwiliodd am gornel lân o'r *blotting paper* i sugno llygedyn afradlon o'r inc du.

'Mustyr Fleming!' meddai hitha, yn ei gywiro, ond heb godi'i phen o'i gwaith y tro yma chwaith. 'Dydi'r ffaith dy fod ti wedi dechra gweithio yn y chwaral ddim yn rhoi hawl iti ddangos llai o barch at bobol, cofia di hynny. Yn enwedig rhai sydd flynyddoedd yn hŷn na thi. Sut bod gen ti gymaint i'w sgwennu, beth bynnag?'

'Cofnodi hanas heddiw ydw i. Deud pryd ddaru mi godi bora 'ma a be ddaru ddigwydd yn ystod y dydd.'

154

'Twt! Be 'di pwrpas peth felly?'

'Flem . . . Mustyr Fleming ddeudodd y bydd peth felly'n ddiddorol i'w ddarllan i rywun neu'i gilydd, ymhen hannar can mlynadd neu fwy.'

Chwarddodd ei fam gyda sŵn mwy bodlon, mwy cellweirus nag arfer. 'Duw a'm gwaredo! Ymhen hannar can mlynadd ddeudist ti? Mi fydda i wedi hen adael yr hen fyd 'ma erbyn hynny.'

'Deud ddaru Mustyr Fleming y bydd petha sy'n gyffredin i ni heddiw yn destun diddordab . . . Be oedd ei eiria fo, hefyd? . . . *in the distant future.*'

'Hm! I'r oesoedd a ddêl oedd o'n feddwl, mae'n siŵr. Wel gobeithio hynny, wir, neu dwyt ti'n gneud dim ond gwastraffu amsar a phapur.'

'A dwi wedi gadael dwy dudalan gynta'r *copybook* yn wag. Dwi'n bwriadu deud hanas be sydd wedi digwydd i ni ers dechra'r flwyddyn. Hanas Rhys yn dod adra o Ffrainc, hanas Taid yn marw, hanas cnebrwng Lord Oldbury, hanas be sy'n digwydd yn y byd . . .'

'Be sy'n digwydd yn y byd! Bobol bach! A lle gei di wbod peth felly?'

'Yn y *newspapers*, siŵr iawn! Roedd Flem yn deud y dylwn i fynd i'r *Reading Rooms* o leia unwaith yr wythnos i ddarllan hanas be sy'n digwydd rŵan yn Jyrmani a Ffrainc a llefydd felly. A hanas y trafodaetha sy'n mynd ymlaen yn Paris ar hyn o bryd.'

Cododd Alis ei phen, y tro yma, i syllu'n chwilfrydig ar ei mab ienga. 'Pa drafodaetha ydi rheini, dywad?'

'Wyddoch chi ddim bod Mustyr Lloyd George a Mustyr Balfour allan yn Paris ar hyn o bryd, mewn rhyw balas mawr crand, yn trafod y Cytundab Heddwch, a be ddylid ei neud efo Jyrmani, rŵan bod rheini wedi cael eu trechu a bod y rhyfal ar ben? Mae Mustyr Clem-rwbath-neu'i-gilydd, Prif Weinidog Ffrainc, a rhai eraill, isio gneud i Jyrmani dalu'n hallt am achosi'r rhyfal . . .'

'Eitha peth hefyd!' meddai'r fam, a daeth mwmblan cytuno oddi wrth y tad.

'Ond dadla fel arall mae Mustyr Lloyd George! Be mae o'n ddeud ydi y gall gosod amoda rhy lym ar Jyrmani rŵan arwain at fwy o broblema yn nes ymlaen.'

'Bobol bach, Ifan! Lle wyt ti wedi dysgu am y petha 'ma i gyd, dywad?'

'Gwrando ar y dynion yn siarad yn y Caban oeddwn i. Wyddoch chi fod 'na rai ohonyn nhw'n darllan papur newyddion *bob* dydd, ac yn darllan lot o lyfra hefyd, fel mae Nhad yn neud rŵan. Mi fasa'n werth ichi'u clywad nhw'n trafod petha, Mam. Ro'n i wrth fy modd yn gwrando arnyn nhw'n dadla. Ar ôl i mi gael cyflog, dwi am ddechra prynu papur newyddion bob dydd. A gwrandwch ar hyn! Wsnos nesa mae 'na werthwr llyfra – *bookseller* – yn dod i fyny i'r chwaral i ddangos llyfra inni, ac mi gawn ni dalu chydig bob wsnos i brynu pa lyfr bynnag 'dan ni'i isio.'

'Dyna sut y ces i hwn,' meddai Ifan Garn, o'i gadair wrth y tân, a dal *Gweithiau Josephus* i fyny, i'w ddangos. Ac mae Rhys 'ma wedi prynu amball beth hefyd, yn do Rhys?'

'H.G. Wells,' meddai hwnnw, yn hollol synhwyrol ac er syndod i'r lleill. 'James Joyce, *The Dubliners*,' medda fo wedyn, ond heb dynnu'i lygaid oddi ar fflamau'r tân.

Daeth gwên i lygad y fam. O leia roedd o wedi ymateb. Doedd o ddim yn gneud peth felly'n amal.

'Wyddost ti be dw i am brynu, Rhys?' meddai Ifan.
'*Dictionary! Dictionary* mawr Susnag!'

'A be wnei di â pheth felly, dywad?' gofynnodd ei
fam, o weld nad oedd ei mab hyna am ymateb o
gwbwl y tro yma.

'Pan fydda i'n gneud *shorthand* yn Ysgol Nos, mi
fydda i'n dod ar draws llawar o eiria Susnag newydd ac
mi fydda i angan *dictionary.* Nid yn unig hynny, ond
mi fydda i hefyd angan *copybook* arall. Mwy nag un,
falla.'

Daeth fflach ddireidus i lygad y tad unwaith eto.
'Mi fydd raid i ti neud mwy o gerrig na Twm Rees
Gernant ei hun cyn y bydd gen ti ddigon o bres i
brynu'r petha yna i gyd.'

Gostyngodd Alis Lòrd Bach ei phen i guddio'r wên
oedd yn mynnu dod i'w gwefus hitha. Doedd hi ddim
eto wedi cael cyfle i ddeud wrth ei gŵr am ei
hymweliad ag offis William Robas Twrna.

*   *   *

Dri drws i ffwrdd, doedd Gwil Goch ddim yn swnio
hanner mor fodlon ag Ifan Lòrd Bach efo'i ddiwrnod
cynta mewn gwaith.

'Wel, be fuost ti'n neud drwy'r dydd? Gest ti fynd
ar y cowntar ganddyn nhw?' holodd ei fam.

'Cy . . . calliwch, ddynas! Mae rhwbath felly'n
mynd i gy . . . gy . . . gymryd amsar.'

'Wel be, ta?'

'Lly . . . llwytho a dad-ly . . . lwytho *goods* a phy . . .
phetha felly. Gy . . . ganol bora, mi ddoth Gy . . .
Gough Jones â llond ty . . . trol o stwff oddi ar y ty . . .
trên chwartar wedi deg, a fi a Jy . . . Jac Bach ddaru

157

ddad-ly . . . ly . . . wytho'r cwbwl, a'i sy . . . stacio fo
wedyn yn y *sy . . . sy . . . stores* yng nghefn y siop . . .'

'*Jac Bach a fi*, ti'n feddwl! Enwi dy hun yn ola, bob
amsar. Cofia hynny.'

'Ia, iawn! Ond argol, ro'n i wedi by . . . blino! Chy
. . . choeliech chi ddim gymaint. Mi fy . . . fy . . . fetia i
nad ydi rybelwrs bach yn y chy . . . chy . . . chwaral yn
ei chael hi hannar mor gy . . . galad â hyn'na.'

'Nac'dyn, mae'n siŵr,' meddai Gaenor, yn llawn
cydymdeimlad â'i mab wrth iddi synhwyro'i fod o'n
dal i wenwyno tuag at hogyn Alis Lòrd Bach.

*   *   *

'Be wnawn ni efo'r holl bres, Ifan? A sut mae cael atyn
nhw, meddat ti? Os gwêl pobol fi'n cerddad i mewn i'r
National Provincial Bank mi fyddan nhw'n meddwl
mod i'n rêl gwraig fawr.'

Gorweddai'r ddau yn gwbwl effro yn nhywyllwch y
llofft a chwsg yn gwrthod dod.

'A dyna ti'r tai 'ma, wedyn! Be ddeudith Gaenor
Goch, meddat ti, pan geith hi glywad mai ni sydd pia'i
thŷ hi rŵan? Meddylia gorfod mynd i fan'no bob
wsnos i ofyn am y rhent. Alla i byth neud y fath beth.'

'Wel, gad i glarc y twrna neud y gwaith drosot ti, ta.
Mae William Robas wedi awgrymu hynny'n barod,
meddat ti.'

'A gadael i Gaenor ddal i gredu mai'r Stad bia'i thŷ
hi o hyd. Fasa peth felly'n bosib, medda ti? Heb bechu,
dwi'n feddwl! Heb orfod deud celwydd.'

'Twt! Deud dim fasat ti, siŵr iawn! Gadael Gaenor
mewn anwybodaeth.'

'Ond twyll fasa peth felly, hefyd, ia ddim?'

'Fydd neb gallach.'

'Mi fydd y Bod Mawr yn gwbod!'

Syrthiodd tawelwch hir rhwng y ddau.

'Pe bai hi'n wraig i ti, fasat ti yn ei chymryd hi'n ôl?'

Roedd y cwestiwn yn annisgwyl, a deud y lleia. 'Pwy? Gaenor Goch?'

Chwarddodd Alis yn dawel yn ei gwddw. 'Naci'r lolyn! Dora Pen Bont!' Sgwrs Margiad Now Twm, bythefnos ynghynt, oedd wedi dod yn ôl iddi mwya sydyn, a'r ffaith bod Dora wedi bod yn gymaint o destun siarad ers hynny. 'Pe bawn i wedi rhedag i ffwrdd efo dyn arall, fel y gwnaeth Dora, fasat ti'n fy nghymryd i'n ôl?'

'Wrth gwrs y baswn i,' meddai Ifan, yn gellweirus. 'Yn enwedig o gofio mai chdi, rŵan, ydi'r ddynas fwya ariannog ym Mlaendyffryn.'

'Dwi o ddifri, Ifan! Pe bait ti yn sgidia Harri Pen Bont, fasat ti wedi'i chymryd hi'n ôl?'

Cymerodd rai eiliada iddo styried. 'Na faswn,' medda fo o'r diwedd, yn bendant reit.

'Pam?'

'*Pam?* Mae'r rheswm yn amlwg, ddeudwn i. Meddylia! Mae Harri Pen Bont, gradur bach, yn gorfod cyd-fyw efo Dora rŵan gan wbod bod yn well ganddi hi ddyn arall, ac mai cofio hwnnw fydd hi bob tro y byddan nhw'n caru'r nos. Fedra i feddwl am ddim byd gwaeth na hyn'na mewn unrhyw briodas. Pam wyt ti'n holi, beth bynnag? Does gen *ti* ddim *fancy man*, gobeithio?'

'Taw â dy lol!'

Eiliada eto o fudandod.

'Wyst ti be 'di'r peth cynta dwi am brynu efo'r pres?'

'Moto-câr newydd sbon fel un y Doctor Bach.'

Chwarddodd y ddau yn dawel yn y tywyllwch.

'*Dictionary* Susnag i Ifan Bach. Dyna i ti be! A dau *copybook* clawr calad iddo fo gael sgwennu ynddyn nhw. A penholdyr newydd ac inc, hefyd.'

'Hm! Mae cyfoeth yn mynd i ben amball un.'

'Ond mi rown y cyfan i gyd, coelia di fi, am gael gweld Rhys yn iawn ac ynghylch ei betha unwaith eto.'

Bu'r sylw hwnnw'n ddigon i'w sobri a daeth cwsg i'r ddau ymhen hir a hwyr.

* * *

Ebrill 1af, 1919

> *Daeth Mawrth i mewn fel llew ond aeth allan fel oen . . .*

Trochodd nib y penholdyr yn y botel inc, i dorri syched hwnnw. Yna, yn ddiarwybod iddo'i hun, gwthiodd flaen ei dafod allan unwaith eto rhwng ei gil-ddannedd.

> *. . . Hyd at wythnos yn ôl, bu y gwynt yn chwthu'n filain o'r dwyrain – gwynt traud y meirw, chwedl Mam – ond mae wedi troi rwan i chwthu'n fwy tyner o'r môr. Arwydd bod y Gwanwyn wedi'n cyraedd ni or diwedd, gobeithio. Mae y dydd hefyd yn ymestyn; 'cam ceiliog bob dydd' yn ôl Nain Garn, beth bynnag yw ystur hyny. Roedd yn ddigon goleu neithiwr i nhad a minnau ddal ati i bysgota yn Afon Cwm tan wyth o'r gloch. Roedd y pysgod yn bachu'n dda ar flaen lli a daethom adref gyda haldiaid bob*

un. Dim ond Mam ddarfu drafferthu i'w cyfrif. Un
ar ddeg i Nhad ac wyth i minau. Sut bynag, fe
gawsom swper chwarel gwerth chweil heno a
dysglaid o bwdin reis i ddilyn, hwnw wedi croenio
yn fendigedig drwyr prynhawn yn y popty bach. Ac
yn drêt ychwanegol roedd Nain Garn wedi anfon
printan o fenyn ffarm efo un oi chymdogion sydd yn
gweithio yn Chwarel Lord ac sydd yn baricsio yn y
dref gydol yr wythnos. Mae gobaith am fwy o
brydau tebyg o hyn allan oherwydd mae fy nhad
wrthi, y funud ymma, ar y bwrdd gyferbyn immi, yn
cawio plu ar gyfer ei ddwy styllen. Mae Nhad yn
botsiwr heb ei ail ond welais i rioed mohono fo yn
styllenu ar lynoedd y Gymdeithas chwaith, dim ond
ar lynoedd preifat stad yr Ashleys. Mae wedi addo y
caf fynd efo fo o hyn allan, gan fy mod i rŵan wedi
gadael yr ysgol ac wedi tyfu yn ddyn. Anfonodd
Mam fi efo pedwar pysgodyn yn bryd i Gwil Goch ai
fam, ac un arall i'r hen Magi Pant sydd yn dylawd
ac yn weddw ac yn bwyta gwellt ei gwely yn ôl fy
nhad. Chwith meddwl nad oedd raid gofalu am
Taid a'r Eos eleni!

Da gweld bod Rhys yn cymryd diddordeb yn y
cawio. Mae yn eistedd efo'i ddau benelin ar lêff y
bwrdd ai ên yn ei ddwylo, ond yn dweyd dim. Roedd
yntau yn arfer bod yn gawiwr da ei hun ond, ar ôl y
ddamwain, go brin y budd o yn medru gwneyd peth
felly byth eto. Mae ei law yn gwella, diolch i eli'r
Doctor Bach, ond mae y pytiau bysedd di-ewin yn
edrych yn llidiog ac yn atgas iawn o hyd. Mae Mam
yn meddwl ei fod yn gwella yn ei ben hefyd ond rwyf
i yn gwybod yn amgenach.

'Rwyt ti'n sgwennu'n ofnadwy heno 'ma, Ifan. Sut bod gen ti gymaint i'w ddeud, dywad?'

'Hanas y peth yma a'r peth arall, Mam. Dydw i ddim wedi rhoi gair yn y *diary* ers bron i bythefnos, cofiwch!'

'Hm! Ti ŵyr!' meddai Alis Lòrd Bach, a mynd ymlaen â'i smwddio, gan adael i'r stafell lithro'n ôl i'w thawelwch.

Mae pethau wedi gorfod newid ymma ers i Elsi ddechreu gweithio yn siop Elsyn Teiliwr. Mam sydd yn magu Huw Bach bellach a bob nos mae Rhys a minnau yn gorfod mynd drws nesaf i gysgu yn llofft Taid Josh ond trefniant dros dro yw peth felly rhag i Rhys ddeffro Huw Bach ganol nos efo'i weiddi neu i mi ei ddeffro yn gynar yn y bore wrth godi i fynd at fy ngwaith. Waeth beth a feddylia Mam nid yw Rhys yn iawn o bell ffordd. Mae yn dal i weld ac i glywed pethau yn ei gwsg. Weithiau mae yn gweld cyrff gweudlyd yn gorwedd ar draed y gwely ac yn cyfeirio at rai ohonynt wrth eu henwau, fel petaent yn hen ffrindiau iddo. Dro arall mae'n tynnu dillad y gwely dros ein penau ni'n dau i'n cysgodi ni rhag y mortars a'r shrapnel medda fo. Neithiwr roeddwn newydd syrthio i gysgu pan gefais fy llusgo allan or gwely ganddo, i swatio rhwng yr erchwyn a'r pared, nes bod gynau mawr y Jeri wedi stopio tanio. Honno yw ein 'trench' ni, medda fo, ac mae ganddo enw arni. Bŵdl Ali neu rywbeth felly. Rwyf yn tybio mai enw Saesneg ydyw. Bootle Alley efallai. Mae o'n daer arnaf i beidio dangos fy mhen uwchben y parapet rhag ofn i mi gael fy saethu gan sneipar. Dro arall mae yn fy rhybuddio rhag y gàs. Y noson or blaen

*bu bron iddo roi y gwely ar dân wrth ddal fflam
canwyll at hem ei grys nos, i gael gwared â'r
chwain, medda fo, ond doedd dim chwain yn agos
i'r lle. Wedyn mi ddechreuodd ymosod ar y
gobennydd efo bayonet a gweiddi drosodd a throsodd
'Die you b*******! Die you b******!' ond nid
bayonet oedd ganddo, wrth gwrs, dim ond ei frauch
a'i ddwrn. Fe ddaeth Mam ir llofft i drio'i dawelu ac
roeddwn yn gallu gweld y dagrau ar gofid yn ei
llygadau hi.*

*Yn ôl beth ddywed y Doctor Bach fe gaiff Rhys
ddechreu meddwl am fynd yn ôl i'r chwarel gyda
hyn ond pa mor barod fydd yr Hen Lygad y Geiniog
i'w gymryd yn ôl i'r fargen sy'n fater arall. Robin-di-
rip sy'n gwneud gwaith Rhys erbyn hyn ac mae
hwnw hefyd yn weithiwr dygn, yn ôl pob sôn.*

*Cefais dri chlwt i'w hollti gan Tomos Rees
Gernant heddiw ac yn syth ar ôl cinio daeth Meicyn
Tanrallt â chlwt arall immi, chwarae teg i'w galon
o. Pan geisiais ddiolch iddo y cwbl a wnaeth oedd
twt twtian a dweyd 'Mae gen i ddyled i dy dad. Mi
fuodd Ifan Garn yn ffeind iawn wrtha i pan o'n i'n
rhybela slawar dydd.' A chefais fy siarsio ganddo
hefyd i fod yn ddigon hyf ar rai o'r dynion eraill yn y
felin, i ofyn iddynt hwytheu am glwt neu ddau o
bryd i'w gilydd. 'Cofia mai'r ci a gerddo a gaiff',
medda fo. Os cymeraf gyngor Meicyn, ac os pery ei
haelioni ef a Tomos Rees, yna fe ddylaswn wneyd
cyflog anrhydeddus y mis hwn.*

*Cefais fy ngwneyd yn ffŵl Ebrill deirgwaith yn
ystod y bore. Tomos Rees oedd y cyntaf. Fy anfon i'r
efail efo cŷn-tew-wyth i ofyn i'r gof ei hogi ar y maen
melin oedd ganddo am ei wddf. Minau, er yn*

163

gwybod fy Meibl, yn ddigon diniwed i wneyd peth mor ddwl, heb ameu dim. Ond fe ddylwn fod wedi ameu gwên y gof pan anfonodd hwnnw fi yn ôl at Tomos Rees i ofyn pa ben i'r cŷn oedd angen ei hogi. Yna, cyn cinio, pan ddaeth Evan Jones y Stiward o gwmpas y felin, gyrodd Meicyn fi ato i ofyn am ganiatâd i lifio slediad efo lli'r afon yn hytrach na'r lli gron. Chwerthin yn uchel wnaeth hwnw, a phawb arall hefyd oedd o fewn clyw. Ac er fy mod i wedi gwrido ar y pryd ac yn teimlo yn rêl hulpyn, chwerthin wnes innau hefyd. Wedi'r cyfan pa ddewis arall oedd genyf?

Mr Lloyd George a'r Cytundeb Heddwch oedd testun y trafod yn y Caban eto heddiw ac mi aeth pethau yn bur boeth rhwng Meicyn Tanrallt a Moi Topia. Er ei fod yn Undebwr brwd ac yn selog dros y Blaid Lafur, roedd Meicyn yn dadleu achos Mr Lloyd George yn erbyn gosod amodau rhy lym ar yr Almaen. 'Pa obaith sydd gan y Weimar i gael unrhyw drefn ar y wlad,' medda fo, a'i lygadau yn tanio, 'os ydyw telerau'r Cytundeb Heddwch yn mynd i fod fel maen melin am ei gwddw hi?' Wrth ei glywed yn sôn am faen melin, trodd ambell un i wenu arnaf i, i'm hatgoffa am y Ffŵl Ebrill, ond roedd genyf fwy o ddiddordeb yn y ffrae oherwydd roudd Moi Topia yn dadleu yr un mor chwyrn o blaid telerau y Cytundeb. 'Mae'n iawn i'r Jyrmans dalu'n hallt am achosi'r rhyfel,' meddai. 'Meddyliwch y miloedd ar filoedd o'n hogiau ni a gollodd eu bywydau yn y drin. Hil y Diafol ydi'r Boche ac maen nhw rŵan yn gorfod wynebu barn Duw.' Roeddwn i'n gweld dadl Moi hefyd, wrth gwrs, yn enwedig o gofio bod hogyn ei chwaer yntau

wedi cael ei ladd ar y Somme, ond efo Meicyn
roeddwn i'n ochri, serch hyny, a phetawn i ddim
mor swil yn eu mysg yna byddwn wedi codi ar fy
nhraed i fynegi barn. Beth a'm rhyfeddai i oedd bod
ambell un o'r dynion yn dangos cyn lleied o
ddiddordeb yn y ddadl a bod yn well ganddynt
drafod pysgota neu gêm y town team yn erbyn
Pwllheli y Sadwrn nesaf.

'Bobol bach, Ifan! Sgwennu pregath wyt ti, ta be?'

Wedi gosod rhai dillad glân ar y ffendar a'r gweddill ar dop y popty bach i êrio, safai Alis rŵan â'i chefn at y tân, i wylio'r dynion wrth eu gwaith. Hawdd gweld, oddi wrth y balchder yn ei llygaid ac yn ei gwên, bod y syniad o'i mab ienga'n sgwennu pregeth yn apelio iddi. 'Mi fyddi di angan *copybook* arall yn fuan iawn.'

'Dydw i ddim eto wedi llenwi hwn, Mam . . . yr un ges i gan Dandy, wrth fadael o'r ysgol. Mae'r ddau brynsoch chi imi'n ddiweddar yn dal yng nghwpwrdd y ddresal, heb eto'u cyffwrdd.'

'Wel, mi fyddi di angan mwy o inc a *blotting paper* yn fuan iawn, mae'n siŵr gen i. . . . Drapia unwaith!' meddai hi'n flin wrth i fwg taro ddod â chawod o huddug i lawr dros y dillad glân ar y ffendar. 'Mi fydd raid i mi olchi rhain eto, beryg.' A phlygodd i chwythu'n ffyrnig ar y fflacs duon, yn y gobaith o'u herlid i gyd cyn i'r dillad sugno'u düwch.

Mae wedi dod yn dro i gaban Bonc Isaf drefnu
gweithgaredd at gronfa yr Ysbyty Coffa newydd.
Mae Caban Bonc Uchaf wedi gwneyd hyny'n barod
ac wedi codi swm anrhydeddus o £36–7–4. Bydd
disgwyl i ni ar y Bonc Isaf wella ar hyny wrth gwrs

a'r bwriad ydyw gofyn i'r gantores enwog Leila
Megane ddod ymma atom i roi cyngerdd. Mae'n
debyg bod Osborne Roberts, ei gŵr, yn frawd i Evan
Roberts, Tŷ Canol, oedd yn arfer creigio yn Chwarel
Lòrd tan yn ddiweddar, felly mae gobaith y bydd
hi'n cytuno i ddod. Os y daw hi, yna bydd yr Hall
yn siŵr o fod dan ei sang ar y noson ac fe godwn ni
o leiaf hanner canpunt at yr achos.

Mae Elsi fy chwaer, chwarae teg iddi, wedi cael
hwyl ar altro siwt Taid i'm ffitio ac yn syth ar ôl
swper chwarel heno fe newidiais iddi o'm dillad
gwaith a mynd i lawr i'r reading rooms. Roedd fan
honno'n brysur iawn, yr un fath ag arfer, a bu'n
rhaid i mi aros fy nhro i gael golwg ar un o'r
papurau newyddion. Baner ac Amserau Cymru
yw'r un mwyaf poblogaidd ond rwyf i hefyd yn hoffi
darllen The Times. *Nid oes llawer o'r hen ddynion*
yn gallu darllen Saesneg ac mae rhai yn gofyn immi
ddweyd wrthynt beth sydd ynddo. Mae'n ymddangos
bod pethau yn ddyrys iawn yn Rwsia erbyn hyn a
bod miloedd os nad miliynau wedi cael eu lladd
mewn gwaed oer yno. Mae'n debig bod pobl y wlad
yn credu'n gryf mewn Communism au bod wedi
sefydlu mudiad or enw The Third International *er*
mwyn lledeunu Communism drwy'r byd i gyd. Mae
hyny yn destyn pryder i'r gwledydd Cristnogol i gyd
oherwydd, yn ôl yr hyn a ddarllenais, nid yw
Communism yn caniatáu Cristnogaeth. Petai
Communism yn dod i Gymru byddai pob capel yn
gorfod cau. Os gwn i a yw'r Parch. T. L. Morgan yn
sylweddoli peth felly? Nid yw pethau yn dda yn
Iwerddon, chwaith, ac mae cryn bwysau yn cael ei
roddi ar Mr Lloyd George i anfon rhagor o troops yno

i dawelu y gwrthryfelwyr. Rwyf yn methu gweld, fy hun, pam na chânt Home Rule, os mai dyna eu dymuniad, ond dweyd mae'r Prif Weinidog mai dim ond criw bychan o bobl y wlad sydd yn dymuno torri yn rhydd oddi wrth y British Empire a bod y mwyafrif ohonynt yn awyddus i aros yn deyrngar ir brenin yn Llundain. Fel petai hyny ddim yn ddigon, mae galw hefyd am anfon troops i gefnogi gwlad Groeg yn erbyn Turkey. Duw a'n gwaredo, meddaf i, o fod yn byw mewn oes mor rhyfelgar.

Un newydd da a gefais yn y Reading Rooms oedd bod Cymdeithas y Gweithwyr yn bwriadu cynal dosbarthiadau nos etto'r gaeaf nesaf. Rwyf wedi rhoi fy enw i lawr yn barod am y dosbarth Pitman's Shorthand.

Bydd y cyfarfodydd canu ar gyfer Cymanfa'r Annibynwyr yn cychwyn nos Sul nesaf, yn syth ar ôl oedfa yr hwyr, ac mae cryn edrych ymlaen atynt. Mae y dadlau wedi cychwyn yn barod ynglŷn â phwy fydd â'r Gymanfa orau, ai ni ynteu'r Methodistiaid. Clywais Moi Topia'n haeru, ar ei ffordd adref heddiw, bod tonau'r Hen Gorff yn rhagori ar y tonau sydd yng Nghaniedydd yr Annibynwyr ond dweyd hyny er mwyn gwylltio Meicyn Tanrallt yr ydoedd, rwy'n meddwl, yn dilyn y ffrae fu rhwng y ddau ganol dydd. Mae pawb yn gwybod mai Wesleiad yw Moi ac nad ydyw ef ei hun yn abl i ganu nodyn mewn tiwn beth bynag. Mae fy llais i ar dorri a gyda lwc, eleni fydd y tro olaf immi orfod canu gyda'r altos yn y Gymanfa. Llais tenor fel un Rhys fydd gen i, meddai nhad, cyn belled â fy mod yn edrych ar ei ôl dros y flwyddyn neu ddwy nesaf ac yn peidio bloeddio canu comic songs.

'Os wyt ti'n bwriadu sgwennu cymaint â hyn bob dydd, yna mi fyddi di'n fuan iawn wedi sgwennu mwy na phroffwydi'r Hen Destament i gyd efo'i gilydd. Ond mi fyddai'n rheitiach i ti ymarfar dy Susnag, ti'm yn meddwl?'

'Os oedd Cymraeg yn ddigon da i'r proffwydi siawns ei bod hi'n ddigon da i minna hefyd, Mam.'

Chwarddodd Alis at ffraethineb ei mab. 'Taw â dy rwdlan, hogyn! Yr Archesgob William Morgan bia'r clod am beth felly! Sut bynnag, y bora ddaw, felly mi fasa'n rheitiach iti glirio dy betha a mynd i glwydo, i ti gael codi mewn pryd at dy waith, fel pob chwarelwr arall gwerth ei halan.

Gwenodd Ifan Lòrd Bach i gydnabod cellwair ei fam.

Llythyr i Rhys Lòrd Bach

Roedd hi wrthi'n taro clwt gwlyb dros lawr y gegin pan glywodd wich rydlyd y giât yn agor. Cododd at y ffenest a chynhyrfu wrth adnabod Dei Postman yn dod yn ei gwman araf i fyny llwybyr yr ardd. Wyth mis yn ôl, a Rhys yn dal yn Ffrainc, byddai'r olygfa yma wedi peri iddi lewygu mewn ofn – ofn y teligram melyn efo'i neges foel ddideimlad – ond heddiw dim ond chwilfrydedd a gydiodd ynddi. Ochneidiodd, serch hynny, wrth gofio'r dyddia du rheini a mwmblan ei diolch, eto fyth, i'r Hollalluog Dduw am arbed ei mab.

Ond roedd rhywfaint o ddiflastod y byd o'i chwmpas i'w glywed hefyd yn ei hochenaid oherwydd heddiw eto, fel dros y ddeuddydd diwetha, roedd popeth oedd yn gyfarwydd – y tai, y tomennydd, y

168

copaon pell ac agos, y llwydni arferol i gyd – wedi'i lyncu gan niwl a glaw mân.

'Llythyr gan bwy, tybad?' gofynnodd iddi'i hun, gan daro'i llaw ar glicied y drws i'w agor cyn i Dei, efo'i guro trwm, gael cyfle i ddeffro Huw Bach. 'Nid rhieni Ifan y Garn, yn reit siŵr, oherwydd does yr un ohonyn nhw'n medru sgwennu! Ac oni bai bod rhywbeth mawr o'i le, nid Morfudd ei chwaer, chwaith, oherwydd mae honno a'i gŵr wedi dieithrio ers blynyddoedd lawar, byth ers iddyn nhw symud i Abergynolwyn i fyw, ar ôl iddo fo gael gwaith yn Chwaral Bryneglwys yn fan'no. Felly, pwy arall fyddai isio anfon gair?'

'Bora da, Alis Huws! Llythyr i Rhys!'

'Bora da, Dei!' medda hitha mewn llais distawach gan godi ei golygon at y llofft uwch ei phen i egluro pam ei bod hi'n sibrwd. 'Torri dannadd mae o, ac wedi bod yn effro yn y nos. Gyda lwc, mi gysgith tan ginio ac mi ga inna gyfla i neud tipyn o waith o gwmpas yr hen dŷ 'ma.'

Wedi diolch i'r postmon a'i siarsio i gau'r giât ar ei ôl, rhag i ddefaid gwlyb y lle ddod i bori hynny o flewyn glas oedd yn yr ardd, trodd Alis ei sylw at yr amlen a'r ysgrifen blentynnaidd oedd ar honno: *Mr Rhys Hughes, 1 Little Lord Street, Blaendyffryn, Merionethshire, North Wales.* Craffodd. Llythyr wedi'i bostio ym Methesda!

Aeth drwodd at ddrws y cefn a'r amlen yn ei llaw. 'Rhys! Llythyr iti!' galwodd, gan neud mwy o siâp ceg nag o sŵn. 'Oddi wrth rywun ym Methesda!'

Yn fuan ar ôl brecwast, roedd Rhys Lòrd Bach wedi cymryd yn ei ben i ailosod un o'r polion lein yn yr ardd gefn, am fod hwnnw wedi dechra gwyro gan

fygwth dymchwel dan bwysa'r leiniad drom nesaf o
ddillad gwlyb.

'Hyw How Get!' medda fo, gan sychu'i ddwylo
priddlyd ym mhen-ôl ei drowsus melfaréd a throi ar ei
union am y tŷ, heb brin sylwi ar y ddwy iâr ar ei
lwybyr na'u clwcian gwyllt wrth iddyn nhw sgrialu'n
bluog o'i ffordd.

Sylwodd hitha ar ysgwydda'i gôt liain yn dywyll
wlyb ac ar y dagra glaw mân yn fwclis gloyw dros
ddüwch ei wallt. Ond yr olwg lidiog ar ei fysedd a'r
disgleirdeb gorffwyll yn ei lygaid a'i poenai hi fwya.

'Tyn dy gôt, machgian i,' meddai hi, 'tra mod
inna'n rhoi'r teciall i godi berw. Mi neith panad boeth
fyd o les inni'n dau. A dos i olchi dy law o dan y tap
rhag i'r doluria 'na droi'n ddrwg . . . Pwy ddeudist ti
sydd wedi gyrru'r llythyr?'

Ond disgwyl yn ofer am ateb fu raid iddi ac erbyn
i'r te gael cyfle i stwytho yn y tebot ac iddi hitha
wedyn dywallt paned yr un iddyn nhw, roedd y llythyr
yn ôl yn yr amlen a honno'n cael ei gwthio rywsut-
rywsut i boced wlyb y gôt.

'Ista, da ti!' meddai hi, wrth ei weld yn anelu
unwaith eto am ddrws y cefn. 'Dwyt ti ddim wedi
cael dy banad, eto . . . Panad a siwgwr ynddi!'
ychwanegodd efo gwên, fel pe bai hi'n annog plentyn
bach, a gosod y cwpan a'r soser ar y ffender, i'w ddenu
at y tân. 'Pwy ddeudist ti ddaru yrru'r llythyr?' Ei
chwestiwn yn fwy taer y tro yma oherwydd bod
tristwch pell wedi dod i lygaid ei mab. 'Dim
newyddion drwg, gobeithio?'

Cododd Rhys y cwpan yn freuddwydiol at ei geg.
'Nod Cain,' medda fo, yn fwy wrtho'i hun na dim
arall.

'Be? Be ddeudist ti?' Roedd hi wedi clywad. Ddim yn deall oedd hi.

Ond roedd yr eiliad wedi mynd heibio ac ynta'n ôl unwaith eto yn ei fyd bach dryslyd ei hun.

Daeth gwaedd o'r llofft a sŵn traed bychain yn gneud eu ffordd am ben y grisia.

*   *   *

'Ydi'r clun yn fwy poenus heddiw?'

Er ei bod hi'n hen gyfarwydd â'r blinder a'r diflastod ar wyneb ei gŵr pan gyrhaeddai hwnnw adre o'r chwarel bob dydd, gwelai fod ei wyneb heddiw'n hirach nag arfer.

'Wel?' medda hi wedyn, o weld nad oedd yn osgo ateb.

'Dim gwaeth nag arfar, am wn i.'

Er bod Huw Bach yn eistedd ar y coco-matin o flaen y tân, yn chwarae efo awyren fechan o bren yr oedd Rhys wedi'i naddu iddo, ni chymerodd Ifan Garn y sylw lleia o'r plentyn.

'Wel, be sy'n bod, ta? Ti'n amlwg ddrwg dy hwyl.' Am unwaith, ni cheisiodd Alis gadw tôn ddiamynedd o'i llais. Roedd ganddi hi ddigon o'i phryderon ei hun, heb i'w gŵr ychwanegu atyn nhw.

'Drwg dy hwyl fyddet titha hefyd,' medda fynta, trwy'i ddannedd. Yna, heb boeni bod olion gwaith y dydd yn dal ar ei wyneb a'i ddwylo, a chan gamu'n gloff dros y bychan bodlon wrth ei draed, aeth i eistedd yn ei gadair arferol ger y tân a gadael i'r fflamau daflu cysgodion dros ei wyneb llwyd.

'O?' Er ei gwaetha, fe deimlodd Alis anesmwythyd newydd yn tyfu o'i mewn. Roedd rhywbeth gwahanol i'r arfer wedi gyrru'i gŵr oddi ar ei echel. Ond gadael

yr holi a wnaeth hi, serch hynny. Am y tro, fe gâi Ifan
fod, â'i ben yn ei blu.

'Fe alwodd Dei Postman bora 'ma,' medda hi
ymhen sbel, 'efo llythyr i Rhys.'

'O!'

O! heb fath o chwilfrydedd ynddo, sylwodd Alis.

'Llythyr o Fethesda.'

'O, deud ti!'

Parodd sŵn drws y cefn yn agor i Alis droi'n
ddisgwylgar i weld pwy oedd yno, a chael ei siomi'n
syth. 'O! Ti sy 'na!' medda hi, wrth i'w mab ienga gau'r
drws o'i ôl. Roedd hi wedi anghofio bod Ifan Bach
wedi mynd i folchi dan y tap tu allan. Trodd yn ôl at ei
gŵr: 'Mae beth bynnag oedd yn y llythyr,' medda hi'n
araf, er mwyn pwysleisio'i phryder, 'wedi deud ar Rhys
. . . does dim dwywaith am hynny . . . a dwi'n poeni'n
fawr yn ei gylch o, Ifan . . . Poeni mwy nag arfar,'
ychwanegodd.

Bu hynny'n ddigon i erlid yr hunandosturi oddi ar
wyneb Ifan Garn a daeth Ifan Bach hefyd yn nes, i gael
gwybod mwy.

'. . . Ddeudodd o yr un gair am be oedd yn y llythyr
ond, gyntad ag y darllenodd o fo, fe lowciodd ei banad
a mynd allan drwy'r cefn. I orffan ei waith ar y polyn
lein, dybiais i. Ond pan rois i fy mhen allan, funud neu
ddau'n ddiweddarach, roedd o wedi mynd. A dwi'm 'di
gweld arlliw ohono fo byth ers hynny. Ers ganol bora,
cofia! A mae hi rŵan yn . . .' Taflodd gip ddiangen at y
cloc mawr. '. . . yn tynnu am chwech o'r gloch!'

Syrthiodd eiliada o dawelwch ar y stafell.

'Wedi mynd i grwydro mae o, dyna i gyd. Mi
ddaw'n ôl, gyda hyn. Mi wyddost ti gyn lleied mae
amsar yn ei olygu iddo fo.'

172

'Ond mae o'n gwbod pan mae hi'n amsar bwyd, Ifan! Mae'i fol o'n deud hynny wrtho fo! Dydi o ddim wedi cael tamad i'w fwyta ers ei frecwast, i ti gael dallt!' Trodd Alis ei phen at y ffenest. 'A sbia fel mae hi rŵan yn twllu'n gynnar efo'r hen niwl 'ma!' Roedd hi'n siarad fel pe bai am blentyn.

'Falla mai drws nesa efo Elsi mae o?' cynigiodd Ifan Bach.

'Twt! Dwi wedi *bod* yn fan'no'n holi, siŵr iawn,' meddai hi'n ddiamynedd.

'Wel, mi bicia i i lawr i'r Stryd, ta, Mam, i chwilio . . . Gyda llaw, be sydd wedi digwydd i'ch lein ddillad chi?' Ond roedd wedi cau'r drws ar ei ôl cyn aros am ateb.

'Nain! Nain!'

Er bod Huw Bach yn gneud ei ora i dynnu ei sylw, troi clust fyddar a wnaeth hi a mynd at y ffenest i wylio'i mab yn brasgamu i lawr llwybyr yr ardd ac yn cael ei lyncu'n raddol gan y caddug. Doedd gwyll y stafell a thician y cloc mawr ond yn dwysáu'r trymder iddi.

Ymhen hir a hwyr, cododd Ifan Garn a chychwyn am y cefn, i folchi. 'Mi ddoth y Stiward i ngweld i pnawn 'ma,' medda fo'n sorllyd, dros ysgwydd.

'O?' Ei thro hi, rŵan, i swnio'n ddidaro, gan gadw'i chefn at y stafell a pharhau i syllu allan ar ddim.

'Nain!' meddai Huw Bach eto, ond heb ddigon o daerineb i fynnu sylw y tro yma chwaith.

Arafodd Ifan ei gam yn nrws y gegin. 'I roi nghardia imi, i ti gael gwbod.'

'Be?' meddai hi, gan droi i rythu arno'n anghrediniol, wrth i ystyr y geiria ei tharo. 'Be ddeudist ti?'

'Dwi wedi cael fy nghardia. Mi fydda i'n gorffan yn y chwaral, Sadwrn ola'r mis.'

Bron na ellid gweld y trydan yn tyfu rhyngddyn nhw a rhaid bod y plentyn, ar y coco-matin o flaen y tân, hefyd wedi synhwyro'r newid yn yr awyrgylch oherwydd tawodd â'i sŵn chwarae a chodi pen i syllu'n ddisgwylgar o'r naill i'r llall ohonyn nhw.

'Dwi wedi bod yn ofni hyn,' meddai Alis, a'i llais yn magu tôn edliwgar wrth iddi ddilyn ei gŵr trwodd i'r gegin fach. 'Ti wedi bod yn llawar rhy amlwg efo busnas yr Undab 'ma'n ddiweddar.'

'A dyna ydi'r rheswm, ti'n meddwl?' Daliai ynta i swnio'n sarrug.

'Be arall all o fod? Be'n union ddeudodd Evan Jôs Stiward wrthat ti?'

'Deud nad fi fyddai'r unig un. Bod y chwaral yn rhedag ar gollad oherwydd y rhyfal. Ond esgus yn unig oedd hynny.'

'Pwy arall sydd wedi cael ei gardia, ta?'

'Neb, hyd yma. Ar wahân i Rhys! Fe ddeudodd Evan Jôs yn ddigon clir na fyddai Rhys yn cael ei gymryd yn ôl.'

Yn hytrach nag ymateb ar ei hunion, aeth ei wraig i nôl y sosban oddi ar y pentan, er mwyn cael gloywi'r tatws a'r swêj oedd wedi bod yn berwi ynddi. Yna aeth ati i stwnshan y rheini'n ffyrnig, gan daflu mwy nag oedd raid o fenyn ffarm i'r cymysgedd. Rhwng popeth, roedd swper chwarel heno'n mynd i fod yn hwyrach nag arfer.

'Y busnas Undab 'ma sydd tu ôl i hyn i gyd, gei di weld. Fe ddylet ti fod wedi rhag-weld peth felly, Ifan. Ti'n gwbod o'r gora be maen nhw'n ddeud amdanoch chi. *Troublemakers for the sake of it!*'

Daeth y geiria Saesneg fel adnod glogyrnaidd dros ei thafod.

'Manejyr y Chwaral Fawr ddeudodd beth felly . . . ac mae pawb yn gwbod sut un ydi o. Sut bynnag, mae 'na hogia sy'n llawar mwy amlwg na fi yn yr Undab.'

'Wel, pam mai dim ond chdi a Rhys sy'n cael eich cardia, ta?' gofynnodd hitha, yr un mor edliwgar â chynt. 'Rhaid bod yna reswm!'

'Elli di ddim dychmygu?'

Craffodd Alis Lòrd Bach i lygaid ei gŵr, rŵan, ond heb ddeud dim. Ei le fo oedd egluro.

'Dial, falla?'

'Dial? . . . Arnat ti? . . . Pwy? Evan Jôs Stiward?'

Gwenodd Ifan y Garn yn chwerw. 'Rhywun amgenach nag Evan Jôs, Alis. Ac nid dial arna i'n bersonol, ond dial trwydda i.'

Eto'r olwg ddiddeall ar wyneb ei wraig.

'Mi fydd Lady Oldbury wedi gweld ewyllys ei gŵr erbyn rŵan, ti'm yn meddwl? Ac wedi cael amsar i gnoi cil arni. Oedd hi'n gwbod cyn hyn bod gan ei gŵr hi blentyn? . . . Mae'n gwestiwn gen i! . . . A chofia ei bod hi ei hun wedi methu rhoi plentyn iddo fo. Felly dychmyga sut roedd hi'n teimlo pan welodd hi dy enw di ar y wyllys, a chael clywad pam. A gweld ei fod o wedi gadael nid jest swm o arian iti ond stryd gyfan o dai yn ogystal.'

Aeth Alis yn gegrwth ac yn fud am rai eiliada wrth i'r gwirionedd ei tharo. Yna, gydag arddeliad, a'i llygaid yn fflachio, meddai hi, 'Fe geith hi bob dima goch y delyn, a phob carrag a llechan hefyd, yn ôl. Mi fydda i'n mynd at Wiliam Robas Twrna, ben bora fory, yn unswydd i ddeud wrtho fo am gymryd y cwbwl yn ôl.'

'A be neith Lady Oldbury wedyn, meddat ti?

Anghofio pob dim, a chynnig gwaith yn ôl i mi?' I ateb ei gwestiwn ei hun, chwarddodd Ifan yn sych ac yn chwerw. 'Alis bach! Waeth i ti un gair mwy na chant ddim! Wela i ddim gwaith byth eto yn Chwaral y Lòrd. Mwy nag y gneith Rhys. Mi fyddwn ni fwy o angan ei bres o rŵan nag erioed.'

'Ac Ifan Bach? Be amdano *fo*?'

'Dwi'n ama os ydi hi'n gwbod bod Ifan Bach yn gweithio yno o gwbwl.'

Roedd ar flaen tafod Alis i edliw y byddai'n well ganddi hi weld ei mab ienga'n gorfod gadael y chwarel, fel y galla fo ailgydio yn ei addysg a mynd ymlaen wedyn i goleg, a gwella'i hun. Ond penderfynu troi'r stori wnaeth hi, rŵan, a daeth yr hen bryder yn ôl i'w llais wrth iddi gamu'n ôl i'r gegin.

'Bendith y Tad!' medda hi, gan droi eto fyth at y cloc. 'Lle mae Rhys, na ddaw o adra? Gobeithio'r nefoedd bod Ifan Bach wedi cael gafael arno fo erbyn rŵan.' Yna, rhag oedi'n rhy hir efo'i gofid, ac er mwyn cael rhywbeth i'w ddeud, ychwanegodd yn freuddwydiol, 'Peryg na wela i mo'r Band o' Hope, heno.'

Aeth chwarter awr arall heibio cyn i Ifan Lòrd Bach ddod yn ôl. 'Welis i ddim sôn amdano fo. A dydi Elsi ddim wedi'i weld o chwaith, medda hi.'

'O! Ti wedi bod drws nesa, felly?'

'Na, doedd dim rhaid imi. Roedd hi'n dod i nghwarfod i ar Lòrdstryd, funud yn ôl.'

Daeth ei eiria â chwestiwn newydd i lygad Alis. 'O? A ddeudodd hi i lle'r oedd hi'n mynd?'

'Naddo, ond roedd hi'n torri cỳt yn arw, beth bynnag.'

'Hm! Oedd hi, wir!' oedd unig ymateb y fam.

*   *   *

176

Erbyn naw o'r gloch y noson honno, nid Alis Lòrd Bach oedd yr unig un i bryderu am Rhys. Roedd Ifan ei gŵr ac Ifan Bach wedi bod trwy'r dre yn chwilio amdano ac wedi tynnu sylw Defis Plisman at eu pryderon. A rŵan roedd hwnnw wedi galw dynion oddi ar y stryd – nifer ohonyn nhw ar eu ffordd adre o'r Band o' Hope – ac allan o Dafarn y Sir a'r Cross Keyes i helpu gyda'r chwilio. 'Efo unrhyw un arall, fyddwn i ddim yn dechra pryderu tan bora fory, *lads*,' meddai Defis yn nhafodiaith de'r sir, 'ond ryden ni i gyd yn gwbod fel ma pethe efo Rhys Lòrd Bêch. Ma Ifan ei frawd yn meddwl falla mai yn Coed Cwm y dylen ni ddechra chwilio.'

Daeth sŵn yr ymgynnull gyferbyn â giât y capel â Gwyneth Morgan i ben drws ei thŷ a meiniodd ei chlustia rŵan i glywed ambell air drwy'r mwrllwch. 'Tomos!' gwaeddodd dros ysgwydd ar ei gŵr. 'Mi fasa'n well i ti fynd allan, dwi'n meddwl. Mae gen i ofn bod rhwbath wedi digwydd.'

'Gad i Defis Plisman fynd i'r afael â nhw,' gwaeddodd hwnnw'n ôl, gan gymryd yn ganiataol mai rhyw gwffio meddw oedd achos y cynnwrf. 'Mae o'n fwy na thebol i neud hynny.'

'Ond dwi'n clywad Rhys Huws Lòrd Bach yn cael ei enwi.'

Erbyn i'r gweinidog wisgo'i sgidia a tharo côt drosto, roedd y rhan fwya o'r dynion wedi chwalu i wahanol gyfeiriada ond daliai Defis ei dir, i'w gwylio nhw'n mynd.

'Be sy'n bod, Defis? Alla i helpu mewn unrhyw ffordd?'

'Rhys Huws Lòrd Bêch sydd ar goll, Mustyr Morgan. Dwi newydd yrru *search parties* i chwilio amdano fo.'

'Mi ddo i efo chi, Defis. Falla bod gen i syniad lle i ddechra chwilio, ond bydd raid i mi fynd i nôl y lantarn o'r cwt glo.'

Ychydig funuda'n ddiweddarach roedd y ddau yn pigo'u ffordd i lawr y llwybyr caregog i Goed Cwm, y naill efo lamp garbeid i oleuo'i ffordd a'r llall yn craffu yng ngolau egwan cannwyll mewn lantern. Curai calon y gweinidog yn drymach nag un ei gydymaith wrth iddo gofio'r profiad o fod yma ddiwetha ac er bod godreon ei drowsus yn wlyb-domen-dail o fewn dim amser oherwydd y gwair a'r rhedyn gwlyb oedd yn gwyro dros gulni'r llwybyr, prin ei fod yn ymwybodol o'r anghysur.

Yn sydyn, safodd yn stond. 'Ma . . . *mae* o yno!' medda fo, ei sibrydiad yn wyntog ac yn llawn rhyddhad. 'Dacw fo'i ola fo, Defis!' Roedden nhw'n nesu at lle'r oedd y Parchedig wedi gwylio Rhys yn ffug-ymarfer dro'n ôl.

'Falla wir, Mustyr Morgan . . . a falla ddim. Falla bod un o'r *search parties* wedi cyrraedd o'n blaen ni. Ylwch! Mae mwy nag un gola'n symud drwy'r coed. Roedd gan frawd bêch y bachgen syniad lle i chwilio, medda fo.'

Dyna pryd y torrodd gwaedd o ddychryn drwy'r tywyllwch a gwelsant y goleuada'n dechra crynhoi i'r un lle. Teimlodd y Parch. T. L. Morgan wallt ei war yn codi a'i gorff yn troi'n groen gŵydd drosto.

'Maen nhw wedi dod o hyd i rwbeth,' meddai'r plismon yn gynhyrfus a chyflymu'i gam orau allai yng ngolau ei lamp garbeid, gan adael ei gydymaith i bigo'i ffordd yn fwy gofalus rhwng meini a boncyffion mwsoglyd y deri at lle'r oedd y criw wedi ymgynnull.

Er ei fod yn disgwyl y gwaethaf, doedd y Parch. T. L.

Morgan ddim yn barod am yr hyn oedd yn ei aros. Safai'r criw yn gegrwth ddistaw, eu gwyneba'n welwon yng ngolau eu lanterni. Gwthiodd y gweinidog ei ffordd rhyngddynt er mwyn cael ailymuno â'r plismon.

Fe gymerodd rai eiliada i'w lygaid weld yr hyn roedd pawb arall yn syllu arno. Gweld, i ddechra, y wifren dynn yn gryndod disglair . . . yna'r corff llipa, fel doli glwt, efo'r wyneb glasddu oer . . . yna'r llygaid llonydd yn rhythu'n wag . . . Ond, yn fwy dychrynllyd na dim, y tafod hir, fel tafod ci blinedig ar ddiwrnod poeth, wedi'i wthio i fyny o'r gwddf marw.

Torrodd llais cynhyrfus Defis Plisman fel chwip drwy'r tywyllwch wrth iddo sylweddoli mai Ifan Lòrd Bach oedd yn igian crio yng nghesail y dyn wrth ei ymyl – 'Ewch â'r cog bech o'i olwg o, bendith y Tad ichi!' Ar yr un gwynt, sylweddolodd mai Ifan y Garn oedd â'i fraich am yr hogyn a bod hwnnw ar fin llewygu, ei hun.

'Mustyr Morgan! Ewch â'r ddau o'ma . . . Rŵan, ddyn!'

Gwnaeth y gweinidog ei orau i ufuddhau ond wrth droi draw, daliodd rhywbeth ei lygad a chydiodd ym mraich y plismon. 'Defis!' medda fo'n gyfrinachol, gan gyfeirio at gorff llonydd Rhys Lòrd Bach. 'Dwi'n meddwl mod i'n gweld papur yn ei bocad o.' *Llythyr o eglurhad, falla*, oedd ar ei feddwl.

*   *   *

Dros y blynyddoedd, roedd Blaendyffryn wedi gweld ei siâr o angladda tristach na'i gilydd. Tai yn erthylu mwy nag un arch fechan ar y tro, diolch i'r teiffoid a'r diphtheria . . . Tad a mab yn mynd i'r un bedd agored yn dilyn damwain yn y Chwarel Fawr . . . Mam ifanc yn taflu'i hun o ben clogwyn am i rywun dichellgar gychwyn stori gelwyddog amdani . . . Tad yn colli'i bwyll ac yn lladd ei wraig a'i ferch ei hun â morthwyl toi . . . Pob stori wedi gadael ei chraith ei hun ar y gymdogaeth. Ac fe wnâi trasiedi Rhys Lòrd Bach hefyd yr un peth.

Ddiwrnod yr angladd, mynnodd Alis gerdded i'r fynwent, tu ôl i'r hers, efo Ifan ei gŵr ar y naill ochor i'w chynnal ac Ifan ei mab ar y llall, tra cydiai Elsi ym mraich arall ei thad, i sadio cloffni hwnnw. Tu ôl iddyn nhw deuai perthnasa Ifan o Garndolbenmaen ac Abergynolwyn, a thu ôl i'r rheini nifer o ffrindia a chydnabod; amryw ohonynt, fel Alun Gwyn a Moi Sowth a Jim Gelli, yn gyn-filwyr, yn martsio'n dalsyth ochor-yn-ochor, tra bod eraill fel Seimon Creigia, efo'i un llawes côt yn wag, a'r hen Thomas Edwards y Cwm, yn ungoes ac ar ei fagla, yn hercian ymlaen orau allen nhw.

Yn dilyn siars gan Bob Ellis Hen Ben a Twm Gelli, roedd hogia Caban Bonc Ucha yno hefyd. Pawb ond un. Dim ond Robin-di-rip oedd yn absennol a hynny, yn ôl pob sôn, am iddo gael rhybudd gan yr hen Lygad y Geiniog – ei bartner yn y Twll – na allai'r Fargen fforddio colli hanner stèm o drin cerrig.

Roedd rhai wyneba eraill ar goll yn ogystal; wyneba y byddai wedi bod yn rheitiach iddyn nhw fod yno. Doedd dim sôn, er enghraifft, am Jonah Wilias, un o flaenoriaid Caersalem. Na Reuben Lloyd, y codwr canu, chwaith.

'Fe ddeudis i'n do, na fasan nhw yma.'

Roedd llenni Lòrdstryd i gyd ar gau wrth i'r cynhebrwng lusgo heibio, a'r gwragedd yn ddwyres hir, ddagreuol o boptu'r ffordd, fel arwydd o'u cydymdeimlad ag Alis Lòrd Bach a'i theulu. Yma ac acw yn eu mysg, safai henwyr efo'u capia a'u hetia yn eu dwylo – yn barchus bennoeth nes i'r hers a'r galarwyr fynd heibio. Doedd dim plant ar y cyfyl; roedd y rheini i gyd yn yr ysgol.

'Be? Deud wyt ti bod Jonah Wilias a Reuben Lloyd yn cadw draw yn fwriadol? Pam hynny?'

Ateb y llall fu sgrytian ei hysgwydda i awgrymu bod yr ateb yn amlwg. 'Lladd ei hun wnaeth o'n de! Ac mae peth felly'n bechod anfaddeuol yng ngolwg rhai pobol capal.'

'Twt!' meddai'r ffrind, mewn tôn anghrediniol. 'Mae Bob Ellis, pen blaenor Caersalem, yma! A Mistar Morgan y gweinidog hefyd!'

'Ydyn, ond fe glywis i ddeud bod amball aelod yn rhyfeddu'n arw at y ddau ohonyn nhw. Yn enwedig at y gweinidog yn cytuno i gynnal gwasanaeth Cristnogol. Yn ôl pob sôn, mae un teulu'n bygwth mynd â'u papura aelodaeth i gapal arall.'

Hyd yn oed pe bai'r geiria wedi'u bwriadu i gyrraedd clustia Alis Lòrd Bach wrth iddi gerdded heibio, go brin y byddai hi wedi gneud ystyr ohonyn nhw, nac ymateb mewn unrhyw ffordd, chwaith, oherwydd roedd ei llygaid yn llonydd a'i gwyneb gwelw'n amddifad o bob emosiwn. Y cwbwl a welai hi oedd graen pren yr arch yn union o'i blaen. A'r unig sŵn a glywai oedd crensian diddiwedd olwynion yr hers ar wyneb anwastad y ffordd, fel rhyw gnul cras yn gwrthod dod i ben. Dyna'r petha y byddai hi'n eu cofio am hunlle'r daith hir honno.

'Arch glws! Ti'm yn meddwl?'

'Arch dderw, cofia! Y ddryta bosib, glywis i! Mae rhai'n ama a fydd Dei Claddu Pawb yn gweld y pres amdani, byth.'

'Rhag eu cwilydd nhw'n deud y fath beth! Chei di neb nes i'w lle nag Alis Lòrd Bach. Os oes rhywun yn talu'i ffordd, yna Alis ydi honno.'

'Ond lle mae hi'n cael y modd, liciwn i wbod. Ei gweld hi'n ormod o wraig fawr, ydw i! Ond dyna fo! Teulu Lòrd Bach yn ei nerth ydi hi, wedi'r cyfan. A sbia mor wynab-galad ydi hi! Does dim deigryn o gwbwl yn ei llygad hi. Yn wahanol iawn i Ifan Garn a'r plant! Maen nhw dan dipyn mwy o deimlad.'

Chydig a wyddai'r ddwy oedd yn clebran am wir gyflwr Alis Lòrd Bach y diwrnod hwnnw. Ers derbyn y newydd syfrdanol am farwolaeth ei mab, a sut y bu o farw, roedd hi wedi cael ei chloi mewn byd afreal; byd heb iddo unrhyw ystyr na theimlad; byd o farweidd-dra llwyr nad oedd hyd yn oed dyfarniad y crwner yn y cwest wedi gallu treiddio i mewn iddo i'w chyffwrdd. Chydig a wyddai'r ddwy, chwaith, am wir achos dagra Ifan Garn ac Ifan Bach wrth iddyn nhwtha ddilyn yr arch. Y cwbwl a welai'r hogyn, fel pob dydd a phob nos ers y digwydd, oedd wyneb hunllefus a diarth ei frawd yn hongian wrth wifren dynn – gwifren a fu unwaith yn lein ddillad i'w fam – a goleuada lanterni'n chwarae'n aflonydd drosto . . . a dynion a boncyffion coed fel drychiolaetha mud yn y tywyllwch o'i gwmpas. Dyna a welai'r tad hefyd ond roedd hwnnw'n clywed sŵn canu'n ogystal; yn clywed llais tenor ifanc, uwch curiad cyson y traed, yn cyhoeddi *It's a long long way to Tipperary* ac yna'n bloeddio *Hoorah! Hoorah!* gydag afiaith oherwydd bod rhyw Johnny neu'i gilydd ar ei ffordd adre o'r diwedd.

'Dydw i rioed o'r blaen wedi gweld dyn yn ei oed a'i amsar yn beichio crio fel'na. Wyt ti'n meddwl mai gneud-ati mae o?'

182

Ifan Lòrd Bach

1939
Treibiwnal

Cododd Ifan Huws Lòrd Bach y wats gerfydd ei giard arian allan o boced ei wasgod. Awr a chwarter eto cyn y trên! Roedd y bore'n llusgo a doedd arno ynta fawr o awydd gneud dim o gwmpas y tŷ yn y cyfamser. Aethai Mair allan ers hanner awr neu fwy, yn syth ar ôl gyrru'r ddwy faciwî allan i chwarae.

Ar fympwy sydyn aeth trwodd i'r parlwr, i estyn pentwr o'i ddyddiaduron o'r cwpwrdd tridarn yn fan'no. Fe wyddai pa rai i gydio ynddyn nhw a pha rai i adael ar ôl. Doedd fawr o bwrpas mewn bodio trwy ddalennau anghyflawn y *shorthand* Seisnig, er enghraifft, oherwydd roedd wedi rhoi'r gorau i'r arfer hwnnw flynyddoedd yn ôl, yn fuan wedi iddo feistroli'r *Pitman's*. Ond fe wyddai fod ambell beth o ddiddordeb yn y rheini hefyd, ambell sylw cyfrinachol nas cofnodwyd o gwbwl yn y fersiynau Cymraeg. Ryw ddydd, falla, fe ddeuai'r awydd i daflu llygad drostyn nhwtha hefyd. Ond nid heddiw.

Aeth i eistedd at y ffenest, i gael mwy o olau i ddarllen.

Yn uchaf ar y pentwr roedd y *copybook* clawr coch meddal – treuliedig erbyn hyn – a gawsai gan yr hen Dandy, slawer dydd. Gwenodd yn drist. Anodd credu bod ugain mlynedd a mwy wedi llithro heibio. Dim ond ddoe ddiwetha, ar ei ymweliad â'r fynwent, y bu'n darllen y garreg fedd: *Yma y gorwedd gweddillion DANIEL DAVIES M.A., Prifathro Ysgol Ganolraddol Blaendyffryn 1911–1926 yr hwn a ymadawodd â'r fuchedd hon Mai 23ain 1929 yn 54 blwydd oed.* Ac oddi tano, y dyfyniad o waith Morgan Llwyd o Wynedd – *Amser dyn yw ei*

185

gynhysgaeth, a gwae a'i gwario yn ofer – geiria oedd hefyd yn arwyddair i'r ysgol y bu Dandy'n gwasanaethu mor ffyddlon arni am bymtheng mlynedd.

Glas oedd lliw'r ddau lyfr nesa yn y pentwr. Clawr caled ar y rhain! A'r dyddiada MEDI 1921 – TACHWEDD 1922 mewn inc ar feingefn y naill a RHAGFYR 1922 – HYDREF 1924 ar y llall. Daeth gwên drist i'w wyneb. Dyma'r ddau a brynodd ei fam iddo, wedi iddi 'ddod i arian mawr' chwedl ei dad. Llyfra wedi'u bwriadu at gadw cyfrifon ariannol oedden nhw, wrth gwrs – roedd y llinella cochion a rannai bob tudalen yn golofna cymesur yn profi hynny – ond doedd yr hen wraig ddim wedi sylweddoli hynny ar y pryd. Be oedd ots, beth bynnag? Byseddodd drwy'r ail gyfrol heb orfod meddwl pa ddyddiad i chwilio amdano.

Medi 30: Gorfod ffarwelio â Mam yn y plygain. Tybiais erioed mai gelyn didostur oedd yr Angau ond bu'n drugarog wrth Mam heddyw, ac wrthyf inneu hefyd, felly. Yn yr awr fawr, rhyddhad i mi oedd cael gwylio'r gofid a'r dieithrwch yn cilio o'i gwedd a'r llyfnder yn dychwelyd i'w chroen, a chael ei hadnabod fel Mam unwaith etto.

Cododd ei ben i sychu'r deigryn oedd yn bygwth dianc i wlychu'r ddalen. Roedd ei atgof am ei munuda olaf hi ar y Ddaear, union bymtheng mlynedd yn ôl i heddiw, yn gymysg o dristwch a rhyddhad. Un funud, y rhythu hunllefus yn erbyn y düwch a'r diwedd a'r funud nesa, y serenedd a'r wên fach fodlon a'r mwmial canu bloesg *'Rwy'n dod, oen Duw, rwy'n dod.'* Ac ynta wedyn yn tynnu'i law yn ysgafn dros ei hamranna, i'w cau, ac yn rhoi cusan yr un mor dyner ar y wên, cyn i honno oeri.

'*Tuberculosis* sydd ar y *death certificate*, Ifan, ond torcalon a'i lladdodd hi, sti.'

Ac fe allai'r Doctor Bach fod wedi deud rhywbeth tebyg am ei dad hefyd, o ran hynny, lai na deunaw mis ynghynt, oherwydd bu colli Rhys yn llawn cymaint o ergyd iddo fynta. Ond *Gangrene* roddwyd yn eglurhad swyddogol ar dystysgrif marwolaeth Ifan Garn.

Er parchus goffadwriaeth am
Rhys Hughes,
1 Little Lord Street, Blaendyffryn,
yr hwn a adawodd y fuchedd hon
ar y chweched o fis Ebrill 1919
'Yr Arglwydd a roddodd, a'r Arglwydd a ddygodd ymaith'

Hefyd tad yr uchod
Evan Hughes *(Creigiwr), 50 oed,*
a hunodd ar Ddydd Gwener y Groglith 1923
wedi cystudd blin.

Hefyd
Alice Hughes, *51 oed,*
mam a phriod y ddeuddyn uchod
a aeth i gwrdd â'i Gwaredwr ar y dydd olaf o Fedi 1924.
'A allodd hon, hi a'i gwnaeth.'

Chwythodd Ifan ei drwyn yn swnllyd. Roedd wedi mynd i'r fynwent ddoe i chwilio am nerth i wynebu heddiw ac wedi ei gael hefyd, yno ar lan y bedd, wrth ddychmygu'i fam yn sibrwd y geiria cyfarwydd yn ei glust: *'Gorau i'r plentyn fod gyda'i rieni ac i ddyn fod gyda Duw.'* Morgan Llwyd eto!

Roedd hefyd wedi oedi uwchben y bedd agosaf at un ei rieni, i ddarllen yr arysgrif syml ac anghelfydd ar y garreg fechan rad yn fan'no:

187

Yma y gorwedd tri o blant
Evan ac Alice Hughes, 1 Little Lord Street,
y rhai a fuont farw yn eu babandod.
'Gadewch i blant bychain ddyfod ataf i.'

Gwyddai Ifan fod ei fam a'i dad wedi gorfod crafu ceinioga prin at ei gilydd yn y dyddia cynnar hynny, i brynu ail fedd, fel y caent orwedd wrth ochor eu plant pan ddeuai'r Alwad arnynt hwytha.

Wrth i'r cloc daro'r hanner awr, cododd yn anfoddog i fynd â'r cyfrola yn ôl i'r cwpwrdd, i'w gosod ochor-yn-ochor â'r pecyn llythyra oedd bellach â rhuban coch yn eu hanwesu. Yn y pymtheng mlynedd a aethai heibio ers ei cholli, doedd Ifan ddim unwaith wedi datod cwlwm ei fam ar rheini. Tan neithiwr. Neithiwr, ac ynta, eto fyth, ynghanol ei frwydyr bersonol rhwng dyletswydd a chydwybod, fe glywodd lais – pa un ai llais ei fam ynte llais ei dad, ni allai fod yn siŵr – yn sibrwd yn ei ben: 'Dos i ofyn i Rhys!' A sut oedd gneud peth felly os nad trwy droi at lythyra'i frawd o Ffrainc?

Do, fe gafodd rywfaint o gysur o'u darllen, a sicrwydd hefyd ei fod yn gneud y peth iawn. Ond neithiwr oedd neithiwr. Erbyn heddiw, roedd golau oer y dydd wedi dod â'i amheuon a'i ofnau i gyd yn ôl.

Wrth i'w droed gychwyn llithro ar *oilcloth* y llawr ac iddo ynta geisio'i arbed ei hun, collodd afael ar rai o'r cyfrola ac, wrth iddo blygu i'w godi, rhoddodd ei galon dro, o adnabod yr amlen oedd wedi syrthio allan o'r *copybook* bach coch; amlen ag enw'i frawd arni; amlen a bostiwyd ym Methesda ar y pumed o Ebrill, ugain mlynedd yn ôl.

Doedd y Crwner, yn ôl yr hyn a ddywedodd yn y

Cwest, ddim wedi gallu gweld unrhyw gysylltiad o bwys rhwng hunanladdiad Rhys Huws a chynnwys y llythyr a gafwyd ar gorff yr ymadawedig. Ond fe wyddai Ifan yn amgenach, a theimlodd yr angen i gadarnhau hynny eto rŵan.

Pum tudalen o lawysgrifen fras, blentynnaidd:

Anwyl Rhys,

Dyma fi yn gyru gair i ddweyd tipyn o fy hanes. Fel rwut ti yn gwbod dydw i ddim yn un da am sgrifenu fellu maen siwr y budd lot o mistakes yn y llythr. Rwyf in medru handlo cŷn a mwrthwl yn go lew wyddost ti ond ddim penholdyr. Dyna pam rwyf yn iwsio pensel rwan yn hytrach nag inc. A sôn am gŷn a mwrthwl, dydw i byth wedi cael fy ngwaith yn ôl yn y chwarel, wyt ti? Maen nhw'n dweyd eu bod nhw eisieu chwarelwrs profiadol ond does dim sôn am gyflogi neb, ddim yn fama beth bynnag.

Fyddi di yn meddwl am Ffrainc o gwbwl ac am yr hogia? Ydi eu gwyneba au lleisia nhw yn gwrthod mynd allan o dy ben di? Maen nhw i mi. Ac maer ogla uffernol yn fy ffroena i drwyr adag a dwin dal i weld y bloody llygod mawr yn bla ar hyd y lle. A fyddi di weithieu yn gweld gwynebau'r Jyrmans ddaru ni ladd? Dim ond unwaith dwi wedi bod yn capal ar ôl dod adra ac roydd y gwnidog ar ei bregath yn sôn am Cain yn llofruddio ei frawd Abel. Dweyd roedd o bod pawb yn frodyr iw gilydd a bod nod Cain ar unrhiw un sy'n lladd rhiwun arall. Rouddwn in teimlon uffernol pan ddeudodd o hyny ac mi ddaru mi godi a cherddad allan o capal a dydw i ddim wedi bod yn ôl yno wedyn. Dwin methu cysgur nos wrth feddwl bod nod Cain arna inna hefyd rŵan. Ti yn

189

*cofio fel roeddem ni weithieu yn gallu clywad y
Jyrmans yn pesychu neu yn tishan, am fod ein lein ni
o fewn tafliad carrag iw lein nhw? A'r tro arall pan
ddaru rhai ohonyn nhw weiddi Nadolig Llawen
arnom ni yn eu hiaith nhw a ninna yn gweiddi nôl
yn Gymraeg. Oeddat ti yno bryd hynny dywad? A
dwin cofio gweld un or hogia ar ei linia yn y mwd yn
y trench yn gweddïo jest cyn iddo fo fynd dros y top
ai weld o yn cael bwlat trwy ei ben yn syth wedyn
am ei draffarth. A'r noson honno fi oedd un or burial
party oedd yn gorfod claddu y cradur bach. Ei lapio
fo mewn sach ai ollwng o ir twll, heb na gweddi na
dim. Be ddeuda y gwnidog ma tae on clywad peth
felly, medda chdi? Maen anodd sôn am betha felna
wrth bobol sydd ddim yn dallt. Maen anodd siarad
hyd yn oed efor hogia erill yn Besda ma sydd wedi
gweld yr un math o betha a fi. Does neb isio siarad
am be ddigwyddodd. Pawb isio anghofio, am wn i.
Dyna pam bod hi yn haws gen i sgwenu atat ti, i
gael y petha ma oddar fy meddwl. Roedd hi yn storm
o fellt a thrana yma echnos a fedrwn i glywad dim
byd ond sŵn mortars a whizzbangs. Wyst ti be wnes
i? Mynd i guddiad yn sbensh efo hen gôt dros fy
mhen a chrio fel babi bach am mod in gweld
drychiolaetha. Roedd Mam isho gyrru am y doctor
ond fasa hwnw chwaith ddim yn dallt.*

*Paid â chwerthin ond dwin teimlo weithia y
buaswn in licio dweyd fy nheimladau ar bapur,
mewn barddoniaeth falla, ond does gen i ddim
gobaith canêri o fedru gwneyd peth felly. Tybad wyt
tin cofior offisar hwnw oedd yn mwmblan
barddoniaeth Susnag wrtho fo ei hun pan oedd on
crwydro o gwmpas base camp? Sais rhonc oedd o*

190

ond roedd o wedi bod yn byw am sbel yng nghyffinia Harlach na dwin meddwl. Roedd rhai or hogia yn dweyd bod ei enw fon dod ag anlwc inni. Bob y Beddau oeddem ni yn ei alw fo. Tin cofio? Ac roedd yna un arall hefyd. Cymro oedd hwnw ond ei fod on dipyn o Dic Sion Dafydd. O Llundan os cofia i yn iawn. Roedd hwnnw hefyd yn sgwenu barddoniaeth ac roedd on gythral o dda am wneyd llunia efo pensal, neu efo colsyn oer or tân os oedd raid iddo. Llunia tanks a gynna a phetha felly. A dwi'n cofio ei watsiad on gneyd uffar o lun da or howitzer ddaru ni gymryd oddi ar y Jyrmans ar Pilkem Ridge. Mi fydda i weithia yn trio dychmygu be ddigwyddodd ir ddau ohonyn nhw, os deuthon nhw trwyddi hi ai peidio, ond unwaith y dechreuith rhiwin feddwl felly yna ma'r peth yn ddiddiwadd. Ti'm yn meddwl?

Nes cawn ni waith yn chwaral eto, does gen i na hogia fforma ddim byd i wneyd ond sefyllian ar gornol stryd bob dydd neu fynd am beint ir dafarn pan fydd gynnon ni geiniog neu ddwy i sbario, a dydi hyny ddim yn amal. Dwin gwbod bod pobol capal yn troi eu trwyna arno ni ac yn dweyd wrth ei gilidd ein bod ni yn warth in teuluoedd. Ac mae na bobol erill sydd yn gweld bai arnom ni am ddwad yn ôl o gwbwl, am eu bod nhw eu hunain wedi colli rhiwin anwyl yn y rhyfal. A dweyd y gwir wrthat ti, dwin teimlo mor euog weithia nes mod i'n difaru fy mod i'n dal yn fyw. Fyddi di yn teimlo felly weithia?

Tro dwytha yr es i ir chwaral i holi am waith wyst ti be ddeudodd y stiward wrtha i? Deud y dylwn i ddysgu Susnag, bod digon o waith iw gael yn Burkinghead a Lerpwl a llefydd felly. Y bastad digwilidd. Mi ges i ddigon ar Saeson yn chwerthin

am fy mhen i yn yr army ac yn fy nhrin i fel baw.
Syt bynag, mi fetia i mod in medru siarad Susnag
cystal os nad gwell na'r bygar stiward na.

Fe ddechreuis i ar y llythr ymma jest i wythnos yn
ôl a dwi wedi bod yn adio pwt bach ato fo bob dydd
ac erbyn rwan dwin teimlo rhiwfaint yn well o fod
wedi cael bwrw fy mol a dwin edrych ymlaen at
dderbyn llythr yn ôl oddi wrthat ti. Felly brysia
anfon gair i ddweyd sut mae petha efo chdi.
Dy gyfaill, Hywel.

Cymerodd funuda lawer i Ifan ddarllen drwy'r cyfan,
rhwng bod marc y bensel mor aneglur mewn rhannau a
bod gwlybaniaeth y noson hunllefus honno yng Nghoed
Cwm wedi gadael ei staen ar y papur tenau, ond
unwaith y llwyddodd i orffen, trodd y ddalen olaf
drosodd, am y gwyddai fod Rhys wedi gadael ei
dystiolaeth ei hun yn fan'no; tystiolaeth y methodd y
Crwner â gweld ei harwyddocâd, ddiwrnod y cwest: *A'r*
Arglwydd a ddywedodd wrth Cain, Mae Abel dy frawd di?
Yntau a ddywedodd, Nis gwn. Ai Ceidwad fy mrawd ydwyf i?
A dywedodd Duw, Beth a wnaethost? Llef gwaed dy frawd
sydd yn gwaeddi arnaf fi o'r ddaear. Ac yr awr hon
melldigedig wyt ti o'r ddaear, yr hon a agorodd ei safn i
dderbyn gwaed dy frawd o'th law di. Yna y dywedodd Cain
wrth yr Arglwydd, Mwy yw fy anwiredd nag y gellir ei faddeu.
Ac o dan yr adnoda o lyfr Genesis, eto yn llawysgrifen
fân Rhys ac mewn pensel, ymgais garbwl i lunio dau
bennill. Pam, Rhys? Am fod y ffrind o Bethesda wedi
crybwyll beirdd a barddoniaeth yn ei lythyr, ia? . . . Ond
mi gest ti dipyn o drafarth efo dy odlau – yn do? – a
barnu oddi wrth yr holl gywiro sydd yma.

Caeodd Ifan ei lygaid i geisio dychmygu gwewyr ei

frawd yn yr oriau olaf hynny yng Nghoed Cwm. Yna adroddodd benillion Rhys yn ei feddwl ac ar ei gof:

> *Anfonwyd ni genych ir tân ar brwmstan,*
> *I ddifa y Satan oedd ynno yn byw*
> *Ond dygasom ni Felltith arnom ein hunain*
> *Trwy ladd nid y Diafol ond Duw.*
>
> *Anfonwyd ni genych i dywallt gwaed brodyr,*
> *A Cain a osododd arnom ei nod;*
> *Pa ryfedd yn awr ein bod yn gweddïo*
> *Nid am farw ond am beidio â bod?*

Wrth ochor y penillion, eto mewn pensel, roedd llun o wyneb cythryblus. Gwyneb milwr mewn helmed. Gwyneb gor-hir, llawn gwewyr a straen; y croen yn dynn, y llygaid yn rhythu'n wag allan o bantia duon, a'r tro yn y geg yn awgrymu mileindra . . . neu boen . . . neu atgasedd . . . neu ofid dwfn. Anodd oedd deud be. Roedd yn llun celfydd iawn o'i fath, a thros y blynyddoedd bu'n achos hunllefa di-rif i Ifan. Daeth yn ôl iddo, rŵan, y noswaith hynny o droi a throsi yn ei gwsg, yn gweld y gwyneb marw'n dod yn fyw o'i flaen; yn gweld tristwch mud y llygaid llonydd yn troi'n gyhuddiad ac yna'n gri am help. Dyn yn chwilio am ei enaid oedd y gwyneb yn y llun. Dyn a dynghedwyd i grwydro am byth mewn rhyw Uffern bersonol. Dyn wedi colli ei Dduw. Ac er nad oedd unrhyw debygrwydd amlwg rhwng ei frawd a'r gwyneb yn y llun, eto i gyd, fe wyddai Ifan mai portreadu'i derfysg mewnol ei hun a wnaethai Rhys.

'. . . *Having listened to all the evidence, I can reach but one verdict. Rees Hughes took his own life whilst mentally deranged . . .*'

Teimlodd Ifan don o'r hen chwerwedd yn llifo drosto rŵan wrth gofio'r Crwner yn crynhoi'r achos. Falla bod Rhys yn ddryslyd ei feddwl, meddai wrtho'i hun, ond doedd o ddim yn lloerig o bell ffordd. Yn un peth, fyddai meddwl lloerig ddim wedi gallu dyfynnu mor helaeth o'r Beibl, adnoda a ddysgwyd ar gof flynyddoedd lawer ynghynt. A fydda fo chwaith ddim wedi medru rhesymu i lunio penillion fel'na! Does bosib nad oedd y cythral yn eu dallt nhw, Rhys, a fynta'n Gymro glân gloyw ei hun. Ond dyna fo! Un o ddynion y Sefydliad oedd o, ac mae'n siŵr ei fod o'n anghymeradwyo dy feirniadaeth ddistaw di o'r rhyfal. Haws ganddo fo daflu'r peth heibio trwy awgrymu dy fod ti allan o dy bwyll.

Y cloc yn taro eto – taro'r awr y tro yma – a ddaeth â fo allan o'i fyfyrdod. Ugain munud tan y trên! A deng munud o waith cerdded i steshon yr LMS! Mi fyddai T.L. ar biga'r drain ers meitin, yn aros amdano. Brysiodd i wisgo'i gôt ac i daflu cip i'r drych cyn taro'i het ar ei ben. Dyn-canol-oed a welai yno, efo'i wallt tena'n cilio'n ôl o'r talcen hir. 'Heb eto fod yn bymthag ar hugian,' meddai'n chwerw wrtho'i hun, 'ac yn edrych yn hannar cant!'

Prysurodd i gloi'r drws o'i ôl.

*　　　　*　　　　*

'Er bod ugain mlynadd ers hynny, dwi'n cofio meddwl yr un peth yn union â chi, Ifan. Iddo fo, mae'n siŵr bod geiria'ch brawd yn ymddangos yn annheyrngar, am eu bod nhw'n feirniadol o'r rhyfal ac o'r Wladwriaeth. Ond dyna fo! Nid y Crwner oedd yr unig un i feddwl fel'na yn y dyddia hynny, gwaetha'r modd.'

Wrth i'r trên arafu a stopio, tawodd y gweinidog er

194

mwyn gwylio'r mynd a dod ar y platfform tu allan, a manteisiodd Ifan Lòrd Bach ar ei gyfle i danio Woodbine ac i ddarllen rhai o'r posteri ar wal y stesion. SAVE BREAD AND YOU SAVE LIVES . . . SERVE POTATOES AND YOU SERVE THE COUNTRY . . . DIG FOR VICTORY.

'Fyddwch chi ddim yn smocio, Mustyr Morgan?'

'Na. Rioed wedi dechra, cofiwch.'

Ataliodd y gweinidog rhag egluro pam, gan nad dyma'r lle na'r amser i edliw ei gyflog bach dros y blynyddoedd, yn enwedig wrth un o'i flaenoriaid ac ynta ar ganol gneud ffafr â hwnnw! Cymryd mantais fyddai peth felly. Os am godi'r mater o gwbwl, yna'r Pwyllgor Bugeiliol oedd y lle i neud hynny.

'Lle'r oeddan ni hefyd, deudwch? . . . O ia! Y crwner hwnnw . . . Deudwch i mi, Ifan, glywsoch chi am y bardd Siegfried Sassoon erioed?'

Ysgydwodd Ifan ei ben a thynnu'n hir ar ei sigarét. 'Naddo wir, Mustyr Morgan. Un o feirdd yr Almaen, ia?'

'Nage wir, er gwaetha'i enw. Bardd o Sais a gafodd brofiada go erchyll yn Ffrainc, yn y Rhyfal Mawr . . . fel pawb arall yno, o ran hynny. Sut bynnag, fe ddaru ynta fentro sgwennu cerddi efo negas debyg i un Rhys . . . cerddi oedd yn beirniadu'r holl wastraff a'r holl ladd. Fe gafodd ei anrhydeddu efo'r Military Cross am ei wrhydri ar faes y gad, a wyddoch chi be wnaeth o? Fel protest yn erbyn ffolineb rhyfel a'r holl dywallt gwaed diangan, fe daflodd ruban y fedal i'r môr.'

'Ddaru hynny ddim plesio rhai pobol, mae'n siŵr.'

'Naddo, wrth gwrs! Felly, be naethon nhw, i neud yn fach o'r brotest, meddach chi? Wel deud ei fod o wedi gwallgofi oherwydd *shellshock*, a'i anfon am

195

gyfnod i ysbyty yn yr Alban. Craiglockhart. Sef yr un ysbyty ag y buodd Rhys eich brawd ynddi!'

'Tewch â deud! A be ddigwyddodd iddo fo wedyn? Ddaru *o*, hefyd . . .?

Fe wyddai'r gweinidog be oedd ar feddwl Ifan. 'Na. Mi fu'n rhaid iddyn nhw gydnabod yn y diwadd, wrth gwrs, bod Sassoon yn gall ei feddwl ac ymhen amsar fe ofynnodd am gael ei anfon yn ôl i Ffrainc. Sut bynnag, ar ddiwadd y rhyfal mi aeth ati i sgwennu rhagor o gerddi, a chyhoeddi cyfrol o'i atgofion hefyd. Mi enillodd wobr go arbennig am y gyfrol honno. Falla i chi glywad am yr Hawthornden Prize?'

Ond ysgwyd ei ben a wnaeth Ifan eto.

'Sut bynnag, mae'r llyfr gen i, acw, ac mae croeso i chi gael ei fenthyg. Er bod cefndir yr awdur yn wahanol iawn i'ch cefndir chi a finna, eto i gyd fe gaech chi flas ar y gyfrol dwi'n siŵr.'

'Diolch, Mustyr Morgan, ond rhaid cael heddiw drosodd yn gynta. Mae meddwl am y treibiwnal yn stwmp ar fy stumog i, coeliwch fi.'

'Mi alla i ddychmygu.' Aeth y gweinidog i'w boced a thynnu darn o bapur ohoni. 'Wyddech chi, Ifan, fod Mustyr Chamberlain, y Prif Weinidog yn Llundain, ei hun wedi eistedd ar banel treibiwnal yn ystod y Rhyfel Mawr? Dwi wedi gneud nodyn o rywbeth ddeudodd o'n ddiweddar, yn y gobaith y bydd ei eiria fo'n gysur ichi.' Dechreuodd ddarllen: *'It was a useless and exasperating effort to attempt to force such people . . .'* – Cyfeirio mae o at wrthwynebwyr cydwybodol fel chi – *'. . . to act in a manner contrary to their principles. If the principles are conscientiously held, we desire that they should be respected, and that there should be no persecution.* Geiria neb llai na'r Prif Weinidog, Ifan!'

'Dwi'n gwerthfawrogi be 'dach chi'n ddeud, Mustyr Morgan, ond ein herlid a gawn ni, serch hynny. Does dim byd sy'n sicrach. Nid ar chwara bach y dois i i'r penderfyniad i wrthod 'listio . . . a dwi'n gwbod y bydd llawar iawn o bobol – rhai ohonyn nhw'n aeloda Capal Caersalem – yn gweld bai mawr arna i ac yn fy ngalw i'n gachgi.'

'Ond mi fydd eraill yn eich edmygu chi, Ifan . . . yn eich edmygu chi am barchu'ch egwyddorion.'

'Gawn ni weld, Mustyr Morgan, gawn ni weld . . . Dwi'n gwbod na ddylwn i ddeud hyn wrthoch chi, ond ers i mi sôn wrth Mair am fy mhenderfyniad dydi petha ddim wedi bod yn hawdd imi gartra, chwaith, ac erbyn rŵan, chydig iawn o Gymraeg sydd rhyngddi hi a finna.'

'Mae'n ddrwg iawn gen i glywad hynny, Ifan.' Ond, o nabod Mair Hughes, doedd y gweinidog ddim wir yn synnu, chwaith.

'Mae hi wedi trio bob ffordd i mi newid fy meddwl . . . trwy ddeud petha ffiaidd iawn hefyd, weithia. A rhaid cyfadda fy mod inna wedi gwegian a simsanu lawar tro . . . A deud y gwir wrthoch chi – a Duw a faddeuo imi am ei ddeud o – mi fyddai'n dda calon gen i pe bai rhywun yn *gallu* fy narbwyllo i, Mustyr Morgan! Mi fyddai mywyd i'n gymaint brafiach pe bawn i'n gallu enlistio. Ond alla i ddim! Alla i ddim! Neith fy nghydwybod i ddim caniatáu imi. Ganwaith dwi wedi trio dadla efo fi fy hun mai dyna fy nyletswydd i, ond o hyd ac o hyd ar adega felly mae llais Mam, neu ryw adnod neu emyn neu'i gilydd, yn dod i edliw fel arall yn fy mhen i. Mi alla i ddeud efo'm llaw ar fy nghalon na fasa gen i ddim ofn wynebu'r gelyn ar faes y gad ond mae gen i wirioneddol ofn y cam dwi ar fin ei gymryd heddiw.'

'Mae isio dyn dewr iawn i gymryd y cam hwnnw, Ifan, a dwi'n eich edmygu chi'n fawr.'

Fe ddylsai llais didwyll yr hen weinidog fod o gysur iddo, ond doedd o ddim; ddim tra bod curiad cyson olwynion y trên yn ei atgoffa bod Colwyn Bay a'r *Tribunal* yn dod yn nes wrth y funud. A ddim chwaith tra bod wyneb ei wraig a llygada'r dynion yn y chwarel yn ei gyhuddo fo'n ddyddiol o fod yn gachgi.

'Mae cyfraith gwlad yn deud bod yn rhaid i bob dyn rhwng deunaw ac un a deugain oed enlistio, am mai dyna'i ddyletswydd. Os felly, onid dyna fy nyletswydd inna hefyd?' Roedd o wedi defnyddio'r ddadl hyd syrffed yn barod, i ddwyn perswâd arno'i hun yn fwy na dim.

'Ond be sy'n digwydd pan mae cyfraith gwlad yn herio cyfraith Duw, Ifan Huws?'

Doedd ganddo ddim ateb, a hynny am ei fod yn clywed llais ei fam yn amenio cwestiwn y gweinidog. *Cyfraith Duw nid cyfraith gwlad wneith gadw trefn ar yr hen fyd 'ma, Ifan. Cofia di hynny.* Sawl gwaith y deudodd hi beth felly wrtho, pan oedd hi byw? Ac weithia, byddai hynny'n gychwyn pregeth. *Rheolau y mae dyn wedi'u creu ydi cyfraith gwlad ond mae cyfraith Duw wedi cael ei phlannu'n gynhenid yng nghalon pob Cristion. A dyna sy'n creu gwarineb ymysg dynion! Mi all Dyn blygu cyfraith gwlad i'w siwtio'i hun, yn union fel ag y gwnaeth i gyfiawnhau'r rhyfal. 'Os y lladdwch chi gyd-ddyn', medda fo, 'yna mae'n iawn i chi gael eich crogi, ond mae lladd gelyn yn wahanol. Mi gewch chi fedal am beth felly.' Does dim plygu fel'na i fod ar gyfraith Duw, Ifan! Allwn ni ddim cyfaddawdu ar y Gorchymynion, jest am fod hynny'n ein siwtio ni! 'Na ladd' ydi 'Na ladd'! Ac mae 'Na ddwg gam-dystiolaeth' yn golygu nad oes byth gyfiawnhad dros ddeud celwydd chwaith, waeth pwy sy'n ei ddeud o, na phryd. Nid rhwbath wedi'i sgwennu ar bapur diwerth ydi Cyfraith Moses ond canllawiau dwyfol i'w serio ar galon pob Cristion. Unwaith y dechreuwn ni gyfiawnhau torri deddfau Duw, dyna pryd y byddwn ni'n cefnu ar warineb ac ar foesoldeb. Cofia di hynny hefyd, Ifan!*

Oedd, roedd o wedi cofio. A'r cofio hwnnw oedd yn gyfrifol am y picil roedd o ynddo fo heddiw. Fwy nag unwaith, fe geisiodd egluro'i safbwynt i Mair ond wfftio oedd ei hunig ymateb hi bob tro, a lled-awgrymu mai llwfrdra oedd tu ôl i'w holl ddadleuon.

'Wyddoch chi, Mustyr Morgan, ei bod hi wedi mynd allan heddiw heb ddeud yr un gair wrtha i, y naill ffordd na'r llall.'

Am na wyddai'r gweinidog sut i ymateb, y cwbwl a wnaeth oedd twt-twtian yn ddistaw i awgrymu cydymdeimlad. 'A! Dacw gastall Conwy!' medda fo, a chodi at ffenast y carej-trên rhag gorfod deud dim a allai ddod rhwng gŵr a gwraig.

*   *   *

'*Tell us, Mr . . . ym . . .*' Taflodd y cadeirydd lygad trahaus i lawr ar y ffurflen. '*Mr Hughes . . . Mr Evan Hughes . . . In view of your country's grave circumstance at this very moment in time, with the enemy virtually knocking at your door, on what grounds are you objecting to your call-up to military duty? Are you an absolutist, an alternativist or are you simply applying to be non-combatant? Or maybe it's just plain cowardice on your part?*'

Teimlodd Ifan Lòrd Bach ei waed yn codi i'w ben. Roedd agwedd y gŵr – a oedd, wedi'r cyfan, yn farnwr llys wrth alwedigaeth, er nad yn gweithredu yn y rôl honno heddiw – yn ei gynddeiriogi, ond doedd dim i'w ennill trwy ddangos hynny iddo. Nac i ddau aelod arall y panel, o ran hynny. Cadw pen oedd yn bwysig.

Wedi cyfarth ar Ifan i mewn i'r stafell a gorchymyn iddo sefyll o'u blaen, roedd y cadeirydd – gŵr â thrwyn go fawr yn taflu cysgod dros fwstásh main – wedi cyflwyno'i gyd-aeloda ar y Panel ond, oherwydd ei gynnwrf mewnol, nid oedd Ifan wedi gallu canolbwyntio rhyw lawer a'r unig beth a gofiai oedd mai *Justice*-rhwbath-neu'i-gilydd oedd y cadeirydd ei hun, mai Williams oedd cyfenw un arall, a'i fod yn swyddog Undeb y Chwarelwyr yn Dinorwig, ac mai ficer Eglwys Loegr oedd y trydydd.

'This Tribunal must decide, this afternoon, whether your objection, Evan Hughes, is based on conscience or on mere cowardice . . .'

'Fe wnes i gais am gael cyflwyno fy achos yn Gymraeg,' medda fo'n wylaidd.

Llwyddodd hynny i fynd â rhywfaint o wynt o hwyliau'r cadeirydd. *'Hm! Yes, I had noticed,'* medda fo, a'i dôn yn awgrymu amharodrwydd i gydymffurfio. *'So let us get on with it.* Chdi . . . ym . . . *now* deud wrth *Tribunal Panel, nature of objection* chdi. Chdi yn beth? *Absolutist? Alternativist? Non-combatant? Or* beth?'

'Mae'n ddrwg gen i ond dydw i ddim yn dallt y cwestiwn. Wnewch chi egluro i mi, os gwelwch chi'n dda, be'n union mae'r geiria yna'n olygu?'

'Hm! Yes, you do it Williams!' meddai'r barnwr pigog gan droi at y gŵr a eisteddai ar y chwith iddo; dyn talach na'r cadeirydd a llymach ei olwg ac, oherwydd ei wefusa main, tueddai ei ddannedd i ddod i'r golwg yn amal, hyd yn oed pan nad oedd yn deud dim.

Suddodd calon Ifan yn ddyfnach fyth. *'Golwg hen gythral ar hwn, hefyd,'* meddyliodd.

'Absolutist, Mr Huws, ydi'r un sy'n gwrthwynebu gneud unrhyw waith sy'n gysylltiedig â'r rhyfel . . .'

A! Roedd y llais yn feddalach na'r disgwyl. A'r Gymraeg yn llifo'n naturiol oddi ar y dafod. Falla nad oedd y profiad yn mynd i fod cynddrwg, wedi'r cyfan!

'. . . Mae o'n gwrthod cymryd rhan o gwbwl yn yr . . . ym . . . *war effort*. Mae'r *alternativist*, ar y llaw arall, yn fodlon gneud gwaith cyn belled â bod y gwaith hwnnw ddim yn dod o dan reolaeth uniongyrchol unrhyw adran filitaraidd. Gwaith mewn ffatri, er enghraifft.'

'Ond mi allai fod yn waith sy'n cynhyrchu . . .?' Gadawodd Ifan ei gwestiwn yn benagored.

'Partiau ar gyfer gynnau, tanciau ac yn y blaen . . . neu ddillad, hwyrach, ar gyfer y milwyr . . . Wrth gwrs, mi allech gael eich anfon i weithio yn un o'r pyllau glo. Mae hwnnw'n waith allweddol iawn y dyddiau hyn. Neu i weithio ar y tir . . . helpu i gynhyrchu bwyd i'r milwyr ac i'r genedl. Hwnnw hefyd yn waith holl-bwysig.'

'A be oedd y trydydd dewis?'

'*Non-combatant*. Mae 'na rai sy'n fodlon ymuno â'r fyddin cyn belled â bod dim disgwyl iddyn nhw ymwneud o gwbwl ag arfau. *Medical orderlies* . . . *stretcher bearers* . . . *cooks* . . . Y math yna o beth.'

Edrychodd y dyn yn ôl rŵan ar y cadeirydd, i ddangos ei fod wedi gneud ei waith egluro a nodiodd hwnnw ei ben y mymryn lleia i gydnabod ei ddiolch, cyn troi i edrych ar y gŵr eglwysig ar y dde iddo. *'Vicar? Would you like to question the applicant?'*

'I don't think so, Judge, at least not until he has explained his convictions.'

'*So, Evan Hughes! Perhaps you'd be good enough to explain to the Tribunal where you stand in the scheme of things.* Beth ydi . . . ym . . .' Trodd i'w chwith eto am gymorth.

'Daliadau.'

'*Thank you, Mr Williams!*' Yna, yr un mor wawdlyd â chynt wrth y gŵr ifanc gyferbyn: 'Chdi deud daliadau chdi wrth Panel.'

Os oedd gan Ifan ei amheuon cyn hyn, diflannodd pob un ohonyn nhw rŵan wrth i ryw nerth a phenderfyniad lifo trwy'i wythienna, yn union fel petai ei fam yn siarad trwyddo.

'Mi ddeuda i wrthach chi lle dwi'n sefyll,' medda fo, gan adael i'w lygaid dreiddio i fyw llygaid pob un ohonyn nhw yn ei dro, ond oedi mymryn yn hirach efo'r ficer. 'Am fy mod i'n Gristion, mae rhyfel yn rhywbeth gwrthun iawn yn fy ngolwg, a hynny oherwydd bod y chweched Gorchymyn yn gwahardd imi ladd fy nghyd-ddyn . . . Dwi *yn* iawn, ydw i ficar, yn deud mai'r *chweched* Gorchymyn ydi o?' Arhosodd nes i hwnnw nodio'i ben yn swta a gyda pheth euogrwydd. 'Ac mae fy ngweinidog, y Parchedig T. L. Morgan, yma efo fi heddiw i roi tystiolaeth ar fy rhan, os dymunwch hynny.'

Rhaid bod y cadeirydd wedi amau bod Ifan yn ceisio'u rhwydo nhw. Roedd wedi gweld eraill yn chwarae'r un tric cyn heddiw. '*Your convictions, man! Tell us what your convictions are. What are you? Absolutist?. . . Alternativist? . . . What?*'

'Os edrychwch chi ar fy ffurflen, Mustyr Cadeirydd, yna mi welwch fy mod i wedi ceisio crynhoi fy naliada ar honno.' Tynnodd damaid bychan o bapur o'i boced. 'Dyma sgrifennais i arni: *Yr wyf yn wrthwynebydd*

cydwybodol i ryfel am na allaf gymeryd rhan, oherwydd fy
naliadau Cristnogol, mewn unrhyw weithgaredd a fyddo
dan reolaeth milwrol. Serch hynny, yr wyf yn barod i
wneuthur gwaith cynhyrchiol o bwysigrwydd cenedlaethol
cyn belled â bod hwnnw o dan reolaeth anfilwrol.'

'Hm!'

Beth bynnag am y ddau arall, fe wyddai Ifan fod
angen tipyn mwy o berswâd ar y barnwr o gadeirydd.

'Dwi'n sylweddoli fy mod i'n siarad efo pobol sy'n
dipyn hŷn na fi ac sydd, felly, wedi gweld mwy ar
fywyd na fi . . .' Oedodd eto i roi cyfle i ddau o'r tri
nodio pen yn ddoeth. '. . . ac mae'n siŵr eich bod chi,
felly, wedi gorfod diodda erchylltera'r ffosydd yn
Ffrainc yn y Rhyfal Mawr . . .'

Wrth ddeud y geiria, fe chwiliai am ymateb yn
llygaid y tri a gwelodd yr hyn y gobeithiai amdano, sef
yr eiliad o euogrwydd yn llygaid y cadeirydd. Er ei holl
ymarweddiad o bwysigrwydd ac awdurdod, doedd
hwnnw ddim wedi gweld unrhyw *active service*.

'. . . Ac fel *padre* mae'n siŵr eich bod chitha hefyd,
ficar, wedi gweld petha dychrynllyd iawn ar y *Front*
Line . . .'

Yr un anniddigrwydd, yr un euogrwydd, i'w weld
eto!

'. . . ar y Somme, hwyrach, pan laddwyd ugain
mil o'n milwyr ni mewn un diwrnod? . . . Mametz
Wood? . . .'

Roedd yn gneud ei orau i gofio'r brwydrau a
glywsai'n cael eu henwi gan y dynion yn y Caban
slawer dydd.

'. . . Passchendaele, lle lladdwyd pedwar can mil . . .
Pedwar can mil o'n milwyr *ni* yn unig, gyfeillion! Heb
sôn am golledion y gelyn!'

'Soldiers are killed in every war. They are there to kill or be killed.'

'Which is exactly what I object to, Mr Chairman . . . sef y lladd!'

'Hm! Tell me, Hughes. Have you read Lloyd George's War Memoirs?'

'Ddim i gyd, naddo.'

'Ah!'

'Hannar ffordd trwy'r ail gyfrol ydw i ar hyn o bryd.'

'Oh!' Roedd yn amlwg oddi wrth wyneb y barnwr bod ateb Ifan yn annisgwyl ganddo ond aeth ymlaen, serch hynny. *'Anyway, listen to what Lloyd George has to say on the matter . . .'* Trodd at ddyfyniad oedd yn hwylus wrth law ganddo. *'"No amount of circumspection can prevent war leading to the death of multitudes of brave men." And those, Evan Hughes, were the words of a highly-respected prime minister whose contribution to winning the First World War was incalculable.'*

'Dwi'n credu y ffeindiwch chi hefyd, Mustyr Cadeirydd, fod Mustyr Lloyd George wedi deud peth fel hyn: *"Ni fu erioed yr un rhyfel da, na'r un heddwch gwael."* Ac, i mi, ffordd arall oedd honno o ddeud bod pob rhyfal yn ddrwg . . . Sut bynnag, er na fu raid i mi – diolch i Dduw! – wynebu'r profiada erchyll a gawsoch chi, hwyrach, yn y rhyfal dwytha, eto i gyd dwi wedi clywad rhai eraill yn disgrifio'r erchylltera hynny, a mae a wnelo'u profiada nhw â'r ffaith fy mod i yma, heddiw, yn sefyll o'ch blaen chi. Gadewch i mi roi enghraifft o un ohonynt – bachgen ifanc deunaw oed, yn ei wythnos gyntaf yn Ffrainc, yn dal y cryd ac yn methu stopio crynu yn yr oerni a'r gwlybaniaeth. A'r bora hwnnw fe ddaeth gorchymyn iddyn nhw fynd

204

dros y top, ond oherwydd ei salwch fedrai'r cradur bach ddim symud o'i gornel wlyb yn y *trench*. A'r offisar yn meddwl mai crynu mewn ofn roedd o. O fewn dim, roedd y truan wedi cael ei lusgo gerbron Treibiwnal . . . Y . . . ym . . . *Mae*'n ddrwg gen i! *Court martial* o'n i'n feddwl, wrth gwrs! – ar gyhuddiad o fod yn llwfr, a chyn nos, fe'i llusgwyd o wedyn gerbron *firing squad*! *"Fel esiampl i bob llwfrgi arall!"* medden nhw. Deunaw oed! Doedd o ddim hyd yn oed wedi *gweld* y gelyn!'

Fe wyddai Ifan, oddi wrth eu llygaid aflonydd, fod yr ergyd wedi cyrraedd adre.

'. . . Fe aeth brawd i minna hefyd i Ffrainc, efo'r Royal Welch Fusiliers, a phobol y dre 'cw'n deud mor lwcus oedd o, ei fod wedi cael dod adra'n fyw. Ond matar o farn oedd hynny, gyfeillion, oherwydd fuodd fy mrawd i byth yr un fath wedyn. Wyddoch chi pam?' Arhosodd nes sicrhau sylw llawn pob un o'r tri. 'Am ei fod o wedi lladd cyd-ddyn, roedd o'n meddwl yn siŵr ei fod o wedi gwerthu'i enaid i'r Diafol!'

'*Nonsense*!' mwmblodd y barnwr o dan ei wynt ond fe glywodd Ifan y gair.

'Nonsens i chi falla, syr, ond fu'n teulu ni byth yr un fath wedyn. Fe fethodd fy mrawd â byw efo'i gydwybod ac fe fethodd Mam a Nhad â byw heb fy mrawd. Roeddwn i'n amddifad cyn bod yn ugain oed.'

Caed tawelwch digon hir wedyn i'r cadeirydd adfeddiannu'i hun. '*That's all very well, Hughes, but what would you do if Hitler and his Nazis came knocking at your door? Where would you stand then?*'

'Yn yr union le dwi'n sefyll rŵan, Mustyr Cadeirydd! Pe bawn i'n lladd un ohonyn nhw . . . Adolf Hitler ei hun, hyd yn oed! . . . faswn i'n ddim gwell na nhwtha wedyn. Faswn i?'

'But what if they threatened to kill your family . . . to rape your wife and daughters?'

'Does gen i ddim plant, syr, ond dwi'n derbyn eich pwynt. Fedrwn i neud dim, wrth gwrs, ond ceisio ymresymu efo nhw, a dangos iddyn nhw eu bod nhw'n cyfeiliorni.'

Chwarddodd y cadeirydd a'r ficer yn uchel wrth glywed ateb mor wrthun, ond dal i edrych draw a wnâi trydydd aelod y Tribiwnlys.

'So, we are to rubber-stamp your conscientious objection on that basis? From what you have submitted this afternoon we must assume that you are an alternativist.'

Pan glywodd y geiria hynny, fe wyddai Ifan Lòrd Bach ei fod wedi ennill y dydd, a hynny hyd yn oed cyn galw ar y Parch. T. L. Morgan i roi geirda i'w gymeriad. Ond roedd ganddo un pwynt arall hefyd i'w neud cyn gadael y stafell:

'Cyn i chi ddod i benderfyniad ynglŷn â fi, gyfeillion, ga i ofyn un cwestiwn i'r tri ohonoch chi, a falla y bydd eich atebion yn egluro fy safbwynt i yn gliriach, wedyn.' Arhosodd eto nes cael sylw llawn pob un ohonyn nhw. 'Yn gynta oll, ydw i'n iawn i gredu eich bod chi Mustyr Cadeirydd, a chitha Mustyr Williams, yn derbyn y ffydd Gristnogol, fel y ddau arall ohonom?' Gwyrodd ei ben i gyfeiriad y ficer i awgrymu bod hwnnw eisoes yn ddiogel yn y gorlan.

'Of course we're Christians, Hughes! What else would we be, for God's sake?'

'Mae'n dda gen i glywad. Dyma a garwn i ei ofyn ichi, felly, fel Cristnogion: Pe bai Iesu Grist yn fyw heddiw, ydach chi'n meddwl y bydda *Fo* yn barod i wisgo dillad *khaki* a chario gwn?'

Adre'n ôl

Roedd wedi ffarwelio â'i weinidog y tu allan i Dŷ Capel
Caersalem ac yn llusgo'i draed euog rŵan heibio'r tro
o'r Stryd Fawr i fyny am Lòrdstryd. Ar y gornel
gyferbyn, safai'r Coparét, yn dywyll a gwag, ac Andrew
Thomas y rheolwr wrthi'n cloi'r drws dros y Sul.
Disgwyliai Ifan weld hwnnw'n codi'i law i'w gyfarch
ond wnaeth o ddim, dim ond tynnu'i het yn is dros ei
dalcen rhag i'r gwynt gael gafael arni, a chychwyn
croesi'r Stryd Fawr wedyn, am adre.

Fe gawsai Ifan ambell brofiad tebyg ar ei ffordd o'r
stesion. Gwyneba cyfarwydd yn croesi'r stryd cyn
iddo'u cyrraedd. Eraill yn or-glên eu cyfarchiad i T.L. ac
yn ei anwybyddu ynta. A dyma Andrew Thomas y Co-
op hefyd, rŵan, yn dewis dangos ei ochor! Teimlodd ei
hun yn boddi o dan don o unigrwydd.

'O! Ifan Huws!'

Trodd, i weld bod rheolwr y Coparét wedi oedi ar
ganol cam ac ar ganol stryd.

'. . . Rhaid ichi fadda imi!' medda fo efo gwên
ymddiheurol. 'Roedd fy meddwl i 'mhell yn rwla!
Blindar diwadd wythnos, am wn i! Sut 'dach chi'n
cadw?'

'Yn rhyfeddol, Mustyr Thomas, diolch ichi am
ofyn.' A dyna oedd yn wir, oherwydd fe deimlai'n well
yn barod. 'Mwynhewch eich Sul!'

'Diolch. A chitha hefyd, Ifan Huws!'

Gwenodd, rŵan, wrth droi i wynebu'r cryndod
arferol o blant oedd yn llenwi Lòrdstryd o'i flaen, a
theimlodd ei gam yn sgafnu wrth gychwyn i fyny tuag
atynt.

Ar y dde iddo, safai siop John Defis Barbar, yn llawn

at y drws, a chydig ddrysa'n uwch, siop Bob Jones Crydd, honno hefyd yn gyrchfan boblogaidd ar finnosau, yn enwedig min-nos Sadwrn fel hwn. Drws nesa i'r crydd, Capel Seion y Bedyddwyr, adeilad mwyaf urddasol y stryd o ddigon, a gyferbyn â hwnnw, Llaethdy'r Glyn, a chloncian cania a thincial hapus poteli gwag yn dianc oddi yno i ganol sŵn chwerthin y plant.

Ymhen dim, roedd yn gorfod gwau ei ffordd trwy'r dorf ifanc, lle'r oedd sawl pâr o hogia'n chwarae concyrs, a chriw o'r genod hŷn yn ffraeo'n swnllyd ymysg ei gilydd mewn acenion diarth. Diolchodd nad oedd Wendy a Louise yn eu mysg.

Roedd iaith Lerpwl ar strydoedd Blaendyffryn yn dal i daro'n chwithig ar glustia Ifan. Chwithig hefyd oedd edrych ar gynifer o wyneba diarth. Wyneba cletach, mwy beiddgar na rhai'r Cymry yn ei dyb ef.

A barnu oddi wrth y gweiddi oedd yn dod o ben ucha'r stryd, a'r sŵn tùn yn cael ei gicio, roedd gêm wahanol yn mynd ymlaen yn fan'no.

Roedd dwy siop arall, hanner ffordd i fyny ar y chwith. Siopa bach oedd y rhain, lle'r oedd y perchnogion wedi troi eu parlyrau ffrynt yn *llathan o gowntar*. Siop tsips oedd y gynta ohonyn nhw, a deuai'r ogla ffrio i lenwi ei ffroena rŵan ac i'w atgoffa am y gwegni yn ei gylla. Siop fach Musus Parry oedd y llall, yn gwerthu amrywiaeth fechan o fwydydd, ychydig finciag ac inja-ròc, baco a chatiau clai. Wedi ei hoelio i'r wal rhwng y drws a'r ffenest roedd plât tùn, tua llathen sgwâr, yn hysbysebu BROOKE BOND TEA mewn llythrenna duon ar gefndir oren llachar. BACO'R BRYNIAU YW'R BACO GORAU meddai hysbyseb arall yng ngwydyr y ffenest . . .

Ond nid ar yr hysbysebion yr edrychai Ifan. Yn hytrach, roedd ei lygaid ar un o'r tai gyferbyn, lle safai Annie Twm ar stepan ei drws yn sgwrsio'n straegar efo dwy o'i ffrindia. Gallai ddeud eu bod nhw wedi sylwi arno'n dod oherwydd, mwya sydyn, roedden nhw wedi dechra siarad trwy'u dannedd a chil-edrych arno'n llechwraidd. Fe wyddai pam, wrth gwrs, fel y gwyddai hefyd beth oedd testun eu sgwrs, oherwydd roedd y stori wedi hen fynd ar led bod Ifan Lòrd Bach wedi cael ei weld yn yr *Employment Exchange*, bythefnos yn ôl, yn cofrestru wrth ddesg y *Conscientious Objectors*; ef oedd yr unig un, tra bod cryn ddwsin o rai iau na fo yn disgwyl eu tro wrth y ddesg enlistio, lai na dwylath i ffwrdd.

'Os ydach chi isio rhoi'ch enw ar y *Register of Conscientious Objectors* yna mae'n rhaid i chi lenwi'r *form* yma . . .'

Oedd raid i'r hulpan wirion, tu ôl i'r ddesg, weiddi cymaint?

'. . . a'i gyrru hi wedyn i'r *Divisional Controller, Ministry of Labour and National Service, Wales Divisional Office, National Service and Military Recruiting Section, 42 The Parade, Cardiff.* Mae'r *address* yma i chi, ar y *form*.'

Cofiodd eto deimlo'n ddig tuag at y ferch am neud y fath sioe o'r peth. Cofiodd hefyd y gwarth wrth deimlo llygada'r lleill yn llosgi ar ei war a'r sŵn mwmblan cyhuddgar yn dod oddi wrth rai ohonyn nhw. Ac i neud petha'n waeth, roedden nhw i gyd yn wyneba cyfarwydd ac ambell ffrind, hefyd, yn eu mysg. Ond chafodd ysbryd cyfeillgarwch mo'i ddangos tuag ato'r diwrnod hwnnw, a gyda'r teimlad o fod wedi torri'i hun i ffwrdd oddi wrth weddill y byd y cerddodd o allan o'r *Employment Exchange* gan ddifaru ei fyrbwylledd yn mynd yno o gwbwl. Wedi'r cyfan, doedd dim rheidrwydd arno i gofrestru mor gynnar â hynny. Y rhai ifanc oedd yn cael eu galw gynta i wasanaeth milwrol. Fe allai misoedd eto fod wedi mynd heibio cyn iddo fo gael yr alwad swyddogol. Ond, yng ngwres y funud, mynd wnaeth o. 'I daro'r haearn tra mae o'n boeth!'

Canlyniad y cofrestru hwnnw, bythefnos yn ôl, fu'r ymweliad â Bae Colwyn heddiw. Ond doedd Annie Twm, na'r ddwy arall a ddaliai i'w lygadu'n slei, ddim i wybod lle'r oedd o wedi bod, heddiw, wrth gwrs. Oni bai bod Mair wedi agor ei cheg, yna doedd neb arall, heblaw'r gweinidog a Musus Morgan, yn gwybod am y wŷs i ymddangos gerbron y tribiwnlys.

Sylwodd fod y tair yn gneud-ati i osgoi ei lygaid, fel 'tai o ddim yno o gwbwl. Ond chaen nhw mo'i anwybyddu, meddai wrtho'i hun. Pe bai'n gadael i hynny ddigwydd, yna buan yr âi i deimlo'n alltud yn ei gymdogaeth ei hun ac yng nghanol pobol roedd o wedi byw yn eu mysg erioed. Damia unwaith! Onid oedd dwy ohonyn nhw – Annie Twm a Ruth May – yn cyfoesi efo fo, ond eu bod nhw wedi mynd i'r Higher Grade yn hytrach na'r Cownti Sgŵl? Roedd y drydedd yn wyneb iau a llai cyfarwydd. Daliai hi fasged ar ei braich a chasglodd Ifan mai ar ei ffordd adra roedd hi, o fod yn siopa.

Fe wyddai pawb am Annie Twm yn y rhan yma o'r dre. *'Ceg fawr Lòrdstryd'* yn ôl y farn gyffredinol. Yn treulio mwy o'i hamser ar garreg ei drws, yn ei ffedog lân, nag yn ei chegin. Ruth May, wedyn, yn hollol wahanol – o ran pryd a gwedd, o leia! Tal a thena fel styllen, a mwy straegar na'r un wraig arall y gwyddai Ifan amdani. Hi, yn ôl pob sôn – a hawdd iawn oedd credu'r peth – oedd yn gneud y bwledi i Annie Twm eu tanio. 'A dyna mae hi'n neud y funud 'ma, mwy na thebyg!' medda fo wrtho'i hun, o weld bod Ruth May yn cadw'i chefn tuag ato. 'Meina'i choes, hira'i hoes!' meddyliodd wedyn, wrth sylwi ar deneuwch ei choesa. Os oedd coel ar yr hen air, yna mi fyddai Ruth May fyw am byth!

'Pnawn da ichi'ch tair!' medda fo'n uchel, yn benderfynol na chaen nhw mo'i anwybyddu. 'Peryg bod 'na chwythiad glaw ynddi.' Ac wrth i'r penna droi'n anfoddog i edrych arno, gwnaeth arwydd tuag at y cymyla tywyll uwchben.

'Pnawn da!' meddai un llais swrth yn ôl. 'Oes, debyg!' meddai Ruth May, yr un mor amharod i swnio'n glên. 'Hm!' oedd unig ymateb Annie Twm, heblaw gneud sioe o edrych i gyfeiriad arall.

Oni bai bod rhai o'r plant wedi rhedeg ato i'w gyfarch, byddai wedi gorfod gwrando ar y tair yn sibrwd yn ei gefn.

'Welsoch chi hi, Mustyr Huws? Welsoch chi hi?'

Roedd tri o'r hogia wedi rhoi'r gora i gicio tùn ac yn brysio'n gyffrous tuag ato. Y tri'n wyneba cyfarwydd i Ifan – mab Stan Cefna, hogyn Now Meic a hogyn Lewis Fawr.

'Gweld be, hogia?'

'Yr eroplên Jyrmans!' medda un.

''Dan ni wedi gweld eroplên Jyrmans!' gwaeddodd un arall.

'Eroplên Jyrmans!' meddai'r trydydd, a'i lygada ynta hefyd yn loyw ac yn fawr.

'Do wir, hogia? Lle welsoch chi hi?'

'Yn yr awyr!' meddai dau ohonyn nhw efo'i gilydd, a chwarddodd Ifan at eu diniweidrwydd.

'Tewch, da chi!'

'Ydach chi wedi gweld eroplên erioed, Mustyr Huws?'

'Dim ond un neu ddwy, hogia.' A dyna oedd yn wir!

'Ydach chi wedi gweld eroplên Jyrmans, ta?'

'Naddo, yn reit siŵr . . .'

Pe bai wedi moeli'i glustia byddai wedi clywed Annie Twm yn chwyrnu'n sbeitlyd 'Ac mi neith y cachgi diawl yn siŵr na welith o'r un byth!'

'Pwy ddeudodd mai eroplên Jyrmans oedd hi, hogia?'

''Dach chi isio gwbod sut 'dan ni'n gwbod?'

A chyn i Ifan Lòrd Bach gael deud 'Oes', roedd y bychan wedi ateb ei gwestiwn ei hun. 'Roedd 'na lun bwl-séi ar ei *wings* hi, er mwyn i'n peilots ni gael saethu ati hi.'

Gwenodd Ifan gyda pheth tristwch. 'A phwy ddeudodd beth felly wrthach chi?'

'Mickey Foster! Y faciwî sy'n byw efo ni. Mae o'n gwbod pob dim am eroplêns, medda *fo* . . . O fan'cw roedd hi'n dŵad.' A phwyntiodd mab Lewis Fawr tua'r de-orllewin, i gyfeiriad Harlech a thu hwnt.

'Ac mi aeth hi reit dros ein penna ni a mynd i mewn i'r cwmwl a mae hi wedi crashio i mewn i Moel Farlwyd.'

'Tewch, da chi! A phwy ddeudodd beth felly wrthach chi? Mickey Foster, mae'n siŵr?'

'Ia.'

Tynnodd Ifan ei law yn chwareus dros ben pob un ohonyn nhw yn ei dro a blerio'u gwalltia, yna aeth yn ei flaen am adre, ond heb fawr o galon, chwaith, i ddychwelyd i dŷ oeraidd ac i wynebu bustl ei wraig. Pe bai ganddyn nhw blant eu hunain, falla y byddai petha'n wahanol rhyngddyn nhw. A phwy ŵyr na

212

fyddai gan Mair fwy o gydymdeimlad â Wendy a Louise, y ddwy chwaer fach o Lerpwl oedd wedi dod atyn nhw i fyw yn ddiweddar.

Cofiodd eto'r math o siarad a fu rhwng Mair ac ynta bum mlynedd yn ôl, yn fuan wedi iddyn nhw briodi:

'Dydw i ddim isio plant ar hyn o bryd, Ifan. Dwi isio mwynhau rhywfaint ar fy mywyd tra mod i'n ifanc.'

'Ond dydw i'n mynd dim iau, Mair! Mi fydda i'n ddeg ar hugian o fewn deufis.'

Hi gafodd ei ffordd, wrth gwrs, ac roedd ynta wedi cael digon o amser ers hynny i bwyso a mesur ei briodas. Y gwir amdani oedd y dylsai fod wedi chwilio am wraig flynyddoedd cyn cwarfod Mair erioed. Wedi'r cyfan, fuodd o rioed yn brin o gariadon, ond dim un i wirioni amdani fel y gwirionodd am Mair Thomas, Bryn Teg.

*   *   *

'Hy! Dwi'n siŵr y basa Lewis Fawr yn flin 'tai o'n gwbod bod ei fab yn siarad efo'r conshi yna! Dda gen i mo'r uffar! Hen ddiawl ffroenuchal fuodd o rioed. Rêl teulu Lòrd Bach! Meddwl ei fod o'n well na phawb arall, jest am ei fod o wedi cael Cownti Sgŵl, a'i fod o'n flaenor yng nghapal Caersalem, ac yn gwisgo het ar y Sul yn hytrach na chap!'

Gwnaeth Ruth May sŵn clwcian yn ei gwddw i awgrymu'i bod hitha o'r un farn ag Annie Twm. 'A mae o'n ddirwestwr!' meddai hi, fel petai hynny hefyd yn gondemniad ar Ifan.

'Mi fasan ninna'n dwy wedi pasio sgolaship hefyd 'taen ni wedi cael yr un cyfla â fo . . . yn basan, Ruth?'

'Wel . . . basan, mae'n debyg.' Ond doedd sicrwydd Annie Twm ddim i'w glywed yn llais Ruth May.

213

'Dwi wedi'i gael o'n glên iawn, bob amsar, mae'n rhaid imi ddeud,' meddai'r ienga o'r tair, a sŵn ymddiheuro yn ei llais hi.

'Hy! Yn gleniach na'i wraig, falla! Mae honno'n rêl trwyn. Gofyn di i Ruth . . .'

Gan fod Ruth May eisoes yn nodio'i phen, doedd dim rhaid gofyn y cwestiwn.

'Gwraig fawr, os gwelist ti un erioed! A dydi ynta fawr gwell.'

'Wel tewch â deud! . . . Ei frawd o sydd yr un oed â fi. Mae o *yn* hogyn clyfar iawn. Mae o yn yr Iwnifyrsuti ym Mangor, wyddoch chi.'

'Brawd?' meddai Annie Twm yn goeglyd, cystal ag awgrymu nad oedd dim ynglŷn â theulu Lòrd Bach na wyddai hi amdano. 'Pwy? . . . Huw Lòrd Bach ti'n feddwl? Arglwydd mawr, Pegi! Dydi hwnnw ddim yn frawd iddo fo, siŵr Dduw! Hogyn Elsi, chwaer yr Ifan 'ma, ydi hwnnw.'

A barnu oddi wrth y syndod ar wyneb Pegi, roedd y wybodaeth yma hefyd yn newydd iddi. 'Pwy? Elsi gwraig Harri Teiliwr 'dach chi'n feddwl, Annie? Wel tewch â deud! Ro'n i'n gwbod bod gan rheini ddwy ferch ond wyddwn i ddim bod ganddyn nhw fab oedd yn hŷn.'

'Nid Harri Teiliwr pia fo, siŵr Dduw! Roedd yr Huw na gynni hi cyn priodi. Cael ei fagu efo'i nain wnâth o . . . Ti'm yn cofio Alis Lòrd Bach, wyt ti?' Ond cyn rhoi cyfle i Pegi ymateb, gostyngodd Annie Twm ei llais yn gyfrinachol a throi at Ruth May. 'Ti'n gwbod pwy *ydi*'i dad o, yn dwyt Ruth?'

'Dim syniad,' medda honno.

'Wel *dwi*'n gwbod!' meddai Annie Twm yn fuddugol-iaethus, ond heb osgo datgelu'r gyfrinach chwaith.

214

'Wel deud ta, wir Dduw!'

Gwenodd Annie Twm ei gwên-dwi'n-gwbod-pob-dim a phlethu ei breichia ar ei brestia helaeth. 'Rhyw ddeuddag oed o'n i ar y pryd ond dwi'n cofio'r helynt fel 'tai o ddoe ddwytha. Elsi Lòrd Bach, efo'i bol at ei thrwyn, yn cael ei thorri allan o'r seiat yng Nghapal Caersalam. Dwy ar bymthag oedd hi! A hogyn i frawd Guto Jenkins Bwtsiar oedd y tad, i ti gael gwbod, Ruth! Neu fo oedd yn cael y bai, beth bynnag. Ond synnwn i ddim, cofia, nad oedd 'na rai eraill hefyd yn cael eu henwi. Sut bynnag, fe aeth Emlyn Jenkins – dyna oedd ei enw fo – o'ma i weithio cyn i'r babi gael ei eni. Gweld ei hun yn cael bai ar gam, mae'n siŵr. Pwy welai fai arno fo'n de? . . . Ond dyna fo! Rhyw griw pethma ydi teulu Lòrd Bach wedi bod erioed, Pegi. Y fam yn rilijys mêniac, y brawd hyna'n hurt bost, yn cael ei hel adra o'r armi ac yn crogi'i hun yng Nghoed Cwm, ac Elsi wedyn yn rhy barod i ledu'i choesa i bob dyn welai hi. Ac i feddwl bod y conshi acw . . .' Nodiodd i gyfeiriad Ifan fel roedd hwnnw'n pellhau. '. . . yn ei lordio-hi rŵan o gwmpas y lle 'ma!'

'Ia'n de!' meddai Ruth May.

Aeth Annie Twm yn ei blaen, 'Wyddoch chi be, genod? Welis i rioed ddynas mor galad â'i fam o. Naddo, wir Dduw! Wyddoch chi na chollodd hi'r un deigryn yng nghnebrwn ei mab ei hun?'

'Ia'n de,' meddai Ruth May eto, gan glwcian ei thafod yn feirniadol yr un pryd.

'Dach chi'n fy synnu i!' meddai Pegi, yn teimlo'i bod hi wedi cael gwedd newydd ar betha.

*   *   *

215

Fel y daeth i olwg ei gartre yn Stryd Lòrd Bach, roedd meddwl Ifan yn dal efo'i wraig. Cofio'r tro cynta iddo'i chwarfod hi rioed. Cofio cerdded i mewn i fanc y National Provincial a synnu gweld hogan ddiarth tu ôl i'r cownter. Cofio'r dannedd gwynion a'r llygaid glas disglair wrth iddi wenu. Cofio'r gwallt golau graenus yn *waves* i gyd. Cofio gneud esgus i alw yno wedyn, yn fuan, a sylwi bod ei gwên yn fwy pryfoclyd o lawer y tro yma. Magu hyfdra, wedyn, i'w holi hi a chael clywed mai merch ffarm o ochra Llanrwst oedd hi a'i bod hi'n lojio efo Hughes Siop Maypole a'i wraig. Yna, ar y pnawn Sadwrn canlynol, digwydd taro arni ar y Stryd Fawr a magu plwc i ofyn iddi hi fynd i'r picjiwrs efo fo'r noson honno, i weld Charlie Chaplin yn yr Empire. Hitha'n cytuno – er bod cymaint ag wyth mlynedd o wahaniaeth oed rhyngddyn nhw.

O edrych yn ôl, ac o nabod Mair yn well erbyn hyn, fe wyddai Ifan pam bod petha wedi dod mor rhwydd iddo ar y pryd. Yn un peth, roedd y ffaith bod ganddo gar wedi creu argraff arni. Ond yn bwysicach fyth, fe wyddai hi hefyd fod ganddo gyfrif banc, a be oedd gwerth y cyfrif hwnnw.

Bu cofio petha felly rŵan yn ddigon i yrru ei feddwl yn ôl i'r sgwrs drist honno efo'i fam, yn fuan wedi i'w dad farw. Cofio cael ei syfrdanu pan ddatgelodd hi faint o arian oedd yn ei henw hi yn y banc, a be oedd tarddiad yr holl gyfoeth hwnnw –

'Wedi i mi gau fy llygad, Ifan, dwi am i Elsi gael hannar canpunt ac i'r gweddill gael ei rannu rhyngot ti a Huw Bach, pan ddaw hwnnw i oed. Dwi wedi gneud y trefniada efo William Robas Twrna, i ti gael dallt. Ac mae'r tai, hefyd, i gael eu rhannu rhyngot ti a Huw. Dau bob un ichi. Dwi'n cymryd mai dal i fyw yma wnei di, ar ôl i mi fynd. A gan*

mai chdi fydd pia tŷ Nhad, drws nesa, yna chdi geith y rhent
ar hwnnw. Mi geith y rhent ar dŷ'r Eos fynd yn syth i'r banc,
yn enw Huw Bach, fel y bydd mwy na digon o bres wedi hel
yn fan'no i'w yrru fo i'r iwnifyrsuti, pan ddaw hi'n amsar i
hynny, ond dydw i ddim yn codi rhent o gwbwl ar Gaenor
Parry, iti gael dallt, dim ond gofyn iddi dalu'r dreth bob
blwyddyn. Dwi am iti addo hyn imi, Ifan – y byddi di'n
gofalu am Huw, wedi i mi fynd, ac y byddi di'n gneud yn
siŵr ei fod o'n mynd i'r iwnifyrsuti pan ddaw o i oed.'

'Ond be am Elsi, Mam? Ydi o'n deg bod Huw a finna'n
cael cymaint mwy na hi?'

'Mae'n iawn i Huw gael y rhan fwya o'i siâr hi. Ti'm yn
meddwl? Sut bynnag, Harri ac Elsi geith bob dim ar ôl i
Elsyn Teiliwr gau'i lygaid. Mi fydd ganddi ei chartra'i hun
wedyn. A gan fod rhywun neu'i gilydd bob amser isio
dillad, yna fydd Harri na hitha byth yn brin o geiniog neu
ddwy, fyddan nhw? Welist ti deiliwr, erioed, yn gorfod mynd
ar y plwy?'

'Ond pam sôn am betha fel hyn wrtha i rŵan, Mam? Mi
ddylech chi wario rhywfaint o'r arian arnoch chi'ch hun.
Mae gynnoch chi flynyddoedd eto o'ch blaen.'

Ysgwyd pen a throi draw i guddio deigryn a wnaeth
hi pan ddeudodd o hynny, a mwmblan gyda sicrwydd
'Mwy sydd eisoes wedi'i dreulio . . .' Yna dychwelodd y
taerineb i'w llais: 'Gaddo i mi, Ifan, y byddi di'n edrych ar
ôl Huw Bach.'

'Onid i Elsi y dylech chi fod yn gofyn hynny, Mam? Hi
ydi'i fam o, wedi'r cyfan.'

'Ond nid Harri Teiliwr mo'r tad! Mi gaiff hwnnw blant
ei hun, mae'n siŵr, a rheini ddaw gynta efo fo, bob gafal.
Felly, fydd 'na'm llawar o groeso i Huw Bach ar ei aelwyd o.
Dyna pam dwi isio i ti addo i mi rŵan y byddi di'n gofalu
am dy frawd.'

Ia, *brawd* ddeudodd hi ac roedd ynta wedi cytuno i'w chais heb sylweddoli mor fuan y byddai disgwyl iddo gadw at ei air. Ddeng mis yn ddiweddarach, pan fu ei fam farw, fe'i cafodd Ifan ei hun mewn cyfyng-gyngor dybryd. Huw Bach yn chwech oed, ac ynta, Ifan, ond yn ugain oed ei hun ac yn gorfod cychwyn yn gynnar am ei waith yn y chwaral bob dydd.

Gaenor Parry, mam Gwil Goch – bendith ar ei phen hi – a ddaeth i'r adwy bryd hynny, trwy gynnig gofalu am Huw yn ystod oria'r dydd; ei godi a'i fwydo yn y bore, i'w gychwyn i'r ysgol, a chadw llygad arno wedyn, ddiwedd y pnawn, tan ganiad corn y chwarel am bump o'r gloch. *'Mae'n ffordd imi dalu'n ôl ichi fel teulu, Ifan. Mi fuodd dy fam yn garedig iawn wrtha i, ar hyd y blynyddoedd, yn gwrthod derbyn yr un geiniog o rent ar y tŷ, yn un peth . . . fel titha, ar ei hôl hi.'*

Oedd, roedd o wedi derbyn cynnig Gaenor efo breichia agored, ond ar yr amod ei bod hi'n derbyn coron yr wythnos am ei thrafferth; swm eitha anrhydeddus i weddw oedd yn gorfod byw ar bensiwn-rhyfel pitw ac ar y mymryn cyfraniad a gâi hi gan Gwil at ei gadw. Y siom fwya i Ifan ar y pryd oedd bod Elsi, ei chwaer, wedi dangos cyn lleied o ddiddordeb yn y trefniada.

Daeth sŵn lleisia â fo allan o'i fyfyrdod.

'Waeth ichi heb â rhy . . . rhefru, Mam! Mae py . . . pob peth wedi'i neud a dwi wedi sy . . . seinio.'

Gwelodd Ifan fod Gwil Goch hanner y ffordd i lawr llwybyr gardd Nymbyr Ffôr a Gaenor ei fam yn nrws y tŷ yn gorfod codi'i llais i gynnal rhyw fath o sgwrs efo fo.

'Ond be mae Olwen a'r plant yn ddeud?'

'My . . . matar i mi ac Olwen ydi hynny.'

'Deud wrtha i am feindio fy musnas wyt ti, debyg?'

Erbyn rŵan, roedd Gwil wedi cyrraedd y giât yng ngwaelod yr ardd. 'Dwi wedi sy . . . seinio, Mam, felly waeth i chi un gy . . . gy . . . gair mwy na chy . . . chant, ddim. Mi ddy . . . ddo i i'ch gweld chi eto cyn my . . . my . . . mynd.' A throdd i'w gadael.

Dyna pryd y sylwodd ar Ifan yn oedi wrth giât Nymbyr Wàn.

'Smai!' medda fo'n sychlyd o dan ei wynt, fel petai o'n cyfarch dieithryn, a cherdded heibio, i lawr i gyfeiriad Lòrdstryd a'r Stryd Fawr.

'Sut 'dach chi'n cadw, Gaenor Parry? Dwi'm 'di'ch gweld chi ers dyddia.'

Roedd y blynyddoedd wedi gadael eu hôl arni, meddyliodd Ifan. Wedi dwyn y cochni disglair o'i gwallt, yn un peth, a'i adael yn frith a di-raen. Ac roedd hi wedi lledu'n arw o gwmpas ei chanol a'i chlunia hefyd. Gwraig mewn oed, ddigon blêr yr olwg, a safai rŵan ar stepan drws Nymbyr Ffôr.

'Be wna i efo'r ffŵl gwirion 'na, Ifan?' Roedd hi'n gweiddi siarad, yn y gobaith bod ei mab yn dal o fewn clyw er ei fod o, erbyn rŵan, wedi hen ddiflannu heibio talcen tŷ ucha Lòrdstryd. 'Wedi seinio i fynd i'r môr, medda fo! I'r *Royal Navy*! Fedra i ddim credu'r peth!' Edrychodd draw yn freuddwydiol, gan ostwng ei llais, i siarad efo hi'i hun: 'I'r *navy* o bob man! . . . Fel tasa colli ei dad i'r môr yn y Rhyfal Mawr ddim wedi bod yn ddigon imi!' Yna, trodd i edrych ar Ifan unwaith eto a daeth sŵn mwy edliwgar, mwy dagreuol, i'w llais: 'Mae o'n gwbod o'r gora be mae'r Jyrmans yn gallu neud efo'u torpîdos gythral. Diawl erioed, Ifan! Mae un llong fawr wedi mynd i lawr yn barod, a phum cant o hogia ifanc fel Gwilym wedi mynd i lawr efo hi.'

Nodiodd Ifan ei ben yn ddwys, gan neud ei orau i anwybyddu'r rhegfeydd annisgwyl. Roedd ynta wedi clywed am dynged yr HMS *Courageous*. Fe wyddai hefyd, cystal â neb, mor galed fu bywyd i Gaenor Parry dros y blynyddoedd, ers iddi golli'i gŵr ar y môr. Roedd ei thlodi wedi bod yn weladwy iddo erioed – yn y gwahaniaeth rhwng cochni cyfoethog ei gwallt a gwelwedd afiach ei chroen; yn y blows a'r sgert a fu fel ail groen iddi am flynyddoedd, y blows a'r sgert a aethai'n 'rhy fach' i'w fam, os gellid rhoi coel ar honno. Ond doedd y tlodi unlle'n fwy amlwg nag yn nhrowsus ac esgidia tyllog Gwil ei mab, pan oedd hwnnw'n hogyn. Nid nad oedd plant y cyfnod i gyd yn gyfarwydd â dillad ac esgidia tyllog – doedd dim gwarth mewn peth felly – ond bod brethyn tin trowsus ambell un fel Gwil wedi gwisgo'n deneuach na'r rhelyw. Yn rhy dena hyd yn oed i wnio clwt arno. *'Gwell clwt na thwll'* oedd hoff enghraifft Annie Welsh yn y Cownti Sgŵl ers talwm, i brofi mai *'Plant doethineb yw hen ddiarhebion'*. Ond pe bai hi wedi gweld tin trowsus Gwil Goch, yna mi fyddai hi wedi gorfod meddwl am well enghraifft!

'Ond dyna fo! Rhaid i rywun fod yn barod i amddiffyn y wlad 'ma, decinî.'

A chyda hynny, fe droes Gaenor Parry a rhoi clep i'r drws o'i hôl, gan adael Ifan Lòrd Bach yn un talp sydyn o siom yn sŵn ei geiria edliwgar.

Oedodd yno'n hir, efo'i law ar glicied drom y giât, a gadael i'r hen gyfyng-gyngor lifo'n ôl. Cofio eto'i wewyr pan glywodd gyhoeddi ail ryfel yn erbyn yr Almaen, a hynny lai na blwyddyn wedi i Mr Chamberlain ddychwelyd o'i gyfarfod gyda Hitler a Mussolini gan addo *'Peace in our time'*. Hy! Roedd y dyn wedi bod naill ai'n ddall neu'n ffŵl i gymryd ei gamarwain fel y gwnaeth o. Ac eto i gyd, o fewn dim amser, roedd o'n galw ar y wlad i ymfyddino, ac yn dod â'r *Military Training Act* i rym. Yna, fis yn ôl, y cyhoeddiad tyngedfennol y bu pawb yn ei ofni, a gorfodaeth yn cael ei rhoi ar bob dyn rhwng deunaw a deugain oed i ymuno â'r lluoedd arfog.

Efo geiria chwerw Gaenor Parry yn dal i ferwino'i glust ac i ddyrnu yn ei ben, gwthiodd Ifan y giât yn agored a chychwyn i fyny llwybyr yr ardd.

Os gwn i lle gyrran nhw fi? meddyliodd. Roedd o wedi clywed y byddid yn anfon gwrthwynebwyr cydwybodol yn ddigon pell o gartra, fel eu bod hwytha hefyd, fel pob milwr, yn gorfod aberthu cysuron. A deud y gwir, mi fyddai'n well ganddo hynny na gorfod aros ym Mlaendyffryn i wrando ar wawd Annie Twm a'i thebyg. Ond gwyneb Mair ei wraig, nid un Annie Twm, oedd ar ei feddwl rŵan wrth iddo gamu i mewn i'r tŷ.

Roedd hi'n eistedd yn y gadair freichia o flaen y tân yn gwau cardigan *Fair Isle* iddi'i hun ac ni chododd ei phen i'w gyfarch.

'Ti wedi gneud tân, dwi'n gweld. Dydi hi ddim mor oer â hynny tu allan.'

'Edliw y glo imi wyt ti?'

'Nage, wrth gwrs!'

Roedd wedi sylwi hefyd bod bylb letrig y stafell yn olau ganddi ond brathodd dafod rhag edliw hwnnw'n ogystal. Daeth poster a welsai ar wal y stesion ym Mae Colwyn i'w feddwl – SAVE FUEL FOR BATTLE – SAVE COAL . . . SAVE GAS . . . SAVE ELECTRICITY . . . SAVE PARAFFIN.

'. . . Ond mi fydd raid i ni ddechra cynilo, yn hwyr neu'n hwyrach, Mair. Mae petha'n siŵr o fynd yn reit dynn ar bawb, po hiraf y bydd y rhyfal yn para.'

221

'Hy!' medda hi'n swta. 'Pe bai pob dyn yn gneud ei ran, mi fyddai'r rhyfal drosodd mewn dim.'

'A phwy sy'n edliw rŵan? Ond paid â phoeni, ngenath i! Mi wna i fy rhan fel pob dyn arall yn y rhyfal 'ma, ond yn fy ffordd i fy hun y bydd hynny. Sut bynnag,' medda fo, i geisio troi'r stori, 'be fuost ti'n neud efo chdi dy hun tra bûm i o'ma?'

'Ista'n tŷ! Be arall wnawn i? . . . Heblaw bod wrthi bob munud, wrth gwrs, yn torri brechdana i'r ddwy hogan 'na. Maen nhw wedi bod i mewn ac allan o'r tŷ drwy'r pnawn, yn gofyn am frechdan driog neu frechdan jam. Does 'na'm gwaelod i'w stumoga nhw, wir Dduw! . . . Sut bynnag, dwyt ti'm yn disgwyl i mi fynd allan i ganol pobol, wyt ti?'

'Mi est allan o mlaen i bora 'ma, beth bynnag. Ond dyna fo, does dim disgwyl iti neud meudwy ohonot dy hun.'

Gwelodd hi'n taro'i gweill o'r neilltu ac yn troi'n ddig i'w wynebu, ei llygaid yn tanio. 'I lawr i'r Coparét, dyna i gyd! A difaru mod i wedi mynd, i ti gael dallt!'

'O? Pam hynny?'

'Dydi nghroen i ddim mor dew â d'un di, Ifan! Fedra i ddim diodda clywad merchaid y lle 'ma'n siarad yn fy nghefn i, a dwi wedi blino cael eu weips nhw ar draws fy nhrwyn! Os nad ydyn nhw wrthi yn nrysa tai ei gilydd, yna fe'u clywi di nhw ar y Stryd neu yn y Coparét a llefydd felly, yn hel clecs am hwn a'r llall . . . ac amdanat ti yn fwy na neb, i ti gael dallt.'

Am iddo fynd trwodd i'r gegin gefn heb gynnig ateb, fe godod hi ei llais rŵan, yn fwy edliwgar byth.

'Pe bait ti heb werthu'r moto, fyddai dim rhaid i mi gerdded drwy'u canol nhw wedyn, na gwrando ar eu bustul nhw.'

Oedd, roedd hynny – y ffaith ei fod wedi gwerthu'r moto – yn dal yn ei chragen hi hefyd. Ond gan iddyn nhw gael y ddadl hon hyd syrffed yn barod, ni thrafferthodd Ifan i'w hateb hi y tro yma. Wedi'r cyfan, roedd hi'n gwybod o'r gora pam ei fod o wedi gwerthu'r moto. Fel pawb arall, fel welodd hitha bosteri'r Swyddfa Rhyfel, efo'r llun motocar a'r llythrenna rhybuddiol bras – LOOK OUT IN THE BLACKOUT – a'r rhestr gorchmynion ynglŷn â beth oedd raid ei neud a beth na cheid ei neud efo moto, rŵan ei bod hi'n rhyfel. Ac roedd busnes y *fuel rations* yn broblem ar ben hynny wedyn.

'*Mae'n beth gweddus inni gael motocar, Ifan. Rhaid iti gofio nad chwarelwr cyffredin wyt ti bellach!*'

Chwerthin wnaeth o pan ddeudodd hi hynny wrtho. '*Mair bach! Ti'n siarad fel 'tawn i'n fanijyr y chwaral! Pwt o Glarc Cerrig ydw i, wedi'r cyfan!*'

Wrth gofio'n ôl, rŵan, gwyddai mai peth call fu gwerthu'r car.

'Wyt ti'm am ofyn sut aeth petha efo fi heddiw?' holodd, mewn llais digon uchel iddi ei glywed o'r gegin fach.

Roedd ei mudandod yn deud y cyfan.

*   *   *

Fel yr eisteddai yno yn y tywyllwch, yn gwrando ar y cloc mawr yn taro deg a sŵn y gwynt yn codi yn y simdde, daeth geiria olaf Mair, cyn mynd i glwydo, i gorddi unwaith eto yn ei ben. '*Paid â meddwl am eiliad y bydda i'n dod i'r capal efo chdi bora fory, i dy weld di ista'n dalog yn y Sêt Fawr 'na, a finna'n gwbod o'r gora be mae pobol yn ddeud amdanat ti.*' Ond roedd pob math o leisia eraill hefyd wedi bod yn siarad efo fo yn ystod yr awr ddiwetha, tra bu'n cofnodi manylion y dydd yn ei ddyddiadur.

Llais ei fam, yn un. Ei chlywed hi ac ynta unwaith eto'n adrodd y Gwynfydau, ar eu ffordd i Bistyll y Graig, ers talwm. *Gwyn eu byd y rhai addfwyn, canys hwy a etifeddant y ddaear . . . Gwyn eu byd y tangnefeddwyr, canys hwy a elwir yn blant i Dduw . . . Gwyn eu byd y rhai a erlidir o achos cyfiawnder, canys eiddynt yw teyrnas nefoedd . . . Gwyn eich byd pan y'ch gwaradwyddant, ac y'ch erlidiant, ac y dywedant bob drygair yn eich erbyn er fy mwyn i, a hwy yn gelwyddog . . .* Oedd, roedd gwrando ar ei fam bob amser yn gysur iddo.

Edliw fel arall a wnâi llais ei dad, wedyn. *'Cofia di hyn, machgan i! Chafodd yr un broblem erioed ei datrys trwy droi cefn arni.'*

Cymysg oedd y lleisia eraill, ac yn gowdal yn ei ben. *'Mi fydd pobol yn eich edmygu chi, Ifan, am barchu'ch egwyddorion.'* . . . *'Dydi nghroen i ddim mor dew â d'un di, Ifan!'* . . . *'Your convictions, man! Tell us what your convictions are.'* . . . *'Yr wyf yn wrthwynebydd cydwybodol i ryfel am na allaf gymeryd rhan, oherwydd fy naliadau Cristnogol.'* . . . *'If the principles are conscientiously held, we desire that they should be respected, and that there should be no persecution.'* . . . *'Ni fu erioed yr un rhyfel da na'r un heddwch gwael.'* . . . *'Ond dyna fo! Rhaid i rywun amddiffyn y wlad 'ma, decinî.'* . . . *'Cachgi uffarn!'* Cyhuddiad pwy oedd hwnnw? Annie Twm, siŵr o fod! Annie Twm a gweddill pobol Blaendyffryn!

Gwthiodd Ifan ei hun i'w draed gerfydd breichia'r gadair galed; cadair ei dad slawer dydd. 'Gwell i minna fynd i glwydo, debyg,' medda fo wrtho'i hun. Roedd pob marworyn yn y grât yn lludw llwyd ers meitin. Mi fyddai Mair a'r ddwy Saesnes fach yn cysgu'n sownd ers meitin.

Capel Caersalem, drannoeth

> Efengyl tangnefedd, O rhed dros y byd,
> a deled y bobloedd i'th lewyrch i gyd . . .

Siomedig oedd y canu, meddai'r gweinidog wrtho'i hun, wrth syllu i lawr o'i bulpud ar ei gynulleidfa. Gwyddai fod y newyddion-ben-bore wedi rhoi dampar ar bob dim.

'Glywsoch chi?'

'Dach chi wedi clywad?'

'Cywilydd arnyn nhw'n de?'

'Y ffyliaid gwirion! . . . Meddwl am eu rhieni nhw ydw i.'

'Dwi'n beio'r petha Lerpwl 'ma. Fasa peth fel hyn byth wedi digwydd, fis yn ôl.'

Do, fe gaed digon o sŵn cytuno i'r sylw hwnnw hefyd, cofiodd rŵan. Ac nid heb reswm. Roedd dyfodiad y faciwîs yn eu cannoedd i'r dre, dair wythnos yn ôl, wedi creu tipyn o stŵr ac o anniddigrwydd, a hynny am sawl rheswm. Yn un peth, roedd mamau rhai wedi cyrraedd efo nhw, gan ddisgwyl cael eu cadw ar aelwydydd oedd eu hunain yn dlawd. Cŵyn arall, ar y pryd, oedd bod llawer o'r plant yn fudron, eu dillad yn chweinllyd a'u penna'n lleuog, a'u bod nhw'n cario heintia fel *impetigo* a *scabies*. *Diptheria* hyd yn oed! Ond roedd yr anniddigrwydd mwya'n codi o'r ffaith bod y mewnlifiad wedi gosod y fath straen ar adnodda oedd o dan bwysa mawr yn barod, yn enwedig yn yr ysgolion. Yn y rheini, roedd iaith ac awyrgylch pob iard chwarae wedi newid dros nos, a'r athrawon yn gorfod bod am eu

225

bywyda i gadw'r ddwy garfan rhag ffraeo a chwffio. O
fewn dyddia'n unig iddyn nhw gyrraedd y dre, roedd y
galw wedi dod o sawl cyfeiriad am sefydlu dosbarthiada
arbennig ar eu cyfer, mewn festrïoedd capeli – megis
festri Caersalem – neu unrhyw adeilad oedd yn hwylus,
rhag i betha fynd o ddrwg i waeth. Ac nid Blaendyffryn
oedd yr unig le i bryderu ac i gwyno, fel y gwyddai T. L.
Morgan yn iawn. Onid oedd y rhifyn diwetha o *Baner ac
Amserau Cymru* wedi cwyno bod y *'dilyw hwn . . . yn
bygwth nid yn unig addysg a diwylliant yng Nghymru ond
hefyd crefydd, moes, dirwest, iechyd a llywodraeth leol'*, heb
sôn am *'lanweithdra corff a phurdeb iaith'*.

> . . . na foed neb heb wybod am gariad y Groes,
> a brodyr i'w gilydd fo dynion pob oes . . .

*'Ac mae mwy ohonyn nhw eto i ddod, yn ôl pob sôn.
Gwaethygu neith petha, gewch chi weld!'*

Gallai ddeall eu pryderon nhw'n iawn, meddai
wrtho'i hun. Wedi'r cyfan, roedd ffordd o fyw Blaen-
dyffryn yn cael ei bygwth.

*'Be ddaw ohonyn nhw 'dach chi'n meddwl, Mustyr
Morgan? Yr hogia 'ma neithiwr, dwi'n feddwl.'*

Oedd, roedd y newyddion wedi bod yn syfrdanol, a
deud y lleia. Tri o lancia'r dre – un ohonyn nhw'n
aelod yng Nghaersalem! – wedi torri i mewn i siop John
Wilias *Grocer* yn hwyr y nos, a chael eu dal.

*'Dwyn sigaréts a thunia bwyd a phetha felly oeddan
nhw. Ond fe'u gwelwyd nhw gan Defis Plisman a dyna hi,
wedyn. "Caught red handed", chwedl y Sais.'*

*'Hogyn Harold Owen o bawb! Dwi'n siŵr bod Harold a'i
wraig bron â drysu, bora 'ma.'*

*'Mae o'n ddwy ar bymthag oed, ac yn ddigon hen i gael
ei yrru i'r Borstal.'*

'*Eitha peth, hefyd!*'

Ond doedd fawr o neb wedi amenio'r sylw olaf, diolch am hynny, meddyliodd y gweinidog rŵan.

> . . . fel na byddo mwyach na dial na phoen
> na chariad at ryfel, ond rhyfel yr Oen.

Yn ddigynnig iawn y cododd T. L. Morgan i draddodi ei bregeth, a'i lygaid wedi eu hoelio ar y sêt wag, lle'r arferai Harold Owen a'i deulu eistedd. Byddai disgwyl iddo ymweld â'r cartre i gynnig gair o gysur ac roedd hynny, ynddo'i hun, yn stwmp ar ei stumog. Roedd petha'n mynd i fod yn bur ddyrys ar y teulu bach o hyn allan, yn enwedig o gofio bod Harold Owen o fewn oed cael ei alw i'r fyddin ac na fydda fo gartre, pe bai hynny'n digwydd, i fod yn gefn i'w wraig a'i fab yn yr helynt oedd i ddod.

Syllodd yr hen weinidog i lawr i'r Sêt Fawr oddi tano, a'i lygaid yn rhybudd i'w flaenoriaid beidio disgwyl pregeth newydd bore 'ma, yn wyneb yr hyn oedd wedi digwydd. '*Na thrysorwch i chwi drysorau ar y ddaear, lle y mae gwyfyn a rhwd yn llygru, a lle y mae lladron yn cloddio trwodd ac yn lladrata.*' Dyna'r testun y bu'n paratoi arno ond byddai sôn am ladron a lladrata, heddiw o bob diwrnod, yn anniddigo pawb yn y gynulleidfa ac roedd peryg iddo ynta dagu ar ei eiria.

'Daw fy nhestun, bora 'ma, o'r ail adnod o'r seithfed bennod o'r Efengyl yn ôl Mathew – *A phaham yr wyt yn edrych ar y brycheuyn sydd yn llygad dy frawd, ac nad ydwyt yn ystyried y trawst sydd yn dy lygad dy hun?*'

'Rhaid ei fod o'n cofio cael y bregath yma o'r blaen,' meddai T.L. wrtho'i hun, o sylwi ar yr olwg hunanfodlon ar Ifan Huws yn ei gornel arferol o'r Sêt Fawr. Doedd o fawr feddwl mai'r hyn a welai ar wyneb ei

flaenor oedd cymysgedd o ryddhad ac euogrwydd;
euogrwydd oherwydd iddo weld mantais iddo'i hun yn
newyddion drwg y bore gan y byddai gan bobol destun
arall i fynd â'u sgwrs nhw, rŵan!

Tri llythyr

'Eironi'r peth!' meddai wrtho'i hun, gan wthio'r llythyr
yn ôl i'r amlen. 'Mam yn bodloni imi fynd i'r chwaral,
ers talwm, ar yr amod mod i ddim yn mynd o dan
ddaear i weithio, a rŵan, am i mi barchu'i daliada hi,
dyma fi'n cael fy ngyrru i weithio mewn pwll glo, o
bob man! Ac nid i unrhyw bwll glo, chwaith!

*On Monday morning, 16th October, you will report at the
pithead of the Gresford Colliery, Wrexham, North Wales,
where you will begin work in lieu of your term of National
Service. On arrival, you will be informed of your rate of pay
and lodging arrangements. Signed: R. Morris, Divisional
Controller, Ministry of Labour and National Service.*

Gresford, o bob man! Roedd yr enw, ynddo'i hun,
yn ddychryn, oherwydd doedd ond pum mlynedd ers y
ddamwain erchyll honno; ers y danchwa a gladdodd
dros ddau gant a hanner o ddynion yn fyw.

Wythnos i heddiw, felly. Am ryw reswm, roedd wedi
disgwyl cael ei anfon i weithio ar y tir neu mewn
coedwigaeth. Ond pwll glo! Argymhelliad y tribiwnlys,
siŵr o fod, oherwydd wrth adael y stafell ym Mae
Colwyn, roedd wedi clywed y cadeirydd pigog yn
cyfarth wrth y ddau arall, *'Quarrymen are miners, aren't
they? And the War Effort needs as many miners as it
can get – Don't you think? – even if they are . . .'* Doedd
o ddim wedi clywed y gair olaf oherwydd bod y
drws wedi cau o'i ôl, ond doedd dim isio llawer

o ddychymyg, serch hynny, i wybod be gafodd ei ddeud.

Roedd hefyd wedi disgwyl mwy o rybudd, mwy o amser i baratoi. Ond pa baratoi oedd raid? A pham ddylia fo ddisgwyl mwy o rybudd na'r hogia oedd yn cael eu galw i wasanaethu'n filwrol?

'Tyrd at dy fwyd!'

Ai tôn ddiamynedd ynte sŵn chwilfrydedd oedd yn llais Mair? Tipyn o'r ddau, siŵr o fod.

Roedd dwy amlen arall yn aros i gael eu hagor. Tri llythyr mewn un diwrnod! Anodd credu'r peth. Doedd fawr ryfedd bod Mair yn chwilfrydig.

Llawysgrifen blentynnaidd oedd ar yr ail amlen, ond buan y sylweddolodd nad llaw plentyn a'i lluniodd hi pan syrthiodd pluen wen allan ohoni ac ar ei lin. Neges dau air oedd ar y pwt papur a'r neges honno'n ddienw ac yn ddigyfaddawd! *'Fucking conshi.'*

Teimlodd ei anadl yn cael ei dwyn oddi arno a lwmp caled yn cydio yn ei frest. 'Blaendyffryn' meddai'r llythrenna duon dros y stamp. Oedd hynny'n gneud iddo deimlo'n well, ynte gwaeth? Gwaeth, yn reit siŵr. Sgrwnshiodd yr amlen a'r nodyn yn un belen ddig a'i hyrddio i gefn y grât. Cefn grât oedd lle peth felly. Cefn grât oedd lle'r bluen wen hefyd, o ran hynny, ond cuddiodd honno rhag i Mair ei gweld.

'Be oedd hwn'na?'

Roedd hi wedi bod ar biga'r drain drwy'r dydd ynglŷn â chynnwys y llythyra. Droeon fe'i temtiwyd hi i ddal yr amlenni uwchben stêm y teciall fel y gallai hi eu hagor a'u selio'n ôl wedyn heb i'w gŵr ddod i wybod dim am y peth. Ond ymatal wnaeth hi bob tro a rŵan, wrth weld y fflama'n cydio yn y belen bapur, roedd hi'n dechra difaru.

'Dim byd o werth.'

'Wel tyrd at y bwrdd, ta,' medda hi, heb gelu'r min ar ei llais, 'cyn i'r ddwy hogan 'na ddod i'r tŷ o'u chwara.'

Cyflymodd ei galon pan welodd fod y drydedd amlen wedi'i phostio ym Mangor. *'Huw wedi anfon gair i gymodi!'* ddaeth gynta i'w feddwl. Ond na, dim ond ddoe ddiwetha roedd Huw wedi mynd 'nôl am y coleg, felly go brin y bydda fo wedi mynd ati i lunio gair yn syth ar ôl cyrraedd pen ei daith. Sut bynnag, nid llawysgrifen Huw mo hon. Ac roedd y cyfeiriad yn ddiarth hefyd.

12 Ffordd y Coleg,
Bangor.
8fed Hydref 1939

Annwyl Ifan,

Fe alwodd Huw dy frawd heibio, gynnau, ar ei ffordd o'r stesion i'w 'digs'. Bydd yn gwneud hynny'n achlysurol pan fydd eisiau sgwrs a bydd Jane fy ngwraig a minnau wrth ein boddau o'i gael yma oherwydd ei fod yn gwmni mor ddifyr. Ond eisiau sôn amdanat ti roedd o heddiw. Galw i ddweud dy fod yn bwriadu gwneud safiad yn erbyn mynd i ryfel a bod y ffaith honno wedi bod yn destun cweryl go chwerw rhyngoch chi'ch dau, neithiwr. Meddai wrthyf, ei fod wedi dweud rhai pethau hallt ac annheilwng wrthyt yng ngwres y ffrae a'i fod yn wir edifar ganddo am hynny erbyn rŵan. Roedd yn gofidio ei fod wedi gadael cartref, fore heddiw, heb geisio cymodi â thi ac fe dybiaf y byddi'n derbyn gair oddi wrtho'n fuan, i'r perwyl hwnnw. Wrth wrando arno, fodd bynnag, roeddwn i'n amau mai euogrwydd personol oedd yn bennaf cyfrifol am ei

wewyr; euogrwydd o fod wedi dy feirniadu di am dy
safiad ar y naill law tra'i fod ef ei hun, ar y llaw
arall, yn ddigon parod i dderbyn 'deferment' er mwyn
cael aros yn y coleg tan ddiwedd y flwyddyn, i sefyll
ei arholiadau gradd. Gweld rhagrith ynddo'i hun,
rwy'n tybio. Ond ar yr un gwynt, fe ddywedodd hefyd
fod arno ofn i'r rhyfel ddod i ben cyn iddo ef gael
cyfle i wneud ei ran, a soniodd am ymuno â'r llu
awyr gynted ag y bydd wedi graddio.

Rhwng popeth, buom yn trafod yn hir ac erbyn
iddo adael, ychydig funudau'n ôl, roedd yn barotach
i gydnabod dy safbwynt dithau hefyd, Ifan, ac fel y
dywedais eisoes, rwy'n siŵr y byddi'n derbyn gair
cymodlon oddi wrtho, gynted ag y bydd wedi cael
cyfle i dreulio'i falchder. Yn y cyfamser, paid â
meddwl yn rhy ddrwg ohono.

Gwir bwrpas hyn o air gennyf, fodd bynnag, yw i
ddatgan cefnogaeth, ac edmygedd hefyd, o'r cam
rwyt yn ei gymryd. Gallaf ddychmygu bod ambell un
ym Mlaendyffryn heddiw yn troi cefn arnat, ac
efallai yn dy wawdio a dy regi. Mae peth felly i'w
ddisgwyl, gwaetha'r modd, o gofio bod rhyfel bob
amser yn tynnu'r gwaethaf allan mewn Dyn. 'Rhydd
i bawb ei farn ac i bob barn ei llafar' ys dywed yr
hen air, ond mi all 'llefaru' ambell un fod yn gwbl
wrthun a chreulon. Sut bynnag, rwyf am iti wybod fy
mod i'n edmygu dy wrhydri. Fel Rhys dy frawd, fe
gefais innau brofiad o ynfydrwydd rhyfel ac o'r
tywallt gwaed a'r lladd diangen. A chefais weld,
hefyd, mor fyr yw cof gwerin gwlad, ac mor
anniolchgar y gall hi fod.

Clywais Sais yn dweud peth fel hyn, rywdro –
'When two people quarrel, both are in the wrong.' A

231

dyna sydd wir am ryfel hefyd, Ifan. Rwyf wedi byw yn ddigon hir i wybod, bellach, nad yw rhyfel yn ateb yr un broblem byth ond, yn hytrach, yn creu mwy o elyniaeth rhwng gwledydd a rhwng dynion. Ond does dim ffordd o gael gwleidyddion i gydnabod y gwirionedd hwnnw, gwaetha'r modd! Wyt ti'n cofio neges Lloyd George, slawer dydd? 'Rhaid i bawb fod yn barod i wneud yr aberth eithaf dros frenin a thros wlad.' 'For King and Country' oedd ei gri ond fe wyddost ti, cystal â minnau, Ifan, ein bod ni'n atebol i Un sy'n amgenach Brenin na brenin Lloegr. A dyna'r hyn a geisiais ei egluro i Huw hefyd, gynnau. 'Wrth gwrs bod disgwyl i ninnau'r Cymry godi arfau yn erbyn Adolf Hitler a'i Natsïaid,' meddwn i wrtho. 'Wedi'r cyfan, rhaid herio'r Diafol yn ei holl agweddau. Ond cofia ei bod hi'r un mor hanfodol i gymdeithas wâr gael dynion fel Ifan dy frawd hefyd, i gadw llais cydwybod yn fyw yng nghanol yr holl orffwylltra jingoistic.' Fe ddyfynnais eiriau George Lansbury iddo: 'Yr unig ffordd i ryddid a heddwch yw trwy ein haileni, a'n gweled ein hunain mewn pobl eraill, a Duw ym mhawb.' A da yw cofio geiriau'r athronydd mawr Plato: 'Dim ond y Meirw sydd yn gweld diwedd ar ryfel, byth.' Felly, paid â gadael i neb droi dy drwyn di, Ifan. 'Stick to your guns' chwedl y Sais, os maddeui di baradocs y geiriau!

Gyda llaw, rwy'n deall bod Huw yn llwyddo'n rhyfeddol efo'i astudiaethau yma ym Mangor, a bod disgwyl iddo ennill gradd B.Sc. uchel iawn ddiwedd y flwyddyn goleg hon. Rwy'n eithaf eiddigeddus o'i gefndir academaidd, a dweud y gwir. Eiddigeddus nid yn unig o'i allu mewn Mathemateg a Gwyddoniaeth ond hefyd o'r ffaith ei fod wedi cael rhywbeth na

*chefais i mohono yn yr Higher Grade slawer dydd, sef
'grounding' da mewn Lladin ac yn y clasuron. Gallai
fod wedi dilyn cwrs 'honours' mewn Saesneg pe bai
wedi dymuno hynny oherwydd mae ganddo feddwl
dadansoddol craff ac mae'n ddarllenwr toreithiog.*

*A fyddet cystal â dweud wrth y Parch. T. L.
Morgan fy mod yn cofio ato? Er i mi chwerwi at
grefydd flynyddoedd yn ôl, ar ôl dod adref o Ffrainc,
eto i gyd mae gennyf gryn feddwl o dy weinidog, ac
mae gan gapel Caersalem le annwyl iawn yn fy
nghalon i, hefyd, oherwydd mai yno, o dan
arweiniad pobl unplyg fel Alice Hughes dy fam a Bob
Ellis 'Yr Hen Ben' – heddwch i'w llwch – y dysgais i
am werthoedd bywyd.*

*Mae'n bryd i mi roi pen ar y mwdwl neu byddaf
wedi colli'r post.*

Dalia i gredu, Ifan. A bydd wych.

Yr eiddot yn ddiffuant iawn,
Alun Gwyn Jones.

Alun Gwyn! Wel pwy feddyliai?

'Wyt ti am ddod at dy swpar, ta be?'

'Chwara teg iddo fo!' meddai Ifan wrtho'i hun, gan
droi clust fyddar i gwestiwn edliwgar ei wraig ac estyn
am eiriadur *Funk & Wagnalls* i chwilio am ystyr y gair
'jingoistic'. 'Mae barn rhywun fel fo yn golygu rhwbath
imi.'

Cofiodd fel roedd Alun Gwyn, ar ôl dod adre o
Ffrainc a methu cael gwaith yn unman, wedi mynd i
Goleg yr Ail Gynnig yn Harlech ac ymlaen o fan'no
wedyn i goleg y brifysgol ym Mangor, i ennill gradd
dda mewn Saesneg. Erbyn heddiw, roedd o'n
ddarlithydd uchel ei barch yn y coleg hwnnw a

gwyddai Ifan fod gan Huw feddwl y byd ohono. *Rhaid i mi anfon gair yn ôl i ddiolch iddo*, meddyliodd.

Cododd a gadael y ddau lythyr yn agored ar y gadair, lle gallai Mair eu gweld a'u darllen os dyna'i dymuniad.

Yr wythnos olaf

Chydig iawn o bobol a gafodd wybod ei fod yn gadael Blaendyffryn, nac i ble'r oedd o'n mynd. Fe soniodd wrth ei weinidog mewn da bryd, wrth gwrs, a hefyd wrth Mustyr Francis, rheolwr y chwarel, fel bod hwnnw'n cael amser i chwilio am rywun yn ei le, gan nad pawb yn yr Offis oedd yn abal i weithio tâl y dynion ar ddiwedd mis. Roedd wedi cymryd cryn amser i Ifan ei hun feistroli'r gwaith, yn dilyn ei ddyrchafiad o fod yn glarc cerrig, ddeunaw mis yn ôl.

Sgrytian ei ysgwydda yn ddi-hid a wnaeth y rheolwr pan dorrwyd y newydd iddo. 'Mae'n gwestiwn gen i a fydd angan neb yn dy le di, Ifan,' medda fo. 'Mae 'na sôn yn barod am gau chwareli Bethesda a Dinorwig! Felly, matar o amsar ydi hi arnon ninna hefyd, mae gen i ofn.'

Fe wyddai Ifan, yn ôl fel roedd agwedd rhai pobol wedi newid tuag ato, y byddai'n gadael Blaendyffryn o dan dipyn o gwmwl, ond fe dyfodd y cwmwl hwnnw hefyd ar ei Sadwrn ola cyn mynd. Roedd wedi gadael pâr o'i esgidia cryfion yn siop Bob Jôs Crydd, i gael eu gwadnu a'u sodlu, ac ar ôl te ddydd Sadwrn fe aeth i lawr yno i'w nôl. Tri chwsmer – os cwsmeriaid hefyd – oedd yno ar y pryd yn sgwrsio, a Twm, gŵr Annie Twm, yn un ohonyn nhw, efo'r olwg ddi-raen arferol

arno: ei wallt yn gwthio'n llaes ac yn flêr heibio'i gap,
a deuddydd o leia o dyfiant o gwmpas ei ên.

Beth bynnag oedd y trafod cyn i Ifan gerdded i
mewn, fe benderfynodd Twm ei bod yn bryd troi'r
stori.

'Wel, hogia, mi ddaw fy nhro inna, gyda hyn.'

Parodd hynny i'r crydd a'r ddau arall edrych yn
ymholgar arno a sylwi ar gysgod gwên ddirmygus yn
hel o gwmpas ei geg.

'I neud be, felly, Twm?'

'I gael *call-up*. I'r Royal Artillery oeddwn i'n pasa
mynd ond mae Annie 'cw isio i mi fynd i'r Âr Ê Eff . . .'
Chwarddodd yn fyr a gadael i'w ddannedd melyn ddod
i'r golwg. '. . . am ei bod hi'n licio'r iwnifform, medda
hi.' Chwarddodd yn ddihiwmor eto. 'Dydi hi ddim yn
licio lliw *khaki*, medda hi. Ond dyna fo, dydi hi mo'r
unig un . . . ydi hi Ifan?'

O synhwyro annifyrrwch sydyn y tri arall, cafodd
Ifan ddigon o blwc i ymateb i'r dirmyg.

'Waeth be fydd lliw dy iwnifform *di*, Twm, mi fydd
yn fywyd go wahanol arnat ti'n bydd?'

'Be ti'n feddwl?'

'Wel, gorfod codi at frecwast yn hytrach nag at ginio
yn un peth!'

Fe wyddai pawb mai diogyn di-waith oedd Twm.

'Gwranda yma'r . . . y . . .!'

'Be sy, Twm? Methu deud y gair *conshi* wyt ti?'

Trawodd Bob Jôs Crydd esgidia Ifan yn swnllyd ar y
cownter o'i flaen, yn y gobaith y byddai hynny'n
ddigon i atal ffrae. Ond roedd Ifan Lòrd Bach yn dal i
gorddi.

'. . . Ond, a chditha'n gadal cartra rŵan, i fynd i'r
ffrynt lein, siawns y bydd gan Annie le i gymryd faciwî

neu ddau wedyn . . . fel y gweddill ohonon ni. Mae 'na
ryw dda'n dod o bob dim, wel'di!' Ac ar yr un gwynt,
'Diolch, Bob,' medda fo, a gwthio papur chweugain
dros y cownter, i dalu i'r crydd am ei waith. Wedi
derbyn ei newid, trodd am y drws. 'Da b'och chi'ch tri!'

Doedd Twm Annie Twm ddim yn cael ei gynnwys
yn y ffárwel.

'Y pansi uffar!' meddai hwnnw, wedi i'r drws gau tu
ôl i Ifan. Yna, yn uwch ac yn fwy milain, 'Pansys ydi'r
blydi lot ohonyn nhw, 'sa chi'n gofyn i mi. Mae'r blydi
Welsh Nashis 'ma i gyd yr un fath.'

'Ti'n collfarnu yn fan'na, Twm,' meddai'r crydd, yn
falch o gael cywiro rhywun nad oedd ynta chwaith yn
rhy hoff ohono. 'Plaid Lafur rhonc ydi Ifan Huws, fel y
gweddill ohonon ni.'

'Hy! Dwn im be am hynny! 'Sa chi'n gweld y llyfra
Cymraeg mae o'n gario adra o'r *library* bob wsnos. Does
bosib ei fod o'n darllan pob un ohonyn nhw. Sioe i
gyd! . . . Dyna mae Annie 'cw'n ddeud, beth bynnag.'

*   *   *

Ar y pafin tu allan, safodd Ifan Lòrd Bach am rai
eiliada, yn syllu i fyny ac i lawr y stryd, mewn dau
feddwl be i'w neud. Doedd ganddo fawr o awydd mynd
yn ôl adra i ddiodde hwylia drwg ei wraig, na fawr o
awydd mynd i grwydro'r Stryd Fawr, chwaith, rhag dod
wyneb yn wyneb â rhai tebyg i ŵr Annie Twm.

Oedd, roedd gwawd hwnnw wedi ei frifo'n llawer
iawn mwy nag oedd o'n barod i'w gyfadde. I feddwl
bod rhai fel Twm Annie Twm – pobol roedd o wedi
tyfu i fyny yn eu mysg ac wedi arfer bod yn glên â
nhw – yn medru siarad mor wawdlyd amdano rŵan,

yn ei wyneb ac yn ei gefn. Gwybod hynny oedd yn ei ddigalonni fwya.

Penderfynodd fynd cyn belled â Siop y Glorian, i brynu llyfr neu ddau i fynd gydag o i Wrecsam, ddydd Llun. Byddai arno angen rhywbeth i'w neud ar fin nos yn fan'no, yn reit siŵr. Roedd wedi gweld hysbysebu llyfr newydd Elena Puw Morgan yn *Y Faner*, a gan ei fod yn aelod o'r Clwb Llyfrau Cymreig fe gâi brynu hwnnw am hanner y pris arferol. Clywsai hefyd fod gan Kate Roberts gasgliad arall o straeon byrion wedi'i gyhoeddi. Byddai croeso i hwnnw'n ogystal. At y rheini, roedd ganddo gyfrol Thomas Carlyle – yr un a brynodd drwy'r llyfrwerthwr hwnnw yn y chwarel, slawer dydd – a'r ddau lyfr Saesneg a fenthycodd oddi ar ei weinidog. Dwy gyfrol hunangofiannol oedd y rheini, y naill gan Siegfried Sassoon – llyfr y bu T. L. Morgan yn ei annog arno cyn hyn – a'r llall gan ŵr o'r enw Robert Graves. Yn ôl ei weinidog, fe gâi gysur o ddarllen y cyfrola rheini, oherwydd bod yr awduron yn rhoi darlun llygad-dyst a di-flewyn-ar-dafod o wrthuni a gwallgofrwydd y Rhyfel Mawr, ac o bob rhyfel arall hefyd, felly. Cofiodd, eto rŵan, ei gynnwrf pan ddigwyddodd Mustyr Morgan grybwyll bod un o'r awduron hynny wedi treulio rhan o'i fywyd cynnar yn ardal Harlech ac fel roedd ynta'i hun, wedyn, wedi mynd i chwilio am y llythyr hwnnw a gaed ym mhoced Rhys yng Nghoed Cwm – '*Tybad wyt tin cofior offisar hwnw oedd yn mwmblan barddoniaeth Susnag wrtho fo ei hun pan oedd on crwydro o gwmpas base camp? Sais rhonc oedd o ond roedd o wedi bod yn byw am sbel yng nghyffinia Harlach na dwin meddwl. Roedd rhai or hogia yn deud bod ei enw fon dod ag anlwc inni. Bob y Beddau oedden ni yn ei alw fo.*' Bob y Beddau . . . Robert

Graves? Tybed? Llyfr Graves a gâi'r sylw cynta ganddo, felly.

Er bod amryw a âi heibio iddo ar y Stryd Fawr yn ei gyfarch yn ddigon cwrtais, eto i gyd gallai synhwyro newid – pellter, falla – yn eu hagwedd. A doedd o ddim yn brin, chwaith, o sylwi bod eraill yn mynd allan o'u ffordd i'w osgoi, ymhell cyn iddo'u cyrraedd.

'Twt! Fi sy'n groendena, mae'n siŵr,' medda fo yn ei feddwl, ond heb allu darbwyllo'i hun yn llwyr, chwaith.

Wrth weld cynifer o ddynion yn mynd i'r un cyfeiriad ag o, yn ddeuoedd ac yn drioedd, fe gofiodd mai pnawn Sadwrn oedd hi a bod y *town team* yn herio Pwllheli ar Gae Haygarth – sef y *Cae Cicio* chwedl yr hen dlawd ei fam, slawer dydd. Cofiodd hefyd ei fod ynta'i hun wedi bwriadu mynd yno i'w cefnogi ond, diolch i Twm Annie Twm, doedd yr awydd hwnnw ddim ynddo fo, bellach. Ac roedd y ffaith bod y sgidia cryfion yn faich o dan ei gesail yn esgus arall dros beidio mynd. Felly, ar ôl prynu'i lyfra yn Siop y Glorian, trodd am adre unwaith eto, i ddod wyneb yn wyneb â rhagor o griwia sgwrslyd oedd yn anelu am y gêm.

Fel roedd yn mynd heibio siop *E. B. Jones Grocer*, gyferbyn â Thafarn y Sir, clywodd lais wedi'i fygu gan bellter yn gweiddi 'Conshi uffar!' Ond er iddo droi ar ei union i edrych, doedd neb yn y golwg.

'Brysied bora Llun, i mi gael gadael y lle 'ma!' meddai wrtho'i hun, a theimlo pwl o chwithdod wrth i arwyddocâd y geiria ei daro. Gadael Blaendyffryn! A hynny o'i wirfodd! Doedd o rioed wedi dychmygu deud y fath beth.

Llwyddodd chwerthin y chwarae ar Lòrd Street i

adfer rhywfaint o'i ysbryd a phan welodd hogyn Lewis Fawr yn dod i'w gyfarfod yng nghwmni bachgen diarth, ymdrechodd Ifan i wenu arno. 'Wel, y mwrddrwg!' medda fo. 'Faint o awyrenna welist ti heddiw, ta?'

Dim ateb.

'Be sy'n bod, wàs? Rhywun wedi dwyn dy dafod di, ta be? . . . Wyt ti'm am ddeud wrtha i be di enw dy ffrind?'

'Mickey Foster.'

'A! Yr arbenigwr ar awyrenna!' medda Ifan, gan geisio anwybyddu cyndynrwydd y bachgen i'w ateb.

Edrych fel twlc a wnâi'r faciwî bach, a thynnu'n ddiamynedd wrth lawes côt ei gydymaith llai, gan fwmblan *'Coom on! Coom on!'*

Oedodd Ifan i'w gwylio nhw'n cerdded yn sorllyd oddi wrtho, a'r Cymro bach yn mwmblan rhywbeth yng nghlust y Sais. Hwnnw wedyn yn troi'n heriol ac, wedi sicrhau bod pellter diogel rhyngddyn nhw, yn codi ei ddwylo o boptu'i geg fel corn siarad ac yn gweiddi 'Fewkin conshie!' yn haerllyg dros bob man, cyn dangos pâr o wadna tyllog wrth ei heglu-hi i lawr y stryd, a hogyn Lewis Fawr i'w ganlyn.

Am eiliad neu ddwy, roedd y stryd i gyd yn syfrdan . . . pob llais, pob chwerthin wedi'i fygu . . . pob gwyneb yn gegrwth, lygatrwth . . . pawb isio gweld sut y byddai Ifan Huws Lòrd Bach yn ymateb i'r fath ddigywilydd-dra annisgwyl.

Hyd y gallai Ifan weld, dim ond un oedd yn crechwenu, ac Annie Twm, ar garreg drws ei thŷ, oedd honno. Theimlodd o erioed mor unig nac mor isel ei ysbryd ag y teimlai'r funud honno, ar ganol Lòrdstryd, efo llygada pawb wedi'u hoelio arno, ac ymrithiodd llun-ysgol-Sul o'r claf o'r parlys o flaen ei lygaid. 'Rwyt titha, hefyd, yn esgymun!' meddai llais bach yn ei ben. Cyrraedd y tŷ, cloi'r drws ar ei ôl, pacio'i betha a disgwyl am fore Llun – dyna'r cwbwl oedd ar ei feddwl rŵan.

'O! A dyma ti o'r diwadd! Ro'n i wedi dechra meddwl lle'r oeddat ti, mor hir.'

Doedd dim rhyddhad yn llais Mair, serch hynny, i awgrymu iddi fod yn poeni yn ei gylch.

'Mi fydd te a swpar yn un, heno. Dwi wedi penderfynu mynd i'r pictiwrs.'

Cofiodd Ifan sylwi ar y posteri yn Sgwâr y Diffwys. 'Be ei di i'w weld, felly?' gofynnodd, braidd yn ddirmygus. '*Old Mother Riley in Paris* yn yr *Empire* ynte *Laurel and Hardy* yn y *Park Cinema*?' Doedd fawr o bwys ganddo, y naill ffordd na'r llall.

'Dim un o'r ddau,' meddai hitha, yr un mor sych yn ôl. 'I ti gael gwbod, dwi'n mynd i'r *Forum* i weld Shirley Temple yn *Little Princess*. Ac am unwaith, fe gei *di* ofalu bod y ddwy hogan 'ma'n mynd i'w gwlâu.'

Er bod ei difaterwch tuag ato yn ei flino ac yn ei frifo, roedd o isio edliw iddi bod gan y *'ddwy hogan'* enwau.

'Dwi'n cymryd mai allan yn chwara mae Wendy a Louise?'

'Dwi'm 'di gweld dim o'u lliw nhw drwy'r pnawn, diolch am hynny. Fel rheol, maen nhw i mewn ac allan bob munud, yn gofyn am frechdan jam neu frechdan driog . . . Brechdan efo *menyn* arni, wrth gwrs!' ychwanegodd yn chwerw, 'oherwydd dydi'r ienga'n ddim balchach o frechdan marjarîn, medda hi. Mae'n well ganddi hi, meiledi, fara menyn os gweli di'n dda!'

'Plant ydyn nhw, Mair! Plant mewn lle diarth, heb eu rhieni. Does wbod be maen nhw'n gorfod ei ddiodda.'

'Hy! Maen nhw'n ddigon hen i ddallt bod pris menyn ddwywaith pris marjarîn, beth bynnag. A dwywaith gyn anoddad cael gafael arno fo, hefyd. Eniwei, mi fyddan nhw adra mewn da bryd at eu te, gelli fentro. Ond gweitsiad tan bump o'r gloch fydd raid iddyn nhw heddiw, gan fy mod i'n mynd i'r pictiwrs. Mae 'na chydig o ffagots yn y pantri ac mi gawn ni rheini efo tships o Siop Now. Fe geith y ddwy fynd i lawr i fan'no i nôl dysglaid inni.'

*   *   *

'Goodnight, Uncle Evan. Nos da.'

'Nos da,' meddai'r fechan hefyd, yn dynwared ei chwaer.

'Nos da, Wendy. Nos da, Louise. Sleep tight.'

Cyn dringo i'r gwely, trodd yr hyna ato. 'We don't want you to go away,' medda hi, a'r dagra'n cronni yn ei llygaid.

'No, we don't want you to go away,' meddai'r fechan, ei llygaid hitha hefyd yn fawr ac yn llaith.

'Dowch yma!' medda fo, a thaflu'i freichia am y ddwy i'w tynnu ato. Oedd, roedd o'n teimlo'n euog o fod yn mynd a'u gadael. Ofn iddyn nhw gael cam tra oedd o i ffwrdd. 'I'll be back here before you can say "Jack Robinson",' medda fo 'and I'll have a lot of nice stories to tell you.'

Ond dal i edrych yn boenus arno a wna i'r ddwy.

'Will you be our friend forever, Uncle Evan?'

Daeth llais dagreuol y fechan, saith oed, â lwmp i wddw Ifan Lòrd Bach. Mewn sioe o chwerthin, gwasgodd nhw'n dynnach ato, a dechra canu: 'Forever and ever, my heart will be true . . .' cyn ychwanegu ar nodyn mwy difrifol, *'Friends for life.* Dwi'n addo! *Word of honour!'*

Roedden nhw mor wahanol i rai o'r faciwîs eraill, meddai wrtho'i hun. Yn dawelach wrth natur, rywfodd, ac yn fwy boneddigaidd. A waeth beth a ddywedai Mair, fyddai'r un o'r ddwy byth yn breuddwydio gofyn am frechdan – efo marjarîn na menyn – heb y *'please'* cwrtais i fynd efo'r cais.

Wedi i Mair adael y tŷ, roedd o wedi mynd ati i'w holi nhw am y peth yma a'r peth arall – am eu rhieni a'u cartre, am eu hysgol a'u ffrindia a'u hathrawon yn Lerpwl – unrhyw beth i'w cael nhw i siarad. Roedd o'n awyddus iddynt ddal gafael ar eu gorffennol, er mor boenus y gallai hynny fod. Yn eu hoed nhw, buan yr âi atgofion yn ddiarth i'r cof, a doedd Ifan ddim am weld hynny'n digwydd i'r ddwy fach annwyl yma.

Ar y cychwyn, cyndyn fuon nhw i ymateb a doedd y dagra ddim ymhell, ond o dipyn i beth fe laciodd eu tafoda a chafodd ynta glywed rhai o'u hatgofion. Cafodd glywed am eu hunllefa, hefyd. Am eu hofn i'w mam gael ei lladd gan y bomiau . . . am eu pryder na ddeuai eu tad byth adre'n ôl o'r rhyfel . . . neu na chaen nhw byth eto weld Twts y gath . . . Gwnaeth ynta'i orau i dawelu pob un o'r ofnau hynny.

Wedi gwylio'r ddwy yn gwthio'u hunain o dan y dillad ac i feddalwch y gwely plu, *'Now then!'* medda fo. *'Would you like me to read you a story, in Welsh?'*

Goleuodd gwyneb y leia ond roedd Wendy'n fwy amheus. *'But we won't be able to understand it, will we?'*

'We'll see,' medda fo, a throi i'w gadael. Pan ddaeth yn ôl, ymhen munud neu ddau, daliai lyfr o'i flaen, iddyn nhw gael gweld y llun lliwgar ar ei glawr. *'Look what I bought you today.'*

Daeth rhyfeddod i lygada'r ddwy.

Efo'i fys yn pwyntio at bob gair yn ei dro, darllenodd, *'Llyfr . . . Mawr . . . y . . . Plant,'* a chyfieithu wedyn, *'The Children's Big Book. Now it's full of wonderful stories that have been written especially for you and the other children.'*

'The pictures are lovely,' meddai Wendy'n werthfawrogol, wrth i Ifan fyseddu drwy'r tudalenna i'w dangos.

'And they smell lovely, too,' meddai'r fechan, gan wthio'i thrwyn yn erbyn y papur.

Gan fod y llyfr a'i gynnwys yn newydd i Ifan ei hun hefyd, *'Tell you what!'* medda fo, a rhoi'r gyfrol yn nwylo Wendy, *'I'll leave the light on for ten minutes so that you can look at the pictures, but then you must go to sleep.'*

'Thank you, Uncle Evan,' meddai'r ddwy efo'i gilydd, a'r cyffro i'w glywed yn eu lleisia.

Cyn gadael y llofft gwnaeth yn siŵr nad oedd llygedyn o olau yn dengyd heibio ymylon y blacowt.

Roedd cael y gegin iddo'i hun, rŵan, yn gyfle i Ifan bwyso a mesur ei briodas. Eisteddai yn nhywyllwch y stafell, yng nghadair freichia galed ei dad gynt, yn gwylio'r tafodau ysbeidiol o fflam yn dianc o'r clapia glo. Glo gora, wrth gwrs! Dwybunt a chweugain y dunnell. Wnâi Mair ddim styried yr *household coal*, oedd swllt a chwech yn rhatach. *'Ti'n cael gwerth dy bres yn y glo gora, siŵr iawn. Mae o'n llosgi'n llwch. Ddim fel yr household neu'r kitchen coal sy'n gadael y grât yn llawn clincars.' 'Iawn, Mair! Ti ŵyr ora.'* Haws cytuno na dadla, wedi'r cyfan. Gyferbyn ag o, yn ddrud o wag, safai'r ddwy gadair feddal y mynnodd Mair eu prynu yn Siop Ellis Dodran, dro'n ôl.

Ac ynta wedi ymgolli cymaint yn ei feddylia, fe

neidiodd rŵan pan ddaeth curo trwm ar y drws. Rhuthrodd i'w ateb, rhag i ail gnoc anesmwytho'r ddwy ferch fach. Trawodd y golau ymlaen, i gael gweld pwy oedd yr ymwelydd hwyrol.

'Lewis!' medda fo mewn syndod wrth weld Lewis Fawr yn sefyll o'i flaen, efo'i fab gerfydd ei goler yn y naill law a'r enwog Mickey Foster gerfydd ei goler yn y llall.

'Mi glywis bod y ddau yma wedi bod yn ddigwilydd efo chdi pnawn 'ma, Ifan!' Awgrymai'r llais chwyrn fod Lewis yn teimlo cywilydd personol. 'Dwi wedi dod â nhw yma i apolojeisio iti . . .'

Roedd gwyneba'r ddau fachgen yn welwach nag arfer.

'. . . Maen nhw wedi cael clupan iawn bob un gen i'n barod, Ifan, i ti gael dallt, ond mae'n rhaid iddyn nhw apolojeisio iti hefyd. Chdi'n gynta!' medda fo, gan wthio'i fab ei hun ymlaen hyd braich.

'Sorri, Mustyr Huws.' medda hwnnw'n edifeiriol o dan ei wynt.

'Yn uwch, hogyn!' meddai'r tad gan ei sgrytian gerfydd ei goler. 'Apolojeisia fel dyn! Ac edrycha i lygad Mustyr Huws wrth neud hynny!'

Cododd yr hogyn ei olygon. 'Mae'n ddrwg gen i am be ddigwyddodd, Mustyr Huws.'

'Rŵan chdi!' A gwthiwyd yr arbenigwr-ar-awyrenna ymlaen.

'*Soory fuh wha I shawted, like,*' meddai Mickey Foster yn ei dro, a *k* Seisnig y gair ola'n swnio'n debycach i *ch* Gymraeg.

'Doedd dim angan i ti fynd i'r draffarth, Lewis,' meddai Ifan, ar ôl cydnabod yr ymddiheuriada, ond yn falch, serch hynny, o agwedd ei gymydog.

'Oedd, Ifan.' medda hwnnw'n bendant. 'Roedd yn bwysig i ti gael eu clywad nhw'n apolojeisio iti, ac yn wers bwysig iddyn nhwtha hefyd! Wnân nhw ddim gneud peth fel'na eto, ar chwara bach.'

Wedi iddyn nhw adael, fe deimlai Ifan yn ysgafnach ei galon ac aeth yn ôl i'w gadair ger y tân, i ailgydio yn ei feddylia.

A sŵn tician trwm y cloc mawr unwaith eto'n dwysáu mudandod y tŷ, aeth ei feddwl yn ôl at Mair, ac i ddydd eu priodas yng nghapel Methodus Llanrwst, chwe blynedd yn ôl. Cofio'r aros hir yn y Sêt Fawr a Huw ei frawd yn laslanc nerfus wrth ei ymyl. Cofio cyfri ac ailgyfri peipiau'r organ a nifer y ffyn oedd yn cynnal y canllaw i'r pulpud. Cofio gwên gysurlon y gweinidog yn cilio wrth i'r munuda hwyr lusgo heibio. Cofio'r organ, o'r diwedd, yn cyhoeddi bod y briodferch ar ei ffordd, a rhes ar ôl rhes o ffrindia ac o deulu Mair yn dotio mewn rhyfeddod wrth iddi hwylio'n urddasol heibio iddynt, ar fraich ei thad. Cofio meddwl, gyda rhywfaint o hunandosturi, mor denau oedd y gynrychiolaeth o'i ochr ef ei hun – neb ond Elsi a'i gŵr a'u dwy ferch, a Gaenor Parry unig yn y sedd tu ôl iddyn nhw.

Cofio ymhellach yn ôl na'r briodas hefyd. Cofio ymweld â ffarm Bryn Teg yn Nyffryn Conwy i ofyn am ganiatâd i'w phriodi hi. Cofio synhwyro nad oedd ei thad yn ystyried chwarelwr – yn enwedig un oedd flynyddoedd yn hŷn na'i ferch – yn ddewis delfrydol o bell ffordd fel mab-yng-nghyfraith. Ond cytuno fu raid i hwnnw, serch hynny, oherwydd bod Mair yn un ar hugain oed, ac felly'n rhydd i benderfynu drosti'i hun. Cofio hefyd nad oedd wedi tywyllu aelwyd ei rieni-yng-nghyfraith byth wedyn. Yng nghyfnod y car, byddai'n mynd â Mair cyn belled â giât y ffarm a'i gollwng hi yn fan'no, yna mynd ymlaen ei hun i Landudno, neu Gonwy falla, am awr neu ddwy, a galw amdani wrth y giât ar ei ffordd yn ôl. Fel arall, roedd y trên wedi bod yn ddigon hwylus iddi hefyd. Yn sydyn, cofiodd nad oedd wedi diffodd gola llofft y plant.

Roedd y ddwy'n cysgu'n braf a chysgod gwên ar eu gwefusa. Rhyngddynt, yn drwm ar y cwrlid-brown-a-gwyrdd o ffatri wlân Bryncir, gorweddai'r llyfr newydd yn agored, a Siôn Blewyn Coch a Siân Slei Bach yn syllu'n ddireidus allan ohono.

Ar flaena'i draed, aeth i lawr yn ôl ac estyn am ei ddyddiadur, a'r *fountain pen* Swan ddrud a gawsai'n anrheg pen blwydd gan Huw. Rhaid oedd cofnodi digwyddiada'r dydd, er mor boenus oedd llawer o'r rheini.

Bum munud yn ddiweddarach, cyrhaeddodd Mair adre'n ôl, yn ddrwg ei hwyl am na chafodd weld diwedd y *Little Princess* oherwydd bod 'y blwmin projector wedi torri, eto fyth!'

'Bechod!' medda Ifan, ond heb sŵn cydymdeimlad yn ei lais. 'Mi fasa'n well 'tait ti wedi mynd i weld Laurel and Hardy, felly.'

Gresford

Wedi holi, daeth o hyd i'r tŷ yn Narrow Lane – tŷ cul mewn rhes o dai cul ar stryd gul – ond oedodd cyn curo. Roedd yr awyr uwchben yn bygwth glaw a daeth hyrddiad sydyn o wynt â chwmwl o lwch du i'w ganlyn gan beri i Ifan wyro'i ben a thynnu'i gap yn is dros ei dalcen. Eisteddai cath frech, lynghyrus yr olwg, ar garreg drws y tŷ gyferbyn – *cath ddigon tebyg i un*

Magi Edwas Tŷ Pwdin, meddyliodd – a deuai sŵn babi'n crio o rywle neu'i gilydd. Yn is i lawr y stryd, roedd dwy wraig yn gweiddi siarad Saesneg ar ei gilydd o ddrysau eu tai ac yn cytuno ei bod yn anoddach cael deupen llinyn ynghyd ers i'r rhyfel ddechra. Wrth wrando arnyn nhw, dychmygodd Ifan ei fod yn ôl yn Stryd Lòrd Bach, ugain mlynedd ynghynt, yn clywed ei fam a Gaenor Parry yn trafod caledi eu hoes hwytha.

Daeth clip-clopian ceffyl trwm ag ef allan o'i freuddwyd a gwelodd yr anifail yn dod yng ngwaelod y stryd efo trol lwythog i'w ganlyn. *Cario o'r stesion i'r siopa, siŵr o fod,* meddai Ifan wrtho'i hun, *fel mae ceffyl a throl John Jôs Ffish yn ei neud ym Mlaendyffryn.*

'Mornink, ladies!' gwaeddodd y gyrrwr o uchder y llorpia.

'Mornink, Sam!' gwaeddodd y ddwy wraig yn galonnog yn ôl, fel petai pryderon eu byw wedi diflannu mwya sydyn.

'Mornink, sir!'

Ifan a gâi'r cyfarchiad yma, a hynny yr un mor glên â chynt, ond bod y cwestiwn *'Pwy 'di hwn, os gwn i?'* i'w weld yn llygad y dyn. *'Good morning,'* medda fo'n ôl, a cheisio gwenu'n gyfeillgar er gwaetha'i iselder. Ers iddo gyrraedd Gresford, lai nag awr yn ôl, doedd dim gair o Gymraeg wedi syrthio ar ei glyw ac roedd hynny'n cyfrannu mwy na dim at y dieithrwch ac at yr hiraeth a deimlai. 'Twt!' medda fo'n ddig wrtho'i hun. 'Rwyt ti'n bymthag ar hugain oed ac yn bihafio fel hogyn ysgol. Beth petait ti wedi gorfod mynd i ryw gamp armi yng nghanol Lloegar? Be wnaet ti wedyn?' Ond doedd fawr o gysur mewn meddwl felly, chwaith.

Clywodd ddyn y drol yn dechra chwibanu hen gân gyfarwydd ac yn reddfol, fel petai mewn cystadleuaeth yn y *band of hope*, slawer dydd, dechreuodd Ifan drosi'r nodau i *sol-fah* yn ei ben – *'s: s: l,s:f,m,f,s: m´: m´: r´: d´: – l: – s: – : – '* – ac wrth i'r nodau hynny fagu geiria yn ei gof, fe'i cafodd ei hun yn sefyll unwaith eto ar Lwybyr y Chwaral, yn gwrando ar Rhys ei frawd yn bloeddio canu o bell: *'Pack up your troubles in your old kit-bag . . .'* a thri neu bedwar arall yn ymuno gyda hwyl fawr yn y *'. . . smile, smile, smile'*. Rhyfel newydd ond yr un hen gân, meddyliodd yn drist, wrth i'r chwibanu gilio i'r pellter. Ac yn reit siŵr, doedd dim lle i *wenu, gwenu, gwenu* y tro yma, chwaith.

Trodd i guro'n anfoddog ar y drws a sylwi ar gyflwr dilewyrch y paent oedd arno. Hwnnw'n blisgyn sych yn gollwng ei afael ar y pren, yma ac acw. 'Pa gysur . . . pa groeso mewn lle fel hwn?' meddyliodd. Doedd y ffaith bod carreg y drws wedi cael ei sgwrio'n lân ddim yn ddigon i atal ton arall o unigrwydd a diflastod.

Cododd ei wats gerfydd ei giard arian allan o boced ei wasgod a'i chwpanu wedyn yng nghledr ei law chwith, fel y byddai ei dad yn neud, slawer dydd. Chwarter i hanner dydd. Pedair awr union ers i'r trên duchan ei ffordd allan o stesion y GWR ym Mlaendyffryn. 'Pedair awr? Tebycach i bedair blynedd,' medda fo wrtho'i hun.

Curodd eto ar y drws di-raen, ond fymryn yn galetach y tro hwn. Beth petai gwraig y tŷ wedi mynd allan? Oedd disgwyl iddo sefyllian yn fa'ma, yn cicio'i sodla, nes iddi ddod adra'n ôl?

Doedd ond hanner awr ers iddo riportio yn swyddfa'r pwll a bach iawn o groeso a gawsai yn fan'no, hefyd. *'Evan Hughes, you say?'* a'r clarc prin yn

248

codi'i ben i edrych arno, dim ond ffwlbala trwy bentwr o bapura ar y ddesg o'i flaen. *'Okay!'* medda fo o'r diwedd, ar ôl dod o hyd i'r llythyr penodol. *'Clock-in by seven tomorrow mornink. Someone'll show you where to go . . . wha to do. You'll be lojink with Mrs Dora Morris in Narrow Lane. 'Ere's the address. Good luck!'* Lwc? Be gythral oedd gan lwc i'w neud â'r peth? Ond yna cofiodd am y danchwa fawr, bum mlynedd ynghynt. Ai dyna oedd ar feddwl y dyn, tybad?

'Yes?'

Neidiodd wrth sylweddoli bod y drws wedi agor a bod gwraig-mewn-oed, dena a llwydaidd ei gwedd, yn sefyll o'i flaen; ei gwallt ariannaidd yn syrthio'n rhydd ac yn ddi-gŷrl, fel 'tai ganddi mo'r balchder hyd yn oed i roi crib trwyddo, heb sôn am glip i'w ddal yn ei le. Tyfai tri blewyn cras ar flaen ei gên ac roedd pwt o graith biws yn sgrech ar welwder llyfn ei thalcen.

'Musus Morris, ia?' gofynnodd. Yna, o gael dim ymateb yn ei llygaid, 'Ifan Huws!' medda fo wedyn, fel petai hynny'n egluro pam ei fod o'n sefyll ar garreg ei drws hi.

'Oh?'

Gyda siom, sylweddolodd nad oedd gan hon, chwaith, unrhyw grap ar y Gymraeg a bod ei llygaid llonydd mor ddigroeso â dim a welsai hyd yma. *'Evan Hughes!'* eglurodd eto. *'They told me to come here. The people at the pit, I mean.'*

'O! Better come in, I suppose!' Ond doedd fawr o groeso yn y gwahoddiad, mwy nag yn y ffordd swta y troes hi ei chefn arno a dychwelyd y ffordd y daeth, fel petai o ddim gwahaniaeth ganddi a fyddai ei lojar newydd yn derbyn y gwahoddiad ai peidio.

Camodd Ifan i wyll oer y pasej, ei siom ar gynnydd

wrth feddwl mai Saesneg fyddai cyfrwng ei fywyd o
hyn ymlaen, nid yn unig yn y pwll ond yma, hefyd, yn
ei dŷ lojin. Cododd ei galon rywfaint, serch hynny, pan
welodd fod y stafell fyw yn gysurus o daclus a glân a
bod tân braf yn y grât i'w groesawu; tanllwyth y byddai
hyd yn oed Mair wedi bod yn falch ohono. Winciai'r
fflamau ar flacléd gloyw'r grât a thaflent eu gwres ar y
ffendar ddisglair. Daeth darlun o'i fam i'w feddwl.

Taflodd lygad dros weddill y stafell. Gyferbyn â'i
gilydd ar y silff-ben-tân safai dau gi tseni gwyn efo
trwyna duon, a sawl addurn-ffair yn rhes ddi-chwaeth
rhyngddyn nhw. Ar fwrdd bach ger y ffenest, mewn
potyn brown, llewyrchai planhigyn aspidistra, fel
petai'n gneud ei orau i gadw goleuni'r dydd allan o'r
stafell. Llawr o gerrig glas oedd dan draed a choco-
matin treuliedig yn cuddio rhan ohono. Ac eithrio'r
ddwy gadair feddal o boptu'r lle tân, unig ddodrefnyn
arall y stafell oedd y bwrdd bwyta, efo *oil cloth*
blodeuog dilewyrch yn orchudd drosto, a phedair
cadair gefnsyth yn glynu'n dynn wrth hwnnw.

'Y llofft ffrynt fydd eich llofft chi,' medda hi'n
swta, a'r un mor ddi-wên, gan bwyntio at y cês bychan
lledar yn llaw Ifan, cystal ag awgrymu y dylai fynd i
fyny yno'n syth.

'O, diolch,' medda fynta'n chwithig, yn siomedig
yn ei diffyg croeso hi. 'Mi a' i i fyny yno rŵan, felly, i
ddadbacio mhetha.'

Er yn falch o'r esgus i ddianc, doedd clywed y
grisia'n gwichian o un i un wrth iddo'u dringo ond yn
ychwanegu at ei ddiflastod. Felly, hefyd, lawr y llofft,
wrth i'r estyll rhydd fradychu pob cam a gymerai yn
fan'no'n ogystal.

Doedd arno fawr o awydd gwagio'r cês. Aeth i

eistedd ar erchwyn y gwely a theimlo'i hun yn suddo i'w feddalwch. *Gwely plu!* meddyliodd. *Ond gwely diarth, serch hynny.* Edrychodd o'i gwmpas. Wardrob gul a chwpwrdd bychan dalcen-yn-dalcen â hi; y ddau ddodrefnyn wedi eu llunio o bren ffawydd rhad a farnish yn drwch tywyll arno. Ar y cwpwrdd safai jẁg a basn anferth, efo lliain gwyn glân wedi'i blygu'n daclus wrth eu hymyl. Roedd yno hefyd ddesgil fechan efo lwmp o sebon coch ynddi. 'Jẁg a basn tebyg iawn i'r rhai oedd gen i yn fy llofft yn Stryd Lòrd Bach, stalwm,' cofiodd. 'Tan y ddamwain!' Daeth yr atgof am yr anhap â gwên hiraethus i'w wyneb. Huw, yn chwemlwydd chwareus, yn gwrthod mynd i'w wely nes cael ymaflyd codwm efo'i frawd mawr a fynta, Ifan, yn codi'r bychan fel sach o datws chwerthinog a'i daflu wedyn i feddalwch cyndyn y fatres fflocs. Ond fu hynny ddim yn ddigon i'r hogyn, wrth gwrs, a bu'n rhaid iddo gael rhuthro'n ôl i barhau'r hwyl. A dyna pryd y troes y chwarae'n chwerw wrth i'r ddau faglu dros draed ei gilydd a tharo'r jẁg a basn oddi ar y cwpwrdd bach nes eu bod nhw'n deilchion miniog dros lawr y llofft. 'Y lembo gwirion! Sbia be ti wedi'i neud rŵan efo dy lol!' Oedd, roedd o wedi gwylltio'n gandryll am eiliad, a difaru'n syth wedyn wrth weld gwyneb y bychan yn cael ei hagru gan ddychryn a dagra. Yna'r cymodi parod. *'Hitia befo, rhen ddyn! Doeddan nhw ddim yn dad nac yn fam i neb, oeddan nhw?'* Sawl blwyddyn ers hynny, tybad?

'Os gwn i ai hi ddaru wnïo'r cwilt 'ma at ei gilydd?' meddyliodd rŵan gan droi ei sylw at y clytwaith lliwgar oedd yn orchudd dros y gwely. Gallai gofio'i fam yn llafurio efo rhywbeth tebyg, flynyddoedd yn ôl. 'Na. Go brin,' meddyliodd wedyn. Doedd Dora Morus ddim yn ei daro fel rhywun oedd â'r amynedd na'r diddordeb i ymgymryd â gwaith llaw mor gywrain.

Cododd a mynd draw at y ffenest, i syllu ar Narrow Lane oddi tano. Roedd y gath denau yn dal yno, ar garreg drws y tŷ gyferbyn, yn obeithiol o hyd y deuai rhywun, rywdro i agor iddi, neu i gynnig soseraid o lefrith, o leia. Ac ni chyffrôdd chwaith wrth i fachgen garlamu heibio ar neges frys, ei gap, fel ei wynt, yn ei ddwrn, a hoelion ei esgidia'n tasgu gwreichion oddi ar wyneb y ffordd.

O'r diwedd, aeth ati i dynnu ei ychydig betha allan o'r cês a'u rhoi o'r neilltu, naill ai i hongian yn y wardrob neu eu gwthio i ddrôr y cwpwrdd bach. Yna, ar ôl taflu cip o dan y gwely i neud yn siŵr fod po ar gael yno, at y nos, aeth yn ôl i lawr y grisia swnllyd, yn y gobaith o gael gwell croeso y tro yma.

Teimlodd yn well pan welodd fod y bwrdd wedi'i osod – i un, sylwodd. Ac ar liain claerwyn! Un cwpan a soser, un plât, un cwpan wy, jygiaid o lefrith, powlen efo mymryn o siwgwr yn ei gwaelod, cyllell a llwy de. Ar y tân, roedd sosbenaid o ddŵr yn ffrwtian a doedd y tecell, chwaith, ddim ymhell o'r fflamau. A barnu oddi wrth sŵn y gyllell yn llifio'r dorth, roedd Dora Morus drwodd yn y gegin fach yn torri bara menyn.

Am nad oedd yn siŵr a ddylai eistedd ai peidio, safodd yno ar ganol y llawr yn edrych o'i gwmpas, a gweld rhywbeth nad oedd wedi sylwi arno cyn hyn. Yn hongian ar y wal gyferbyn â'r lle tân, roedd llun bychan mewn ffrâm ddu drom. Ffrâm rhy ddu a rhy drom o lawer i lun mor fach, meddyliodd. Aeth draw i graffu arno a gweld mai llun o deulu ifanc oedd yno – gŵr a gwraig a dau o fechgyn oddeutu'r deg ac wyth oed, i gyd yn chwerthin yn braf. Tu ôl iddyn nhw roedd

olwyn ffair a chafodd Ifan yr argraff eu bod nhw
newydd gamu oddi ar hwnnw ac mai dyna oedd achos
eu hwyl. 'Merch Musus Morris, mae hynny'n amlwg!'
medda fo wrtho'i hun gan osod bys ar wyneb y fam yn
y llun. Doedd dim gwadu'r tebygrwydd rhwng y ddwy,
ond bod y ferch yn dipyn tlysach na'r fam. A mwy
siriol, yn reit siŵr! Craffodd, rŵan, ar yr ysgrifen aneglur
o dan y llun – 'SOUTHPORT' – ond er crychu ei lygaid a
gwthio'i drwyn nes bod blaen hwnnw bron â chyffwrdd
y llun, ni allai ddarllen mwy na 'Au ... 19 ...' o'r
dyddiad. Dros y blynyddoedd, roedd yr inc wedi cilio
bron yn llwyr, a hynny er gwaetha holl ymdrechion yr
aspidistra i gadw goleuni'r haul rhagddo.

Neidiodd yn ôl yn euog pan glywodd sŵn
rhywbeth yn cael ei sodro ar y bwrdd y tu ôl iddo.
Trodd i weld bod Dora Morus wedi darparu platiaid o
fara-menyn a'i bod hi rŵan yn estyn am y sosban oddi
ar y tân. Gwyliodd hi'n pysgota eiliad yn y dŵr
berwedig cyn codi'r wy allan ar lwy, i'w daro'n
ddiseremoni wedyn ar y plât. Yna arwyddodd yn
ddiamynedd ar Ifan i gymryd ei le wrth y bwrdd.

'Eich merch a'i theulu, ia?' gofynnodd, gan gyfeirio
at y llun. O gael dim ateb, ac yn ei awydd i dorri'r ias
rhyngddyn nhw, mentrodd eto, 'Mae hi'n debyg iawn
i chi, beth bynnag, Musus Morris . . .'

Tybiodd Ifan am eiliad ei bod hi am gynnig ateb
ond wnaeth hi ddim. Yn hytrach, estynnodd rŵan am
y tecell a dechra llenwi'r tebot ohono.

'. . . Hogan dlos iawn, os ca i ddeud!' medda fo
wedyn, yn benderfynol o geisio creu argraff ffafriol
arni. 'Hogia bach golygus, hefyd! Un yn debyg iawn
i'w dad; y llall yn debycach i'w fam, ddywedwn i.
Faint fasa'u hoed nhw rŵan, deudwch?'

Yn ddirybudd, gollyngodd Dora Morris ei gafael ar y tecell trwm a dychrynodd Ifan wrth weld hwnnw'n taro yn erbyn ymyl y grât gan dasgu rhywfaint o'i gynnwys poeth i lygad y tân, gan greu hisian ffyrnig a chwmwl o stêm gwyn cyn syrthio wedyn gyda chlec anferth ar y ffendar a pheri i'w gaead saethu allan ohono ac i weddill y dŵr berwedig dasgu i bob cyfeiriad.

Rhuthrodd Ifan gam neu ddau ymlaen. 'Ydach chi'n iawn, Musus Morris?' gofynnodd yn bryderus. 'Ddaru chi ddim llosgi, gobeithio?'

Dim ateb.

'Ga i neud rhwbath?' holodd eto, gan wybod o'r gora ei bod hi'n cuddio'i phoen.

'Bwytwch eich cinio!' meddai hi'n siort a rhuthro o'i olwg i'w chegin gefn.

Er yn ei chlywed yn snifflan crio yn fan'no, penderfynodd Ifan mai gwell fyddai peidio ymyrryd. Felly, tywalltodd baned iddo'i hun o'r tebot chwarter llawn, torri pen yr wy ac ymestyn am y bara-menyn – neu'r bara-marjarîn yn hytrach! 'Dydw i ddim wedi cael wy mor flasus â hwn ers talwm iawn,' meddai wrtho'i hun. 'A deud y gwir, do'n i ddim wedi sylweddoli tan rŵan fy mod i mor llwglyd. Mae'n oria ers imi gael brecwast.' Y peth lleia a allai Mair fod wedi'i neud fyddai paratoi brechdan neu ddwy iddo, i'w bwyta ar y trên. Ond wnaeth hi ddim. A doedd ynta ddim wedi synnu rhyw lawer, chwaith.

Gan fod Dora Morris yn benderfynol o gadw pellter trwy aros yn ei chegin a gan nad oedd arno ynta fawr o awydd treulio pnawn diflas yn y tŷ, aeth allan i grwydro, ar esgus cyfarwyddo'i hun â'r pentre. Ond erbyn canol pnawn roedd dieithrwch y lle a dieithrwch y bobol wedi mynd yn fwrn arno a

254

dychwelodd i'r tŷ ac yn syth i'w lofft, lle bu'n ceisio cofnodi ambell argraff yn ei ddyddlyfr. Wedyn, estynnodd am nofel newydd Elena Puw Morgan yn y gobaith o allu ymgolli ynddi a thrwy hynny anghofio'i hiraeth. Ond roedd ei deimlada'n rhy gythryblus ac ni chafodd unrhyw afael ar y stori. Cyn hir, llithrodd y llyfr o'i law a llithrodd ynta i afael cwsg.

Deffrôdd i sŵn gweiddi o bell. Roedd yn chwech o'r gloch, meddai'r llais diarth o waelod y grisia, ac roedd ei swper yn barod. Cofiodd lle'r oedd a bu hynny'n ddigon i ddod â'r felan yn ôl iddo.

Erbyn iddo gyrraedd gwaelod y grisia a'r stafell fyw, roedd Dora Morris wedi gadael ei fwyd ar y bwrdd ac wedi cilio'n ôl i'w chegin ac i'w chragen. Ac eithrio'r ychydig olau dydd oedd ar ôl, ei unig olau arall oedd golau aflonydd y tân ond taflai hwnnw gysgodion yn ogystal, a'r rheini'n dawnsio fel bwganod ar y wal o'i flaen. Doedd dim smic yn dod o'r gegin fach. Doedd dim math o ola yno chwaith. 'Duw a ŵyr sut ei bod hi'n gallu gweld dim,' meddai wrtho'i hun.

Wedi iddo orffen ei bryd, gwaeddodd, 'Diolch am y swper, Mrs Morris. Blasus iawn!' a phan na ddaeth ateb, 'Nos da,' medda fo wedyn a dianc yn ôl i'w lofft.

Roedd yn dywyll iawn yn fan'no erbyn hyn ac, wedi deud ei bader, aeth i wely cynnar i drio cysgu. Doedd fiw iddo losgi trydan yn darllen rhag i hynny ychwanegu at hwylia drwg Dora Morris.

Rhwng bod yn poeni am agwedd anserchus gwraig y tŷ, ar y naill law, a pheryglon y pwll ar y llaw arall, a'r holl feddylia oedd hefyd yn porthi ei hiraeth, ni ddaeth cwsg yn fuan nac yn hawdd iddo. Gorweddai ar ei gefn yn syllu i dywyllwch y nenfwd. Ai dyma sut roedd petha i fod o hyn allan, gofynnodd iddo'i hun. Ai dyma'r gosb am fod yn gonshi? Be oedd Mair yn ei neud rŵan, tybad? Oedd hitha hefyd yn unig? Oedd hi'n gweld ei golli? Oedd hi wedi meddwl amdano o gwbwl ers iddo'i gadael? Oedd hi'n difaru ei malais tuag ato? A be am Huw, wedyn? Oedd chwerwedd hwnnw tuag at ei frawd wedi cilio? Y brawd mawr roedd pawb yn ei alw'n gachgi! A be am Wendy a Louise? Fydden nhw'n cael cam, rŵan ei fod o wedi gadael?

Fe gollodd sawl deigryn o unigrwydd y noson honno cyn i gwsg bendithiol fynd yn drech na fo, rywbryd yn yr oria mân.

*   *   *

Cyrhaeddodd frig y pwll mewn da bryd drannoeth, yn dal i bryderu ynghylch y gwaith oedd yn ei aros ac yn teimlo'n unig ac amddifad mewn byd oedd yn estron ac yn llawn dieithriaid llwyr. Gwyddai fod amryw yn troi pen i edrych arno. A rheswm da pam! Onid oedd ei drowsus ffustion – hwnnw'n wyn o'i amal olchi – yn tynnu llygad yn syth, mewn byd oedd fel arall yn ddu? Onid oedd y ffaith ei fod mor wahanol i'r gweddill ohonyn nhw yn deud yn syth be oedd o? *'Mae hwn wedi cael ei yrru yma am ei fod o'n gonshi!* Dyna maen nhw i gyd yn ei feddwl, wrth gwrs,' medda fo wrtho'i hun. 'Mae'r trowsus gwyn glân 'ma fel fflag, yn cyhoeddi i'r byd a'r betws yn union be ydw i. Conshi! . . . Cachgi! . . . Cachwr!'

'Nice mornink!' meddai llais yn ei glust wrth i rywun fynd heibio iddo o'r cefn.

'Yes, nice morning!' medda fynta'n ôl ond roedd y dieithryn eisoes allan o glyw.

'Good mornink!' meddai dau neu dri arall, yn ddigon clên fyth.

256

Cyn hir, gwelodd ŵr efo mop o wallt claerwyn yn brasgamu tuag ato gan estyn llaw allan i gael ei hysgwyd.

'Evan Hughes is it? I'm Price.'

'Mae'n dda gen i'ch cwarfod chi,' medda Ifan, yn ffwndrus braidd oherwydd bod y Saesneg yn dal i deimlo'n chwithig ar ei dafod.

'Tyrd! Mi ddangosa i iti lle i glocio-i-mewn ac wedyn mi awn ni i nôl het galed a lamp iti. Mi fyddi di'n barod am y gwaith, wedyn.'

'Go brin!' oedd y geiria ym meddwl Ifan ond 'Diolch yn fawr!' ddeudodd o, ac yna dilyn y gŵr hŷn yn ufudd.

Funuda'n ddiweddarach, ac efo cryn ddwsin o rai eraill yn gneud yr un peth, gwasgodd y ddau i mewn i'r caets tywyll. 'Dyma ni'n mynd!' meddai Preis yn gysurlon yn ei glust wrth i'r olwyn ddechra troi a gollwng y caets yn gyflym i'r düwch.

'Dyma sut mae wagan lawn yn teimlo wrth gael ei chriwlio i lawr inclên y chwaral,' meddai Ifan wrtho'i hun, gan chwilio am unrhyw syniad, waeth pa mor wirion, i symud ei feddwl. 'Os gwn i os mai "criwlio" ydi gair y glowyr am y peth?'

'Evan Hughes ydi'r gŵr ifanc yma,' meddai Preis, yn ddigon uchel i bawb ei glywed, a daeth sawl 'Su ma'i?' allan o'r tywyllwch o'i gwmpas. 'Mae o'n lojio efo Dora Morris yn Narrow Lane.'

Tybiodd Ifan glywed ambell un yn twt-twtian cydymdeimlad, rŵan, a chasglodd fod Dora Morris yn adnabyddus iddyn nhw. 'Pob lwc iti, machgan i!' meddai rhywun gyda chwerthiniad byr. 'Ia wir!' cytunodd un arall. 'Mae'n biti drosti hitha, hefyd, cofiwch,' meddai trydydd llais, yn llawn cerydd, a chymerodd Ifan ato, braidd, o dybio bod y geiria wedi'u hanelu ato ef yn fwy na neb arall.

*   *   *

'Wel? Sut aeth hi? Ddaru ti fwynhau dy ddiwrnod cynta?'

Gwelodd Ifan wên ddireidus yn lledu fel craith wen ar draws y gwyneb du. Gwenodd ynta'n ôl. 'Na, ddim felly, Preis! Ond doedd o ddim cynddrwg â be ro'n i wedi'i ofni, cofiwch.'

'A sut mae dy gefn di?'

'Ar dorri, mae'n rhaid cyfadda.' A gwnaeth Ifan sioe o sythu'n boenus. Drwy'r dydd, bu'n gwthio wagenni llawn a gwag yn ôl a blaen o'r ffâs ond dim ond rŵan, ar ddiwedd y stèm – neu'r 'shifft' yn iaith y glowyr – y teimlai wir effaith gweithio'r oria hirion yn ei blyg. Ac oni bai am yr het galed, byddai ganddo sawl lwmp ar ei ben, yn ogystal!

'Sut wyt ti am dreulio dy fin nosau, tra byddi di yma? Fyddi di'n chwara *billiards* o gwbwl?'

'Byddaf. Mae digon o fyrddau *billiards* i'w cael ym Mlaendyffryn 'cw.'

'Wel, mi fydd raid iti ymuno â Chlwb y Gweithwyr, felly. Fe gei di nosweithia difyr yn fan'no, a pheint neu ddau o *Border Ale* yn y fargen.'

'Dydw i ddim yn cyffwrdd y ddiod gadarn, mae gen i ofn,' medda fo, heb ddeall yn iawn y dôn ymddiheurol yn ei lais.

'Be? Dwyt ti rioed wedi seinio'r plèj? Bachan, dwyt ti ddim isio bod yn rhwbio gormod yn y criw sych yna! Rhaid i bob gweithiwr gael ymlacio o bryd i'w gilydd, Evan. Felly, beth am ddod efo fi i'r Wheatsheaf, nos Wener? Dyna iti le difyr ydi fan'no. Be ti'n ddeud?'

'Ga i weld,' medda Ifan, rhag tramgwyddo trwy wrthod yn blwmp ac yn blaen. Roedden nhw bron cyrraedd cornel ucha Narrow Lane, lle bydden nhw'n gwahanu. 'Deudwch i mi, Preis, be oedd un o'r hogia'n feddwl, bora 'ma, pan ddeudodd ei fod o'n cydymdeimlo efo Dora Morris, fy ngwraig-tŷ-lojin? Ai am fy mod i yno'n lojio yr oedd o'n cydymdeimlo efo hi?'

'Dduw Mawr, nage!' meddai Preis mewn hanner chwerthiniad. 'Pam fydda fo'n gneud peth felly, Evan? Y ffaith ydi fod pawb ffor'ma'n gwbod pa mor sych a thrwynsur ydi Dora Morris, ond mae pawb yn ymwybodol iawn hefyd o'r rheswm pam ei bod hi felly ac o'r golled a gafodd hi.'

'O? Pa gollad?'

Trodd Price i edrych yn syn arno. 'Be? Does neb wedi deud wrthat ti? Neb wedi egluro? Bobol bach!' Roedden nhw wedi cyrraedd Narrow Lane erbyn hyn ac yn barod i wahanu. 'Mi wyddost ti, wrth gwrs, fod llawer iawn o ferched a phlant wedi cael colledion ofnadwy, bum mlynedd yn ôl? Colli tad, colli gŵr, colli mab. Fe gafodd ambell un golled ddwbwl. Colli gŵr a cholli tad, neu ŵr a mab! Ond dim ond Dora Morris a gafodd waeth na hynny. Fe gollodd hi ei gŵr a'i dau fab yn y danchwa. Dychmyga'r fath beth! Dim ond pedair ar bymtheg oed oedd yr hyna, a'r llall ddwy flynedd yn iau wedyn. A doedd Griff Morris, y tad, ond tua'r un oed â ti, rŵan, Evan . . . yn ei ddeugeinia cynnar. Dduw annwyl! Rhyfedd na fyddai rhywun wedi dy rybuddio di cyn iti gyrraedd. Ond dyna fo! Fel'na mae petha, decinî.' A throdd Preis i adael. 'Fe wela i di yn y bore ac fe gawn ni drefnu i fynd i'r Clwb ryw noson, imi gael dangos i chi, bobol

Sir Feirionnydd, sut mae chwarae *billiards* o ddifri.'
Gwenodd yn gellweirus. 'Hwyl rŵan!'

Ond chlywodd Ifan mo'r geiria, a phrin y sylwodd
ar Preis yn gadael. Wnaeth o ddim hyd yn oed trio
cywiro hwnnw ynglŷn â'i oedran. Yn hytrach, yr unig
beth a welai oedd llun mewn ffrâm ddu a'r unig eiria
yn ei glust oedd ei eiria ef ei hun yn dyrnu fel cnul yn
ei ben – *'Hogan dlos iawn, os ca i ddeud! Hogia bach
golygus, hefyd! Un yn debyg iawn i'w dad; y llall yn
debycach i'w fam, ddywedwn i. Faint fasa'u hoed nhw
rŵan, deudwch?'* Doedd fawr ryfadd ei bod hi wedi colli
gafael ar y teciall. 'Dduw Mawr!' medda fo'n ofidus. 'Fe
ddylwn i fod wedi sylweddoli oed y llun cyn agor fy
ngheg o gwbwl.'

*   *   *

Wedi cau'r giât o'i ôl, y peth cyntaf y sylwodd arno
oedd y crwc hanner llawn ar y stelin wrth ddrws y
cefn, a'r lwmp o sebon coch a'r lliain sych yn gwmni
iddo. Er fod y dŵr oedd yn y crwc eisoes yn gynnes,
daeth Dora Morris â thecellaid arall o ddŵr poeth i'w
dywallt am ei ben. 'Fe welwch chi fod hen gadair yn y
cwt-allan,' medda hi yn ei dull di-wên arferol.
'Gadewch eich dillad gwaith ar honno tan y bore.'

Nid awgrym ond gorchymyn. Doedd dim hawl
cerdded drwy'r tŷ yn ei ddillad gwaith. 'Digon teg!'
meddai wrtho'i hun a diosg pob dilledyn ond ei drôns
gwlanen hir.

Synnodd weld dŵr y crwc yn troi'n ddu mor fuan.
Doedd o ddim wedi dychmygu am eiliad y byddai
cymaint o waith molchi arno. 'Rhowch imi lwch
chwaral unrhyw ddydd!' medda fo wrtho'i hun. Yna,
yn fodlon o'r diwedd ei fod cyn laned ag y gellid

disgwyl, trawodd ei fest wlanen yn ôl amdano a rhuthro'n swil drwy'r gegin a'r stafell fyw i fyny i'w lofft, i wisgo'i ddillad-min-nos. Er, doedd dim achos iddo deimlo'n swil oherwydd ni throdd Dora Morris ei phen i edrych arno'n mynd.

Daeth i lawr am ei swper pan gafodd yr alwad ac, fel neithiwr, roedd y bwyd – dysglaid o botas poeth – yn aros amdano ar y bwrdd. Ond dim sôn am Dora Morris ei hun. 'Wneith hyn mo'r tro,' medda fo wrtho'i hun. 'Mi fydd raid imi gael gair efo hi. Mi fydd raid inni gael gwell dealltwriaeth.' Felly, yn hytrach nag eistedd at ei fwyd, aeth draw at ddrws y gegin fach. 'Ddowch chi trwodd am eiliad, Mrs Morris? Mi garwn i gael gair efo chi. Steddwch!' medda fo wedyn, heb styried ei hawl hi i neud peth felly unrhyw bryd ac ymhle y mynnai yn ei thŷ ei hun. Pwyntiodd at y fwya cyfforddus o'r ddwy gadair o flaen y tân ac aeth hitha i eistedd ynddi. 'Yn y lle cynta, Musus Morris, fe garwn i ymddiheuro o waelod calon am rywbeth ddeudis i neithiwr.' Cyfeiriodd at y llun ar y wal. 'Pe bawn i wedi gwybod am eich . . . eich colled ofnadwy chi, yna fyddwn i byth wedi breuddwydio'ch holi chi ynglŷn â'ch anwyliaid. Wyddwn i ddim. Coeliwch fi! Wyddwn i ddim ac mae'n wir ddrwg gen i fod wedi agor y fath graith ichi.'

Wrth i'r eiliada lusgo'n ddistaw heibio, tybiodd Ifan nad oedd hi'n mynd i ymateb o gwbwl ond yna, 'Nid eich bai chi,' meddai hi'n dawel – o dan ei gwynt, bron – 'ond dydi petha ddim yn hawdd arna i, wyddoch chi.'

'Mi alla i gredu hynny, Musus Morris, ond ga i ofyn hyn ichi – fyddai'n well gynnoch chi pe bawn i'n chwilio am lojin yn rhywle arall?'

Am y tro cynta ers iddo'i chyfarfod, agorodd hi ei llygaid yn fawr a syllu i fyw ei rai ynta. 'Pam fasech chi isio gneud peth felly, Mr Hughes?'

'Dydw i ddim, Musus Morris,' medda fo, gan synnu at mor bendant y swniai. 'Dydw i ddim. Ofn sydd gen i fy mod i'n dipyn o embaras ichi.'

Daeth anghredinedd i'w llygaid hi rŵan. 'Be? 'Dach chi rioed yn awgrymu fod pobol y lle ma yn amau . . .?'

Er na chafodd y cwestiwn mo'i ofyn yn llawn, fe welodd Ifan yr hyn oedd tu ôl iddo a chwarddodd yn fyr a dihiwmor. 'Bobol bach, nacdw! Nid dyna oedd gen i o gwbwl. Ofni oeddwn i fod pobol yn . . . yn rhyfeddu eich bod chi'n rhoi llety i wrthwynebydd cydwybodol.'

Dychwelodd yr anghredinedd i'w llygaid a magodd ei llais fwy o fin. 'Nid fy lle i, Mr Hughes, na neb arall chwaith, ydi cwestiynu'ch egwyddorion chi ond mi ddeuda i gymaint â hyn. Yr argraff dwi wedi'i gael ohonoch chi hyd yma ydi eich bod chi'n ddyn o sylfaen . . . dyn agos i'w le . . . felly, os ydach chi'n wrthwynebydd cydwybodol ar sail eich egwyddorion, yna rydach chi'n haeddu parch gen i, waeth be mae pobol eraill yn ddeud. Felly, dwi'n gobeithio na fyddwch chi'n crybwyll rhyw lol fel'na byth eto. Rŵan bwytwch eich potas cyn iddo oeri.'

Tro Ifan oedd cnoi cil rŵan. 'Diolch, Musus Morris,' medda fo o'r diwedd a mynd i eistedd at y bwrdd. Teimlai ei fod wedi cael ei roi yn ei le ganddi, a hynny mewn ffordd oedd yn cnesu ei galon.

'Gyda llaw, Mr Hughes!' medda hi eto. 'Does dim cysur ichi yn y llofft ar fin nos. Mae croeso ichi eistedd yn fa'ma, o flaen y tân.'

Noswyliodd gyda rhyddhad y noson honno, yn falch bod yr ias wedi'i thorri rhyngddyn nhw.

Tro ar fyd

Aeth pum wythnos gyfan heibio cyn i Ifan ildio i swnian ei ffrind, Preis.

'O'r ffordd rwyt ti'n dadla, mi allai rhywun feddwl mai Tŷ'r Diafol ydi'r Wheatsheaf. Diawl erioed, Evan, wnaeth peint o *Border Ale* ddim harm â neb erioed, 'achan.'

'Matar o farn ydi hyn'na, Preis! Dydach chi ddim wedi gweld be mae'r ddiod yn gallu'i neud i bobol . . . ddim wedi gweld fel mae hi'n medru chwalu cartrefi . . .'

'Paid ti â chymryd dy siomi, boi bach! Dwi flynyddoedd yn hŷn na chdi, cofia, ac wedi gweld tipyn mwy ar yr hen fyd 'ma hefyd.'

Mae o'n hŷn na chdi, Ifan, ac felly'n gwbod yn well. Cofia di hynny! Ia, geiria'i dad, slawer dydd. 'Mae'n ddrwg gen i Preis. Nid dyna oeddwn i'n awgrymu o gwbwl. Isio deud oeddwn i fel y byddai amball chwarelwr yn mynd ar y sbri ar ddiwrnod Tâl Mawr. Ar ddiwadd mis mae'r chwarelwyr yn cael eu talu, 'dach chi'n gweld. Dim ond *sub* bychan maen nhw'n gael ar ddiwadd pob wythnos a dydi hwnnw byth yn ddigon i fyw arno, felly mae pob teulu'n gorfod mynd i ddyled . . . yn y Coparét neu mewn siopa eraill. Wedyn, efo tâl mawr diwadd mis, fe geith y dyledion i gyd eu talu. Ond ers talwm mi fyddai amball un gwan-ei-ewyllys yn troi i mewn i'r dafarn yn hytrach na mynd â'i gyflog adra i'w wraig, ac yno y bydda fo, wedyn, nes gwario pob ceiniog o'i enillion prin. *Mynd ar y sbri!* Dyna oeddan nhw'n galw'r peth. Doedd amball un ddim hyd yn oed yn mynd adra dros y Sul! Ffaith ichi! Dynion hunanol ofnadwy oeddan nhw, a'u gwragedd a'u plant oedd yn gorfod diodda, wrth gwrs. Dwi'n cofio, pan o'n i'n blentyn, gweld dynas yn dod at ddrws ein tŷ ni i grefu ar Mam am damad o dorth. Roedd ganddi hi chwech, os nad saith, o blant wrth ei chwt, a mwy nag un ohonyn nhw'n crio o fod isio bwyd. A Mam yn dod â nhw i gyd i'r tŷ ac yn rhannu powlenaid fawr o datws llaeth rhyngddyn nhw. Roeddan nhw ar eu cythlwng, graduriaid bach.' Chwarddodd Ifan yn fyr ac yn chwerw rŵan. 'Chafodd ein teulu ni fawr o swpar chwaral y noson honno, beth bynnag. Felly, gyda phob parch, Preis, peidiwch â deud wrtha i nad ydi'r ddiod yn gneud unrhyw ddrwg i neb.'

'Ond yr hen ddyddia oedd rheini, Evan! Dyw petha ddim fel'na rŵan, ydyn nhw? I ddechra, does dim yfed ar y Sul, bellach.'

Nid dyma'r tro cynta iddyn nhw gael y ddadl, ac Ifan a gawsai'r gair ola bob tro, hyd yma, ond heno, ar eu ffordd adre o'r gwaith, synhwyrai Preis fod ei gyfaill yn dechra simsanu yn ei benderfyniad; doedd yr un tân ddim yn ei lygaid na'r un taerineb yn ei lais. Os oedd o'n gwegian, roedd gan Preis syniad pam. Roedd undonedd ei fywyd yn dechra deud arno. Cilio o'r pwll i wely cynnar bob min nos. I ddarllan, medda *fo*! Ond roedd Preis yn amau'n wahanol; yn amau mai dianc rhag diflastod cwmni'r wraig-tŷ-lojin oedd Ifan. Er, a bod yn deg â hi, roedd Dora Morris wedi sirioli cryn dipyn ers i Ifan fynd ati i lojio. Yn un peth, roedd hi'n barotach i sefyllian ar ben drws i gyfarch hwn a'r arall. Yn barotach ei gwên, hefyd. Yn ôl rhai, roedd Dora Morris yn debycach i fel ag yr oedd hi cyn y danchwa. A'r lojar ifanc a gâi'r clod am ei thynnu hi allan o'i chragen unwaith eto. Mynnai rhai, wrth gwrs, fod perthynas ddyfnach rhyngddyn nhw ond fe wyddai Preis nad oedd sail i hen glecs felly.

Erbyn rŵan, roedd y ddau wedi cyrraedd cornel Narrow Lane, lle bydden nhw'n arfer gwahanu, ac oedodd Ifan i ddarllen poster newydd ar dalcen y tŷ o'i flaen – *Don't go down the mine, Daddy, without a bottle of MORRIS EVANS' OIL. In bottles 1/3 & 3/-.*

Am nad oedd yn deall ystyr y wên ar wyneb ei ffrind nac yn gweld yr hiraeth tu ôl iddi, fe deimlodd Preis yn sicrach fyth fod Ifan yn gwegian yn ei benderfyniad. 'Dydw i ddim yn dy ddeall di, Evan! Uffen! Mae'n well gen ti dreulio nos Wener yn y gwely'n darllen na bod i lawr yn y Wheatsheaf yn dadla *politics* a llyfra a phetha fel'na? . . .' Gwyddai am hoffter Ifan o drafod a dadla ar byncia o bwys a phenderfynodd newid rhywfaint ar ei dac, rŵan. 'Rwyt ti'n dda iawn mewn dadl, dwi'n gwbod, ond fyddai gen ti ddim gobaith mul mewn dadl efo Tomi Comi, i lawr yn *y* Wheatsheaf. Chlywais i erioed neb cystal â Tomi am ddadla *politics*. A mae o wedi darllen yn eang hefyd ac yn gallu trafod pob math o lyfra. Ond mae o'n rhy hoff o neud sbort o grefydd, gwaetha'r modd, a dydi'r gweddill ohonon ni ddim yn ddigon o giamstars i ateb ei ddadleuon. Yli! Dyma be wna i!' medda fo, fel petai'r syniad newydd ei daro. 'Fe rodda i gnoc arnat ti heno wrth basio, rhag ofn y byddi di wedi newid dy feddwl erbyn hynny. Saith o'r gloch ar ei ben! Iawn?'

A chyn i Ifan gael cyfle i brotestio rhagor, brasgamodd Preis oddi wrtho.

*   *   *

'Wel? Wyt ti'n dod 'te?'

'Na, does gen i fawr o awydd cychwyn.'

Ond sŵn awydd a glywai Preis, serch hynny.

Nid bod y dafarn, ynddi'i hun, yn atyniad i Ifan – bradychu egwyddor oes fyddai mynd i le felly, heb sôn am fradychu'i fam a'i weinidog – ond roedd y syniad o gymryd rhan mewn trafodaeth fywiog ar lenyddiaeth neu bolitics yn apelio'n fawr ato, yn enwedig o gofio mai ei unig ddewis arall oedd diodde undonedd llethol y tŷ lojin. Un peth y gwelsai ei golli ar ôl mynd i weithio yn Offis y chwarel oedd cwmnïaeth ddifyr y Caban, lle ceid meddylia craff yn hogi'i gilydd mewn dadl a sgwrs. Ac os gellid rhoi coel ar Preis, yna roedd cwmnïaeth yr un mor ddifyr a'r un mor heriol ar gael iddo yn y Wheatsheaf, heno.

'Tyrd o'ne, Evan! Dos i nôl dy gôt, 'achan!'

Yn ufudd, estynnodd Ifan ei gôt oddi ar y peg tu ôl i'r drws. 'Mi fydda i'n hwyr heno, Mrs Morris!' gwaeddodd, a thynnu'r drws ynghau o'i ôl.

*   *   *

Doedd Mair Huws ddim mewn hwylia da o gwbwl, wedi gorfod anfon y ddwy chwaer i'w gwely'n crio. Waeth be fyddai hi'n baratoi'n fwyd iddyn nhw, meddai wrthi'i hun, doedd dim byd byth yn plesio. Tro'r leia i gael stranc fu hi heno. Doedd *hi*, meiledi, ddim yn mynd i fwyta crystyn y dorth, wir! Y fadam fach iddi! A phan gafodd hi slaes ar ei choes am fod mor styfnig, a dechra crio wedyn a smalio bod ganddi gur yn ei phen, fe ddechreuodd y llall gadw arni, gyda'r canlyniad bod honno hefyd wedi cael chwip ar ei thin a'i gyrru i'w gwely.

266

Ar Ifan roedd y bai! Roedd o wedi difetha'r ddwy. Rhoi gormod o sylw, o lawer, iddyn nhw. A gwario ar y llyfr 'na! Phrynodd o rioed bresant i'r un o'i neiaint na'i nithoedd hi ond roedd o wedi rhoi syllta prin am lyfr drud i'r ddwy yma. I ddieithriaid llwyr! Ac i be? Iddyn nhw neud dim byd mwy nag edrych ar y llunia? Fedren nhw ddim darllan yr un gair ohono, siŵr iawn! Sawl gwaith y clywodd hi nhw'n stryffaglu efo geiria bach syml, nes bod iaith y llyfr yn swnio fel *double-Dutch*?

Cododd ei phen o'i gwau rŵan, i glustfeinio. Rhaid eu bod nhw wedi crio'u hunain i gysgu, meddyliodd, oherwydd roedd petha wedi tawelu yn y llofft. Os felly, fe wnâi hi baned o de iddi'i hun

Trawodd y gweill a'r bellen edafedd ar y bwrdd tu ôl iddi ac estyn ymlaen i symud y teciall oddi ar y pentan ac ar y tân. Pwysodd ef i lawr i nyth diogel y cochni eirias a chael cysur o'i glywed yn dechra ffrwtian yn syth. Fe wrandawai ar y weiarles am chydig hefyd, meddai wrthi'i hun – neu ar y 'di-wifr', chwedl Ifan yn ei Gymraeg posh! Ond rhaid peidio â gadael honno ymlaen yn rhy hir chwaith, rhag i'r batris wanio gormod.

Wedi'r ffidlan hir efo'r botwm, a gwrando ar leisia'n mynd a dod, mynd a dod, trwy bob math o sŵn ffrio a chlecian, llwyddodd o'r diwedd i glywed rhywun neu'i gilydd yn canu'n aneglur un o'i hoff *comic songs* hi. *'Thanks for the memories'* meddai'r llais ac ymunodd hitha trwy hymian cyfeiliant. Edrychodd o'i chwmpas ar y stafell foel a meddwl yn chwerw, 'Go brin y bydd gen *i* unrhyw atgofion i'w trysori, beth bynnag. Tawn i ond wedi gwrando ar Nhad!'

Erbyn i'r gân ddod i ben, roedd rhyw iselder ysbryd wedi cydio ynddi a theimlai awydd dianc o'r tŷ a mynd na wyddai hi i ble. Dyna pryd y cyffrowyd hi gan sŵn traed ar lwybyr yr ardd. Troedio trwm dyn! Yn reddfol, rhoddodd daw ar y weiarles, i wrando ar y camau'n dod i fyny at y drws. Daliodd ei gwynt gan ddisgwyl clywed sŵn curo ond yn lle hynny daeth cri sydyn o boen a sŵn trwm rhywun neu rywbeth yn syrthio'n glewt tu allan i'r drws. Yna, sŵn griddfan yn gymysg â rhegfeydd.

Brysiodd i agor y drws a synnu, am eiliad, gweld bod niwl llaith wedi llenwi'r tywyllwch tu allan.

'Be sy'n bod?' gofynnodd i bwy bynnag oedd wrthi'n codi oddi ar ei hyd ar lawr.

'Damia unwaith!' meddai llais diarth, yn llawn poen. 'Troi nhroed wnes i a dwi wedi sigo fy ffêr.' Yna, yn fwy edliwgar. 'Tasa pobol yn gofalu cau'r blacowt yn iawn, yna fasa peth fel hyn ddim yn digwydd.'

Yn araf, daeth y pen i fyny nes bod y ddau'n edrych i wyneba'i gilydd ac yn y gola gwan oedd yn dianc o'r stafell tu ôl iddi, darllenodd Mair y llythrenna gwynion ARP ar yr helmed ddu o'i blaen.

'Gwell ichi ddod i mewn,' medda hi'n swta, yn ddig am iddo awgrymu bai arni hi am yr anffawd. Yna, wrth iddo'i dilyn hi'n gloff i'r tŷ, pwyntiodd hitha at y gorchudd du dros y ffenest, 'Ro'n i wedi gosod y blacowt yn ei le cyn rhoi'r gola ymlaen.'

'Ond dydi o ddim wedi'i osod yn iawn, ydi o?' medda fynta. 'Mae 'na rywfaint o ola'n dengyd heibio'i ymyl o, a phe bai un o eroplêns y Jyrmans yn digwydd dod drosodd . . .' *Mi fyddai hi'n ddiwedd byd arnom ni i gyd* oedd awgrym y frawddeg anorffen.

'Be? Yn y niwl 'ma?' meddai Mair yn anghrediniol. 'Ar noson fel heno, mi fuoch *chi*'n graff ar y naw i weld cyn lleied â hyn'na o ola. Fedra i ddim credu y basa'r un Jyrman yn gweld dim byd o fan'cw.' A chododd ei haelia i awgrymu'r awyr niwlog tu allan.

'Rhaid i ni fod yn ofalus, dyna i gyd,' medda fynta'n amddiffynnol, a'r diffyg argyhoeddiad yn ei lais yn awgrymu ei fod yn cydnabod gwendid ei ddadl.

'Gwell ichi dynnu'ch esgid a'ch hosan,' medda hi'n ddiamynedd, yn sylwi rŵan ar ei gloffni. 'Mi gewch chi roi'ch troed mewn padall o ddŵr oer, rhag i'ch ffêr chi chwyddo gormod. Steddwch yn fa'ma!' A thynnodd gadair oddi wrth y bwrdd.

Wedi ei gwylio hi'n diflannu i'r gegin gefn, tynnodd ynta ei helmed, ei tharo ar gornel y bwrdd a dechra llacio careia'i esgid. 'Diolch ei bod hi'n esgid uchel, gre,' medda fo wrtho'i hun, 'neu mi allwn i'n hawdd fod wedi torri fy ffêr.' Yn araf o boenus, tynnodd yr esgid ac yna'r hosan, gan obeithio ar yr un pryd nad oedd ei droed yn mynd i godi cywilydd arno. Gallai glywed dŵr y tap yn llenwi'r ddesgil yn y gegin gefn.

'O! Mae gynnoch chi ddŵr yn *tŷ*, felly?' galwodd.

'Wrth gwrs!' medda hitha'n swta, gan ail-ymddangos efo'r ddesgil drom yn ei dwylo a hen liain dros ei braich. 'Dyna'r peth cynta i mi fynnu'i gael, ar ôl priodi.' Ac yna'n fawreddog: 'Does neb yn gorfod mynd allan o'r tŷ i nôl dŵr, y dyddia yma, siŵr gen i?'

Awgrymai ei ddistawrwydd ei fod yn anghytuno â hi.

'. . . Fe synnech chi gymaint dwi wedi'i swnian ar Ifan i newid y grât 'ma am un Triplex efo boilar tu ôl iddi. Fe gaen ni ddŵr poeth hefyd, wedyn.'

Gosododd hi'r ddesgil ar yr oilcloth wrth ei draed, yn ddigon pell oddi wrth y mat newydd oedd yn gorwedd o flaen y lle tân, rhag i ddŵr golli drosto.

'Anfodlon ydi o, ia?' gofynnodd y dieithryn, gan daro'i droed chwyddedig yn y dŵr rhewllyd a chymryd ei wynt yn swnllyd wrth deimlo'r oerni.

'Anfodlon? Hy! Fe synnech chi mor styfnig y gall o fod. Mae o fel mul efo rhai petha. 'Sa waeth i mi aredig tywod mwy na thrio dwyn perswâd arno fo.'

'Rhoswch chi, rŵan! Gwraig Ifan Huws ydach chi'n de?'

'Ia. Pam 'dach chi'n gofyn?'

'Dwi'n nabod Ifan yn o lew, ond ro'n i'n nabod Rhys ei frawd o'n well. Hwnnw'n nes at f'oed i. A deud y gwir, ro'n i flwyddyn go dda yn hŷn na Rhys hefyd. Roedd o a fi allan yn Ffrainc efo'n gilydd.'

Edrychodd Mair yn graffach ar ei hymwelydd; ar ei wyneb golygus ac ar y tusw bychan o wallt claerwyn, uwch y talcen. Os oedd o'n hŷn na brawd Ifan, yna roedd o o leia bymtheng mlynedd yn hŷn na hi, felly. Yn ei ddeugeinia cynnar, siŵr o fod. A rhy hen i enlistio.

'O! Ddaru mi rioed gwarfod fy . . . fy mrawd-yng-nghyfraith. Roedd o wedi . . . wel, wedi . . . ymhell cyn i mi briodi Ifan.' Doedd hi ddim isio cael ei hatgoffa am y Rhys anghall oedd wedi gneud amdano'i hun, yr holl flynyddoedd yn ôl. 'Ydi peth fel'na'n rhedag mewn teulu, deudwch?' Fe ddaeth y cwestiwn allan heb iddi ei fwriadu.

'Be 'dach chi'n feddwl, felly?'

'Wel . . . beth bynnag oedd yn bod arno fo.'

Cymerodd eiliad neu ddwy i'r dieithryn ddeall ei chwestiwn ond pan syrthiodd y geiniog daeth sŵn dwrdio unwaith eto i'w lais. 'Dydach chi ddim yn un sy'n rhoi clust i'r hen goel wirion bod Rhys Lòrd Bach yn wallgo, gobeithio?' gofynnodd, a gweld ar ei gwyneb mai dyna oedd yn wir. 'I chi gael dallt, roedd Rhys yn un o'r hogia neisia y gallech chi fod wedi'i gwarfod, erioed. Hynny ydi, cyn iddo fo fynd i Ffrainc. Mae gen i lun ohono fo yn y tŷ 'cw; llun o griw ohonon ni adra ar lîf, rywdro. Fe ddo i â fo i'w ddangos ichi rywbryd, os liciwch chi. Fel amal un arall ohonon ni, mi welodd ynta betha uffernol yn Ffrainc . . . Maddeuwch yr iaith . . . ac mi ddoth adra'n diodda'n ofnadwy o'r *shellshock*. Does gan bobol ifanc heddiw ddim syniad be ydi peth felly – a gobeithio na chân' nhw fyth wbod, chwaith! – ond mae o'n fy ngwylltio i pan glywa i rai'n chwerthin ac yn sôn am Rhys Lòrd Bach fel 'tai o'n rhywun-ddim-yn-gall.' Tawelodd am eiliad cyn mynd ymlaen. 'Os nad ydach chi'n fy nghoelio i, yna holwch eich gweinidog.'

Doedd Mair ddim i wybod am Moi Sowth yn rhoi gwers go chwerw i'r Parch. T. L. Morgan o flaen y Queen's, slawer dydd, pan ddaeth hwnnw i holi Alun Gwyn ynglŷn â chyflwr meddwl Rhys Lòrd Bach. Oedd, roedd Moi wedi colli'i limpin yn lân efo'r gweinidog y diwrnod hwnnw, ac wedi difaru llawer ar ôl hynny hefyd.

Wrth weld golwg bell, freuddwydiol yn dod i lygaid y dyn, penderfynodd Mair droi'r stori. 'Deudwch i mi, Mustyr . . . ym . . . Be di ystyr ARP?'

'*Air Raid Protection*. Os medrwch chi gredu'r fath beth!'

Sŵn chwerthin a glywai hi yn ei lais o, rŵan; chwerthin gŵr oedd yn wamal o'i ddyletswydda'i hun; gŵr oedd yn gwybod be oedd gwir erchylltera rhyfel ac yn sylweddoli bod gan Adolf Hitler a Luftwaffe Goering amgenach targeda na thre fach chwarelig fel Blaendyffryn.

'Fy ngwaith i ydi'ch cynghori chi – *cynghori*, Musus Huws, nid *gorchymyn*,' medda fo, a'i lygaid, fel ei lais, yn llawn direidi, 'rhag ymosodiad o'r awyr. I ofalu bod pobol yn gosod y blacowt yn iawn dros eu ffenestri.' Eto'r wên gellweirus. 'A hefyd i neud yn siŵr eich bod chi'n cadw'ch *gasmasks* mewn cyflwr da ac, os oes angan, i'ch hysbysu chi am y gwahanol fatha o *bombs* a all ddisgyn ar y lle 'ma.'

Ciliodd y direidi a daeth golwg boenus i'w lygaid a thinc chwerw i'w lais wrth iddo benderfynu cyflawni ei ddyletswydd. 'Yr *high explosives,* er enghraifft. Mae'r *HEs* yn gallu chwalu a malurio adeilada. Yr *incendiaries,* wedyn. Fe all rheini roi gwynab y ddaear ar dân, coeliwch chi fi. Ac am y *poison gas bombs,* wel . . .! Gobeithio'r Nefoedd na chewch chi byth brofiad o betha felly.'

Wrth ei wylio'n ysgwyd ei ben yn ffyrnig, gwyddai Mair mai ceisio cael gwared â'i hunllefa yr oedd, beth bynnag oedd y rheini. Ond yna, daeth y wên fach ddireidus yn ei hôl unwaith eto. 'Wyddoch chi be, Musus Huws bach? Dwi'n meddwl bod y dŵr 'ma wedi rhewi digon ar fy nhroed i, bellach!'

Chwarddodd Mair, yn falch o'r newid hwn ynddo eto. 'Be arall fedrwch chi'i ddysgu i mi?' Ac yn hytrach na rhoi'r lliain yn ei law, iddo sychu'i droed chwyddedig, fe blygodd o'i flaen a chymryd ei droed yn y lliain, i'w rhwbio'n ysgafn. 'Er enghraifft, pam bod angan y seiren am bump o'r gloch bob nos Wenar?'

'A! Practus byr yn unig ydi peth felly, jest i neud yn siŵr ei bod hi'n dal i weithio. Ond ar unrhyw amsar arall, os bydd hi'n dod ymlaen, a'i sŵn hi'n codi a gostwng, codi a gostwng am hydoedd, mi fydd

272

hynny'n rhybudd bod y gelyn yn dod, ac mi ddaw 'na
sŵn undonog hir wedyn, gobeithio, i ddeud wrthach
chi bod petha'n saff unwaith eto.'

Gwenodd Mair i fyny arno, drwy'i gwallt. 'Hynny
ydi, mi fyddwch chi a'r *home guard*, rhyngoch chi,
wedi dychryn y Jyrmans i ffwrdd?'

Gwenodd ynta. 'Ia. Rhwbath felly.'

Dyna pryd yr aeth y gola allan, gan adael y stafell
yn llewyrch aflonydd y tân.

'Drapia!' medda hi. 'Rhaid i mi nôl swllt, i'w roi yn
y mîtar.'

Gwyliodd hi'n teimlo'i ffordd drwy'r cysgodion at y
ddresal, i nôl y pisyn arian o'r drôr yn fan'no. Yna,
daliodd ei law allan. 'Dowch â fo i mi,' medda fo, 'a
dangoswch imi lle mae'r mîtar.'

'Dim peryg yn byd!' medda hitha'n ôl. 'Rhaid sefyll
ar ben stôl i gyrraedd y mîtar, a chewch chi ddim
gneud peth felly ar y droed ddrwg 'na.'

Gwelodd hi'n cydio mewn stôl drithroed rŵan ac
yn mynd â honno drwodd i'r gornel dywyll wrth
waelod y grisia, lle'r oedd y mîtar letrig wedi'i osod yn
uchel ar y wal. Dilynodd ynta hi.

'Byddwch yn ofalus!' medda fo, gan roi ei ddwy law
am ei chanol, i'w helpu i fyny. 'Digon simsan yr olwg
ydi'r stôl 'ma.'

'Stôl odro o gartra ydi hi,' eglurodd Mair, yn
ymwybodol iawn o'i ddwylo am ei chanol. 'Merch
ffarm ydw i.'

Yna, wrth iddi ymestyn i wthio'r darn arian i mewn
i'r mîtar, teimlodd ei afael yn llithro i lawr o'i gwasg, i
gau am esgyrn ei morddwydydd, a garwedd ei fysedd
yn gwasgu'n dynnach trwy frethyn tena'i ffrog, ac yn
fwy aflonydd nag oedd raid yn ei thyb hi, gan yrru ias

drydanol drwy'i chorff. Pam oedd hi'n diodde iddo
neud hynny, gofynnodd iddi'i hun. A pham roedd
hi'n oedi'n hwy nag oedd raid cyn gollwng y swllt i
mewn i'r mîtar?

Pan lifodd y gola'n ôl i'r stafell, yn hytrach na
gollwng ei afael arni, trodd y dyn hi'n ofalus ar y stôl
nes ei bod hi'n edrych i lawr arno. Yna, gyda gwasgiad
ysgafn, fe'i hanogodd hi i gamu i lawr yn ôl, a
thynhau ei afael wrth iddi neud hynny. Teimlodd
hitha'i ffrog yn codi fodfedd neu ddwy wrth i'w chorff
lithro'n ysgafn trwy'i ddwylo.

Wyddai hi ddim yn iawn be ddigwyddodd wedyn.
Un funud roedd hi'n edrych i'w lygaid ac yn teimlo'i
gynnwrf yn ei herbyn, y funud nesaf roedd o wedi
taro'i law ar swits y gola ac yn ei thywys hi drwy'r
tywyllwch at droed y grisia.

'Na! Y faciwîs!' sibrydodd hitha'n gynhyrfus gan
dynnu yn ei erbyn.

'Fa'ma ta!' medda fo, efo'r un cyffro yn ei sibrydiad
gwyntog ynta.

Gadawodd Mair iddo'i harwain at yr aelwyd a
chymryd ei thynnu i lawr ar y mat newydd yn fan'no.
'Na! Na!' meddai'r llais yn ei phen. 'Ia! Ia!' meddai'i
chorff chwantus.

O fewn dim, roedd y tân yn taflu'i wres ar groen
noeth ei choesa, a'r cynnwrf yn ei meddiannu'n llwyr
wrth i'w ddwylo ddechra chwilio amdani.

'Byddwch yn ofalus!' oedd yr unig beth allai hi'i
ddeud, a hynny'n floesg. 'Plîs byddwch yn ofalus!'

'Mi fydda i,' medda fynta, efo'r un bloesgni a'r un
nwyd.

Daeth sŵn y cloc mawr yn taro saith i foddi
rhywfaint ar ei griddfan hi ac ar ei ochneidio ynta, ac i

guddio hefyd sŵn traed bychain noeth yn cilio'n ôl i
fyny'r grisia.

*   *   *

*Noson ddifyr iawn, er cael fy ngwneud yn gyff gwawd am
ofyn i ŵr y tŷ am baned o de yn hytrach na chwrw. Ei
wraig yn dod â thebotiaid cyfan imi, a chael fy ngalw'n
Evan Teetotal ac Evan TT, weddill y min nos. Ysbryd
cyfeillgar y tynnu coes yn fy atgoffa am y Caban, slawer
dydd.*

*Cael fy synnu gan wybodaeth eang y criw a chan y
ffordd y daw ambell air Cymraeg allan yn eu sgwrs. Dawn
traethu fel Lloyd George gan Tomi Comi. Minnau wedi
tybio erioed bod diwylliant y chwarelwr Cymraeg yn llawer
amgenach nag un y glöwr estron ei iaith.*

*Dyn ysgafn o gorff yw Tomi, ei wyneb yn fain a'i groen
o liw gwêr. Tebyg iawn i Taid Josh o ran pryd a gwedd ond
bod llygaid hwn yn fwy treiddgar a'i dafod yn barotach i
dynnu'n groes. Yn ôl Preis, mae'n amhoblogaidd mewn
sawl cylch ac yn arbennig felly gyda meistri'r Pwll, a hynny
oherwydd ei fod yn rhy hoff o ddadlau a gwawdio ac o greu
anghydfod. Nid wyf am ffurfio barn am y dyn, serch
hynny, nes dod i'w adnabod yn llawer gwell. Mae Preis, ar
y llaw arall, yn gymeriad tra gwahanol. Gŵr cwrtais a
geirwir yw ef ac un a fydd yn gyfaill da imi, rwy'n siŵr.*

*Ni fu gennyf fawr o olwg ar Gomiwnyddiaeth erioed
ond roedd gwrando ar Tomi Comi (ni wn ei enw iawn, eto)
yn agoriad llygad ac yn addysg imi. Sosialaeth ddi-asgwrn-
cefn yw un Plaid Lafur Prydain Fawr, meddai. Minnau'n
gorfod cytuno wrth iddo restru camgymeriadau llywodraeth
Ramsay McDonald. Anodd i neb wadu tair miliwn di-
waith y blynyddoedd hynny.*

275

Y drafodaeth yn boeth ar adegau. Rhai'n dadlau mai amodau llym Cytundeb Versailles, ugain mlynedd yn ôl, ddarfu arwain at ddyrchafu Hitler yn yr Almaen. Minnau, wrth wrando, yn cofio dadl debyg yn y Caban slawer dydd, a Meicyn Tanrallt yn cadw cefn Lloyd George. Un yn gofyn sut bod disgwyl i genedl falch fel yr Almaen ddioddef bod ar ei gliniau mor hir ac yn atgoffa pawb bod Hitler wedi llythyru â Monsieur Daladier, Prif Weinidog Ffrainc, i ddweud wrtho bod yn rhaid newid Cytundeb Versailles. Un arall yn dyfynnu rhybudd Marshall Foch yn ôl yn 1919: 'Nid heddwch mo hwn, ond cadoediad am ugain mlynedd.' Dawn darogan anghyffredin iawn gan y Ffrancwr, felly!

Ond roedd Tomi Comi'n wfftio'r dadleuon i gyd. Neville Chamberlain a Monsieur Daladier yn gachgwn, meddai, am ganiatáu i'r Almaen ailfyddino ac ailfeddiannu'r Rhineland. Trwy fod mor llipa, roedd Prydain Fawr a Ffrainc wedi bradychu Rwsia. Roedd yr un mor hallt ar Woodrow Wilson, pan oedd hwnnw'n Arlywydd yr Amerig, am iddo godi bwganod ynglŷn â'r Bolsheviks a Chomiwnyddiaeth. Synnais glywed comiwnydd fel fo yn dyfynnu Winston Churchill o bawb – 'Pacifism is the deadliest sin, for it means the surrender of the race in the fight for existence.' Pe bai W.C. yn brif weinidog, meddai Tomi, byddai wedi cadw Adolf Hitler mewn trefn. Minnau eisiau edliw iddo bod comiwnyddiaeth Stalin yn wahanol iawn i gomiwnyddiaeth Lenin a Trotsky a bod Stalin lawn cymaint o imperialydd â Hitler ei hun, ond yn brathu tafod am fod arnaf ofn baglu dros fy Saesneg. Yr hyn a'm digiodd fwyaf, fodd bynnag, oedd ei glywed yn wfftio crefydd ac yn dyfynnu Karl Marx fel petai hwnnw'n dduw – 'Religion is the opium of the masses,' meddai. Minnau'n corddi o'm mewn ond yn dweud dim, mwyaf fy nghywilydd. Ond fe ddaw fy nhro, unwaith y caf afael digonol ar y Saesneg.

O sylwi bod ei *fountain pen* yn mynd yn hesb, estynnodd Ifan am y botel inc. Yna, wedi bodloni syched honno, tynnodd y wats arian o boced ei wasgod a synnu ei bod yn dangos pum munud ar hugain i un ar ddeg. Be ddywedai Dora Morris, tybed, pe gwyddai fod y gola yn dal ymlaen ganddo yn ei lofft? Ond sut alla fo gysgu tra bod cyffro'r noson yn dal mor fyw yn ei ben a chymaint eto i'w roi ar gof a chadw?

Bu Tomi yn taranu'n hir yn erbyn cyfalafiaeth America a melltith yr American Debt. Gelen farus oedd yr Unol Daleithiau – dyna ddywedodd o – â'i bryd ar sugno pob diferyn o waed allan o wythiennau gwledydd tlawd y byd. O wrando arno'n sbowtio, gellid tybio bod Rwsia Fawr, o dan Stalin, yn Utopia braf i fyw ynddi.

Rhan fwya cyffrous y noson iddo, fodd bynnag, fu gwrando ar Tomi'n adrodd ei hanes yn Rhyfel Sbaen a chaeodd ei lygaid rŵan i gofio'r comiwnydd yn mynd trwy'i betha unwaith eto:

'1936 it was. I wus forty eight at the time. Franco and his bloody fascists were running riot in Spain. Somebody 'ad to stand up to them, like, so I signed up with the International Brigade – me and some lads from the South Wales pits . . . The only one from the North, I was. Fact ichi! . . .'

'You're the only bloody communist we 'ave, Tommy. Dene pam!'

Gwenodd Ifan wrth gofio hwyl y gwamalu. Yna roedd ei feddwl yn ôl unwaith eto'n gwrando ar Tomi'n disgrifio'r brwydro gwaedlyd mewn gwlad boeth anhygyrch ac yn adrodd ei hanes yn llechu ar lechwedd creigiog uwchlaw tref Guernica, fo a'i griw bychan o filwyr *guerrilla,* tra bod awyrenna Hitler yn gollwng eu bomiau i chwalu'r lle yn sarn.

Plygodd dros ei ddyddlyfr eto rŵan i gofnodi'r dystiolaeth tra oedd honno'n dal yn fyw yn ei gof. Ddeugain munud yn ddiweddarach roedd yn dod â hanes gweddill y noson i ben:

. . . *Chwarter i naw daeth y siarad i ben ac aeth un o'r criw at hen berdoneg yng nghornel yr ystafell. Pawb wedyn yn galw ar Ted Summerhill i ganu 'Ballad of the Gresford Disaster' a'r dafarn yn mynd fel y bedd, i wrando. Mae'r gân wedi gadael argraff fawr arnaf a bydd raid gofyn i Preis am gopi o'r geiriau, er mwyn eu hanfon i T.L. Synnwn i ddim na fyddant yn destun pregeth iddo. Cyd-ganu emynau wedyn a minnau'n synnu clywed pawb – hyd yn oed y Comiwnydd Mawr ei hun! – yn ymuno yn 'Gwaed dy Groes sy'n codi i fyny'r eiddil yn goncwerwr mawr' ar y dôn 'Bryn Calfaria'. Clywed caneuon mawl mewn tafarn yn atgas imi ar y cychwyn, ond grym y gynghanedd yn y lleisiau yn rhoi cymaint o wefr nes methu ymatal rhag ymuno yn 'I bob un sy'n ffyddlon'. 'Rachie', wedi'r cyfan, yw fy hoff dôn, ond rwy'n teimlo'n euog rŵan am ymgolli cymaint mewn canu masweddus.*

Cyn gwahanu, dau yn dod ataf i'm hannog i ymuno â chôr meibion y Rhos. Angen tenoriaid da, medden nhw. Minnau'n teimlo'r anrhydedd o gael y cynnig ond yn addo dim, am fy mod i'n aelod yn barod o gôr y capel Cymraeg, yma yn Gresford. Caf weld sut yr â pethau.

Wrth roi tro ar gaead y botel inc, i'w chadw am y noson, clywodd gloc y parlwr oddi tano yn taro hanner awr wedi un ar ddeg. Roedd yn bryd iddo ddeud ei bader a mynd i glwydo.

278

Stryd Lòrd Bach

Teimlodd Mair ei hun yn cael ei llusgo'n anfoddog o'i thrwmgwsg, yn gyndyn o ollwng gafael ar ei breuddwyd, yn gyndyn o agor ei llygaid i wyll y stafell. Fe wyddai, wrth reddf, ei bod hi'n hwyrach nag arfer yn deffro ond doedd fawr o bwys am hynny. Cael ailafael ar gwsg fyddai'n braf; cael llithro'n ôl i'w breuddwyd. Ond roedd y cyfle hwnnw wedi mynd heibio.

Yn sydyn, agorodd ei llygaid led y pen wrth i'r cof am neithiwr ei deffro'n llwyr. Y cydorwedd ar y mat o flaen y tân . . . y dinoethi . . . yr ymroi anghyfrifol i'w chwant! A hynny efo dyn diarth! Dyn oedd yn ddigon hen, bron, i fod yn dad iddi! Dyn na chafodd hi hyd yn oed mo'i enw!

Teimlodd wrid cywilydd yn codi i'w gwyneb . . . teimlodd euogrwydd . . . teimlodd ofn. Edifeirwch? Ia, hynny hefyd, o bosib. Ond beth petai'r dyn ddim wedi bod yn ofalus? . . . Dduw mawr!

'Cofiwch, unrhyw dro eto y bydd gola'n dangos heibio'r blacowt, mi fydd raid i mi alw.'

Ei eiria olaf cyn gadael. Geiria powld! Geiria'n awgrymu sut i'w wahodd o unwaith eto i'w thŷ. Geiria'n cynnig ei bodloni hi unrhyw bryd y byddai hi angen hynny. Y fath hyfdra ar ei ran! Y fath warth arni hitha!

Brysiodd i godi, cyn cofio mai bore Sadwrn oedd hi ac nad oedd angen cychwyn y ddwy hogan i'r ysgol. Fe allai hi oedi yn ei gwely am hanner awr arall. Ond i be? I gofio neithiwr? I hel meddylia ac i boeni?

'Duw a'm gwaredo!' meddai hi'n euog a mynd draw at y ffenest i agor y llenni ac i syllu allan ar ddydd nad oedd eto wedi gwawrio'n iawn.

I'w chyfarch, daeth chwiban o wynt i ysgwyd y ffenest yn ei ffrâm ac i daflu dafnau o law yn erbyn y gwydyr. Teimlodd hefyd ei oerni wrth iddo wthio'i ffordd ati, i'r stafell. *'Chwyth aeafwynt fel y mynnot,'* meddai llais bach yn ei phen – llais Mùs Tomos Standard Ffôr slawer dydd – *'Cryn fy ffenestr a fy nôr'* Be wedyn? *'Rwbath . . . rwbath . . . Byr yw dydd a dyddiau Tachwedd . . .'* Na, doedd y llinell yna ddim yn taro'n iawn. *'Byr yw dydd a dyddiau Chwefror'* ddeuddodd Eifion Wyn. Felly, roedd hi dri mis yn rhy fuan. Neu naw mis yn rhy hwyr! Rhedodd cryndod trwyddi eto wrth i arwyddocâd arall y *naw mis* ei tharo. Ond doedd wiw iddi oedi efo'r ofn hwnnw. Gwell meddwl am rywbeth arall. Unrhyw beth arall! Felly, be am *'Tachwedd'*? Be oedd y gerdd?

Er crafu'i chof, methai â dwyn dim ohoni'n ôl ac roedd hynny'n ychwanegu at ei rhwystredigaeth, yn enwedig o gofio fel y byddai Mùs Tomos bob amser yn ei chanmol o flaen y dosbarth. *'Mair Bryn Teg ydi'r orau yn y dosbarth am ddysgu barddoniaeth.'* Ac onid oedd hitha, wedyn, wedi gneud pob dim o fewn ei gallu i gyfiawnhau'r enw da hwnnw? Trwy ddysgu pob un o Delynegion y Misoedd yn un peth! Ond doedd *'Tachwedd'* ddim am ddod iddi bore 'ma, serch hynny.

Gwyliodd y cymyla trymion yn sgubo'r awyr laith uwchben Craig y Garreg Ddu a daeth sgrytiad arall o law i ysgwyd y ffenest ac i ddawnsio'n oer ar lwybyr yr ardd oddi tani. Rhegodd dan ei gwynt wrth weld bod rhywun neu'i gilydd wedi gadael y giât yn llydan agored o'i ôl a bod tair dafad wedi dod trwyddi, i swatio'n wlyb yng nghysgod wal yr ardd. Damia pwy bynnag oedd wedi bod mor esgeulus! Ond yn yr un eiliad, llifodd llanw'r gwarth yn ôl drosti, wrth iddi sylweddoli pwy fu'n gyfrifol am yr esgeulustod hwnnw.

Wedi mynd i lawr y grisia, cafodd sioc o weld bod rhyw lun o dân yn y grât a bod yr hyna o'r ddwy chwaer yn gneud ei gora i gynnal fflam efo'r fegin. Roedd y blacowt wedi'i dynnu a'r cyrtans wedi'u hagor, i adael llwydni'r bore cynnar i mewn i'r stafell. Trawodd Mair y golau ymlaen.

'*What are you doing?*' gofynnodd, yn fwy chwyrn nag y bwriadai. '*You should not play with fire, you know.*'

Wnaeth y fechan ond edrych arni am eiliad neu ddwy, heb ddeud dim, ac anesmwythodd Mair o dan ei hedrychiad llonydd hi. Gallai weld rhywbeth yn llygad yr hogan ac roedd yn anodd penderfynu be. Ai cwestiwn oedd yno? Ynte cyhuddiad o ryw fath?

'*Where is yewer sister?*'

'Yn gwely. *Sick.*'

Rhythodd Mair yn ddig ar y ferch. '*Sick over bed?*'

'*No. Sick in the* po.'

Am nad oedd hi'n siŵr iawn pa un ai Cymraeg ynte Saesneg oedd y gair 'po', derbyniodd Mair yr eglurhad. '*When was she sick?*'

'*After going to bed. After* boi-ta sŵ-per.' Ymgais drist i blesio oedd Cymraeg y fechan.

'*Then why didn't you come downstairs to tell . . .*' Yn sydyn, aeth Mair yn oer drwyddi ac roedd arni ofn gofyn ei chwestiwn nesa. '*Did you come downstairs?*'

Gostyngodd Wendy ei golygon ac ysgwyd ei phen y mymryn lleia, a gwyddai Mair mai celwydd oedd ei '*No*' tawel hi. Doedd dim amheuaeth nad oedd y ferch wedi gweld yr ymwelydd hwyrol ac wedi gweld hefyd yr hyn a ddigwyddodd ar y mat o flaen y tân, neithiwr. Dduw mawr! Be wnâi hi rŵan? Ond peidio holi rhagor fyddai ora.

'*Come!*' medda hi, gan roi ei braich yn dyner am

281

ysgwydd y fechan a gobeithio bod sŵn clên ei llais yn cuddio'i chynnwrf. *'We will go to see if Louise is better.'*

Golwg legach oedd ar y chwaer leia; ei gwyneb yn wridog ac yn boeth. Cwynai'n ddagreuol fod ei breichia a'i choesa'n brifo.

'Run to fetch Doctor Tom, Wendy! Quickly now! You know house where he lives. Next door to Miss Rowlands, yewer teacher in The Sgwâr. Brysia! *There's a good girl.'*

Roedd pryder pur wahanol yn llais Mair erbyn hyn.

*   *   *

Gallai Ifan ddibynnu ar dderbyn tri llythyr yn rheolaidd bob wythnos. Llith o Fangor oddi wrth Huw bob bore Llun, am mai nos Wener neu fore Sadwrn oedd y cyfle gora a gâi hwnnw i lunio gair ac yna'i bostio. Ganol wythnos – bore Mercher fel rheol – cyrhaeddai llith ddifyr arall, oddi wrth ei weinidog y tro yma; honno wedi'i llunio ar ôl oedfa hwyr y Sul, a'i phostio drannoeth. Byr oedd y trydydd llythyr, yn ddieithriad, a doedd wybod pa ddiwrnod o'r wythnos i'w ddisgwyl. Gair oddi wrth Mair oedd hwnnw, i adael iddo wybod ei bod hi'n fyw ac yn iach ac i gwyno am y peth yma a'r peth arall – y dogni bwyd, y prisia afresymol yn y siopa, y tywydd diflas, agwedd pobol tuag ati ar y stryd, anhwylustod cael *'y ddwy faciwî'* o dan draed bob dydd. Yn Saesneg y dechreuodd hi lythyru ond pharhaodd yr arfer hwnnw ddim yn hir, am i Ifan fynnu ei hateb yn Gymraeg bob tro.

Am fod llythyra Huw a T. L. Morgan bob amser yn ddifyr, gwnâi Ifan yn siŵr ei fod yn cadw pob un ohonyn nhw'n ofalus ar ôl ei ddarllen ond doedd fawr o bwrpas cadw rhai ei wraig. Ar ôl darllen y rheini

282

unwaith, deunydd cychwyn tân yn unig oedden nhw wedyn.

Gwleidyddiaeth oedd diddordeb mawr Huw, ers tro, a'i lithoedd yn llawn sôn am Gomiwnyddiaeth a chenedlaetholdeb ac fel roedd y pynciau rheini'n cael eu trafod yn ddiddiwedd yn y *Debating Society*, ac uwchben paneidia o goffi wedyn, yn Undeb y Myfyrwyr. Wrth i'r wythnosa lithro heibio, fe welai Ifan ei frawd yn mynd i fwy a mwy o gyfyng-gyngor gwleidyddol. Digon naturiol, falla, o gofio'i fod o bellach yn un ar hugain oed ac yn edrych ymlaen at gael pleidleisio am y tro cynta erioed. Roedd delfryda comiwnyddiaeth yn amlwg yn apelio ato, ond câi ei ddenu hefyd gan ddadleuon y blaid fach Gymreig oherwydd bod 'Saeson San Steffan', chwedl ynta, 'yn ein sarhau ac yn ein gormesu ni yma yng Nghymru'. Mewn un llith, canmolai 'wroniaid Penyberth' yn ddi-ddiwedd, gan ofidio nad oedd ei gyd-Gymry'n rhannu'r un freuddwyd. *'Rhaid gwneud fel y gwnaeth Iwerddon, a mynnu home rule i Walia hefyd'* oedd brawddeg ola'r llythyr hwnnw. Ond erbyn ei lith nesaf, wythnos yn unig yn ddiweddarach, rhinwedda Comiwnyddiaeth oedd eto'n mynd â'i fryd a chafodd Ifan ddarllen hyd syrffed, yn honno, fanylion trafodaeth yn y *Debating Society* ar *'The Morality of Communism'* – *'Pe bai pawb yn mabwysiadu egwyddorion Comiwnyddiaeth Ifan, yna mi fyddem ni'n byw mewn byd lle mae pawb yn gyfartal, nid yn unig yng ngolwg Duw ond yng ngolwg y Wladwriaeth yn ogystal. Nid oes le i raniadau bonedd a gwreng mewn Sosialaeth, mwy na sydd yng nghalon y Cristion chwaith. O dan drefn gomiwnyddol, byddai pawb yn byw o ddydd i ddydd mewn brawdgarwch anhunanol. O'i roi mewn geiriau eraill, mi*

fyddem ni'n byw mewn byd cristnogol ond heb orfod honni
bod yn Gristnogion, a heb orfod ymarfer crefydd ffurfiol o
gwbl.'

Fe barodd rhesymeg y llythyr hwnnw gryn boen a
dryswch i Ifan ar y pryd, yn enwedig y defnydd o'r gair
'cristnogol' efo 'c' fach. Heb betruso, roedd wedi anfon
ateb gyda throad y post: *'Byddai'n chwith garw gan*
Mam dy glywed yn cymeryd y fath safbwynt. Waeth beth a
feddyli di, Huw, y gwrthwyneb i'th ddadl sydd yn wir, sef
yw hyn – Pe bai pawb yn Gristnogion, yna ni fyddai ar y
Byd angen gwleidyddion o gwbl, na Gwleidyddiaeth
chwaith. Paid, da thi, â cholli golwg ar y Gwirionedd hwn,
sef mai syniadau dynion meidrol a geir mewn
Gwleidyddiaeth, tra bod Cristnogaeth yn dweud yn glir
wrthym beth yw meddwl Duw.'

Serch hynny, er gwaetha'r anghydweld ar faterion
felly, roedd o'n mwynhau llythyru efo'i frawd.

Roedd o'n gwerthfawrogi llithoedd yr hen T.L.
hefyd, wrth gwrs, oherwydd bod y rheini'n ei fwydo â
helyntion diweddara Blaendyffryn o wythnos i
wythnos – Rhyw deulu-neu'i-gilydd wedi cael
profedigaeth, cyngerdd mawreddog wedi'i drefnu at y
Nadolig, creigiwr wedi syrthio dros y dwfn yn y
Chwarel Fawr, a'i ladd, hwn-a-hwn wedi ennill mewn
eisteddfod . . . Cymysgedd o'r llon a'r lleddf. Ac yn ei
lith ddiweddara – '. . . *Gwilym Parry, mab eich cymdoges,*
adref ar lîf ac yn torsythu'n arw yn lifrai'r Llynges.
Siaredais ag ef ddoe ac roedd yn dweud y bydd yn ymuno
â'i long, yr HMS Repulse, *yn Portsmouth ymhen deuddydd*
ac y bydd ei fordaith gyntaf yn mynd ag ef i "bellafoedd
byd" chwedl yntau, ac "i foroedd sydd yn berwi o siarcod a
llongau tanfor".'

Gwenodd Ifan rŵan wrth gnoi cil ar y pwt hwnnw

o newyddion. 'Jest fel Gwil!' meddai wrtho'i hun. Mewn lifrai claerwyn ac efo'i wallt fflamgoch, mi fyddai mab Gaenor Goch yn siŵr o dynnu sylw yng nghanol llwydni Blaendyffryn! Gallai Ifan, hefyd, ddychmygu'r wên gynnil ar wefus T.L. wrth iddo sgrifennu'r geiria.

Yn ddiweddar, fodd bynnag, roedd wedi dechra pryderu ynglŷn â'i weinidog. O ddarllen rhwng llinella'i lythyra, roedd o'n ama bod yr hen T.L. yn diodde rhywfaint o iselder ysbryd, a hynny'n bennaf oherwydd bod ei gynulleidfa yn y capel yn edwino o Sul i Sul: *'Fe gyfrifais y nifer oedd yn bresennol yn yr oedfa neithiwr ac am y tro cyntaf ers i mi ddod i Gaersalem i weinidogaethu, roedd y cyfanswm wedi syrthio'n is na'r cant. Naw deg a phedwar a bod yn fanwl, a'r seddau gwag yn edliw methiant fy ngweinidogaeth imi. Nid wyf am fy nhwyllo fy hun, Ifan, mai'r rhyfel sy'n egluro pob un o'r seddau gwag hynny, er bod nifer o'n haelodau ifanc, mae'n wir, wedi cael eu galw i'r lluoedd arfog . . .*

Trist yw gorfod adrodd bod Elwyn, mab Harold Owen, wedi ei ddedfrydu yn y Llys ddydd Gwener, ef a'i gyfaill o'r Manod. Er i mi roi geirda drosto gerbron aelodau'r Fainc, ofer fu hynny oherwydd fe'i traddodwyd ef a'i gyfaill i garchar yr ifanc – i'r Borstal – am chwe mis, ac yno y cludwyd y ddau yn ddisymwth, heb i'w rhieni gael cyfle hyd yn oed i ffarwelio'n iawn â hwy. Erbyn heddiw, mae fy nghalon yn gwaedu fwy fyth drostynt oherwydd, o fewn yr awr ddiwethaf, fe glywais fod Harold Owen ei hun wedi derbyn yr alwad i wasanaethu gyda'r fyddin ac na fydd ef gartref, felly, i fod yn gefn i'w wraig. Rwyf yn gwybod bod rhai o'm haelodau yn feirniadol iawn ohonof am roi geirda i leidr ac mai dyna pam y cadwant draw o'r capel yn awr, ond gallaf ddweud bod fy nghydwybod yn gwbl dawel ar y

*mater hwn, Ifan. Gyda llaw, fe ddyfarnwyd y trydydd
ohonynt, sef y bachgen o Lerpwl, i flwyddyn gron o bennyd
am y teimlai'r Ustusiaid mai ef oedd y dylanwad drwg i
ddenu Elwyn a'i gyfaill i weithredu fel y gwnaethant . . .'*

Wedi gorffen ei swper, estynnodd am lythyr Mair a
rhwygo'r amlen yn agored, gan ddisgwyl gweld y
cwynion arferol mewn darn heb ei atalnodi bron.
Ond, yn wahanol i'r arfer, fe hoeliwyd ei sylw gan ei
brawddeg gyntaf hi.

Annwyl Ifan,

*Rwyf wedi ypsetio'n ofnadwy ac mae'n rhaid i ti
ddod adre doed a ddêl. Fore Sadwrn roedd yn rhaid i
mi yrru am Dr Tom at y leiaf o'r ddwy chwaer,
doedd hi ddim hanner da, roedd ei gwres hi'n uchel
ac roedd hi'n cwyno'n arw efo poenau yn ei choesau
a'i breichiau roedd y doctor yn concerned ofnadwy
pan alwod i'w gweld hi ac fe ddywedodd bod yn
rhaid mynd â hi i'r hospital a'i chadw hi mewn
ward ar ei phen ei hun yn y fan honno ac fe
ddywedodd hefyd bod isio cadw'r llall adre o'r ysgol
a bod yn rhaid gyrru am eu mam i ddod yma ond y
basa Edwards Plisman yn gwneud peth felly yn fy
lle. Dydw i ddim yn gwybod be sy'n mynd ymlaen,
mae'r fam i fod i gyrraedd rywbryd heddiw. Mae Dr
Tom wedi rhoi ordors i minnau hefyd beidio mynd i
ganol pobl, nes y bydd wedi cael results rhyw tests
mae o wedi eu gwneud arnaf i a Wendy. Rwyf wedi
dod i ben fy nhennyn rhwng pob dim Ifan mae'n gas
gennyf fynd allan o'r tŷ coelia fi, rwy'n gwybod bod
pobol yn siarad yn fy nghefn i o hyd a dyna pam
nad wyf byth yn mynd i'r capel rwan. Roeddet ti'n
dweud yn dy lythyr diwethaf y byddet ti'n cael dod*

*adre dros y Nadolig ond please tria ddod cyn hynny,
mae gennyf hiraeth mawr ar dy ôl ac rwyf yn
teimlo'n ddi-gefn ofnadwy coelia fi. Fe gei di groeso
mawr pan ddoi di.*
        Dy annwyl wraig Mair.

Cododd Ifan yn gynhyrfus a mynd yn syth i'w
lofft, i gnoi cil ar ei newyddion hi.

Dychwelyd

'Cei ddydd Gwener i ffwrdd, Evan Huws, ond ma 'na
amode.'

Doedd o ddim wedi sylweddoli tan heddiw mai
Cymro Cymraeg o'r Rhos oedd rheolwr y pwll a bod
direidi'n perthyn iddo.

'Iawn, Mr Prydderch!' meddai'n betrus, gan geisio
dychmygu be oedd gan y gŵr mawr blonegog, a
lanwai'r gadair gyferbyn, mewn golwg. 'Pa amoda,
felly?'

Doedd dim gên i'w gweld ar y gwyneb mawr o'i
flaen, oni bai ei bod hi'n cuddio rywle rhwng y gwefla
cigog a holl blygion cnawd meddal y gwddw.

'Ma 'na angen rhywun yn yr Offis, i neud y cyfloge
a dwi'n diallt ma dene oedd dy waith di yn y chwarel.'

Wnaeth Ifan ddim ymgais i guddio'i syndod na'i
bleser. 'Diolch yn fawr, Mustyr Prydderch! Dwi'n falch
iawn o dderbyn.'

A 'balch' oedd y gair, wrth gwrs, oherwydd casbeth
ganddo oedd gorfod mynd i lawr i ddüwch y Slant,
ddydd ar ôl dydd, i dreulio oria maith yn ei gwman, yn
gwthio wagenni llawn a gwag yn ôl a blaen. Ac yn reit
siŵr doedd o ddim yn hapus o fod yn gweithio nid

nepell o ble'r oedd dros ddau gant o thrigain o ddynion wedi cael eu claddu'n fyw yn y Dennis Main Deep.

Fe fu'n holi Preis, rywdro, ynglŷn â'r danchwa a'i gael yn gyndyn o siarad am y peth ar y cychwyn ond yn fwy na pharod i ddangos ei chwerwedd tuag at berchnogion y pwll. Y rheini wedi gneud dim dros y blynyddoedd, medda fo, ond edrych i lygad y geiniog gan esgeuluso'r system awyru dan ddaear. O ganlyniad, roedd y nwy wedi cronni a pheri ffrwydriad anferth.

Bu clywed Ifan yn twt-twtian yn ddig am felltithion cyfalafiaeth yn ddigon i Preis fanylu mwy wedyn, ac i ddisgrifio'r *'turio fel tyrchod gorffwyll'* i ryddhau'r dynion. 'Dyna iti hunlle oedd honno, Evan!' medda fo, a'r dagra'n cronni yn ei lygaid. 'Gwybod bod yr hogia wedi câl eu claddu'n fyw, ychydig lathenni oddi wrthet ti, a thitha'n methu gneud digon i'w cyrradd nhw. Diawl erioed! Does gen i ddim cwilydd cyfadde, ro'n i'n crio fel babi, achan. Ac nid fi'n unig, ond yr hogia i gyd. Hen goliars caled yn crio fel'na! Fedri di gredu'r peth?' Aethai ymlaen wedyn i ddisgrifio'r olygfa ddigalon ar ben y Pwll, lle'r oedd cannoedd o wragedd a phlant wedi bod yn sefyllian trwy bob tywydd, yn gweddïo gweddïa tawel, pan ddaeth llais oer yr uchel-seinydd i chwalu gobeithion pawb. Gyda gofid yr oedd yn rhaid cyhoeddi, meddai'r llais, fod pob gobaith wedi cilio ac mai'r unig ddewis i'r awdurdoda, bellach, oedd selio'r Dennis Main Deep am byth. *'Fedra i ddim disgrifio iti'r ochenaid ofnadwy ddaeth wedyn, Evan. Fel rhywbeth allan o hunlle, 'achan! Un ochenaid hir hir, fel 'tai hi'n mynd ymlaen ac ymlaen am byth. Pan fydda i'n deffro ganol nos, wyddost ti fy mod i'n dal i'w chlywed hi? Ac mi arhosith efo fi tra bydda i byw . . .'*

'Ond arhosa di i glywed yr ail amod, Evan Huws . . .'

288

Daeth llais Prydderch â fo allan o'i fyfyrdod a gwelodd wên ddireidus yn crychu'r lleuad o gnawd.

'. . . Mae gene ti lais tenor da . . . dene glywes i gan rai o'r hogie. Felly, yr ail amod yw dy fod ti'n dod aton ni i'r Côr . . .'

'Pa gôr ydi hwnnw, Mustyr Prydderch?'

'Uffen!' meddai'r dyn mawr, gan smalio syndod. 'Oes ene gôr arall heblaw Côr Meibion y Rhos, Evan Huws?'

Dalltodd Ifan wedyn mai Arwyn Prydderch oedd Ysgrifennydd y côr a'u bod nhw'n chwilio am fwy o leisia i gystadlu yn erbyn corau'r De yn yr Eisteddfod Genedlaethol a oedd, oherwydd y rhyfel, i gael ei chynnal dros y weiarles eleni.

* * *

Am hanner awr wedi saith fore Gwener, roedd yn aros i'r trên adael stesion Wrecsam. Gwibiai teithwyr a gweithwyr yn ôl a blaen ar hyd y platffform oer; pob un, sylwodd Ifan, yn gorfod ochor-gamu i osgoi'r portar swrth a'i drỳc llwythog.

Er yn rhynllyd a gwlyb, fe wyddai Ifan fod ganddo le i ddiolch; i ddiolch na fu raid iddo gerdded yr holl ffordd o Gresford drwy'r tywyllwch boreol a'r smwcan glaw; i ddiolch bod lorri wedi stopio i roi pàs iddo; i ddiolch am y cap a'r esgidia hoelion oedd wedi cadw'i ben a'i draed, o leia, yn sych.

Gwasgodd ei hun i gornel ffenest y garejan a thynnu'i gôt wlyb yn dynnach amdano, gan ofalu peidio gwasgu'n erbyn y pecyn brechdana caws yn ei boced. Roedd Dora Morris – chwarae teg i'w chalon hi! – wedi mynnu codi i'w gychwyn ac wedi mynd i'r drafferth o baratoi rhywbeth bach iddo'i fwyta ar y ffordd.

Estynnodd am y copi o'r *Daily Post* a brynodd yn y

stesion, i ddarllen y newyddion diweddara ynglŷn â'r rhyfel ac i obeithio nad oedd enw'r HMS *Repulse* yn ymddangos ynddo. Astudiodd hefyd y map ar y dudalen flaen, i weld lle'r oedd y brwydro ar ei waetha.

Agorwyd y drws a daeth dau i rannu'r un garejan â fo gan nodio'n ddi-wên ond yn gwrtais arno wrth gamu i mewn. Nodiodd ynta, i ddymuno'r un 'Bore da' dieiria iddyn nhwtha, cyn suddo unwaith eto i'w bapur, i barhau â'r helyntion yn Ewrop.

Ond fe'i câi hi'n anodd canolbwyntio ar ddim. Roedd llythyr Mair wedi rhoi pryder a phleser iddo; pryder, ar y naill law, ynglŷn â chyflwr Louise fach; pleser, ar y llaw arall, o wybod bod ei wraig yn gweld ei golli gymaint. Fe gâi hi sioc ddymunol, felly, ymhen teirawr go dda, o'i weld yn cerdded i mewn i'r tŷ, a hitha ddim yn ei ddisgwyl tan fory.

Daeth chwa arall o oerni llaith at ei goesau wrth i'r drws agor eto a chamodd trydydd teithiwr i mewn rŵan a gollwng ei hun yn drwm ac yn ddiolchgar i'r sedd gyferbyn ag Ifan.'*Thank God! Just in time*', medda fo'n wyntog, yn fwy wrtho'i hun na dim arall. Yna holltwyd prysurdeb y platfform gan chwiban y gàrd a hisian stêm swnllyd, a gwyliodd Ifan y cwmwl gwyn yn codi'n araf i do'r stesion.

'*Good for your chest, they say!*' meddai un teithiwr wrth y llall, gan anadlu'n ddwfn i'w ysgyfaint yr ogla sylffiwrig oedd wedi treiddio i mewn atyn nhw. Gwenodd Ifan o weld y llall yn derbyn y cyngor ac yn gneud yr un modd. Onid oedd pobol Blaendyffryn yn credu'r un peth yn union, meddyliodd, ac yn gadael ffenest y garejan yn llydan agored wrth i'r trên fynd trwy'r Tynnal Mawr, er mwyn cael manteisio ar y mwg 'iachusol'?

Gyda sgytwad a chloncian a sŵn dur yn gwasgu dur, malwennodd y trên ei ffordd allan i'r awyr agored ac yn hytrach na phori rhagor yn y *Daily Post*, caeodd Ifan Lòrd Bach ei lygaid, nid i gysgu ond mewn ymgais i anwybyddu oerni gwlyb ei ysgwydda a'i war. Er mwyn lladd amser, fe osodai dasg iddo'i hun. Enwi pob stesion y teithiodd y trên drwyddi bum wythnos yn ôl, ond o chwith, y tro yma, wrth gwrs. Johnstown . . . Rhiwabon . . . Llangollen . . . Acrefair . . . – Na! Acrefair o flaen Llangollen, siŵr o fod! – Carrog . . . Corwen . . . Bala . . . Hawdd, o fan'no mlaen. 'Mae'n siŵr mod i wedi methu ambell un,' meddyliodd ar ôl cyflawni'r dasg yn ei feddwl, 'ond dydw i ddim wedi gneud yn rhy ddrwg, mae'n debyg, o styried na fûm i erioed mor bell oddi cartra o'r blaen.

Cafodd y garejan iddo'i hun yr holl ffordd o Garrog i Gorwen, a chyfle i flasu'r brechdana caws ac i fynd i'r afael â'r llyfryn yn ei boced; cyfrol ddeniadol efo llythrenna euraid ar glawr dugoch o ledar meddal – *'Past and Present' by Thomas Carlyle*. 'Un o lyfra mwya poblogaidd yr oes,' yn ôl y llyfrwerthwr hwnnw yn y chwarel, slawer dydd. Ond, er dechra'i ddarllen droeon ers ei brynu ddeng mlynedd yn ôl, rhoi'r ffidil yn y to fu raid iddo bob gafael, a hynny am fod yr arddull mor ddyrys a'r eirfa mor anodd. 'Ond dwi'n benderfynol o gael y maen i'r wal y tro yma,' medda fo wrtho'i hun.

O Gorwen i'r Bala, cafodd gwmni ffermwr a'i wraig a llithrodd y rhan honno o'r daith heibio yn ddifyr ac yn gyflym; yna'r cerbyd iddo'i hun wedyn yr holl ffordd i stesion Glan Prysor lle'r oedd nifer o wragedd yn aros ar y platfform. Cododd y wats o boced ei wasgod a'i chwpanu yn ei law. Deng munud wedi deg! Ddim yn rhy ddrwg, o styried bod y trên wedi oedi'n hir yn Llangollen a Chorwen a'r Bala. Gyda lwc, câi gerdded trwy'r drws yn Stryd Lòrd Bach cyn i gloc mawr y gegin daro un ar ddeg. Gwthiodd y Thomas Carlyle yn ôl i'w boced.

Diflannodd y llonyddwch wrth i bump o wragedd wthio i mewn i'r cerbyd.

'Y tro cynta imi golli Ffair Llan ers blynyddoedd,' cwynodd y gynta, dros ysgwydd, fel roedd hi'n dringo i mewn, yn amlwg yn parhau sgwrs a gychwynnwyd ar y platfform tu allan.

'Bechod!' medda un arall tu cefn iddi ond heb lawer o gydymdeimlad yn ei llais. 'A hitha'r ffair ora ers blynyddoedd hefyd!'

'Colli'r cyfla i brynu Inja Ròc William Robas,' meddai'r gynta eto, os rhywbeth yn fwy cwynfannus na chynt. 'A finna mor sgut amdano fo, 'fyd!'

'Wel ia'n de! Bechod!' Doedd fawr o gydymdeimlad yn y trydydd llais chwaith a chuddiodd Ifan wên wrth sylweddoli bod y pedair arall yn tynnu ar yr un gwynfannus.

Cyn hir roedd yn syllu allan ar goed a chaea mwy cyfarwydd ac er mor noeth oedd y naill a llwm y llall roedd rhyw gynhesrwydd braf yn perthyn i'r olygfa. 'Teg edrych tuag adra,' medda fo wrtho'i hun, gan sylwi ar yr un pryd bod y tywydd yn ysgafnu o'r môr.

Pan stopiodd y trên yn Llan, cymerodd Ifan fwy o ddiddordeb nag arfer yn yr adeilad gwyrdd gyferbyn â'r stesion, efo'r llythrenna claerwyn ar ei do – MORRIS EVANS HOUSEHOLD & CATTLE OIL MANUFACTORY. Roedd y lle wedi cael ei beintio'n ddiweddar iawn, meddyliodd. Ac i feddwl mai yma y câi'r olew gwyrthiol ei greu. Yr olew a hysbysebid hyd yn oed ar dalcen Narrow Lane yn Gresford! Rhyfedd o fyd!

Ugain munud yn ddiweddarach, wrth i'r trên arafu'n wichlyd i mewn i orsaf Blaendyffryn, gwthiodd Ifan ei ben allan drwy'r ffenest a rhoi tro ar handlen y drws. Teimlai gynnwrf braf o'i fewn; y cynnwrf o gael bod yn ôl yn ei gynefin unwaith eto ac ynghanol wyneba cyfarwydd yn fuan iawn. Cyn i'r olwynion orffen troi, gwthiodd y drws yn agored a neidio allan.

'Dyna beth gwirion i'w neud!' meddai un o'r merched yn feirniadol wrth ei weld yn gorfod cyflymu'i draed ar y platfform llonydd.

'Ia,' cytunodd un arall, yr un mor hyglyw. 'Roedd o'n lwcus i beidio syrthio ar ei wynab. A fynta'n ddigon hen i wbod yn amgenach hefyd!'

Ar ôl adfer rheolaeth o'i draed, sylwodd Ifan ar Now Portar yn pwyso'n ddiog ar y giât o'i flaen. Estynnodd ei docyn iddo.

'Sut hwyl sydd, Ifan Huws?' meddai hwnnw'n glên.

'Di-fai yn wir, Owen Jôs! A chitha yr un modd, gobeithio?'

O gofio nad oedd Mair yn ei ddisgwyl adre tan fory, edrychai ymlaen, rŵan, at weld y syndod yn ei llygaid wrth iddo gerdded i'r tŷ, ac at y croeso roedd hi wedi'i addo iddo. Cyflymodd ei gam.

Sylwodd fod poster newydd ar Sgwâr y Diffwys. Llun o wraig ifanc – *Tebyg iawn i Mair,* meddyliodd – a merch a mab bychan wrth ei hymyl, y tri yn gwylio rheng o filwyr yn cilio i'r pellter. A llythrenna bras yn cyhoeddi:

WOMEN of BRITAIN SAY –

"GO!"

Teimlodd y cynhesrwydd braf a'i llanwai funud yn ôl yn llifo allan ohono, fel dŵr yn dianc o botel-ddŵr-poeth.

293

Aeth i fyny Lòrdstryd yn fân ac yn fuan, yn ddiolchgar nad oedd fawr o neb o gwmpas ac yn arbennig o falch nad oedd Annie Twm yn ei phulpud arferol ar garreg drws ei thŷ. Pan ddaeth i olwg y pedwar tŷ ar Stryd Lòrd Bach, oedodd eiliad i adael i'r atgofion lifo'n ôl. Tŷ Ni, Tŷ Taid, Tŷ'r Eos a Thŷ Gaenor Goch. Dyna fydden nhw iddo *fo* am byth, er bod sawl teulu wedi mynd a dod o'r ddau dŷ canol ers y dyddia cynnar, a bod 'Tŷ'r Eos' yn gartre i Huw ei frawd, bellach, pan oedd hwnnw adra o'r coleg.

Caeodd ei lygaid am eiliad neu ddwy, i geisio cofio petha fel ag yr oedden nhw gynt. Ei fam, yn ei ffedog fras a'i gwallt dros ei dannedd, yn taro clwt gwlyb dros garreg las yr hiniog, a'i dad a Rhys, efo genwair mewn llaw a bag dros ysgwydd, yn cychwyn am Lynnoedd y Gamallt, i bysgota nos . . . Corffilyn esgyrnog Taid Josh efo ffrâm ei ddrws i'w gynnal; ei lygada'n gleisia duon yn ei ben a'i focha'n pantio'n ddwfn gyda phob ymdrech flinedig am wynt . . . Yr hen Eos rhadlon, wedyn, â'i wên wridog a'i gyfarchiad cyfarwydd: '*A sut ma'r hen fyd mawr 'ma'n dy drin di heddiw, machgian i?'* . . . Ac yn nrws y tŷ pella, Gaenor Parry yn weddw ifanc ddeniadol unwaith eto, ei gwallt yn ddisglair raenus yn yr haul, a Gwil Goch yn troi o'i chwmpas gan gecian siarad a gwylltio am nad oedd geiria'n dod yn rhwydd.

Sychodd Ifan ddeigryn oedd yn bygwth dianc o gornel ei lygad ac ailgydiodd yn hanner canllath ola'i daith.

'Ifan!'

Doedd o ddim wedi sylwi ar Gaenor Parry yn sefyll wrth giât ei gardd.

'. . . Ga i air efo ti?'

Aeth draw.

'Sut 'dach chi'n cadw, Mrs Parry?' gofynnodd, gan roi ei law i bwyso ar y giât oedd rhyngddyn nhw.

'Dwi wedi poeni llawar, Ifan, ers i ti fynd i ffwrdd.'

'Mae'n naturiol i chi boeni, Gaenor Parry. Ond mi fydd Gwil yn iawn, gewch chi weld. Dwi'n dallt mai'r HMS *Repulse* ydi'i long o?' Doedd o ddim am gyfadde wrthi ei fod o, wrth agor y papur newyddion bob dydd, yn mwmblan gweddi fach nad oedd y *Repulse* wedi diodde'r un ffawd â llongau rhyfel eraill megis y *Courageous* a'r *Royal Oak* a'r *Iron Duke*.

'Nid meddwl am Gwilym oeddwn i rŵan,' medda hi, er bod cysgod pryder yn bradychu rhywfaint o'i chelwydd, 'ond amdanat ti.' A gosododd Gaenor ei dwylo dros law Ifan ar y giât, i'w gwasgu. 'Dwi wedi difaru f'enaid, coelia di fi, mod i wedi deud peth mor filain wrthat ti, cyn iti fynd i ffwrdd.'

'Bobol bach! Anghofiwch amdano fo, Gaenor Parry!' meddai Ifan, gan roi rhywfaint o sŵn chwerthin yn ei lais. 'Doedd o'n ddim byd i golli cwsg yn ei gylch.'

Sŵn dagra oedd yn ei llais *hi*, serch hynny. 'Dwn 'im be nâth imi ddeud y fath beth wrthat ti, cofia. A thitha a dy deulu wedi bod mor dda wrth Gwil a finna dros y blynyddoedd.'

Gallai deimlo croen caled ei dwylo'n gwasgu'n gletach am ei law wrth iddi bwysleisio'i hedifeirwch.

'. . . Roedd gen i feddwl y byd o dy fam, Ifan. Halan y ddaear, os bu erioed. Mi fuodd hi'n ffeind iawn wrtha i, a hynny pan oedd bywyd yn galad ar Gwil a finna . . . yn gletach o lawar nag ydi o rŵan, hyd yn oed.'

Yn ateb, rhoddodd ynta'i law rydd dros ei dwylo

hitha a'u gwasgu. 'I be arall mae cymdogion yn dda, Gaenor Parry?' Gwasgodd eilwaith. 'A deud y gwir, 'dach chi cystal â theulu i Huw a finna.'

*   *   *

Câi drafferth cysgu rŵan, wrth i'r meddylia gorddi yn ei ben. Anodd deud be oedd wedi ei synnu fwya. Ai'r pryder o glywed bod Louise fach wael wedi cael ei rhuthro'n ôl i Lerpwl, i'r ysbyty fawr yn fan'no, yn dioddef efo *poliomyelitis*, a bod y fam wedi mynd â Wendy, hefyd, adre efo hi? Ynte'r rhyddhad o dderbyn ymddiheuriad didwyll Gaenor Goch? Ynte'r croeso nwydwyllt a gawsai gan ei wraig gynted ag iddo gyrraedd y tŷ, oherwydd prin ei fod wedi camu dros y trothwy nad oedd hi'n ei lusgo fo i'r llofft! Ond yna, i ddilyn y caru direol yn fan'no, y siom o weld yr hen Fair edliwgar yn dod 'nôl. 'Gobeithio dy fod ti wedi bod yn ofalus, wir!' Cystal ag awgrymu mai arno fo y byddai'r bai pe bai petha'n mynd o chwith. Ac er iddo geisio tawelu'i hofna hi, cyndyn fu hi i dderbyn ei air. 'Ond dyna fo! Mi fydda i'n gwbod yn ddigon buan os wyt ti wedi gneud llanast ai peidio.'

Cofiodd hefyd fel roedden nhw wedi cael eu styrbio'n ystod y min nos gan guro ysgafn ar y drws ac mai fo ei hun fu gynta i'w ateb. Cofio'r syndod o weld Jim Tai'r Gelli yn sefyll yno, yn ei ddillad ARP, a'i glywed yn cecian yn anghyfforddus: 'Ym! Smâi, Ifan? . . . Ym . . . Mae gynnoch chi ola'n dangos heibio'r blacowt. Ym . . . Trïwch fod yn fwy gofalus!' cyn troi a diflannu i'r nos y daethai ohoni. A Mair yn mwmblan rhywbeth am 'Fy mai i!' ar ei ôl ac yn prysuro i ailosod y llenni duon pan nad oedd gwir angen gneud hynny. Fynta'n meddwl, ar

296

y pryd, mai syndod a welsai ar wyneb Jim Gelli cyn sylweddoli wedyn mai edrychiad o ddirmyg oedd o, mae'n siŵr. Dirmyg at gonshi.

Fe ddaeth cwsg iddo rywbryd yn yr oria mân, a thryblith o hunllefa i'w ganlyn.

*   *   *

Fis union yn ddiweddarach, ac wythnos union cyn y Nadolig, derbyniodd Ifan Lòrd Bach newyddion pur gynhyrfus unwaith eto oddi wrth ei wraig. Yn un peth, roedd hi'n ofni ei bod hi'n feichiog ac yn taflu'r bai arno fo am hynny, am beidio bod yn ddigon gofalus pan oedd o gartra ddiwetha. Ond fel achos dathlu yr edrychai Ifan ar y peth.

Roedd cynnwys ei hail baragraff, wedyn, yn ddoniol iddo – *'Ellis Postman yn deud bore 'ma bod Twm Annie Twm wedi derbyn ei call-up, nid i'r RAF fel roedd o'n ddisgwyl ond i'r Catering Corps!'* – a synnodd Dora Morris glywed ei lojar yn chwerthin dros y tŷ un funud ac yn sobri'r un mor sydyn y funud wedyn wrth symud ymlaen i baragraff nesa'i lythyr. Yn hwnnw, roedd Mair yn sôn am ymuno â'r Land Army, rŵan bod y ddwy faciwî wedi mynd, a hitha'n cael ei thraed yn rhydd unwaith eto. *'Dim ond am chydig fisoedd, nes i dy fabi di ddechrau dangos.'* Roedd y Llywodraeth, medda hi, yn cynnig pob math o hyfforddiant, gan gynnwys dysgu sut i yrru tractor. *'A minnau'n ferch ffarm, pwy ŵyr na fydd peth felly'n handi imi rywbryd. Mae fy nhad wedi bod yn sôn ers tro am brynu tractor, gan nad ydi'r wedd yn mynd yn ddim iau, medda fo. Ac os medraf i ddreifio tractor, yna fydd dim rheswm pam na allaf ddreifio motocar hefyd, wedyn.'*

Doedd Ifan ddim am weld ei wraig yn ymuno â'r War Ag, yn un peth rhag i waith trwm ar y tir beryglu'r plentyn yn ei chroth, ac yn ail am ei fod yn ama'i chymhellion hi. Isio dangos i bobol Blaendyffryn roedd hi, mae'n debyg, ei bod *hi*, o leia, yn barod i aberthu ac i neud ei rhan yn y *war effort.*

Am iddo adael i'w feddwl a'i ddychymyg grwydro felly, bu ond y dim iddo anghofio darllen paragraff ola'i llythyr hi. Roedd y newyddion yn fan'no'n fwy sgytwol fyth! Esther – hogan ienga Elsi, ei chwaer, a Harri Teiliwr – wedi gorfod mynd i'r *sanatorium* yn Llangwyfan, yn diodde o'r diciâu . . . neu'r *'Tee Bee'*, chwedl Mair. Doctor Tom yn pryderu'n arw'n ei chylch ond yn deud bod ei hoed hi o'i phlaid. Ond iddi hi gael y gofal iawn, yna fe ddylai hi wella'n burion o'i salwch, yn ei farn ef. Ond roedd y driniaeth yn mynd i fod yn hir ac araf a go brin y ceid gweld Esther adre'n ôl o fewn y flwyddyn.

Cynhyrfwyd Ifan yn fwy na'r disgwyl gan y newyddion yma. *Tuberculosis* oedd yr Angau a ddwynodd ei fam oddi arno, bymtheng mlynedd yn ôl. Ac fe fyddai Elsi, hefyd, yn ymwybodol iawn o hynny. Yn reddfol, estynnodd am ddalen o bapur i anfon gair o gysur at ei chwaer ond yna cofiodd y byddai'n mynd adre ymhen tridia, beth bynnag, i dreulio'r Nadolig ym Mlaendyffryn. Fe gâi ymweld ag Elsi a Harri bryd hynny. A phan ddeuai'r flwyddyn newydd, fe âi ar y bws i Langwyfan, i edrych am Esther fach yn y sanatoriwm.

Mair yn feichiog! Twm Annie Twm yn yr armi! Hogan Elsi mewn sanatoriam! . . . Am yr eildro o fewn mis, roedd llythyr Mair wedi hawlio mwy o'i sylw na llith bedair tudalen ei weinidog, er mor ddifyr a llawn

298

newyddion oedd honno, yn sôn am lwyddiant y seindorf a phrysurdeb y côr, paratoada'r Gobeithlu at Basiant Gŵyl y Geni a chyffro'r trefniada ar gyfer cyngerdd mawreddog y Nadolig. Ond fe lwyddodd un frawddeg gan T.L., hefyd, i greu anniddigrwydd yn ei feddwl, er na allai roi ei fys ar yr union reswm pam – *'Rwyf yn gobeithio y cewch ddod adref yn fuan, Evan, oherwydd credaf fod eich gwraig yn gweld eich eisiau.'*

*　　　*　　　*

Canol pnawn oedd hi ac eisteddai Mair Hughes wrth y bwrdd yn gwnïo botwm ar falog trowsus siwt-dydd-Sul ei gŵr. Roedd Ifan wedi'i siarsio hi i neud hynny erbyn y deuai adre nesa, fel y câi wisgo'r siwt i fynd i'r capel ac i gyngerdd dros y Nadolig. Ond fe aethai petha'n angof ganddi, tan heddiw. 'Be 'tawn i heb gofio o gwbwl?' gofynnodd iddi'i hun, rhwng difri a chwarae. 'Be 'tasa Ifan yn codi yn y Sêt Fawr, i wynebu'r gynulleidfa ac i forio canu, a gwyn ei drôns gwlanen yn dangos drwy'r bwlch yn ei falog?'

Daeth y darlun â gwên lydan i'w gwyneb hi wrth iddi estyn am y siswrn, i dorri'r edau ddu.

'Wel dyna'r gorchwyl yna drosodd!' medda hi'n ddiolchgar. Ond roedd gwaith casach eto'n ei haros. Dau bâr o sana tyllog i'w trwsio. 'Dwi yn fy ngwaith yn eu trwsio nhw!' mwmblodd yn chwerw, gan estyn yn anfoddog am y nodwydd frodio a llacio mymryn ar y gwniadur er mwyn i'w bys gael stwytho chydig. 'Mi fyddai'n help 'tai o'n torri gwinadd ei draed yn amlach!' Ond na! Roedd Ifan yn rhy styfnig i hynny. A hi, Mair, oedd yn gorfod diodda wedyn, wrth gwrs, oherwydd bod y gwinadd calad yn tyllu trwy bob pâr o sana oedd ganddo.

Daeth curo ysgafn ar y drws i dorri ar ei meddylia a pheri iddi gynhyrfu trwyddi. Doedd hi ddim wedi clywed giât yr ardd yn agor a chau! Ac nid pawb oedd mor ddistaw yn dod at y tŷ! 'Ganol pnawn?' meddyliodd, a'i chalon yn cyflymu er ei gwaetha. 'Na, does bosib!'

Brysiodd i ateb y drws a theimlo peth siom a pheth dychryn o weld mai hen sipsi oedd yno, efo basged wiail ar ei braich; ei gwallt yn loywddu a chroen ei gwyneb yn dywyll fel hen ledar. 'Romani o'r iawn ryw!' meddai Mair wrthi'i hun, a'i chalon yn methu curiad, rŵan.

'Wraig dda, ydech chi am brynu rhywbeth bach gen i?'

Amheuai Mair mai ffug oedd cryndod y llais oherwydd roedd y llygaid bach duon yn fywiog ac yn dreiddgar.

'Ym! . . . Be sgynnoch chi i'w werthu?' Cwestiwn gwirion, oherwydd roedd un hanner i'r fasged yn llawn pegia dillad a'r hanner arall yn orlawn o floda papur lliwgar.

'Swllt y dwsin yw'r pegiau a'r blodau hardd. Chewch chi mo'u gwell mewn unrhyw siop.'

Fe deimlai'n rhy bryderus i wrthod. Pe bai hon yn dramp, fel hwn'na a alwodd fore ddoe, yna mater bach fyddai ei throi hi draw efo'r rhybudd i beidio tywyllu carreg ei drws hi byth eto . . . ond Romani oedd hon. Ac roedd sipsiwn Romani'n gallu melltithio pobol!

'Ym! Mi gymera i ddwsin o begia,' medda hi. 'Mi ddo i atoch chi rŵan,' ychwanegodd, rhag i'r sipsi gymryd yn ei phen i'w dilyn hi i'r tŷ. Brysiodd i nôl ei phwrs.

'Mae'r foneddiges yn garedig iawn . . . yn garedig

iawn,' meddai'r wreigan gan daro'i basged ar yr hiniog a dechra rhifo dwsin o begia allan ohoni.

Yna, fel roedd Mair yn estyn yr arian iddi, cydiodd y sipsi yn annisgwyl yn ei llaw a chraffu ar y cledr agored. 'Fydde'r wraig garedig yn hoffi cael clywed ei ffortiwn?' gofynnodd; ei llais yn llawn addewid a chyfrinach.

'Na . . . ym . . . na . . . dwi'm yn meddwl, diolch.' Teimlai'n anghysurus. Roedd y llygaid bach duon fel taen nhw'n darllen ei henaid hi, fel llyfr.

'Rwy'n gweld hir oes . . . Rwy'n gweld hapusrwydd . . . Rwy'n gweld tristwch hefyd. Am chwe cheiniog gwyn arall, wraig garedig, cewch wybod y cyfan!'

'Ym . . . na . . . dwi'm . . .'

'Rwy'n gweld plentyn . . . ac rwy'n gweld euogrwydd . . .'

Aeth Mair yn oer drwyddi. Roedd yr hen wraig wedi codi'i golygon, rŵan, ac yn craffu'n ddwfn i'w llygaid hi. Nid darllen llaw a wnâi ond darllen meddwl.

Mewn dychryn, hawliodd Mair ei llaw yn ôl, estyn am y pegia a chamu'n ôl i'r tŷ. 'Dydw i ddim isio clywad, diolch!' meddai hi'n gryg a chau'r drws yng ngwyneb yr hen wrach.

*   *   *

Doedd Ifan ddim wedi bargeinio ar fynd i'r Cyngerdd Nadolig ar ei ben ei hun. Fe feddyliodd yn siŵr y câi gwmni'i wraig neu'i frawd; neu'r ddau, hyd yn oed. Ond fel arall y digwyddodd petha.

'Mae'n ddrwg gen i, Ifan, ond dwi wedi trefnu i fynd yno efo rhai o'r hogia sydd adra ar lîf. Ond mae croeso i ti ddod efo ni, cofia!'

'Na, dos di, Huw! Mi fydd gen i Mair yn gwmni, beth bynnag.'

Ond roedd ei hymateb hi yn llai ystyriol nag un ei frawd. 'Ti'm yn disgwyl i mi ddŵad efo ti i ganol pobol, decinî?'

Er bod Stryd Fawr Blaendyffryn ar Noswyl Nadolig yn llawn lleisia cyfarwydd yn cyfarch ei gilydd, eto i gyd fe deimlai nad y tywyllwch yn unig oedd yn gneud y lle'n ddiarth iddo. Do, fe gafodd ambell gyfarchiad digon clên yn ystod y dydd, i'w groesawu'n ôl adre, ond cafodd ddigon o achos hefyd i'w atgoffa mai 'conshi' oedd o, wedi'r cyfan. Y pytia o sgwrs, er enghraifft, wrth iddo gerdded heibio, yn sôn am hwn-a-hwn *yn ei chanol hi ar y Moselle* a hogyn-hwn-a-hwn wedi cael dihangfa lwcus yn y Scapa Flow wedi i'w long gael ei tharo gan dorpîdo. Y criw hogia, wedyn, oedd wedi hel at ei gilydd ar Sgwâr Diffwys i sgwrsio a chwerthin yn uchel wrth drafod y bywyd newydd cyffrous roedden nhw bellach yn rhan ohono; rhai'n torsythu yn eu *khaki,* un arall yn ei ddillad llongwr ac un arall yn lifrai'r llu awyr. 'Adra ar eu lîf ola cyn mynd dros y dŵr,' medda rhywun.

Ac roedd ynta, Ifan, wedi cenfigennu atyn nhw. Cenfigennu at eu diniweidrwydd a'u cyffro, ac at y cyfeillgarwch newydd oedd yn tyfu rhyngddyn nhw. Cenfigennu hefyd at y ffaith bod twr o genod ifanc yn sefyllian, heb fod ymhell, i sibrwd yng nghlustia'i gilydd ac i giglan yn wirion. 'Gwyn eu byd!'

Ia, gwyn eu byd! Roedd o wir wedi meddwl hynny! A mwya'n y byd a welai ac a glywai, mwya'n y byd y teimlai fod ei egwyddor wedi costio'n ddrud iddo. Nid yn unig bod cymdogion a ffrindia-bore-oes yn dieithrio ond roedd o hefyd yn anniddig o fod yn colli profiada gwerthfawr a chofiadwy. Colli'r cyfle i deithio'r byd . . . fel Gwil Goch, er enghraifft. Colli cael ymweld â llefydd oedd yn enwa rhamantus ar fap wal yr ysgol, slawer dydd. Colli cyfarfod â phobol o gefndir a diwylliant gwahanol iawn iddo'i hun. Colli'r antur fawr yr oedd y llancia hyn ar fin cychwyn arni. Colli dod wyneb yn wyneb â Bywyd yn ei gyfanrwydd . . . Tybed oedd hi'n rhy hwyr iddo newid ei feddwl?

'Ifan Huws?'

Trodd i weld siâp du yn ymrithio o'r tywyllwch.

'. . . Ro'n i'n ama mai ti oedd o!'

'Pwy . . .?' Rhythodd Ifan. Doedd o ddim hyd yn oed yn nabod y llais.

'Harri! . . . Harri Pen Bont.'

'O! Sut ydach chi, Harri?'

'Paid â deud *chi* wrtha i, bendith y Tad iti! 'Sa rhywun feddwl mod i flynyddoedd lawar yn hŷn na chdi!'

Ond *mae* o flynyddoedd yn hŷn na fi, meddyliodd Ifan. Pymthang mlynadd o leia! *'Cofia di ddangos parch at bawb sy'n hŷn na chdi.'* Onid dyna gyngor ei dad, slawer dydd, ar ei ddiwrnod cynta yn y chwaral! *'A phaid byth â meddwl dy fod ti'n gwbod yn well na nhw.'* Cyngor i lanc dibrofiad oedd hwnnw, wrth gwrs, ond roedd y geiria wedi glynu yn ei gof ac wedi gadael eu dylanwad, hyd heddiw, ar y ffordd roedd o'n ymateb i'r genhedlaeth hŷn.

'Mae'n dda'i chael hi'n sych, Ifan. Mynd i'r consart wyt ti?'

'Ia.'

Rhyfeddai fod Harri Pen Bont wedi ei gyfarch o gwbwl oherwydd prin eu bod nhw'n nabod ei gilydd. Cydnabod pell, dyna i gyd. Ar wahân i weithio yn yr un chwaral – Harri ar y Bonc Ganol ac ynta, Ifan, ar y Bonc Isa – doedd eu llwybra nhw ddim wedi croesi fel arall. Felly, pam dewis ei gwmni *fo*, rŵan? Roedd digon o gerddwyr eraill ar y stryd, os cwmni oedd yr unig beth y chwiliai Harri amdano.

Syrthiodd tawelwch poenus rhwng y ddau ac er mwyn gneud rhyw fath o sgwrs, meddai Ifan: 'Musus . . . ym . . .' A dyna pryd y sylweddolodd na wyddai gyfenw Harri Pen Bont, hyd yn oed. '. . . Y wraig a'r teulu mewn llawn iechyd gynnoch chi, gobeith –?'

Fe ddaeth yr ateb cyn i'r cwestiwn gael ei ofyn, bron. 'Mi gollis y wraig flynyddoedd yn ôl, Ifan.'

Teimlodd Ifan ei galon yn methu curiad. Sali Pen Bont yn ei bedd? A hynny ers blynyddoedd? Doedd ganddo ddim co' clywed y fath beth.

'O! . . . ym . . . Mae'n wir ddrwg gen i! . . . Ym . . . wyddwn i ddim. Ar fy ngwir!'

'Mae 'na ugian mlynadd ers imi'i cholli hi.'

Dyna pryd y sylweddolodd Ifan mai chwerwedd yn hytrach na thristwch oedd i'w glywed yn y llais. 'Ugian mlynadd?' medda fo wrtho'i hun yn anghrediniol. 'Does bosib! Dwi wedi gweld Sali Pen Bont fwy nag unwaith ers hynny.' Oedd Harri'n dechra ffwndro, tybad?

'. . . Rydan ni'n dal i gyd-fyw, cofia, ond dydi petha ddim fel ag y buon nhw . . .'

Yn sydyn, cliriodd y dryswch o feddwl Ifan wrth gofio bod gwraig y dyn yma wedi rhedeg i ffwrdd efo dyn arall, flynyddoedd lawer yn ôl, ond wedi gorfod dod 'nôl at ei gŵr yn fuan iawn wedyn oherwydd bod y *fancy man* wedi blino arni. Cofiodd, hefyd, y trafod yn y chwaral ar y pryd, a rhai o'r dynion yn rhyfeddu bod Harri wedi'i chymryd hi'n ôl o gwbwl, yn enwedig a hitha mor wynab-galad a diedifar.

'. . . Peth mawr ydi cael dyn arall rhyngddat ti a dy wraig yn y gwely bob nos, Ifan. Mae o yno, yn dy feddwl *di* . . . a ti'n gwbod o'r gora'i fod o yno yn ei meddwl hitha, hefyd.'

Yn ddirybudd, oedodd Harri Pen Bont ar ganol cam, gan orfodi Ifan i neud yr un peth. 'Paid byth . . .' medda fo, a'i lais yn llawn taerineb a rhybudd. 'Paid byth,' medda fo eto, a gyda mwy o bwyslais, 'â derbyn *second best*! Fyddi di byth yn hapus, 'rhen ddyn . . . Wela i di!'

Ac fe'i cafodd Ifan Lòrd Bach ei hun yn sefyll yno, ar ganol y ffordd, yn gwrando ar Harri Pen Bont yn sodlu oddi wrtho i'r tywyllwch, nid am y cyngerdd ond yn ôl y ffordd y daeth.

*   *   *

Chydig iawn o flas a gafodd o ar y cyngerdd, oherwydd ymddygiad òd Harri Pen Bont yn un peth, a phellter-gneud y rhai a eisteddai o'i gwmpas yn beth arall. Fe wnaeth ei ora i'w cyfarch yn glên, yn ôl ei arfer, ond surbwch, a deud y lleia, oedd ymateb rhai ohonyn nhw. 'Conshi!' Falla nad oedden nhw'n deud y gair ond roedden nhw'n ei feddwl o! A phan gyflwynodd yr unawdydd ei gân olaf *'I'r hogia dewr sy'n mentro'u bywydau yn yr awyr ac ar fôr a thir yn y dyddiau dyrys hyn'* doedd dim rhaid iddo edrych o'i gwmpas i wybod bod sawl pâr o lygaid yn troi'n gyhuddgar i'w gyfeiriad, cystal â gofyn 'Oes gen ti ddim cywilydd rŵan 'ta, y cachgi?'

Cododd i adael yn ystod y Diolchiadau gan ysu am i ddüwch y nos ei lyncu unwaith eto. Ac wrth iddo gamu allan i'r awyr oer, clywodd *'God Save The King'* yn cael ei tharo, a'i chanu wedyn gydag afiaith ac arddeliad. Oedd, roedd ei heddychiaeth yn costio'n ddrud iddo, meddai wrtho'i hun am y canfed tro. Dros nos, roedd Blaendyffryn wedi tyfu'n lle diarth, ac yn lle unig iawn iddo hefyd.

Wrth deimlo'i ffordd yn ôl drwy'r tywyllwch, daeth ymddygiad òd Harri Pen Bont unwaith eto i'w boeni. Mwya'n y byd y meddyliai am y peth, sicra'n y byd oedd o bod Harri wedi disgwyl dod ar ei draws, heno, i gynnig cyngor o ryw fath – *'Paid byth â derbyn* second best! *Fyddi di byth yn hapus, 'rhen ddyn!'* Ond pam fyddai dieithryn, i bob pwrpas, yn gneud ac yn deud peth felly?

*   *   *

Wrth i fisoedd y gaeaf lithro heibio, fe âi llythyra Mair yn llai rheolaidd. Ei chŵyn yn y rheini oedd bod y boreau'n bwys arni a'i beichiogrwydd yn garchar. *'Pan gaiff ein plentyn ei eni, yna mi fydd raid inni ystyried symud tŷ, Ifan. Tŷ efo bathrwm! Ac fel mae'n digwydd mae tai semi-detached newydd sbon, tai tair llofft efo bathrwm modern, yn cael eu codi yng nghanol y dre ar hyn o bryd. Mae dau ohonynt bron â bod yn barod ond mae William Roberts y builder ei hun yn mynd i fyw i un o'r rheini ac mae'r llall wedi cael ei brynu gan un o stiwardiaid y Chwarel Fawr ond rwy'n clywed y bydd rhagor yn cael eu codi gyda hyn ac rwyf wedi bod yn holi, Ifan, wyth gant a hanner fydd eu pris.'*

Fe anfonodd ynta air yn ôl gyda throad y post i ofyn iddi ymbwyllo. *'Efo pethau fel ag y maent ar hyn o bryd, rhwng y rhyfel a'r dirywiad yn y diwydiant llechi, nid oes sicrwydd y bydd gennyf waith yn aros amdanaf pan ddof yn ôl i Flaendyffryn.'*

Llythyr yn ôl oddi wrthi hitha, wedyn, hefyd gyda'r troad: *'Mae'r teulu sydd yn rhentu Tŷ Taid yn symud oddi yma i fyw. Os gwerthwn ni hwnnw a gwerthu ein tŷ ni, yna mi fedrwn ni fforddio prynu tŷ newydd efo bathrwm.'*

Ar ôl pendroni'n hir yn ei wely-tŷ-lojin y noson honno, fe ddaeth yr ateb i Ifan Lòrd Bach rywbryd yn yr oria mân. Gneud Tŷ Ni a Tŷ Taid yn un tŷ, trwy dorri drws yn y wal rhyngddyn nhw. Yna, addasu un o'r llofftydd yn fathrwm, ac ennill llofft ychwanegol yn y fargen. Mwya'n y byd y meddyliai am y peth, mwya'n y byd roedd o'n cnesu i'r syniad oherwydd gallai neud y rhan fwya o'r gwaith efo'i ddwylo'i hun ac fe gâi Mair ei thŷ-â-bathrwm heb iddyn nhw orfod symud, na mynd i ddyled chwaith, gobeithio.

Un peth i'w groesawu oedd ei phenderfyniad i beidio ymuno â'r Land Army ond ni chafodd unrhyw eglurhad am y newid meddwl hwnnw.

Wrth i dymor arholiada Huw nesáu, fe aeth ei lythyra ynta hefyd yn betha prin ond daliai'r hen T.L. i anfon gair, mor ffyddlon ag erioed. Roedd wedi codi'i galon yn ddiweddar, medda fo, oherwydd bod rhai o'r aeloda wedi dechra mynychu'r capel unwaith eto. *'Rwy'n gwybod, wrth gwrs, mai dod i chwilio am gysur gweddi a wnânt, oherwydd bod eu gwŷr neu eu meibion yn wynebu peryglon y rhyfel, ond onid yw hynny'n beth da, Ifan? Eu bod yn sylweddoli mai'r Hollalluog yw eu noddfa a'u nerth mewn cyfyngder? Rhyfedd o fyd, onide, pan fo rhyfel a gwaith y Diafol yn gyrru Dyn yn nes at ei Dduw? Ys dywed yr emynydd, "Trwy ddirgel ffyrdd mae'r uchel Iôr yn dwyn ei waith i ben."*

Y newydd da arall yw bod Elwyn Owen gartref unwaith eto, wedi cwblhau ei gosb, ond mae'n drist ei weld, mor llwyd ei wedd ac yn feinach lawer o gorff nag y bu. Rwy'n gofidio dros ei fam druan gan mai prin ei fod yn yngan gair wrthi o'r naill ddiwrnod i'r llall. Fe geisiais sgwrs ag ef, i ddod o hyd i'r hyn sy'n ei boeni, ond nid oedd yn fodlon trafod â minnau, chwaith. Oherwydd ei gywilydd, medd ei fam, ond rwyf i'n amau mai profiadau annymunol y borstal sydd wrth wraidd ei gyflwr.'

*   *   *

Erbyn diwedd Ebrill, roedd Mair yn 'dechra dangos', a rhoddodd hynny waith siarad i rai o ferched y dre. Newyddion da i Ifan Lòrd Bach, yn ôl rhai ohonyn nhw; testun sgandal a gwawd i eraill.

'Wel pwy fasa'n meddwl!' meddai Ruth May un diwrnod, pan glywodd hi fod Mair Huws yn disgwyl. 'Rhaid *bod* gynno fo lèd yn ei bensal, wedi'r cwbwl!'

Roedd y geiria gwawdlyd wedi llithro dros ei gwefus cyn iddi gofio bod Annie Twm ei hun yn ddi-blant ac y gellid edliw diffrwythdra iddi hitha'n ogystal. Ond ni fu raid i Ruth May boeni oherwydd roedd gan feddwl Annie Twm ei lwybyr ei hun.

'Hy!' medda hi, a'i thôn yn fwy sgornllyd nag un Ruth May, hyd yn oed. 'A phwy sy'n deud mai'i bensal *o* oedd hi, beth bynnag?'

Ac felly, o dipyn i beth, y lledodd y sibrydion ynglŷn â'r plentyn roedd Mair Huws yn ei gario.

*   *   *

Cafodd Ifan ddod adre am chydig ddyddia ganol fis Mai, a synhwyro'n syth bod dirmyg rhai tuag ato yn waeth na chynt. Gallai ddarllen meddwl ambell un – *'Tra bod ein hogia dewr ni'n mentro'u bywyda i gwffio'r*

308

Jyrmans, mae rhyw gachgi llwfr fel chdi'n cuddiad yn groeniach tu ôl i dy grefydd.' Ond doedd o ddim digon craff, serch hynny, i sylweddoli nad yr un dirmyg oedd ar wyneb pawb; bod gwahaniaeth rhwng gwawd at gonshi a chrechwen at gwcwallt.

Felly, bendith, yn fwy na dim arall iddo, fu'r prysurdeb o helpu Edwin Plymar gyda'r gwaith o droi'r llofft gefn yn fathrwm. Ac fe gafodd Mair ei ffordd ynglŷn â Triplex newydd hefyd, oherwydd bod rheidrwydd, bellach, am grât efo boilar tu cefn iddi, i gyflenwi dŵr poeth i'r bath.

Bob min nos, wedi i Edwin orffen ei waith am y dydd, fe âi Ifan i Dŷ Taid, drws nesa, i baratoi fan'no ar gyfer y torri trwodd pan ddeuai'n amser i hynny. Yn arferol, gallai fod wedi disgwyl help llaw oddi wrth Huw neu un neu ddau o'i ffrindia o'r chwaral, ond roedd y naill yn rhy brysur efo'i lyfra a doedd o ddim wir yn teimlo bod cymwynas y lleill mor barod ag y bu.

Rhwng pob dim, erbyn i'w wythnos ddod i ben, roedd Ifan yn eitha parod i ddal y trên yn ôl am Wrecsam.

*　　　*　　　*

Fel y digwyddodd petha, bu wythnos gynta Awst yn achos dathlu dwbwl i deulu Lòrd Bach. Yn gynta, cafodd Huw y newydd da ei fod wedi graddio efo *first class honours* mewn *Mathematics*. Yna, lai na phedair awr ar hugain yn ddiweddarach, roedd Gaenor Goch a'r *district-nurse* wrth law i wylio Rhys ab Ifan yn cael ei eni. Wythbwys a dwy owns o sgrechian pur!

'Rhys ab Ifan Lòrd Bach ab Ifan Garn!' meddai Huw

efo gwên lydan wrth longyfarch ei frawd mawr pan gyrhaeddodd hwnnw adre, ddeuddydd wedi'r digwydd.

Ond nid dyna ymateb Annie Twm pan glywodd hi'r enw. 'Rhys ab Ifan o ddiawl!' medda hi, mor finiog ei thafod ag erioed. 'Rhys ap Jim Gelli, Ê-Âr-Pî, debycach gen i!'

*   *   *

Ar y nos Wener ganlynol, yng nghwmni criw'r Wheatsheaf, cafodd Ifan brofi wisgi am y tro cynta erioed. Er iddo neud ei ora i wrthod y cropyn a sodrwyd o'i flaen gan Preis, doedd dim yn tycio.

'Diawl erioed, Evan! Ti'n dad am y tro cynta, 'achan! Rhaid iti ddathlu efo rhwbath gwell na phaned o de, siŵr iawn. Tyrd o'na!'

A'r fath hwyl wedyn wrth ei glywed yn pesychu ac yn tagu oherwydd bod y gwirod yn llosgi yn ei lwnc ac yn dod â dagra i'w lygaid.

Wrth noswylio'r noson honno, rhyfeddodd Ifan at mor ddiedifar y teimlai o fod wedi torri'r Llw; ei lw i ymwrthod â phob diod feddwol tra byddai byw. Be ddwedai'r hen T.L., tybed, pe deuai i wybod? Be ddwedai ei fam, pe bai hi byw?

'Ond yr un dyn ydw i heno ag oeddwn i ddoe ac echdoe,' medda fo wrtho'i hun ac wrth dywyllwch ei lofft-tŷ-lojin. 'Hyd y gwela i, dydi'r gwirod ddim wedi newid dim ar y ffordd dwi'n meddwl na'r ffordd dwi'n teimlo.'

Falla nad oedd o'n sylweddoli hynny ar y pryd, ond roedd agwedd Ifan Lòrd Bach at y byd a'i bobol wedi dechra stwytho.

310

Awst 1940 Ymweliad â Bangor

'Dwyt ti rioed yn disgwyl i mi ddŵad efo ti, wyt ti? Be tasa Rhys yn dechra sgrechian ar ganol y seremoni? Be wedyn?'

'Meddwl ei adael o adra, o'n i. Mi fasa Gaenor yn ei gymryd o am y diwrnod, dwi'n siŵr.'

'Gaenor ddeudist ti?' Llais methu-coelio'i-chlustia rŵan. 'Gaenor Goch? . . . Arglwydd Mawr, Ifan! Callia, wir Dduw! Faint callach fasa Rhys bach o sugno tethi hesb honno?'

'Drapia!' medda fynta, gan chwerthin am ben ei ffolineb ei hun. 'Wnes i ddim meddwl am y broblem yna.'

'Neu falla y basa ti'n licio i mi ddŵad â fo efo fi ar fy mraich? A rhoi'r frest iddo yng ngŵydd yr holl bobol barchus 'na, pan ddechreuith o sgrechian am ei fwyd?'

'Ia, iawn!' meddai Ifan, yn gneud ei ora i anwybyddu'i gwawd hi. 'Huw ddeudodd bod dau docyn ar gael i'r seremoni capio, dyna i gyd, a finna'n meddwl y caret ti ddŵad yno efo fi.'

Roedd hi'n fyrrach ei thymer nag arfer, a blinder oedd wrth wraidd peth felly, meddai wrtho'i hun. Blinder cario'r babi yn ei chroth . . . poen a blinder ei eni . . . blinder y deffro a'r codi ganol nos i newid ei glwt ac i ddiwallu'i newyn. Oedd, roedd o'n gneud ei ora i ddallt ac i dderbyn ei chyflwr, a hynny o gofio'i hynawsedd hi, pan ddaeth adre gynta i weld y bychan, ddeuddydd wedi ei eni.

'Be ti'n feddwl o Rhys Ifan Huws fel enw?' medda hi, bryd hynny, wrth roi'r plentyn yn ei freichia am y tro cynta erioed. 'Rhys i gofio dy frawd ac Ifan ar ôl ei dad a'i daid.'

Roedd yr awgrym wedi mynd â'i wynt am eiliad a pheri iddo deimlo rhyw gnesrwydd tuag ati nas teimlodd ers dyddia cynnar eu caru. 'Wel, be am Rhys ab Ifan, ta?' awgrymodd yn betrus, gan hanner disgwyl iddi wrthwynebu, rŵan.

'Pam lai? Rhys ab Ifan amdani, ta!'

'Wyt ti'n siŵr, nghariad i? Yn hollol siŵr?'

'Pa enw gwell gaen ni, a fynta mor debyg i ti a dy deulu?'

Parodd y dystiolaeth honno iddo graffu'n fanylach ar y bychan. 'Tebyg i mi, ti'n meddwl? O ddifri?'

'Mae o'r un ffunud â chdi, siŵr iawn! Pawb yn deud!'

'Wel, wel!' Doedd dim celu ar ei bleser wedyn, er bod rhywfaint o amheuaeth yn mynnu aros. 'Gweld y mop o wallt du o'n i, a meddwl bod mwy o dy deulu di ynddo fo, falla?'

'Paid â rwdlan, nghariad i! Gwallt cynta ydi hwn'na, siŵr iawn! Mi fydd o wedi'i golli fo cyn gweld ei flwydd, gei di weld. Na, Teulu Lòrd Bach yn ei nerth ydi hwn!'

Oedd, roedd ei geiria a'i serchowgrwydd hi wedi mynd at ei galon y diwrnod hwnnw ond rŵan, a Rhys ab Ifan ond pythefnos oed, roedd tinc o'r hen ddirmyg eto'n ôl yn ei llais.

'Pam na ofynni di i Elsi dy chwaer ddod efo ti i seremoni'r capio, ta? Wedi'r cyfan, hi ydi'i . . .'

'Na,' medda fynta, i roi taw ar ei hawgrym, 'ond falla y basa Gaenor yn licio dod. Hi, nid Elsi, ddaru fagu Huw.'

*　　　　*　　　　*

Tan heddiw, dim ond llun hardd ar bapur fu'r Coleg ar y Bryn i Ifan a Gaenor Parry ond rŵan dyma gyfle i

312

lyncu holl awyrgylch y lle wrth i Huw eu tywys o gwmpas yr adeilad. 'A hwn ydi'r Cwàd,' medda hwnnw gan oedi er mwyn iddyn nhw gael syllu allan ar y gerddi cymen rhwng y muriau o dywodfaen urddasol.

'Dwi'n teimlo mod i'n tresbasu, wyddoch chi. Mae'r lle 'ma'n gysegredig, rywsut. Fel bod mewn eglwys.' Roedd y rhyfeddod i'w weld ar ei gwyneb ac i'w glywed yn ei sibrydiad bloesg hi.

''Dach chi'n iawn, Gaenor Parry! Dyna'n union sut dw inna'n teimlo hefyd,' meddai Ifan, a throi at ei frawd. 'Alla i ddim deud wrthat ti, Huw, gymaint o fraint i rywun fel fi ydi cael bod yma, heddiw. Gwireddu breuddwyd, cofia.'

'Twt! Mae gynnoch chi gystal hawl â neb i fod yma.' Yn wahanol i'r ddau arall, doedd Huw ddim yn gneud unrhyw ymdrech i gadw'i lais i lawr. 'Rhaid ichi gofio bod chwarelwyr Blaendyffryn wedi cyfrannu ceinioga prin tuag at godi'r lle yma. Coleg y werin bobol ydi o, siŵr iawn . . . neu faswn i ddim yma, faswn i?'

'Ia'n de,' meddai Ifan, gan dorsythu mymryn wrth i'r syniad ei blesio. 'Gorau arf, arf dysg! Dyna sydd ar arfbais y coleg, ia ddim?'

Nodiodd Huw. Roedd boddhad syml ei frawd a Gaenor Parry yn rhoi pleser iddo.

'Dwi'n cofio Mam yn deud hynny wrtha i, flynyddoedd lawar yn ôl,' meddai Ifan yn freuddwydiol. 'Ac i feddwl bod rhai o fawrion y genedl wedi troedio ffor'ma, o'n blaen ni . . . Syr John Morris Jones . . . Ifor Williams . . . R. Williams Parry . . .'

'Huw Lòrd Bach . . .' meddai Huw, a chwarddodd y tri nes bod eu lleisia'n atseinio yn oerni braf y coridor o'u cwmpas.

*   *   *

313

Wedi i Ifan eu tretio nhw i ginio mewn caffi ym Mangor Ucha, doedd fyw na marw na châi o wedyn fynd i olwg Coleg Bala-Bangor, i weld drosto'i hun lle cafodd cymaint o 'hoelion wyth' yr Annibynwyr eu paratoi ar gyfer y pulpud. 'A'r hen T.L. yn un ohonyn nhw, cofiwch!'

Yna, draw â nhw i syllu dros y Fenai ar Sir Fôn, cyn mynd 'nôl am Neuadd fawreddog Pritchard-Jones ar gyfer seremoni'r capio.

*　　　　*　　　　*

'Diolch iti am heddiw, Ifan!' meddai Gaenor, â'i llygaid yn llawn dagra.

Roedden nhw ar eu ffordd adre yn y trên erbyn hyn.

'. . . Faswn i ddim wedi colli'r diwrnod yma am bris yn y byd, coelia di fi.'

'Ia'n de!' medda fynta, yn falch rŵan mai Gaenor ac nid Mair oedd yn gwmni iddo. Fyddai Mair ddim wedi gallu dangos yr un boddhad na'r un gwerthfawrogiad.

'A diolch i Mair hefyd, wrth gwrs, am gytuno i fwydo'r ddau faciwî sydd gen i, neu allwn i byth fod wedi dod efo ti. On'd oedd o'n smart, dŵad,' meddai hi gyda balchder, 'yn y cêp du 'na, a'r cap proffesor ar ei ben? Meddylia, Ifan! Mae o'n Bî Es Sî rŵan . . . Bî Es Sî, cofia!' meddai hi wedyn, mewn rhyfeddod. 'Does 'na'm llawar o'r rheini ym Mlaendyffryn 'cw, oes 'na?'

Dim ond am ran o'r ffordd y parhaodd ei hwylia da hi, serch hynny, cyn i'r hen ofid ddod eto'n ôl i'w llais a'i llygaid. 'Lle mae o rŵan, medda chdi?'

Gwil, nid Huw, oedd ar ei meddwl hi bellach.

'. . . Wyddost ti bod gen i ofn agor y papur newydd

314

bob bora, rhag gweld enw'i long o . . . Ofn pob cnoc ar y drws . . . Ofn gweld Edwards Plisman yn dod i nghwarfod i . . . Ofn gweld beic yr hogyn teligram yn dod i fyny Lòrd Stryd.'

'Mi ddaw Gwil trwyddi'n iawn, gewch chi weld, Gaenor Parry.' Ond gwyddai Ifan fod diffyg argyhoeddiad yn ei lais. Doedd o ddim am gydnabod ei fod ynta, hefyd, yn chwilio'r tudalenna am newyddion o'r Rhyfel, ac yn gweld yn wythnosol – os nad yn ddyddiol bron – enwa'r llonga rheini oedd wedi diflannu o dan y don. Yr *Exmouth*, y *Glorious* a'r *Afridis* . . . Llonga tanfor fel y *Seahorse* a'r *Starfish* a'r *Undine* . . . Leinars mawreddog fel yr *Athena* a'r *Andorra Star*, efo cannoedd o deithwyr diniwed ar eu bwrdd . . . Heb sôn am longa masnach di-ri. I gyd wedi'u suddo o fewn chydig fisoedd i'w gilydd! A phe gwela fo, ryw ddydd, enw'r H.M.S. *Repulse* hefyd yn ymddangos, fe gâi ei dristáu'n arw, ond nid ei synnu'n ormodol, chwaith. Ond roedd ganddo bryderon eraill yn ogystal. Pryder, yn bennaf, ynghylch Huw ei frawd, oherwydd heddiw ddiwetha roedd hwnnw wedi cyhoeddi ei fod yn disgwyl galwad, *'unrhyw ddydd rŵan'*, i ymuno â'r Llu Awyr.

*   *   *

Wrth i'r wythnosa lithro heibio, daeth yn fwy a mwy cyfarwydd â synau'r rhyfel yn ardal Wrecsam. Yn un peth, daeth i wybod nad rhybudd gwag oedd sgrech dorcalonnus y seiren ganol nos a bod rheidrwydd arno ynta, fel pawb arall, i sgrialu am loches bob tro y clywai hi; lloches amgenach na llofft-tŷ-lojin. Daeth hefyd yn gyfarwydd â swatio mewn seler oer a thamp i wrando ar rwnan trwm yn tyfu ac yn tyfu o bellter y gorllewin, wrth i'r Luftwaffe ddod i hawlio'r nos a chreu môr o arswyd oedd yn boddi pawb. Ac yn niogelwch brau y seler honno, doedd dim arall iddo'i neud ond mwmblan gweddïau taer wrth ddychmygu dawns ffrantig y chwiloleuada uwchben dinas Lerpwl a checian *ack-ack* y gynnau fel y poerai rheini'n boeth i awyr y nos. Ac yna'r arswyd mwya! Y ffrwydriada trymlwythog o hirbell, fel sŵn tyllau'n tanio dan ddaear yn Chwarel y Lòrd, slawer dydd.

Un weddi hir oedd yr oria hynny iddo. '*O Dduw holldrugarog, yr Un sy'n gymorth hawdd ei gael mewn cyfyngder, bydd Di'n noddfa ac yn nerth i bob un ohonom . . . Gwared ni rhag yr Uffern y mae Dyn yn ei chreu iddo'i hun ar Dy ddaear . . . Taena Dy law warchodol dros y gwan a'r diniwed . . .*' Mair a Rhys bach oedd fwya ar ei feddwl, bryd hynny, oherwydd gwyddai fod awyr Blaendyffryn hefyd wedi diodde grŵn iasol yr un awyrenna, rai munuda ynghynt. '*. . . Cadw ni'n ddiogel trwy erchyllterau'r Armagedon . . . Bydd di'n gysur ac yn ddihangfa i bob truan, lle bynnag y bo . . . Cofia am Wendy a Louise fach a'u mam yn eu hanobaith a'u hofn. Gwarchod hwynt. Bydd iddynt yn gysur ac yn nerth . . .*' Ac fel y llifai'r geiria'n dawel dros gryndod ei wefus, deuai pryder arall i'w feddwl, a Huw ei frawd oedd hwnnw. '*. . . Maddeu inni i gyd ein camweddau a'n diniweidrwydd, O Dduw, ac am dwyllo'n hunain i gredu bod rhyfel yn dderbyniol yn Dy olwg Di . . .*' A deuai pennill Rhys yn ôl iddo hefyd:

> *Anfonwyd ni genych i'r tân a'r brwmstan,*
> *I ddifa'r Satan oedd ynno yn byw*
> *Ond dugasom ni Felltith arnom ein hunain*
> *Trwy ladd nid y Diafol ond Duw.*

Nid Ifan oedd yr unig un i sibrwd gweddïa taer ar adega felly. Roedd gwefusa pawb arall yn y lloches wrthi hefyd, yn erfyn yn ddistaw am waredigaeth.

Yna, ar y dydd olaf o Awst, cynyddodd yr arswyd a'r gweddïau wrth i fom syrthio ar bentre Gresford ei hun gan hawlio naw bywyd diniwed. Ar yr un noson collodd tri arall eu heinioes ar fferm Plas Ucha ym Mhen-y-cae. Oedd, roedd y rhyfel yn cyffwrdd pawb, bellach.

Un cysur i Ifan oedd bod Huw wedi dechra llythyru'n rheolaidd, unwaith eto. O RAF Kinloss yn yr Alban i ddechra, lle'r oedd yn gneud rhywbeth a alwai'n *OTU training*. Soniai gymaint hefyd am betha fel *DRO* a *DR* fel y tybiodd Ifan fod yr awdurdoda'n gorfodi ei frawd i ddefnyddio côd o ryw fath ond, o'i holi, fe ddaeth eglurhad yn y llythyr nesa: *'Cafodd yr hogiau hwyl fawr pan ddywedais wrthynt am y 'côd'! Mae OTU yn sefyll am* Operational Training Unit, *sef yr uned rwy'n rhan ohoni. Cafodd ei ffurfio ryw dri mis yn ôl, fel math o ysgol baratoi i Bomber Command. DRO, wedyn, yw'r* Daily Routine and Posting Orders *ac mae DR yn cyfeirio at* Dead Reckoning navigation, *sef y* technology *diweddaraf i sicrhau nad yw'r awyren yn colli ei ffordd mewn tywyllwch nac mewn niwl.'*

Yr hyn a ddeuai'n fwyfwy amlwg i Ifan oedd bod Huw yn mwynhau ei fywyd yn y Llu Awyr. Dyna'r cyfan oedd ganddo ym mhob llythyr. Sôn am yr hyfforddiant defnyddiol yn y peth yma a'r peth arall, y profiad gwefreiddiol o hedfan am y tro cynta mewn Flying Fortress, beth bynnag oedd peth felly, a'r holl ffrindia newydd oedd ganddo a'r hwyl roedden nhw'n gael. *'Gyda hyn, byddaf yn cael fy symud i le yn ymyl Burnaston, gerllaw Derby, lle y byddaf yn cael fy hyfforddi*

*i fod yn fighter pilot, gobeithio. Edrychaf ymlaen yn arw at
hynny, Ifan, pe bai ond i gael gadael y lle gwyntog a gwlyb
yma yn Sgotland.'*

Anwylai Ifan bob un o'r llythyra hynny, i'w hail a'u
trydydd ddarllen. Ond byddai'n llawer gwell ganddo
pe bai Huw yn sôn llai ynddynt am *Bomber Command*
a *fighter pilot* a phetha felly, a phe bai heb ddeud o
gwbwl ei fod ef a'i ffrindia'n *'ysu am y cyfle i ddysgu
gwers i'r Jerries'.* Os oedd Huw a'i ffrindia newydd yn
edrych ymlaen at beth felly, yna faint gwell oedden
nhw na'r Jyrmans eu hunain, y rhai oedd yn bomio
Lerpwl bob nos? Ac eto, yn wyneb gelyn mor
ddidostur, pa ateb arall oedd? Pa ateb allai ef ei hun ei
gynnig i'r fath orffwylltra? *'What would you do if Hitler
and his Nazis came knocking at your door? Where would
you stand then? . . . What if they threatened to kill your
family? To rape your wife and daughters?'* O ddydd i
ddydd, deuai cwestiyna Cadeirydd y Tribiwnlys ym
Mae Colwyn yn ôl i'w bigo. *'Ceisio ymresymu efo nhw, a
dangos iddyn nhw eu bod nhw'n cyfeiliorni.'* Dduw mawr!
Pa mor naïf oedd yr ateb hwnnw wedi bod?

Gwyddai fod ei ffydd yn gwegian. Gwyddai hefyd
fod ei genfigen at ei frawd yn tyfu, yn enwedig pan
ddechreuodd hwnnw ddisgrifio'i brofiada yn yr awyr.
'. . . Dyn mewn tipyn o oed – hanner cant o leiaf – yw fy
flight instructor *ond mae'n ŵr addfwyn iawn ac yn
hawdd iawn ymwneud ag ef. Tipyn o gymeriad hefyd. Fore
heddiw, aeth â fi i fyny am y tro cyntaf mewn Gipsy Moth,
sef eroplên fechan, injan sengl. Ar y cychwyn, roedd fy mol
yn corddi wrth inni wneud pob math o gampau yn yr awyr
ond cyn bo hir yr oeddwn yn mwynhau pob munud o'r
profiad. Mi fyddet tithau hefyd wrth dy fodd, rwy'n siŵr,
Ifan. Goeli di ei fod wedi rhoi'r eroplên yn gyfan gwbl yn fy*

ngofal i am bum munud neu fwy? A hynny ar fy nhro
cyntaf mewn peth felly! Bu bron imi gael ffatan, coelia fi!
Ond mi ddois trwyddi'n iawn a rhaid fy mod wedi gadael
argraff go ffafriol arno oherwydd mae'n dweud y bydd yn
disgwyl imi fynd i fyny ar fy mhen fy hun ar ôl cyn lleied â
phump neu chwech o wersi! Dyna fydd profiad i'w gofio,
rwy'n siŵr . . .' Yn yr un llythyr soniai Huw am fynd i
dafarn gyda'i ffrindia ac *'yfed braidd gormod o seidr'.*

Fel y llusgai'r wythnosa heibio, daeth galar yn
ogystal â syrffed yn rhan o fywyd-bob-dydd i Ifan Lòrd
Bach. Doedd dim modd iddo agor papur newyddion
nad oedd yno adroddiad ar ryw drychineb neu'i
gilydd, a'r colli bywyda di-rif yn Llundain a Lerpwl a
dinasoedd eraill. Rhifyn y *Liverpool Echo* ar y
pedwerydd o Ragfyr, er enghraifft, yn adrodd am
gyflafan y bom a syrthiodd ar loches *air raid* yn
Durning Road, Edge Hill, y noson cynt, gan ladd dros
gant a hanner o ddiniweitiaid. 'Trist!' oedd ei ymateb
wrth ddarllen yr hanes, ac ysgwyd ei ben mewn
anobaith cyfiawn. 'Enghraifft arall o drueni rhyfel.' A
diolchodd, ar yr un gwynt, fod byd o wahaniaeth
rhwng Lerpwl a Blaendyffryn yn hynny o beth ac nad
oedd y trueni'n ei gyffwrdd ef yn bersonol. Ond yna,
ymhen yr wythnos, diflannodd y cysur hwnnw hefyd
pan dderbyniodd lythyr oddi wrth yr hen T.L. i'w
hysbysu bod newyddion torcalonnus wedi cyrraedd
Blaendyffryn: *'Mae'n siŵr i chwi ddarllen am y gyflafan*
erchyll yn Lerpwl, Ifan, pan laddwyd yr holl drueiniaid
mewn un lloches yno rai dyddiau yn ôl. Wel heddiw,
ddiwethaf, cawsom glywed bod teulu cyfan y faciwî bach,
Michael Foster, ymysg y rhai a gollodd eu heinioes yn y
drychineb – ei fam, ei frodyr a'i chwiorydd hŷn, ei daid a'i
nain a dwy o'i fodrybedd. Ac, fel pe na bai hynny'n ddigon,

fe gollodd y bachgen ei dad hefyd, yr un noson, tra oedd hwnnw wrth ei waith efo'r frigâd dân mewn rhan arall o'r ddinas.'

Yn nieithrwch ei lofft-tŷ-lojin, fe gollodd Ifan ddagra dros Mickey Foster y noson honno. Mickey Foster! Y cena bach beiddgar a'i rhegodd mor bowld, slawer dydd! Y bychan a safodd mor styfnig o heriol wedyn ar garreg y drws yn Stryd Lòrd Bach, nes i grafanc Lewis Fawr wasgu ymddiheuriad cyndyn allan ohono. Mickey Foster! Yr awdurdod honedig ar eroplêns y gelyn! Gwenodd Ifan trwy'i ddagra. Mickey Foster! Mor ddiniwad o ddrwg! Ac mor amddifad rŵan!

*   *   *

Roedd o wedi gobeithio cael mynd adra i Flaendyffryn dros y Nadolig ond gan y byddai'n ormod o ras iddo allu gneud hynny a bod yn ôl yn ei waith ymhen deudydd, fe benderfynodd logi car a mynd i edrych am ei nith yn y Sanatoriwm yn Llangwyfan. Prynodd chwarter pwys o *mint humbugs* a *tin of pears* i fynd iddi, yn bresant Dolig, a mentro gwg Dora Morris, am y tro, trwy roi llai nag arfer o gŵpons bwyd i honno. Yn ogystal, aeth hefyd â'i gopi o nofel Elena Puw Morgan i Esther ei darllen.

Pan welodd hi ei dewyrth yn ymddangos yn nrws y ward, goleuodd wyneb y ferch a neidiodd dagra hiraeth i'w llygaid. *'Thank you,* Yncl Ifan,' medda hi, a chasglodd ynta mai Saesneg oedd yr iaith a glywai hi amla yno. Dychrynodd hefyd o'i gweld hi'n edrych mor dila a'i chlywed yn pesychu'n ddi-daw. Ond be arall oedd i'w ddisgwyl yn y fath le drafftiog, gofynnodd iddo'i hun, a chynifer o ffenestri'n llydan agored i oerni'r gaea?

Ymhen yr awr, cododd Ifan i adael. Rhwng bod ei hanadlu hi'n llafurus a'i fod ynta'n crafu am rywbeth i'w ddeud, roedd yr ymdrech i gynnal sgwrs wedi mynd yn straen rhyngddynt.

'Fe alwa i eto, y cyfla cynta ga i, mechan i,' medda fo, a gosod ei law yn dyner ar ei phen.

'*Thank you*, Yncl Ifan,' medda hitha'n floesg, a'i llygaid yn ddisglair laith.

Yna, wrth droi i godi llaw arni o'r drws a sylwi eto ar lwydni'i gwedd ac ar ei chorffilyn gwantan yn y gadair, daeth darlun cythryblus i feddwl Ifan o'i daid – Taid Josh – yn diodde o'r llwch, slawer dydd.

Cyn gadael yr adeilad, aeth i chwilio am rywun mewn awdurdod, i holi ynglŷn â gwir gyflwr ei nith, a chafodd glywed gan un o'r nyrsys bod y doctor yn ffyddiog bod Esther yn gwella'n raddol ac y câi hi, gyda lwc, ddychwelyd adre rywbryd yn y gwanwyn. Diolchodd yntau am newydd cystal â hwnnw, i'w anfon at Elsi ei chwaer.

Roedd tawedogrwydd gyrrwr y car llog, ar y ffordd yn ôl, yn siwtio Ifan i'r dim, gan mai di-sgwrs y teimlai yntau hefyd. Roedd yr orig yng nghwmni Esther wedi codi hiraeth am gartra arno ac roedd arno rŵan angen y llonydd i bendroni ynghylch petha. Os na châi dreulio'r Nadolig efo'i deulu, o leia fe gâi fynd adre dros y Calan. Roedd Mustyr Prydderch wedi addo cymaint â hynny iddo. Pryder mwya Ifan oedd bod Rhys Bach yn tyfu heb ddod i nabod ei dad.

*　　　*　　　*

Rhaid bod y diwrnod yn Llangwyfan wedi ei flino'n
fwy nag a feddyliodd oherwydd fe gafodd afael ar gwsg
yn syth y noson honno. Ond yna, ar ganol breuddwyd
gythryblus, fe'i deffrowyd gan oernad rybuddiol y
seiren, a'i sŵn yn codi a gostwng, codi a gostwng yn
ddi-drugaredd.

Yn gyndyn, llusgodd ei hun allan o gynhesrwydd y
gwely plu a chymryd ei amser i wisgo. Yr un mor ddi-
gynnwrf, ymddangosodd Dora Morris hitha, o'i llofft,
rai munuda'n ddiweddarach.

'Dydw i ddim am fynd i'r lloches, Mrs Morris,'
medda fo. 'Dwi'n dallt bod rhai o'r dynion yn dringo'r
domen er mwyn cael gwylio be sy'n digwydd uwchben
Lerpwl.'

'Dyna chi. Ac fe ofala inna fod paned boeth yn eich
disgwyl chi, Evan Hughes, pan ddowch chi'n ôl. Dydw
inna ddim am fynd i'r lloches chwaith.'

Doedd y seiren ddim yn gymaint o ddychryn i neb,
bellach, oherwydd Lerpwl, mwy na thebyg, fyddai
targed y Luftwaffe eto heno.

 Wrth adael y tŷ, clywodd Ifan sŵn traed cerddwyr
eraill ar y stryd; rhai yn anelu am y llochesau arferol ac
eraill i gyfeiriad y pwll. Yn gymysg â throediad trwm y
dynion deuai sŵn sodlau merched a chamau mân a
buan eu plant, llawer o'r rheini'n weddwon a phlant
amddifaid, byth ers y danchwa.

Wrth deimlo'r rhewynt yn brathu'i glustia,
tynnodd ei gap yn dynnach am ei ben a chododd goler
ei gôt i fyny at ei ên. Er nad oedd olwg o'r lleuad,
roedd ymylon disglair y cymyla yn brawf bod hwnnw
yno yn rhywle a lle byddai bwlch yn ymddangos deuai
clwt o awyr ddulas i'r golwg, efo clwstwr o sêr fel
mwclis gloyw arno.

'Dyma nhw'n dod!' meddai wrtho'i hun wrth i awyr y gorllewin ddechra crynu yn y pellter, a theimlodd y dicter yn cronni o'i fewn. Pa hawl oedd gan Ddyn i ddifetha pob dim?

Gwaith digon anodd fu dringo'r domen. Suddai ei draed i'w meddalwch symudol hi a rhwng chwys y dringo a'r llwch glo oedd yn goferu dros ymylon ei esgidia, ni theimlai'n gysurus o gwbwl. Penderfynodd, o'r diwedd, nad oedd yn werth yr ymdrech i geisio cyrraedd y copa, felly bodlonodd ar aros dri chwarter y ffordd i fyny a gwneud troedle sefydlog iddo'i hun yn fan'no. Er na allai eu gweld, gwyddai fod amryw o ddynion eraill hefyd yn rhan o'r domen o'i gwmpas; pob un, fel yntau, yn dal ei wynt wrth i arswyd y Luftwaffe dyfu o'r gorllewin nes creu cryndod oedd yn llenwi'r awyr gyfan. Tan yn ddiweddar, bu'n synnu mai o'r cyfeiriad hwnnw roedden nhw'n mynnu dod, o styried bod yr Almaen i'r de-ddwyrain o Brydain, ac nid i'r gorllewin. Tomi Comi a'i goleuodd, wrth gwrs! A hynny yn ei ddull hollwybodus arferol. *It's common sense,* 'achan! *The Jerries are no fools, are they? Safer to come the long way round, see. Safer to fly over the sea than over land. Stands to reason, don't it!*

Yn y pellter, roedd y chwiloleuada wedi dechra dawnsio fel petha gorffwyll yn awyr y nos a'r gynnau *ack-ack* yn poeri eu rhesi o fwledi eirias trwy'r düwch. Huw ei frawd oedd ar ei feddwl.

'Gwrandwch!' gwaeddodd llais cythryblus, rywle o dywyllwch y domen uwch ei ben. 'Mae'n hogia ni'n dod!'

A chlywodd Ifan sŵn grwnan gwahanol, a hwnnw'n tyfu'n sgrech rŵan, fel sgrech cudyll wedi'i wylltio.

'*Spitfires!*' gwaeddodd rhywun arall, yn orfoleddus.

'Fe setlan nhw'r blydi Jeris, gewch chi weld!'

Tybiai Ifan fod mwy o obaith nag o sicrwydd yn y llais.

Wrth i'r bomiau ddechra syrthio – nid fesul un ond yn gawodydd o dân – 'Trio am y docia maen nhw eto heno,' meddai llais bloesg, rywle'n ei ymyl.

'A Camel Laird's yn Birkenhead,' meddai llais arall, yr un mor floesg.

Gallai Ifan feddwl am sawl targed tebygol arall hefyd. Y ffatri yn Speke, er enghraifft, lle câi cynifer â thrigain o awyrenna Halifax eu hadeiladu bob wythnos, yn ôl pob sôn. Neu'r ffatri Littlewoods ar Edge Lane, lle'r oedden nhw'n gneud y Wellington *bombers*. A chlywsai hefyd am ffatrïoedd miwnishyns mewn llefydd fel Kirby a Fazakerley. Rhwng y rheini i gyd, a phwysigrwydd y dociau, roedd Lerpwl wedi gneud ei hun yn darged anochel i'r gelyn.

Erbyn rŵan, roedd düwch y pellter wedi troi'n llen ruddgoch a honno'n bochio'n barhaol wrth i'r bomiau ffrwydro'n felyngoch o'i mewn, ac o'r frwydyr uwchben deuai cecian parhaus y gynnau, yn gymysg â sgrech orffwyll y *Spitfires* wrth i'r rheini wibio'n rheibus yma ac acw, fel dyfrgwn ar drywydd pysgod mewn pwll tywyll.

Dyma ydi Armagedon, meddyliodd Ifan yn chwerw-drist wrth i eiria o Efengyl Luc ddod yn ôl iddo – '. . . *glawiodd tân a brwmstan o'r nef, ac a'u difethodd hwynt oll*'. Armagedon o dân a brwmstan! Duw a'n gwaredo! Daeth darlun o'i frawd i'w gythryblu. 'Gobeithio na fyddi di byth yn gyfrifol am greu'r fath Uffern i neb, Huw.'

Yna, i dorri ar ei feddylia ac i ddwyn ei anadl,

324

cododd colofn anferth o dân trwy gochni niwlog y pellter.

'Arglwydd Mawr!' gwaeddodd rhywun o'r tywyllwch yn ymyl Ifan, a'i lais yn llawn dychryn a syndod. 'Be ddiawl oedd hyn'na?'

'Y ffatri miwnishyns, beryg!' cynigiodd un arall wrth i ruad anferth o sŵn rwygo'r nos.

Aeth eiliada o ddistawrwydd syn heibio heb i neb arall fentro cwestiwn nac eglurhad. Yna, clywsant ruthr o wynt cryf yn dod i fyny'r domen tuag atynt gan godi cwmwl taglyd o lwch glo cras. Yn reddfol, trodd Ifan ei ben draw gan warchod ei lygaid a'i ffroena efo un llaw a diogelu ei gap efo'r llaw arall, rhag i hwnnw gael ei gipio i'r düwch y tu ôl iddo. Clywai rai o'i gwmpas yn pesychu ac eraill yn rhegi'n uchel.

Chydig eiliada'n unig y parhaodd y corwynt cyn i betha ostegu eto. Yna, wrth i'r dwndwr hefyd dawelu, fel taran yn marw yn y pellter, daeth ochenaid o ryddhad oddi wrth bawb wrth i rwnan awyrenna'r Luftwaffe gilio unwaith eto i'r Fall roedden nhw wedi dod ohoni. Ond roedd Lerpwl, hefyd, yn rhan o'r Uffern erbyn hyn. 'Fel syllu i grochan coch rhyw fynydd tanllyd,' meddai Ifan wrtho'i hun, yn ymwybodol fod y berw o dân ar y gorwel yn ei gyfareddu. 'Druan â hi! Mae'r ddinas gyfan *yn wylofain a rhincian dannedd.*'

Yna, wrth i dawelwch y nos gau amdanynt unwaith eto, fe ddigwyddodd rhywbeth a fyddai'n serio'i hun ar feddwl a chof Ifan Lòrd Bach hyd weddill ei oes, ac ar gof pawb arall oedd yno hefyd, siŵr o fod. Rywle o bellter y domen daeth nodau bas cyfoethog:

Arglwydd Iesu, arwain f'enaid
at y graig sydd uwch na mi . . .

Erbyn y drydedd linell, roedd eraill wedi ymuno:

craig safadwy mewn tymhestloedd,
craig a ddeil yng ngrym y lli . . .

Yna, roedd pawb yn canu, gan gynnwys Ifan ei hun, nes bod y nos yn llawn o gynghanedd y lleisia:

Llechu wnaf yng nghraig yr oesoedd
deued dilyw, deued tân,
a phan chwalo'r greadigaeth
craig yr oesoedd fydd fy nghân.

Nid am y tro cynta ers iddo ddod i'r ardal, synnodd Ifan at y canu Cymraeg, a hynny gan rai oedd wedi colli'r iaith ers cenhedlaeth a mwy. Plesiwyd ef ymhellach pan aed ymlaen i ganu'r ail bennill yn ogystal:

. . . stormydd creulon arna' i'n curo,
cedyrn fyrdd o'm cylch mewn braw:
craig yr oesoedd ddeil bryd hynny
yn y dyfroedd, yn y tân;
draw ar gefnfor tragwyddoldeb
craig yr oesoedd fydd fy nghân.

'Craig yr oesoedd ddeil bryd hynny . . .' meddai'r llais bas eto, yn aildaro, a chaed ymateb gydag afiaith o'r newydd i linella'r cytgan.

Wrth iddo ymlwybro'n ôl am ei dŷ lojin a'i feddwl yn gythryblus, roedd gwawr oer yn dechra dangos ei phen yn y dwyrain. Roedd profiad yr awr a hanner ddiwetha wedi gadael argraff annileadwy ar ei feddwl ac ar ei gof – y darlun hunllefus o ddinas Lerpwl yn cael ei hysu gan dân a'r awyr uwch ei phen yn orffwyll o sŵn; a gwyneba Rhys ei frawd, a Huw ei frawd, yn mynnu ymrithio allan o'r cymyla gwaedlyd. *'Craig yr oesoedd ddeil bryd hynny / yn y dyfroedd, yn y tân . . .'* Roedd atsain ei sodla ar wyneb y ffordd fel cyfeiliant i'r geiria oedd yn dal i ganu yn ei ben. *'. . . a phan chwalo'r greadigaeth / craig yr oesoedd fydd . . .'* Dyna pryd y daeth tôn arall a geiria cythryblus eraill i erlid rhai Caradog Roberts a Morswyn o'i ben. *'Mae Duw yn llond pob lle / presennol ym mhob man; / y nesaf yw efe / o bawb at enaid gwan . . .'* 'Tybad?' medda fo wrtho'i hun. 'Tybad?' Sut bod Duw hollbresennol, hollalluog, yn caniatáu'r fath uffern i'w bobol? Onid oedd Duw Israel yn Dduw cariad ac yn Dduw cyfiawn? *'Cyfiawn, O Arglwydd, ydwyt Ti, yr hwn wyt, a'r hwn oeddit, a'r hwn a fyddi.'* Yr adnod y byddai ei fam yn ei hadrodd o hyd ac o hyd ar ei gweddi! 'Ond welis i ddim arlliw o'r cyfiawnder hwnnw heno, beth bynnag,' meddai Ifan, gan synnu at y chwerwedd a deimlai. A dyna T.L., wedyn, yn pregethu mor huawdl dro'n ôl ar y testun: *'Duw a farn y cyfiawn a'r anghyfiawn.'* Onid oedd y cyfiawn a'r anghyfiawn wedi diodde'r un ddedfryd â'i gilydd yn ninas Lerpwl heno?

Anamal y byddai'n caniatáu i'w feddwl oedi'n rhy hir gydag amheuon o'r fath ond methai â'u cael o'i ben rŵan. Onid oedd o, Ifan Lòrd Bach, wedi gneud safiad dros heddychiaeth oherwydd bod disgwyl i bob Cristion neud peth felly? Sefyll yn enw Cydwybod ac ar sail Egwyddor . . . Sefyll er gwaetha pob gwrthwynebiad, pob sarhad . . . Aberthu parch cymdogion a chyfeillion bore oes . . . Esgymuno'i hun o'i gymdeithas . . . Bod yn gonshi! . . . Ac i be? Os oedd Duw ei Hun yn gallu bod mor ddifater ynghylch dioddefaint Ei bobol, yna pa werth i ddyn meidrol fel fo ymboeni?

Ni theimlodd gysur o fath yn y byd yn y tân braf a'i disgwyliai yn y tŷ lojin, er i hwnnw gael ei ailgynnau'n unswydd ar ei gyfer. A digon di-ddiolch roedd o hefyd bod te poeth yn stwytho yn y tebot erbyn iddo gyrraedd. Gwyddai fod arno angen amser i feddwl ac i'w holi ei hun yn ddwys. Amser, hefyd, i roi ei feddylia ar bapur. Bu'n esgeuluso petha felly hefyd yn rhy hir yn ddiweddar. Aeth â'r baned i'w lofft i'w hyfed.

Ionawr 1941

'Mi anghofis ddeud wrthat ti bod Huw adra ar lîf.'

Roedd hi'n gorfod gweiddi o'r gegin gefn er mwyn cael ei chlywed uwch sŵn y dŵr oedd yn llenwi'r sinc.

Ar y pryd, eisteddai Ifan o flaen y tân, yn bownsio Rhys ar ei lin i gyfeiliant 'Jî ceffyl bach', yn y gobaith o gael y bychan i chwerthin. Ond y cwbwl a wnâi hwnnw oedd edrych yn ôl arno'n amheus, gan fygwth ceg gam.

Edrychodd ar y cloc. Chwarter i bedwar!

'Pwy? . . . Nid Huw fy mrawd, does bosib?' Swniai'n gynhyrfus ac yn edliwgar yr un pryd. Roedd o gartre ers dwyawr a mwy, a dim ond rŵan roedd hi'n cofio deud wrtho?

'Ia. Mi gyrhaeddodd adra ddoe, ryw ben. Ei lîf ola am sbel, medda fo!'

Roedd Ifan wedi gobeithio cael bod gartre dros y Calan, er mwyn cymryd rhan yng nghyfarfodydd gweddi dechra'r flwyddyn ond fu hynny ddim yn bosib, am i Mr Prytherch ddigio efo fo am beidio ymuno â'r Côr.

'Fe ddylet ti fod wedi deud wrtha i cyn hyn, Mair,' medda fo'n gyhuddgar, gan sodro'r babi pum mis oed ar y mat wrth ei draed a chychwyn am Dŷ'r Eos i weld ei frawd.

'Dowch â Rhys i mi!'

Mam Mair oedd yn gorchymyn, wrth iddi ruthro trwodd o'r gegin gefn gan sychu'i dwylo'n frysiog yn ei ffedog.

'. . . Rhag ofn iddo fo ddringo ar y ffendar a llosgi,' medda hi wedyn, fel 'tai hi'n cyfiawnhau cymryd y bychan oddi arno.

Gwyddai Ifan fod ei fam-yng-nghyfraith yma ers dyddia, yn helpu Mair efo'r gwaith tŷ a magu'r plentyn. Gwyddai hefyd nad dyma'r tro cynta i hynny ddigwydd ers geni Rhys a bod croeso cyson iddi gan ei merch, cyn belled â bod ganddi fenyn ffarm a wyau yn ei basged, ac ambell sleisen o gig moch o bryd i'w gilydd. Roedd y trên o Lanrwst i Flaendyffryn yn rhy hwylus o lawer, meddyliodd, gan wingo yr un pryd wrth weld mor barod oedd y bychan i daflu'i freichia am ysgwydda ei nain ac i neud sŵn chwerthin bodlon yn ei wddw.

'Prin fy mod i wedi'i weld o fy hun, i ti gael dallt,' meddai Mair, yr un mor edliwgar yn ôl, a dod i sefyll yn nrws y gegin fach efo fflam rybuddiol yn ei llygaid. 'Mi'i gwelis i fo'n mynd allan neithiwr, yn fuan ar ôl iddo gyrraedd adra, ac allan y buodd o wedyn tan berfeddion . . . yn y dafarn, mae'n siŵr . . . neu'n hel merchaid, o'i nabod o.'

Yn hytrach na'i hateb, anelodd Ifan am y drws oedd trwodd i Dŷ Taid Josh. Fe âi allan o fan'no i'r cefn a thros y crawia wedyn i dŷ Huw. Deuai llais treiddgar ei fam-yng-nghyfraith i'w ddilyn: 'Dyna ti, machgen

gwyn i! Ti'm yn licio'r hen *Jî ceffyl bach* 'na, wyt ti?
Mae'n well gen ti Nain yn canu *Dacw Mam yn dŵad*,
yn tydi'r aur?' Yn ddig ac yn ddiamynedd, neidiodd
Ifan y crawia.

O bellter yr inclên, clywai sŵn hogia'n chwarae. Fe
wyddai pwy oedd wrthi gan iddo gyfarch un ohonyn
nhw'n gynharach, wrth gyrraedd adre. Hogyn Lewis
Fawr yn cuddio tu ôl i bwt o wal ar Lwybyr y Chwaral
ac yn gneud sŵn saethu *'pch . . . pch pch'* efo gwn wedi
cael ei naddu'n anghelfydd allan o ddarn o lechen. O'r
tu arall i'r wal, rai llathenni i ffwrdd, deuai sŵn saethu
tebyg yn ôl. Yn hytrach na mynd heibio heb ddeud
gair, roedd wedi oedi, i gyfarch y bachgen. 'Sut wyt ti,
wàs? Be ti'n neud?'

'Chwara *war*, Mustyr Huws!' oedd yr ateb. 'Fi ydi'r
Jyrmans.'

'O! Deud ti! A phwy ydi'r lleill, felly?'

'Mickey Foster a Now Ffordd Gefn. Nhw ydi'r
British, meddan nhw. Am eu bod nhw'n hŷn na fi.
Ond chwara cecru maen nhw, Mustyr Huws! Deud na
fedran *nhw* ddim cael eu lladd am mai nhw ydi'r
British a bod bwlets Jyrmans ddim yn cyfri. Ond palu
clwydda ydi peth felly'n de, Mustyr Huws?'

'Ia, gwaetha'r modd, machgan i.'

Mickey Foster! Y bachgen a gollodd ei holl deulu
cyn y Nadolig. Fo, o bawb, yn 'chwara *war*'! Mor fuan
roedd plentyn yn medru taflu gofid heibio. Ac mor
ifanc yn dysgu hefyd sut i ddial.

'. . . ond gwyliwch chi rhag ofn i betha droi'n
chwerw, hogia.'

Wrth adael y chwarae o'i ôl a chlywed y saethu *'pch
. . . pch'* yn ailgychwyn, roedd ei feddwl wedi neidio'n
ôl dros y blynyddoedd; i Goed Cwm, ers talwm, at un

arall diniwed a welsai'n 'chwara *war*'. Ond dyn yn ei oed a'i amser oedd hwnnw ac roedd ei chwarae ef wedi troi'n fwy na chwerw; roedd wedi troi'n hunlle'r blynyddoedd i'w frawd bach!

Wrth i sŵn tanio'r Jyrmans a'r *British* yn y pellter droi'n sŵn taeru a ffraeo, daeth Ifan ato'i hun unwaith eto, ac yntau'n dal i sefyll tu allan i ddrws cefn Tŷ'r Eos. Trawodd ei law, rŵan, ar y glicied ac oedi ennyd wrth i chwerthin iach syrthio ar ei glyw. Roedd gan Huw gwmni!

'Oes 'ma bobol?' gwaeddodd, gan gau llygad i'r llanast o lestri budron oedd yn y sinc a mynd trwodd i'r stafell fyw a oedd yn llawn mwg aroglus. 'Oes 'ma bobol?' medda fo eto, ond yn dawelach y tro yma, a chraffu i wyll y stafell ac ar y ddau wyneb oedd wedi troi i'w gyfarch.

Cafodd ei synnu pan welodd pwy oedd cwmni Huw.

'Wel Gwil Goch, myn cebyst i!'

'Ifan!' meddai hwnnw gan neidio i'w draed ac estyn llaw allan i gael ei hysgwyd. 'Sy . . . sy . . . sut wyt ti ers hydoedd, rhy . . . rhen ddyn?'

'Mae'n dda dy weld di, Gwil.' Allai Ifan ddim cofio Gwilym Parry yn edrych mor raenus â hyn erioed o'r blaen. Nid yn unig bod y dillad llongwr yn drwsiadus amdano ond roedd ei wallt coch hefyd wedi cael ei dorri'n gymen a rhesen wen yn rhedeg yn unionsyth trwyddo. Bu bron iddo ychwanegu, 'Dwi'n licio dy giw-pî di, Gwil!' ond brathodd ei dafod, rhag tramgwyddo. 'Ac mae'n dda dy weld titha hefyd, Huw.'

'Gymri di ddropyn?' cynigiodd hwnnw, wedi iddo ynta ysgwyd llaw ei frawd yn wresog. Pwyntiai at botel dywyll o *Jamaica rum* ar gornel y bwrdd yn ei ymyl.

Cynnig er mwyn cynnig roedd o, serch hynny, gan y gwyddai'n iawn beth fyddai ateb Ifan. Ond cafodd sioc!

'Ia, mi gymera i ddiferyn efo chi,' meddai Ifan yn bwyllog, a gweld llygada'r ddau arall yn agor mewn syndod.

'Diawl! Reit dda, rŵan, Ifan!' meddai Huw ar ôl dod ato'i hun a sylweddoli bod ei frawd o ddifri. 'Estyn wydryn i ti dy hun! Be ddigwyddodd i'r plèj, meddat ti?'

'O! Dwi wedi bod yn cymryd ambell ddiferyn bach o wisgi'n ddiweddar, sti,' medda fo gan geisio swnio mor ddidaro â phosib. 'Ond rhaid i mi gyfadda nad ydw i rioed wedi tastio *rum*, chwaith.'

'Fydda i byth yn yfad dy . . . dim byd arall, sti,' eglurodd Gwil gyda gwên lydan, gan bwyntio'n arwyddocaol at ei ddillad llongwr. '*Ry . . . rum* mae py . . . pawb yn ei yfad ar y môr.' Chwarddodd. 'Mae o'n haws i'w gael na dy . . . dy . . . dŵr yn fan'no. Gymri di sy . . . smôc?' A thaflodd baced sigaréts *Players* at Ifan. 'Na, cy . . . cadw fo!' medda fo wedyn, wrth weld y paced yn cael ei gynnig yn ôl. 'Dwi'n cael dy . . . dy . . . digon o rheina hefyd, sti.'

Diolchodd Ifan am y fath haelioni, taniodd sigarét iddo'i hun a chododd y gwydryn yn ofalus at ei wefus. Doedd o ddim am dagu ar y *rum* fel ag y gwnaeth ar y wisgi cynta hwnnw yn y Wheatsheaf slawer dydd.

'Digwydd gweld Gwil yn gadael tŷ'i fam wnes i,' eglurodd Huw, 'a meddwl y baswn i'n ei wahodd o i mewn am sgwrs.'

'Ia. A roeddach chi'ch dau yn cael tipyn o hwyl hefyd, yn ôl y sŵn chwerthin oedd yn dod o'ma, gynna.'

'Rhyw ddadl fach gyfeillgar rhyngon ni, dyna i gyd, Ifan. Gwil oedd yn deud cymaint o ddylad oedd gan y wlad 'ma i'r *Royal Navy* a finna'n gorfod ei atgoffa am be ddeudodd Churchill am ein hogia ni, llynadd.'

Chwarddodd Gwil Goch. 'Dy . . . deud o eto, Huw!' Yna troi i egluro i Ifan, 'Mae o'n my . . . medru dynwarad y py . . . py . . . preim munustyr i'r dim, sti. Tyrd o'na, Huw!''

'*Never* . . .' meddai Huw, fel petai ganddo fo dysen boeth yn ei geg, '*have so many* . . .' Saib ddramatig. '. . . *owed so much* . . .' Saib eto. '. . . *to so few.*'

Chwarddodd Gwil yn werthfawrogol unwaith eto. 'Ond nid dy . . . dyna'r unig ry . . . reswm pam roeddan ni'n chy . . . chwerthin, chwaith,' medda fo. 'Huw oedd yn dy . . . deud ei hanas efo rhai o'r merched yn Sy . . . Sy . . . Sgotland . . .'

'Ia, mwn!' meddai Ifan, gan wenu i guddio'i genfigen tuag at agwedd ddibryder y ddau.

'Ac yn dy . . . deud ei hanas yn hitio rhyw Sy . . . Sais o dan gy . . . gliciad ei ên am fod hwnnw wedi'n galw ni'r Cy . . . Cy . . . Cymry yn *hillbillies,* a finna'n deud y by . . . baswn i wedi gneud yn union yr un py . . . py . . . peth fy hun.'

'Fe synnet ti gymaint mae Gwil 'ma wedi bod trwyddo fo, Ifan,' meddai Huw yn frysiog, er mwyn troi'r stori a symud y sylw oddi arno'i hun. 'Jest deud roedd o, gynna, fel maen nhw'n gwarchod y *shipping convoys* yn yr Atlantic ac yn mynd ar ôl llonga'r Jyrmans yn y Scapa Flow. Deud yr oedd o gymint o gystadleuaeth ydi hi rhwng criw y *Prince of Wales* a chriw'r *Repulse* – sef ei long ei hun – i fod yn gynta i sincio'r *Bismark.*'

'Neu'r Ty . . . ty . . . *Tirpitz* . . . neu'r Shy . . . *Scharnhorst*. Mae 'na ddigon o ddewis o'r dy . . . dy . . . diawliaid!'

'A be amdanat ti, Huw?' gofynnodd Ifan, a rhywfaint o sŵn pryder yn ei lais wrth droi'r sylw'n ôl at ei frawd. 'Roedd Mair yn deud mai dyma dy lîf ola di. Be oedd hi'n feddwl?'

Chwarddodd Huw yn ffug-orchestol. 'Mae'r amsar wedi dod i minna neud rhwbath hefyd, dyna i gyd. Dwi wedi gorffan y *training* ac yn cael chydig ddyddia adra. Wedyn, pan a' i'n ôl, mi fyddwn ni'n cychwyn arni.'

'Cychwyn ar be, 'lly?'

Gwasgodd Huw ei wefusa at ei gilydd i awgrymu mymryn o siom. 'Ro'n i wedi gobeithio cael fflio'r *Spitfire* neu'r *Hurricane* ond efo'r *Bomber Command* fydda i, mae'n beryg.'

'Be mae hynny'n feddwl? Nad *fighter pilot* fyddi di, ia?'

'Fy ngolwg i ddim cweit digon da i fod yn *fighter pilot*, meddan nhw . . . Wedi bod â mhen ormod mewn llyfra, mae'n beryg.' Er yn ceisio gwamalu, ni allodd gelu ei siom. 'Felly, *Bomber Command* amdani . . . fel *navigator*.'

'A be fyddi di'n neud, 'lly?'

'Nafigêtio'r plên, Ifan! Be arall? . . . Fi fydd yn deud wrth y peilot ffor' i fynd.' Doedd y gwamalrwydd ddim yn cuddio'r gwir y tro yma, chwaith.

'Ac i ble fyddwch chi'n mynd?' Er yn gofyn y cwestiwn, doedd Ifan ddim wir isio clywed yr ateb.

Chwerthin yn smala wnaeth Huw, rŵan, ac yn nerfus braidd, hefyd, fel petai o ofn tramgwyddo'i frawd. 'Mae Winston Churchill isio talu'n ôl i'r Jyrmans, dyna i gyd.'

'Trwy fomio'u trefi nhw?'

'Ia, debyg.'

'A lladd miloedd o bobol ddiniwad! Yn fan'no fel ag yn Lerpwl a Llundan.'

Fe gymerodd Huw eiliad neu ddwy i ymateb. 'Rhaid iti gofio bod petha wedi symud ymlaen, Ifan. Nid yn y Rhyfal Mawr ydan ni rŵan, sti. Amsar hynny roeddat ti'n medru gweld y gelyn. Dim ond ti a fo, a *no man's land* rhyngoch chi. Ond erbyn heddiw mae pawb yn ei chanol hi.'

'Pwy fydd yn gyfrifol am ollwng y boms? Nid chdi, gobeithio?'

'Gwranda, Ifan!' Goslef fwy ymarferol, rŵan, er mwyn tawelu rhywfaint ar bryderon amlwg ei frawd mawr. 'Mae na griw o saith ar bob Lancaster.' Dechreuodd eu rhestru ar ei fysedd – 'Peilot, *flight engineer, navigator* – fo sy'n gyfrifol am y *flight plan* – *wireless officer, mid-upper gunner* a *rear-gunner* – gwaith y *gunners* ydi delio efo *Stukas* a *Messerschmitts* y *Luftwaffe* pan fydd rheini'n ymosod arnon ni – ac yn ola, y *bomb-aimer*. Hwnnw sy'n gyfrifol am ollwng y llwyth!'

Am nad oedd o isio styried goblygiada'r gair ola, penderfynodd Ifan fynd ar drywydd arall. 'Ond pa mor saff ydi'r eroplên? Fedar hi ddal yr holl bwysa?'

Rhoddodd cwestiwn mor naïf esgus i Huw a Gwil Goch chwerthin yn uchel, a bu'n rhaid i Ifan ei hun, hefyd, wenu. Bu hynny'n ddigon i lacio'r tyndra a manteisiodd Gwil ar ei gyfle i adael.

'Mi fydd Olwen yn wy . . . wŷndro lle gy . . . gythral ydw i,' medda fo, gan estyn ei law allan i'r ddau arall ei hysgwyd. 'Hwyl fawr ichi hogia! Dwi'n mynd 'nôl i Py . . . Py . . . Portsmouth ben bora fory.'

'Gwil druan!' meddai Huw, wedi iddo fynd. 'Mae

o'n poeni mwy na fasa rhywun yn feddwl sti, Ifan.
Mae gynno fo ofn trwy'i din y bydd y *Repulse* yn cael
ei gyrru i'r *Middle East*, cyn bo hir. Mae 'na dipyn o
German U-boats yn fan'no hefyd, mae'n debyg, yn yr
Indian Ocean. Mwy o ofn sharcs nag o ofn boddi,
medda fo. Ond dwi'n rhyw ama bod 'na fwy na hynny
hefyd yn ei boeni fo, sti! Ama ydw i ei fod o'n dipyn o
gyff gwawd i weddill y criw . . . am ei fod o'n Gymro,
falla . . . neu, yn fwy tebyg, oherwydd ei atal-deud.
Mae rhywun fel fo, sydd â nam ar ei leferydd, yn fwy
tebygol na neb o gael ei neud yn gocyn hitio.'

'Bechod!' medda Ifan, a chodi i adael. 'Be am ddod
draw am swpar heno, Huw?'

Ysgwyd pen a gwenu wnaeth ei frawd. 'Diolch am y
cynnig ond rhywbryd eto, falla. Mae gen ti ddigon ar
dy blât am heno, ddeudwn i!'

Gwyddai Ifan at bwy roedd o'n cyfeirio a phe bai'n
gwbwl onest byddai'n cyfadde nad oedd treulio min
nos yng nghwmni'i fam-yng-nghyfraith yn apelio
rhyw lawer ato ynta, chwaith.

'. . . Sut bynnag, mae gen i drefniada erill, 'rhen
ddyn,' meddai Huw, a wincio fel hogyn direidus. 'Dwi
wedi gneud *points* at wyth o'r gloch heno efo rhyw
bishyn go handi o'r Llan.'

Yn ddigon diysbryd y llusgodd Ifan Lòrd Bach ei
draed yn ôl am adra, rhwng bod yn meddwl am
ddiflastod y min nos o'i flaen a'r cenfigen, yn ogystal
â'r pryder, a deimlai tuag at Gwil Goch a'i frawd. 'Be na
rown i, rŵan,' medda fo wrtho'i hun, 'am gael rhannu
rhyddid ac antur y ddau yna?' Oedd, roedd o'n difaru'i
benderfyniad i fod yn wrthwynebydd cydwybodol.

'. . . *Jim Cro crys-tyn, wàn tŵ ffôr, a'r mochyn bach yn
eistedd mor ddel ar y stôl.*'

Roedd y llais treiddgar i'w glywed drwy'r drws cilagored.

'. . . Hogyn Nain wyt ti'n de, nghariad i? Hogyn Nain bob tamad!'

'O'r nefoedd!' meddai Ifan yn ddiamynedd ac yn chwerw. 'Dyma sut y bydd petha rŵan, decinî?'

Yn hytrach na chamu i mewn i'r tŷ, aeth i bwyso dros y crawia, i danio un arall o sigaréts Gwil Goch a llenwi'i ysgyfaint efo'r mwg melys. Yn yr eiliad honno o ddiflastod, cafodd gip ohono'i hun yn blentyn unwaith eto, yn gwylio'i fam yn taenu golchiad ar y lein a Taid Josh yn ei gwylio hi o'i ardd ei hun. Ac os nad oedd o'n camgymryd, gallai hefyd glywed nodau crynedig yr Eos yn ymarfer ei hoff unawd yn y tŷ bach ym mhen ucha'i ardd a'r Gaenor Goch ifanc, siapus, yn ymuno i ganu efo fo, o'i gardd hitha . . . *'Hen ŵr eisteddai wrth y tân / A'i farf a'i wallt yn wyn / Â deigryn yn ei lygad hen / Ymsoniai ef fel hyn / Bu i mi Wanwyn bywiol braf . . .'*

Gwanwyn bywiol braf? Oedd *o*, Ifan Lòrd Bach, wedi cael plentyndod braf, gofynnodd iddo'i hun. Wrth gwrs hynny! Beth os oedd yr atgofion am Rhys ei frawd yn rhai dirdynnol, weithia . . . beth os oedd yr hiraeth am ei rieni yn llifo fel llanw du drosto, o bryd i'w gilydd . . . A fyddai'n well ganddo fod heb yr atgofion hynny? 'Ddim am bris yn y byd!' meddai'n dawel. 'Ddim am bris yn y byd!' medda fo wedyn, a gyda mwy o argyhoeddiad. Roedd pob atgof, waeth pa mor boenus, yn werthfawr ganddo. Do, fe gafodd wanwyn braf, er gwaetha popeth. Y dyfodol oedd ei boen.

Â'i fys a bawd, gyrrodd stwmp y sigarét i droelli'n fyglyd i ben ucha'r ardd. Yna trodd yn anfoddog am y tŷ, i ddandwn mwy ar 'hogyn Nain'.

Haf 1941

'. . . Chei di ddim gwell aeroplane na'r Avro Lancaster, Ifan. Mae pawb yn Bomber Command yn gytûn ar hynny, gan gynnwys y ground crews sy'n hen gyfarwydd â thrin pob math o aircraft – Wellingtons, Flying Fortresses, Mosquitoes, heb sôn am y Lancasters . . .'

'Trio tawelu f'ofnau i mae o, mae'n siŵr,' meddai Ifan wrtho'i hun, a darllen ymlaen.

'. . . Wyddost ti fod y pedair injan Merlin (design diweddara Rolls Royce cofia!) yn gallu mynd â ni cyn uched â twenty four thousand feet, ar speed o two hundred and eighty miles an hour? A bod y Lancaster yn dal digon o fuel i hedfan dros wyth can milltir yn ôl a blaen? . . .'

Teimlada cymysg oedd rhai Ifan, eto fyth, wrth ddarllen llythyr diweddara'i frawd, y cynta ers pum wythnos neu fwy, a dim ond y trydydd ers y cwarfod efo Gwil Goch ym mis Ionawr. Serch hynny, doedd dim diwrnod, dim un noson, yn mynd heibio nad oedd o'n poeni'i enaid ynghylch Huw, tra ar yr un pryd yn cenfigennu ato hefyd. Cenfigennu at ei ryddid, at ei antur, at ei ddiofalwch. Cenfigennu at y cyfeillgarwch unigryw roedd ei frawd o hyd ac o hyd yn cyfeirio ato yn ei lythyra. Soniai am weddill y 'crew' fel 'taen nhw'n deulu agos iddo. Sgotyn pump ar hugain oed oedd y peilot; Saeson yn flight engineer a bomb-aimer a rear gunner; Cymro di-Gymraeg o Ddowlais yn wireless operator a Canadiad o Quebec yn upper-gunner. '. . . Mae pob crew yn aros efo'i gilydd nes gneud tour llawn, ti'n gweld Ifan. Hynny'n golygu gneud deg ar hugain o sorties. Wedyn mi fyddwn ni'n cael ein gwahanu i greu crews newydd sbon. Gyda llaw, rwyf wedi cael dyrchafiad yn ddiweddar. Flight Sergeant H. Hughes yw dy frawd erbyn hyn! Mi fyddi'n falch

338

o glywed hefyd fy mod yn bwriadu gwneud cais i ymuno â'r
Pathfinder Force gynted ag y byddaf wedi cwblhau'r tour
presennol. Nid yw'r PFF wedi cael ei ffurfio eto ond y sôn yw
y byddant angen navigators profiadol. Cei fwy o wybodaeth
gennyf pan gaf wybod mwy fy hun . . .'

Ond er mor ddifyr a llawn cyfeiriadaeth oedd y
llythyra hynny, fe sylwai Ifan nad oedd ei frawd bach
byth yn cynnwys pob gwybodaeth, chwaith. Byth yn
crybwyll gweddill y criw wrth eu henwa iawn, yn un
peth; nac yn rhoi unrhyw fanylion am ei
ymgyrchoedd – y *'sorties'* bondigrybwyll – dros dir y
gelyn. Ond dyna fo. Go brin y caniateid iddo gynnwys
gwybodaeth fel'na yn ei lythyra, beth bynnag. A
doedd ynta, Ifan ei hun, ddim wir isio gwybod pob
dim am helyntion ei frawd gan ei fod yn poeni mwy
na digon yn ei gylch fel roedd hi.

Anamal y deuai gair oddi wrth ei weinidog
chwaith, erbyn hyn. Roedd yr hen T.L. yn tynnu
mlaen, wrth gwrs – heb fod ymhell o Oed yr Addewid,
bellach – ond fe wyddai Ifan nad dyna'r rheswm dros y
peidio llythyru. Gwyddai fod gan T.L. ei broblema a'i
bryderon ei hun, gartra.

'Dwi'n ofni bod Musus Morgan yn mynd yn . . . yn
ddryslyd ei meddwl, Ifan.' Roedd T.L. wedi cyfadde
cymaint â hynny wrtho, yn ôl ym mis Ebrill, pan oedd
o gartre ddiwetha, ac fe deimlodd ynta ei galon yn
gwaedu dros yr hen ŵr. Ar hyd y blynyddoedd, dyma
ddyn oedd wedi gorfod gwrando ar broblema a
phryderon pobol eraill, a chynnig gair doeth o gysur
ac o gyngor yn ei bryd, ond rŵan, fo'i hun oedd fwya
angen clust gyfeillgar i wrando.

'Mae swydd gweinidog yn un unig iawn, fel y
gwyddoch chi, dwi'n siŵr, Ifan. Mae disgwyl i weinidog fod

339

yn gyfeillgar tuag at bob un o'i aeloda yn ddiwahân, ond cyfeillgarwch-hyd-braich sydd raid i hwnnw fod. Fedar gweinidog ddim dangos ffafriaeth tuag at unrhyw un yn fwy nag arall, sy'n golygu mai'r unig rai y galla i ymddiried yn llwyr ynddyn nhw ydi fy nghyd-weinidogion yn y dre 'ma. Ond rydach chi, wrth gwrs, yn wahanol, Ifan Huws. Er fod bwlch blynyddoedd rhyngon ni'n dau o ran oedran, eto i gyd dwi'n teimlo'n gyfforddus yn eich cwmni chi bob amsar, am fy mod i'n gwbod y galla i ymddiried ynoch chi. Roedd gen i'r parch mwyaf i'ch mam, pan oedd hi byw, ac mae gen i barch mawr i chitha hefyd, rŵan. Dyna pam fy mod i am ichi gael gwbod o flaen neb arall am gyflwr Gwyneth . . .'

Roedd Musus Morgan, meddai, yn cael cyfnoda o ffwndro. Roedd o wedi sylwi, flwyddyn neu ragor yn ôl, ei bod hi'n cael sbelia o anghofrwydd . . . anghofio rhoi'r cig yn y popty at y cinio Sul, anghofio lle'r oedd hi wedi gadael ei hambarél, colli ei menig gorau, gadael ei het ar ôl yn y capel . . .

'. . . Ar y cychwyn ro'n i'n tybio mai esgeulustod a dim byd arall oedd o, ond y dydd o'r blaen fe gychwynnodd hi allan o'r tŷ yn bennoeth a heb gôt o fath yn y byd, a hynny mewn cawod drom. A ddoe ddwytha, wyddoch chi be wnaeth hi? Taflu fy mhregath i i'r tân! Y bregath ro'n i wedi bod yn gweithio arni at oedfa heno! Ond doedd hi ddim fel 'tai hi'n gweld dim byd o'i le yn y peth!'

Wedi oedi eiliad i glywed Ifan yn mwmblan syndod a chydymdeimlad, fe aethai T.L. ymlaen yn llawn pryder, *'. . . Mae gen i ofn gofyn i Doctor Tom ddod draw i gael golwg arni, rhag ofn iddo fo'i gyrru hi i . . . wel, mi wyddoch chi i ble, Ifan Huws.'*

Gwyddai, fe wyddai Ifan yn iawn. Ofn mawr T.L. oedd y byddai Gwyneth yn cael ei hanfon 'dros y mynydd', sef ffordd lednais pobol Blaendyffryn o gyfeirio at y seilam yn Ninbych.

'Ia, wir! Mae'n bechod dros y ddau ohonyn nhw,' meddyliodd Ifan rŵan, gan godi oddi wrth y bwrdd er mwyn i Dora Morris gael clirio'r llestri swper. Aeth i eistedd o flaen tanllwyth y gegin, i ailddarllen llythyr ei frawd.

Un peth nad oedd pobol yr ardal yma byth yn brin ohono oedd glo ac, fel un o weddwon y danchwa, byddai ei wraig-tŷ-lojin yn derbyn ei siâr ddyledus o hwnnw'n ddi-ffael ac yn ddi-dâl bob mis. Golygai hynny lond grât o dân braf bob amser, hyd yn oed ganol haf pe teimlid bod angen amdano. Heno, a hitha'n gyrru'r glaw tu allan, roedd Dora Morris wedi rhag-weld yr angen hwnnw, o wybod y byddai ei lojar yn siŵr o gyrraedd adre'n wlyb at ei groen.

Wrth bori, eto fyth, trwy lythyr Huw, cofiodd Ifan, gyda chenfigen o'r newydd, y profiada roedd hwnnw wedi'u cael dros y misoedd diwetha, mor fuan ar ôl graddio ym Mhrifysgol Cymru. Y cyfnod i fyny yn yr Alban i ddechra, yn mwynhau hedfan am y tro cynta erioed. Wedyn, symud i ardal Derby yn Lloegr, i ddysgu sgilia peilot. Yna, i fyny i ardal Manchester, i le o'r enw Heaton Park, gan dybio mai dyna fyddai ei gam olaf cyn cael ei anfon ar ymgyrchoedd dros dir y gelyn. Ond, wedi dychwelyd i Heaton Park oddi ar ei lîf yn Ionawr, cael ei anfon am dri mis o hyfforddiant ychwanegol, y tro yma efo'r *Commando and Airborne Divisions* mewn lle o'r enw'r Driffield Battle School yn Swydd Efrog.

Gyda gwên, cofiodd Ifan rywbeth a sgrifennodd Huw ar y pryd – *'Roeddwn i'n meddwl fy mod i mor ffit ag unrhyw un, nes imi gyfarfod y 1st Airborne. Dyna iti hogiau sy'n gwybod be 'di be, Ifan! Mae eu cyrff nhw mewn gwell cyflwr nag unrhyw professional boxer, coelia di fi. Ond erbyn hyn rwyf innau cystal â hwythau. Felly bydd ofalus o hyn allan rhag tynnu blewyn o drwyn dy frawd bach!'*

Yna, yn ei lythyr nesa, roedd Huw wedi datgelu, *'Gyda llaw, Ifan, rwyf innau, fel tithau, wedi dechrau cadw dyddlyfr, bob cyfle a gaf. Fel y gelli ddychmygu, mae gennyf gymaint i'w gofnodi, pe bawn ond yn cael yr amser i wneud hynny'n rheolaidd, ond fel mae pethau ar hyn o bryd, rydym allan bob nos bron . . .'*

Fe dybiodd Ifan am eiliad mai cyfeirio at fercheta neu jolihoitian o gwmpas y tafarna roedd o, ond fe ddaeth brawddeg nesa'r llythyr hwnnw â phetha'n gliriach iddo: *'. . . Pe digwydd rhywbeth i mi, yna rwyf wedi trefnu mai ti fydd yn derbyn fy holl eiddo ac rwy'n siŵr y bydd y dyddlyfr yn egluro llawer iti bryd hynny.'*

Nid jolihoitian, felly, ond mentro'i fywyd bob nos dros dir y gelyn! Ac am ei fod ynta, Ifan, wedi mynegi pryder yn ei lythyr yn ôl ato ar y pryd, dyma Huw, rŵan, yn trio tawelu'i ofnau trwy ganmol yr Avro Lancaster i'r cymyla. Yn llythrennol felly!

'Ond dydi o'm yn taflu llwch i'm llygid i,' medda fo wrtho'i hun. 'Dwi'n gwbod yn iawn pa mor brysur ydi *Bomber Command* y dyddia yma!' Onid oedd papur newyddion *The Times* byth a hefyd yn cyfeirio at lefydd fel Berlin a Mannheim, Hamburg a Cologne yn cael eu bomio – enwa oedd wedi bod yn gyfarwydd iddo ers y blynyddoedd cynnar, diolch i'r map ar wal yr ysgol slawer dydd. Clychau Cologne! Fe gofiai lun o'r eglwys fawreddog honno yn un o lyfra O. M. Edwards ers talwm. 'Gobeithio na fydd Huw yn gyfrifol am roi taw ar rheini,' meddyliodd.

Heno, ar ôl llunio gair yn ôl at ei frawd, fe luniai

342

gofnod yn ei ddyddlyfr. Roedd wedi esgeuluso hwnnw'n rhy hir yn ddiweddar, yn enwedig o gofio bod cymaint wedi digwydd yn y cyfamser! Y blits ofnadwy ar Lerpwl ddechra Mai, er enghraifft, a'r ffrwydrad anferth hwnnw ar y llong arfau SS *Malakand* yn Huskisson Dock. Roedd hyd yn oed pobol Gresford wedi cael eu hysgwyd yn eu llochesi ac yn eu tai y noson honno! . . . A beth am hanes Rudolf Hess yn cael ei ddal yn Sgotland? . . . A'r HMS *Hood* yn cael ei suddo gan y *Bismark* a mil a phedwar cant yn colli'u bywyda . . . a'r *Bismark* ei hun yn cael ei suddo o fewn dyddia wedyn. Roedd angen cofnodi hefyd bod Esther, hogan Elsi'i chwaer, wedi cael mynd adra o'r sanatoriwm. Ac yn reit siŵr bod angen cofnodi rhai o'r dadleuon a fu rhyngddo a Tomi Comi'n ddiweddar. Roedd y rheini wedi troi'n danbaid iawn ac ynta, Ifan, wedi bygwth rhoi'r gora i fynd i'r Wheatsheaf yn gyfan gwbwl. Stalin, arweinydd Rwsia Fawr, oedd asgwrn y gynnen rhyngddyn nhw, a'r ffaith bod Tomi'n mynnu canu clodydd hwnnw, er gwaetha'r adroddiada yn y papura newyddion ei fod yn llofruddio'i wrthwyn-ebwyr yn Rwsia wrth y miloedd. Peth arall a ddigiai Ifan yn arw oedd y modd roedd Tomi'n wfftio at grefydd ac yn gwawdio gweddi.

Wrth ddarllen llythyr Huw yr eildro, teimlodd eto'r rhyddhad o wybod bod ei frawd yn dal yn groeniach. Gan nad oedd wedi derbyn gair oddi wrtho ers pum wythnos a mwy, fe aethai i ddychmygu pob math o betha. Ond – diolch byth! – dyma Huw wedi cael amser i sgwennu llith go hir o'r diwedd. *'Cyfle i lunio gair am ein bod ni'n grounded yma yn RAF Bassingbourn am ychydig ddyddiau. Aros am aeroplane newydd yr ydym ar hyn o bryd.'*

Pe bai Huw wedi egluro pam bod angen awyren newydd o gwbwl; pe bai wedi sôn am y ddihangfa gyfyng a gawsai ar ei *sortie* ddiweddara, rai nosweithia ynghynt, pan fu ond cael a chael i'w Lancaster gyrraedd Swydd Gaergaint yn ôl, yn gloff ac efo twll anferth yn ei *fuselage* ac un o'i phedair injan Merlin (*'design diweddara Rolls Royce, cofia!'*) yn hollol farw, yna go brin y byddai Ifan wedi cysgu hunnell y noson honno. Ni fu Huw fawr o ddeud, chwaith, mai dim ond pum Lancaster arall, allan o sgwadron o ugain, a lwyddodd i ddod yn ôl o gwbwl a bod cynifer â deg a phedwar ugain o fechgyn ifainc wedi colli'u bywyda yn y *sortie* trychinebus hwnnw.

*　　　　　*　　　　　*

Cyn i 1941 ddirwyn i ben, fe dderbyniodd Ifan sawl newydd trist yn llythyra Mair. Yn gynta, clywodd fod Harold Owen, aelod yng Nghapel Caersalem, a thad y bachgen dwy ar bymtheg a anfonwyd i Borstal ddwy flynedd yn ôl am ddwyn o siop John Willias *Grocer*, wedi'i ladd yn ystod y bomio ar Coventry. Yna, lai nag wythnos yn ddiweddarach, dyna lythyr arall yn cyrraedd efo'r newydd syfrdanol bod Gwyneth Morgan Tŷ Capel wedi ei chael yn farw ar y mynydd. *'Fe aeth hi i grwydro, fore dydd Iau diwethaf heb i'r gweinidog amau dim, ac erbyn iddo weld ei cholli, doedd dim sôn amdani yn unman. Fe aeth tyrfa fawr i chwilio'r ardal amdani yng Nghoed Cwm . . .'*

Parodd y geiria hynny i galon Ifan fethu curiad.

'. . . ond yna fe ddywedodd Margiad Tŷ Crwn ei bod hi wedi gweld rhyw ddynes yn dringo Llwybyr Inclên y Graig Ddu ac mi aeth pawb y ffordd honno i chwilio wedyn. Erbyn hynny roedd hi'n dechrau nosi ond fe ddaliodd y dynion i grwydro'r mynydd yn galw'i henw a bu llawer ohonynt wrthi drwy'r nos. Ellis Tanbryn a Gwynfor

344

Insiwrans a gafodd hyd iddi yn y diwedd a hynny'n fuan wedi i'r wawr dorri ond erbyn hynny roedd hi'n gorff, druan bach. Yn ôl yr hyn a glywais mae Mr Morgan y gweinidog wedi cymryd y peth yn ddrwg iawn. Aros result y post mortem mae o rŵan.'

Cafodd Ifan dridia'n rhydd o'i waith i fynd 'nôl i Flaendyffryn, i gydymdeimlo â'i weinidog ac i fynychu'r angladd. Diwedd Tachwedd oedd hynny. Yna, ar yr wythfed o Ragfyr dyna glywed newyddion cynhyrfus eto. Roedd Japan wedi ymosod yn ddirybudd ar longa rhyfel America, yn eu porthladd yn Hawaii. Hynny'n golygu bod America fawr hefyd yn rhan o betha, bellach.

Ac yna, lai nag wythnos yn ddiweddarach, y cyfeiriad ar dudalen flaen *The Times* at rywbeth y bu Ifan yn gweddïo rhagddo cyhyd. Ar y degfed o'r mis, roedd awyrenna Japan wedi ymosod gyda bomiau a thorpîdos ar y ddwy long ryfel *Repulse* a *Prince of Wales*, ger arfordir Kautan yn Malaya yn y Dwyrain Pell, ac wedi eu suddo. Yn ôl yr adroddiad, er i longa rhyfel *Electra* a *Vampire* lwyddo i gyrraedd mewn pryd i achub rhai o forwyr y ddwy long, fe ofnid bod cynifer ag wyth gant a hanner wedi colli'u bywyda. Roedd y *Repulse*, meddid, wedi mynd i lawr yn gyflym iawn mewn *'shark-infested seas'*. Rhedodd ias oer i lawr cefn Ifan wrth ddarllen y geiria hynny.

'Gwil druan!' meddyliodd yn drist, gan gofio'r tro diwetha iddyn nhw gyfarfod, yn Nhŷ'r Eos, a'r chwerthin a'r sbort a gafwyd bryd hynny. 'Doedd y cradur bach fawr feddwl be oedd o'i flaen o. Mi all hyn fod yn ddigon i Gaenor Parry, druan.'

Chafodd o ddim gafael ar gwsg y noson honno.

*   *   *

Dridia'n ddiweddarach, cyrhaeddodd llythyr byr arall oddi wrth Mair i ddeud bod Olwen Parry wedi derbyn teligram o'r Swyddfa Ryfel yn cadarnhau bod yr HMS *Repulse* wedi cael ei suddo ym moroedd y Dwyrain Pell ac yn gofidio nad oedd enw *Able Seaman* Gwilym Parry, ei gŵr, ymysg y rhai a achubwyd. Gallai hi ddisgwyl manylion llawnach mewn llythyr i ddod.

'. . . *Fe ddaeth hi â'r teligram i'w ddangos i'w mam-yng-nghyfraith, fore heddiw. Does dim cysuro ar Gaenor Parry, mae gen i ofn . . .*'

Cafodd Ifan weld hynny drosto'i hun ar ei 'lîf' nesa, pan aeth i gydymdeimlo â'i gymdoges. Nid Gaenor Parry, hanner canmlwydd a phump, a welai yno'n eistedd ger ei thân oer, ond hen wraig oedd â'i gwyneb yn llwyd fel llymru a'i llygaid yn bŵl ac yn llonydd. Prin ei fod yn ei nabod hi, gymaint roedd hi wedi torri. Fe geisiodd gynnig cysur ond gwyddai fod y cysur hwnnw'n syrthio ar glustia byddar a bod ei eiria ynta, er mor ddidwyll, yn swnio'n wag ac yn ffuantus.

Llusgai'r amser heibio yn ei chwmni, a'r unig dro i'w llygaid hi ddangos unrhyw fywiogrwydd tra bu Ifan efo hi oedd pan ddaeth sŵn bychan o'r ardd tu allan a phan droes hitha'i phen yn obeithiol, gan ddisgwyl gweld y drws yn agor a Gwil, mae'n debyg, yn camu i mewn trwyddo. Ond doedd yno neb, wrth gwrs; dim ond hen ddafad grwydrol yn pori'r ardd, ac fe ddaeth y trymder yn ôl i lygaid Gaenor Parry yn waeth na chynt.

Dyma wraig, meddai Ifan wrtho'i hun, oedd wedi bod trwy brofiad tebyg o'r blaen. Chwarter canrif ers colli'i gŵr i'r môr, dyma rŵan golli'i mab hefyd. 'Rhagluniaeth fawr y nef, mor rhyfedd yw!' Rhyfedd yn wir! Rhyfedd, ac annheg hefyd! Sut oedd egluro'r

Drefn? Sut bod Duw'n caniatáu'r fath alar i rai, a dim i eraill? Be oedd cymdogion cymwynasgar fel Gaenor Parry . . . dynion duwiol fel T.L. . . . plant diniwed fel Micky Foster . . . wedi'i neud erioed i haeddu'r fath golledion? Ai Duw dial . . . Duw'r Hen Destament . . . oedd O wedi'r cyfan?

'Dowch acw i gysgu am chydig nosweithia, Gaenor. Mi allwn ni fod yn gwmni ichi os nad dim arall.'

Ysgwyd ei phen ac edrych draw wnaeth hi, cystal â deud nad oedd hi angen cwmni, mai llonydd roedd hi'n ei ddymuno yn ei galar. Ond fel roedd o'n gadael, dyma hi'n deud gydag arddeliad annisgwyl, 'Mae Gwil yn mynd i ddod yn ôl ata i, Ifan! Gei di weld! Fi ydi'i fam o, cofia! Mi faswn i, o bawb, yn gwbod petai o wedi marw. Wyt ti'm yn meddwl?'

'Mae'n siŵr y basach chi, Gaenor Parry.' Be arall alla fo'i ddeud? 'Mae'n siŵr y basach chi.'

Ddeuddydd yn ddiweddarach, fe aeth Ifan yn ôl i Gresford yn llwyr gredu ei fod wedi gweld ei gymdoges am y tro olaf.

1942: Misoedd o lythyru

Bu'r wythnosau nesaf yn gymysg o newyddion da a siomiant i Ifan Lòrd Bach, a Mair ei wraig oedd y negesydd bron yn ddieithriad.

'Gaenor Parry am imi adael iti wybod ei bod hi wedi cael newyddion da ynglŷn â Gwilym. Ei merch-yng-nghyfraith wedi derbyn gair o'r Swyddfa Ryfel yn dweyd bod enw Gwilym ymysg y rhai a gafodd eu hachub, a'i fod wedi cael ei gludo gan ryw long arall i ysbyty yn Singapore, yn dioddef oddi wrth rywbeth maent yn alw yn "oil contamination", beth bynnag yw peth felly . . .'

Ddiwedd Ionawr oedd hynny ac fe aeth Ifan ar ei linia, yn y fan a'r lle, i ddiolch i Dduw am y fath newyddion da. 'Dy ffydd a'i hachubodd, Gaenor Parry!' medda fo wrtho'i hun, gan led-ddyfynnu geiria Crist wrth Bartimeus ddall. Ond byr fu'r rhyddhad hwnnw hefyd oherwydd ym mhapur *The Times*, ychydig ddyddia'n ddiweddarach, darllenodd fod byddinoedd Japan yn dwysáu eu hymgyrchoedd ar benrhyn Malaya a bod dyfodol Singapore ei hun yn y fantol. Ac yna, ganol y mis bach, cyrhaeddodd y newyddion y bu pawb yn eu hofni, sef bod y gelyn creulon wedi meddiannu'r drefedigaeth bell honno a bod pawb nas lladdwyd yn y brwydro gwaedlyd, bellach yn garcharorion. Roedd yr *International Red Cross*, meddid, yn gneud popeth o fewn eu gallu i gael enwau'r rhai a garcharwyd, yn ogystal â rhestr o'r meirwon. 'Gaenor druan!' oedd ymateb Ifan pan ddarllenodd hynny hefyd. 'A fydd diwadd, fyth, i'w dioddefaint hi?'

Dim gair oddi wrth neb wedyn am fis cyfan ac yna, ganol Mawrth, dau lythyr yn cyrraedd o fewn yr un diwrnod. *'Newyddion cymysg iti,'* meddai Mair, yn y cyntaf ohonyn nhw. *'Rwyf newydd ddod yn ôl o fod yn siopa, roedd tipyn o excitement yn y Coparét pan gyrhaeddais yno. Rhywun wedi dweyd bod Olwen Parry wedi derbyn gair unwaith eto bod Gwilym ei gŵr yn dal yn fyw ond ei fod wedi cael ei gymeryd yn prisoner of war gan y Japanese felly, mae gobaith o hyd iddo, a'r stori fawr arall oedd bod y gweinidog wedi cyhoeddi wrth ei flaenoriaid cyn yr oedfa fore ddoe ac yna wrth yr aelodau i gyd yn oedfa'r hwyr ei fod yn bwriadu riteirio o'r weinidogaeth a symud oddi yma i fyw. Dyna'r cyfan a wn i ar hyn o bryd ond fe anfonaf air atat eto pan gaf fwy o wybodaeth.'*

Roedd yr ail amlen yn dipyn mwy trwchus ac er iddo adnabod llawysgrifen T. L. Morgan yn syth, eto i gyd fe'i synnwyd gan mor ddiarth o grynedig oedd hi.

Annwyl Ifan,

Rwyf yn gofidio mai trwy lythyr, ac nid wyneb yn wyneb, y'm gorfodir i'ch hysbysu am fy mhenderfyniad i adael Blaendyffryn. Rwyf wedi cyhoeddi gerbron yr Eglwys nos Sul y byddaf yn ymddeol o'm gweinidogaeth ymhen y tri mis nesaf, neu ynghynt os gallant estyn galwad i weinidog newydd yn y cyfamser. Ers colli Gwyneth, nid yw fy nghalon wedi bod yn y gwaith – Duw a faddeuo imi am hynny – a cham ag Eglwys Caersalem ac â'i haelodau i gyd fyddai imi barhau yn weinidog arnynt mwyach. Rwyf yn pryderu'n ddirfawr y byddaf, trwy'r penderfyniad hwn, yn eich siomi chi yn fwy na neb, ac y bydd gennych lai o barch tuag ataf o'r herwydd, ond y gwir yw na allaf weld unrhyw lwybr arall yn agored imi mwyach.

Fy mwriad, yn awr, yw symud yn ôl i'm cynefin yn Nyffryn Nantlle, at fy mrawd Amos a'i briod. Maent, yn garedig iawn, wedi cynnig imi ymgartrefu gyda hwynt ac rwyf wedi derbyn. Bu blynyddoedd Gwyneth a minnau ym Mlaendyffryn yn rhai hapus dros ben, yn hapusach ganmil nag sydd gan unrhyw bâr priod yr hawl i'w ddisgwyl mewn bywyd, ond daeth tro ar fyd ac mae Rhagluniaeth yn awr yn dweud bod angen bugail newydd ar Eglwys Caersalem, bugail a all gynnig amgenach arweiniad i'w braidd . . .

Teimlodd Ifan ei lwnc yn bachu yn ei wddw a'i lygaid yn llenwi â dagra wrth i T.L. fynd rhagddo i hel atgofion am ei weinidogaeth ym Mlaendyffryn ac am y cymeriada nobl ac unplyg y cawsai'r fraint o'u hadnabod yno dros y blynyddoedd; yn eu mysg, Alis Huws, Stryd Lòrd Bach, ac Ifan Huws ei mab.

> *... Fy nymuniad, pan ddaw'r Alwad Olaf, yw cael dychwelyd yma i gydorwedd gyda'm hannwyl briod unwaith eto.*
>
> *Gobeithiaf eich gweld gartref yn fuan, Ifan, fel y gallwn drafod pethau. Fe wyddoch gymaint yr wyf yn gwerthfawrogi eich barn a'ch cyngor. Yn y cyfamser, fodd bynnag, ni allaf ond erfyn eich maddeuant os y bu imi eich siomi.*
>
> *Eich gweinidog a'ch cyfaill,*
> *T. L. Morgan.*

'Mae o wedi bod cystal ffrind â neb i mi dros y blynyddoedd,' meddai Ifan wrtho'i hun, gan anwylo'r llythyr yn ofalus yn ôl i'w amlen. 'A waeth be mae o ei hun na neb arall yn ei gredu, allai Caersalem ddim bod wedi dymuno gwell bugail na fo. Fe wna i'n siŵr y bydd yr eglwys yn cyflwyno tysteb deilwng pan ddaw'n amser iddo adael Blaendyffryn ac fe a' inna ati i gofnodi hanes ei weinidogaeth.

Ond chafodd y Parch. T. L. Morgan ddim tysteb, a chafodd o ddim gadael Blaendyffryn, chwaith, am i'r 'Alwad Olaf' ddod heb ei disgwyl, a chyn pryd. Ar fore dydd Mercher braf o Orffennaf, gyda Chapel Caersalem dan ei sang, fe dalwyd sawl teyrnged hynod iddo gan gyd-weinidogion o bob enwad, ond y deyrnged a adawodd yr argraff ddyfnaf ar gynulleidfa'r diwrnod hwnnw, a hynny oherwydd ei didwylledd dagreuol, oedd yr un leyg a draddodwyd gan gyfaill o flaenor o'i eglwys ef ei hun. Ac yn y fynwent yn ddiweddarach, roedd yr un cyfaill ymysg y chwech a roddodd weddillion T.L. i gydorwedd â'i briod unwaith eto.

Yna, yn hytrach na dilyn gweddill y galarwyr allan o'r fynwent, fe grwydrodd Ifan Lòrd Bach draw at fedd arall, un a gaewyd am y tro olaf ddeunaw mlynedd ynghynt. 'Dwi wedi penderfynu, Mam,' medda fo, uwch y bedd hwnnw, heb falio os oedd rhywrai o fewn clyw ai peidio, 'fy mod i am sgwennu llyfr. Llyfr o'm hatgofion. Fe gewch chi eich tri – Rhys a Nhad a chitha – bennod yr un ynddo fo ac fe geith yr hen T.L. ei bennod hefyd. Dyna'r lleia 'dach chi i gyd yn ei haeddu . . . a dwi am brynu teipreitar at y gwaith.'

'*Make sure that you type it in English, boy!*' Clywai'r llais yn arthio arno o ryw orffennol pell! Llais pwy? Dandy ynte Fflem? Y ddau, o bosib! Ond go brin y byddai'n ufuddhau'r gorchymyn hwnnw, beth bynnag.

*   *   *

Ddechra Medi, cyrhaeddodd llythyr hir-ddisgwyliedig oddi wrth Huw, yn cydnabod derbyn sawl gohebiaeth oddi wrth ei frawd ac yn diolch yn arbennig iddo am y rhifynna wythnosol o'r *Cymro* ac o *Faner ac Amserau Cymru.* '. . . *Mae pob llenyddiaeth Gymraeg yn dderbyniol tu hwnt, ond i mi gael seibiant i'w darllen . . . Mi fyddi'n falch o ddeall, Ifan, mai gyda "squadron" o'r PFF yr ydwyf ers tro, bellach. Fe gofi, efallai, fy mod wedi egluro iti y llynedd ein bod ni, ar ôl gorffen "tour" – neu, mewn geiriau eraill, wedi cyflawni 30 o "sorties" – yn gorfod ffurfio criwiau newydd sbon. Wel, erbyn hyn, rwyf i wedi cwblhau 3 "tour" llawn ac wedi dod trwyddynt yn groeniach a dianaf, trwy ras Duw. Yna, rhyw fis yn ôl, fe gafodd adran*

*newydd sbon o Bomber Command ei ffurfio, sef y PFF,
neu'r Pathfinder Force i roi iddi ei henw llawn. Mae'r PFF
yn dibynnu ar gael "navigators" profiadol ac ar sail hynny
y cefais i fy newis. Rwy'n credu imi grybwyll y peth wrthyt
cyn hyn? Sut bynnag, rhan o'm gwaith i, bellach, yw
arwain y "bombers" at y "target" a dangos iddynt, trwy
ollwng "flares" a "marker bombs", lle'n union i ollwng eu
llwythi. Nid yw'r Pathfinders yn cario "bombs"; nid rhai
difaol, o leia. Roeddwn yn meddwl y byddai clywed peth
felly yn dy blesio . . .'*

Gwenu'n chwerw a wnaeth Ifan wrth ddarllen
geiria'i frawd. Roedd Huw yn meddwl yn dda, mae'n
siŵr, meddai wrtho'i hun, ond os oedd o'n tybio am
eiliad nad oedd o, mwyach, yn rhan o'r lladd, yna
roedd o'n twyllo'i hun yn drybeilig.

*   *   *

Pum gwaith yn unig y cafodd Ifan fynd adre yn ystod
dwy flynedd ola'r rhyfel a doedd o ddim yno i glywed
ei fab yn yngan 'Nana' – ei air cynta – na chwaith i'w
weld yn mentro dau gam sigledig dros lawr y gegin i
freichia agored ei nain. Ond fe gafodd fynd adre ym
mis Hydref 1944, i weld geni'i ail blentyn – Gwen Alis
– ac i glywed Gaenor Parry ac eraill yn datgan yn
groyw mai 'Teulu Lòrd Bach yn ei nerth ydi hon, beth
bynnag', cystal ag awgrymu, mae'n siŵr, mai tynnu ar
ôl Nain Llanrwst yr oedd y brawd hŷn.

Tua'r adeg honno, hefyd, y trodd Ifan ei gefn ar
gwmni'r dafarn am y tro olaf, a hynny am i Tomi
Comi chwerwi'r awyrgylch iddo, unwaith ac am byth.
Roedd wedi dechra colli blas, ers tro, ar y trafodaetha-
nos-Wener, yn benna am iddo flino ar diwn gron y

comiwnydd o wythnos i wythnos. Ers iddo fagu hyder i ddadla yn yr iaith fain, heb ofn baglu dros ei eiria na gneud ffŵl ohono'i hun, fu arno ddim ofn herio daliada Tomi, ac roedd wedi cael y gora arno fwy nag unwaith yn ddiweddar, a hynny er mawr foddhad i ambell un arall o'r criw. Ond dro ar ôl tro, pan oedd y trafod ar ei boethaf, fe ddeuai lleisia i'w blagio – *Mae o'n hŷn na chdi ac felly'n gwbod yn well. Cofia di hynny.* Geiria'i dad. *Da yw dant i atal tafod.* Cyngor ei fam. Ond doedd ei rieni erioed wedi cwarfod rhywun cableddus fel Tomi Comi, neu buan y bydden nhwtha hefyd wedi newid eu tiwn.

Fe ddaeth petha i ben y noson honno yn y Wheatsheaf pan safodd y comiwnydd ar ei draed yn hanner meddw i gyhoeddi ei hoff destun, eto fel petai o bulpud, *'As Karl Marx, the great man himself, once said, "Religion is the opium of the masses, my friends." And, looking at some of you, now, . . .'* Ar Ifan yr edrychai, a hynny gyda chrechwen. *'. . . how right he was!'*

Yn arferol, byddai Ifan wedi cymryd cyngor ei fam, ond nid heno. Heno, fe deimlodd y gwaed yn codi'n goch i'w ben. 'Dwi wedi dangos parch yn rhy hir lle nad ydi parch yn ddyledus,' medda fo wrtho'i hun gan deimlo'i wyneb yn cael ei stumio gan wg. 'Ers pryd mae'r diafol yn haeddu parch, beth bynnag?' Felly, yn hytrach na diodde'n dawel, fe neidiodd i'w draed a'i lygaid yn melltennu. 'Rwyt ti'n ein gwatwar ni,' medda fo gan arwyddo efo'i law agored at weddill y cwmni, am y gwyddai fod sawl capelwr arall hefyd yn bresennol, y noson honno. '. . . am foli Duw ond pwy wyt ti'n addoli, Tommy? Dynion marwol, dyna pwy! Ti'n siarad am Karl Marx fel 'tai o'n Dduw, ond y cwbwl mae o wedi'i neud ydi sgwennu llyfr! Dwi wedi darllan *Das Kapital* fy hun ac fel sosialydd dwi'n cytuno efo llawar o'r hyn sydd ynddo fo ond, o wrando arnat ti, hawdd meddwl ei fod o'n waith i ryw fod dwyfol. Ond dim ond llyfr ydi o, wedi'r cyfan! Petait ti'n trafferthu darllan y Testament Newydd, mi welet ti'n fuan iawn be ydi gwir sosialaeth, ac mi welet ti hefyd nad ydi Stalin, yr un rwyt ti byth a hefyd yn ei osod ar bedestal er mwyn cael penlinio o'i flaen, yn ddim byd ond ymgorfforiad o'r Diafol ei hun. Yn wleidyddol ac yn ideolegol, allai Stalin a Churchill ddim bod ymhellach oddi wrth ei gilydd, ac eto i gyd rwyt ti'n edmygu'r ddau. Falla y dylet ti feddwl eto pwy sydd o dan ddylanwad opiwm, a phwy sydd ddim.'

Fe safodd yno am eiliad, yn methu credu ei fod wedi colli'i dymer gymaint ac wedi siarad mor hy. Roedd pawb yn syfrdan, hyd yn oed y tafarnwr. Roedden nhw wedi clywed Ifan yn dadla cyn hyn ac wedi dod yn ymwybodol hefyd o'i ddiwylliant, ond dyma'r tro cynta iddyn nhw ei glywed yn traethu o dan y fath deimlad; y tro cynta iddyn nhw ei glywed yn taranu mor rhugl; a'r tro cynta hefyd iddyn nhw glywed Tomi Comi'n cael ei roi yn ei le mor daclus.

Preis oedd gynta i dorri'r distawrwydd. 'Diawl erioed! Fe ddylet ti sefyll fel aelod seneddol, Evan,' medda fo, rhwng difri a chwarae, i sŵn mwmblan cytuno rhai o'r lleill.

Daeth y sylw hwnnw â Tomi ato'i hun. *'Wow!'* medda fo'n wamal, yn amlwg yn awyddus i daro'n ôl a chadw gwyneb. *'I never realized that Evan Tea-tea had so much spunk!'* Ac yna, gan na chwarddodd neb, *'Hitler must be fuckin glad! Just think what Tea-tea 'ere could 'ave done to him if 'e 'adn't been a conshie.'*

354

Yn y tawelwch llethol i ddilyn, fe gododd Ifan a
mynd am y drws. Dyna'r tro cynta i neb yn yr ardal
yma edliw ei gydwybod iddo. Ac er i Preis redeg ar ei ôl
a'i ganmol am ei safiad, eto i gyd, y noson honno
oedd y tro ola i Ifan Lòrd Bach fynychu'r Wheatsheaf.

21.50 p.m. 13eg Chwefror 1945 – Dydd Mawrth Ynyd

Cododd Huw Lòrd Bach ei lygaid oddi ar y siart a
gwthio'i ben heibio'r llenni oedd yn cau am ei gornel
fach gyfyng. Holl bwrpas y rheini oedd i gadw'r gola a
ddefnyddiai ef fel *navigator* rhag dianc i weddill yr
awyren a bradychu eu lleoliad yn awyr y nos. Ond
doedd fawr o beryg i hynny ddigwydd heno, mewn
awyr mor gymylog.

'Twenty minutes to target, Skip!'

Rhaid oedd gweiddi er mwyn i'r peilot ei glywed
uwchlaw curiada trwm y pedwar propelor a rhuad
cyson y peirianna pwerus oedd yn gyrru'r rheini. Tan
rŵan, doedd eu sŵn wedi gneud dim ond dwysáu'r
distawrwydd.

'Thanks Taff!' gwaeddodd hwnnw'n ôl, efo'r un
tyndra yn ei lais ynta, hefyd.

Dyma'r geiria cynta i gael eu hyngan ers deng
munud neu fwy, ers iddo gyfarwyddo'i beilot i newid
cwrs y *Welsh Lady* tua'r de-ddwyrain, ar ran ola'r daith
at y targed. Fo, Huw Lòrd Bach, fel aelod mwya
profiadol y criw, a gafodd y fraint o enwi'r Avro
Lancaster newydd, yn dilyn colli'r *Lucky Vera* lai nag
wythnos yn ôl.

Daeth y profiad hwnnw yn ôl iddo rŵan fel hunllef
o fewn hunllef. Nesu am Hamburg roedden nhw ar y
pryd – y *Lucky Vera*'n arwain sgwadron o Lancasters a

Mosquitoes at eu targed – pan ddaeth Messerschmitt allan o'r cymyla efo'i gynna'n fflamio. Cofiodd eto'r cryndod wrth i'r bwledi rwygo trwy gynffon yr awyren a rhan ôl y *fuselage*, a'r ochenaid derfynol honno o boen oddi wrth Spike, y *rear gunner*, wrth i'r bwledi chwalu'r bowlen Perspex uwch ei ben.

'Y cradur bach! A fynta'n edrych ymlaen at ddathlu'i ben blwydd yn un ar hugain, drannoeth!'

Fu dim dewis gan y peilot wedyn ond troi trwyn yr awyren gloff yn ôl am adra, efo'r criw i gyd yn gobeithio'r gora. A thaith hunllefus fu hi yn ôl dros Fôr Udd y noson honno, efo'r *Lucky Vera*'n colli tanwydd a cholli uchder bob cam o'r ffordd. Do, fe awgrymodd y peilot y gallen nhw neidio allan ar barasiwt, i achub eu hunain, ond byw i farw fyddai hynny! Achub eu hunain i be? I syrthio i fôr agored, ganol gaea? Na, dewis Huw a gweddill y criw fu aros lle'r oedden nhw a rhoi eu hunain yn nwylo'r peilot ac yn llaw Rhagluniaeth. A rŵan, wrth ail-fyw'r profiad, cofiodd eto'r rhyddhad o weld arfordir Swydd Norfolk yn codi'n ddu ar y gorwel, a'r peilot yn cyhoeddi'n ddigynnwrf, fel petai dim byd mawr o'i le: *'Undercarriage is stuck! I'll belly-flop her in The Wash! Sea should be calmer there!'* a hwnnw wedyn, trwy sgil rhyfeddol, yn sglentio'i awyren glwyfedig – ar ei bol ac yn ddi-olwynion – dros y mân donnau. Diolch bod llong bysgota fechan yn digwydd bod wrth law, i'w hachub, oherwydd fe aeth y *Lucky Vera* i'w bedd dyfrllyd yn fuan iawn wedyn, a chorff un *rear gunner* ifanc efo hi.

Fe gawson nhw chwe niwrnod o lîf i ddod dros y profiad. Yna, bnawn ddoe, dyna gael Avro Lancaster newydd sbon 'yn anrheg', a'i bedyddio hi y *Welsh Lady*, yn barod ar gyfer *Operation Thunderclap*.

Roedd Huw wedi hen golli cyfri ar y nifer o *sorties* y bu arnyn nhw dros y pedair blynedd diwetha. Agos at gant a hannar, siŵr o fod, meddyliodd. Ac yn ystod yr amser hwnnw, bu Ffawd yn garedig tu hwnt wrtho, yn enwedig o gofio cynifer o hogia na chafodd ddychwelyd hyd yn oed o'u *sortie* cynta. Daeth llinell o emyn y band-o'-hôp, ers talwm, i'w feddwl – *Mae Iesu Grist o'n hochor ni* – a gwenodd yn chwerw-felys.

'Mae Duw o'n plaid, gyfeillion!'

Am eiliad, fe dybiodd Huw fod y peilot wedi darllen ei feddwl.

'. . . Mae'r awyr yn clirio.'

Gydol y daith, hyd yma – pum awr gyfan – bu'r awyr yn drwch o gymyla, ac roedd i beth felly ei fanteision a'i beryglon. O'u plaid oedd y ffaith eu bod nhw, i bob pwrpas, yn anweledig i'r gelyn. Hynny'n golygu nad oedd peryg iddyn nhw gael *flak* o'r ddaear na'u poeni o'r awyr gan y Messerschmits a'r Stukas felltith. Ar y llaw arall, fodd bynnag, efo cymaint â deg sgwadron – bron i ddau gant a hanner o awyrenna – yn hedfan 'yn ddall' ac mor agos i'w gilydd drwy'r cymyla, roedd peryg i rai wrthdaro'n ddamweiniol, a phlymio'n ddi rybudd i'r ddaear. A fyddai hynny mo'r tro cynta i beth felly ddigwydd! Doedd ryfedd yn y byd bod nerfau'r peilot yn dynn fel tannau telyn ar ôl bod yn craffu i'r mwrllwch cyhyd. Ond rŵan, a'r targed yn nesáu, dyma'r awyr yn agor fel gwyrth o'u blaen ac ambell seren yn ymddangos ar eu llwybyr.

'Jesus! What a sight!'

Quinnie, y *mid-upper gunner,* oedd pia'r geiria. Roedd newydd weld Grŵp 5 yn ymrithio allan o'r cymyla duon tu ôl iddyn nhw; sgwadron ar ôl sgwadron mewn haenau duon, y naill uwchben y llall.

'*God 'elp 'em poor bastards!*' Trigolion Dresden – y ddinas oedd yn darged i *Operation Thunderclap* – oedd testun ffug-dosturi Quinnie.

Daeth geiria'r *Wing Commander* yn y *briefing* y pnawn hwnnw yn ôl i atgoffa Huw, unwaith eto, am ddifrifoldeb yr ymgyrch – '*The Yanks should have started the job today but they baulked because of a bit of fog. That's good, chaps, because now we get the honour of going in first. So let's show the Jerries and Uncle Sam what Bomber Command is all about. Eh? . . .*' Ac fe aethai ymlaen wedyn, yn llawn rhwysg, i fanylu ar holl bwrpas *Operation Thunderclap*. Dros wyth gant o awyrenna i gyd, medda fo – Lancasters yn bennaf ond nifer fechan o 'Mossies' yn ogystal – a'r rheini'n rhannu'n bum grŵp. Grŵp 5, efo'i ddeg sgwadron o Lancasters a naw Pathfinder i'w harwain, i gychwyn o Reading, deirawr union o flaen y grwpia eraill. Croesi'r Sianel i'r de o Boulogne cyn troi wedyn am y dwyrain dros Wlad Belg nes cyrraedd ffin yr Almaen. Anelu am y gogledd-ddwyrain o fan'no, fel bod y *German High Command* yn meddwl mai'r Rhuhr neu Bonn neu Dortmund oedd y targed. Ar ôl hynny, newid cwrs yn amal a chyrraedd Dresden o gyfeiriad y gogledd-orllewin. Erbyn hynny byddai'r grwpia eraill hefyd ar eu ffordd. *Diversion force* oedd Grŵp 5, medda fo, fel bod y pedwar grŵp arall yn cael rhwydd hynt at y targed, ac o gyfeiriad gwahanol. Roedd Pathfinders Grŵp 5 wedi cael eu dewis at y gwaith, medda fo, oherwydd eu harbenigedd i hedfan yn isel dros y targed. '*These guys are something special! They can drop their flares and their marker bombs on a bloody sixpence, if need be.*'

Clod yn wir, ond clod rhy nawddoglyd ym marn

Huw Lòrd Bach. Dyna pam nad oedd ganddo fawr o feddwl o'r dyn. Gormod o *tally ho, gung ho* yng nghyfansoddiad y boi. Ac nid Huw yn unig a gredai felly oherwydd roedd llawer iawn o'r hogia eraill hefyd wedi bod yn cwestiynu tactega diweddara *Bomber Command*, byth ers i Arthur *Bomber* Harris ddod yn *Air Chief of Staff* a thargedu dinasoedd poblog yn hytrach na chanolfanna diwydiannol megis ffatrïoedd, purfeydd olew ac ati. A dyna union fwriad yr ymgyrch hon, heno – *Operation Thunderclap*! Nid yn unig bod Dresden yn un o saith dinas fwyaf yr Almaen, ond roedd amheuon hefyd, erbyn rŵan, ei bod hi'n orlawn o ffoaduriaid – yn ferched a phlant a henoed yn dianc o'r dwyrain, rhag y Fyddin Goch. Doedd ryfedd bod criw'r *Welsh Lady* mor dawedog, meddai wrtho'i hun. Doedd y dasg o'u blaen ddim yn apelio at yr un ohonyn nhw.

Fe aethai'r *Wing Commander* ymlaen yn yr *Intelligence Briefing* i siarsio'r Pathfinders 1 a 2 i dynnu digon o luniau o'r difrod cyn troi am adre. *'That means circling at altitude until the bombers have released their payloads and then descending to take your snapshots, gentlemen.'* Cofiodd Huw fel roedd Frannie wedi troi ato ar y pryd a gofyn yn chwerw, 'Deud i mi, Taff! Trio dysgu padar i berson mae hwn, ta be?'

Daeth y *briefing* i ben efo'r anogaeth: *'We're not expecting much flak, gentlemen. Surveillance tells us that anti-aircraft artillery in the area is minimal. So let's make every bomb count, eh chaps? Show the Yanks what you can do. And leave nothing for the Russians to claim when they get there. Happy hunting, gentlemen! FOR KING AND COUNTRY!'*

Fe gafodd y gri wladgarol honno ei hateb gan y mwyafrif o'r rhai oedd yn bresennol, ond nid gan Huw

Lòrd Bach, a hynny am iddo gofio Alun Gwyn, ym Mangor ers talwm, yn wfftio at bob math o ymagweddu jingoistaidd.

Oherwydd y gorchymyn i newid cwrs yn amal er mwyn taflu llwch i lygaid y *Luftwaffe* a'r *German High Command*, fe gafodd Huw ei gadw'n brysur gydol y daith, yn addasu'r cynllun hedfan yn ôl yr angen. Pum awr o blygu dros ei siartiau a dibynnu ar ei allu ei hun, heb obaith o help oddi wrth na lleuad na sêr. Ond rŵan roedd llwydni'r cymyla wedi cilio a'r awyr yn agor o'u blaen.

'Target ahead!' galwodd y peilot, wrth i dyrau Dresden ymddangos yn silwetau duon ar y gorwel ac wrth i Huw weiddi'r *co-ordinates*, dechreuodd Franny, y *bomb aimer*, baratoi i ollwng ei *flares* a'i *marker bombs* ar yr Alstadt, sef rhan fwyaf hynafol y ddinas. Fe gâi'r *Welsh Lady* ddringo i ddiogelwch wedyn, i wylio Grŵp 5 wrth ei waith.

'Hang on, lads! There's a reception committee, after all!' Y peilot yn cyhoeddi prysurdeb wrth i'r chwiloleuada orffwyllo ac i stribedi tân y gynnau *ack-ack* chwilio'r tywyllwch amdanynt. Yna'r gynnau mawr yn creu cymyla bychain gwynion yn yr awyr o'u cwmpas, rhai ohonyn nhw'n rhy agos o lawer ym marn Franny. *'Fuckin 'ell! So this is what they call "minimal anti-aircraft artillery"!'* medda fo'n wamal, ond heb arwydd o ofn yn ei lais, serch hynny.

Y funud nesa, roedd adeilada hardd yr Alstadt ar lan yr Elbe yn olau fel dydd wrth i'r *flares* a'r *marker bombs* neud eu gwaith. *'Now get the hell out of it, Skip!'* gwaeddodd Franny a theimlodd Huw drwyn y *Welsh Lady* yn codi'n gyflym ac yn gwastatáu unwaith eto ar ôl cyrraedd uchder diogel.

'*Well done, Franny!*' Canmoliaeth Princie o'r cefn wrth i'r don gynta o Lancasters neud eu gwaith tu ôl iddyn nhw.

Llithrodd y munuda heibio.

'*On the button!*' Llais Princie eto, yn cyhoeddi bod yr ail gawod o fomia hefyd wedi bod yn llwyddiannus.

Dringo eto, a dechra troelli mewn cylch llydan.

'*Shit! The bastards have got one of ours! She's goin' down!*'

Parodd gwaedd Quinnie i dawelwch dwys gydio yng ngweddill y criw a gwyddai Huw eu bod nhw'n gwylio Lancaster glwyfedig yn syrthio i'r ddaear.

Wedi hynny, buont yn troelli mewn cylch eang tra bod gweddill adar duon Grŵp 5 yn dodwy eu wyau dinistriol.

Dim ond unwaith, yn yr amser hwnnw, y mentrodd Huw allan o'i gornel i weld be oedd yn mynd ymlaen ond ni theimlodd unrhyw falchder wrth ganfod rhan helaeth o'r ddinas yn wenfflam yn y pellter. *Anfonwyd ni genych i'r tân a'r brwmstan / I ddifa'r Satan oedd ynno yn byw* . . . Roedd yn gyfarwydd â phenillion Rhys, y 'brawd' mawr na chafodd erioed ei adnabod. 'Dacw fo'r tân a'r brwmstan,' medda fo wrtho'i hun yn chwerw-drist, 'ond lle mae'r Diafol? Dim ond pobol a phlant diniwad sy'n cael eu difa yn fan'cw.'

Doedd y gorffwylltra, fel y gwyddai'n iawn, ond megis dechra. Ymhen dwyawr neu dair byddai pum cant arall o Lancasters trymlwythog yn cyrraedd! I dargedu dinas oedd eisoes ar ei glinia! Os caiff Winston Churchill a Harris eu dymuniad heno, meddyliodd yn chwerw, yna bydd Dresden gyfan yn diflannu o dan storm o dân, fel y digwyddodd i Hamburg, ddwy flynadd yn ôl. Ond tuag ato'i hun y teimlai Huw y ffieidd-dra mwya, heb ddallt yn iawn pam, chwaith. Pam teimlo fel'ma heno, o bob noson? Ai am iddo feddwl am Ifan ei frawd? Ac am Alun Gwyn ym Mangor?

Roedd y *Welsh Lady* rai milltiroedd i'r de o'r ddinas erbyn hyn ac yn paratoi i'w chylchu hi am y tro olaf, i gael lluniau agos o'r difrod, pan ddaeth gwaedd gynhyrfus arall oddi wrth Quinnie, y *mid-upper gunner*, i'w rhybuddio bod awyrenna'r gelyn yn ymosod o'r gogledd.

'Night fighters! . . . Get the 'ell out of 'ere, Skip!'

Ond er i'r peilot droi trwyn ei awyren tua'r de, buan iawn roedd y Stukas ar eu gwarthaf, yn gwibio fel cacwn cynddeiriog efo'u gynnau'n cecian yn ddi-baid, a Quinnie a Princie yr un mor brysur efo'u gynnau hwytha.

Brysiodd Huw yn ôl at ei fap a'i siartiau. Pe bai'r gwaetha'n digwydd, a bod yn rhaid glanio'r *Welsh Lady* mewn argyfwng, yna byddai'r peilot yn disgwyl i'w *navigator* roi cyfarwyddiada manwl ynglŷn â llefydd addas yn yr ardal i neud hynny. Ond doedd dim tir gwastad o'u blaen! Dim ond mynyddoedd di-groeso Saxony a'r Sudetenland.

Digwyddodd petha'n gyflym iawn wedyn, gan ddechra efo sgrytiad sydyn a gwaedd y peilot: 'Shit! We've been hit! Inner-starboard engine in flames! Cutting off power!' Hynny'n golygu rhwystro tanwydd rhag cyrraedd yr injan honno, yn y gobaith y byddai'r fflamau'n diffodd yn rhuthr y gwynt oer tu allan. Fe allen nhw ddal i hedfan ar dair injan, wrth gwrs, ond awyren gloff oedd y *Welsh Lady* bellach.

'We're sitting ducks for those bastards, now!' Roedd

mwy o gynnwrf, mwy o bryder gwirioneddol, yn llais Franny, erbyn rŵan. Ond roedd gan y peilot ei bryderon hefyd. Hyd yn oed pe baen nhw'n dianc rhag y Stukas, a fedra fo gadw digon o uchder i osgoi'r mynyddoedd oedd yn codi'n dduon o'i gwmpas?

Craffodd Huw Lòrd Bach ar ei wats gan ryfeddu at ba mor ddifraw y teimlai. Pum munud ar hugain wedi deg! 'Os gwn i be neutha Ifan fy mrawd pe bai o yma rŵan?' meddyliodd. 'Plygu pen i weddïo, mwy na thebyg!'

Llithrodd yr eiliada heibio, pob un fel awr. Yna'n sydyn, teimlodd gryndod mwy bygythiol yn rhedeg trwy'r awyren, ac ynghanol sŵn metal yn rhwygo, fe deimlodd ei goes dde'n troi'n ddiffrwyth oddi tano. Dim poen . . . dim gwres gwaed yn llifo . . . dim byd ond gwacter, fel petai'r llawr o dan y goes honno wedi diflannu, mwya sydyn!

'They're goin back! Turnin' tail! We've scared the fuckers off!' Rhyddhad yn hytrach nag ymffrost oedd i'w glywed yn llais Quinnie.

'What's our position, Taff?' holodd y peilot, a'r rhyddhad yr un mor amlwg yn ei lais ynta.

Er yn synhwyro bod rhywbeth mawr o'i le ar ei goes ddiffrwyth, dechreuodd Huw bori dros ei siartiau. *'Roughly twenty miles sou'-sou'-east of target, Skip.'*

'Sticking to original flight plan, I take it?'

Yn hytrach na'i ateb, rhedodd Huw ei law i lawr dros ei glun a theimlo'r gwlybaniaeth gludiog oedd yno. Gwaed! Marweidd-dra!

'Shit!' Y peilot, eto rŵan, yn cyhoeddi pryder newydd. *'Outer-starboard engine in flames!'*

Oherwydd bod ei phartneres ar yr adain dde eisoes yn farw, buan y byddai'r *Welsh Lady* yn plymio fel

363

carreg i'r ddaear. Roedd hi eisoes yn dechra llenwi efo mwg a'r sgrytian yn gwaethygu trwyddi.

'*Bale out! Bale out!*' gwaeddodd y peilot.

'*Mayday! Mayday!*' gwaeddai'r *radio operator* ar ei draws.

'*Bale out! Bale out!*' gorchmynnodd y peilot eto.

Erbyn hyn, roedd y Lancaster glwyfedig yn ysgwyd yn swnllyd, fel tracsion ar ffordd drol, a'r peilot yn brwydro i'w chadw hi ar lwybyr gwastad tra bod ei griw yn paratoi i adael. Doedd gan Huw ddim dewis ond aros ar ei eistedd i wisgo'i barasiwt, gan fod ei goes dde'n gwrthod ymateb iddo. Yn y cyfamser, clywai regi a gweiddi'n dod oddi wrth y lleill a chasglodd eu bod nhw'n cael trafferth i agor gwarddrysau'r awyren; Franny'n ymlafnio efo'r un yn y blaen a Quinnie a'r lleill yn diawlio o'r cefn. Cofiodd mai dyna'r gŵyn fwya ynglŷn â'r Lancaster, sef bod yr *hatches* yn gyndyn o agor mewn argyfwng! Ond roedd gan Princie, broblem arall, yn ôl ei sŵn. Roedd y *rear-gunner ifanc* yn methu cael ei goesa'n rhydd a rhyfeddodd Huw at lais digyffro Quinnie yn addo, '*I'll get you out, son! Don't worry!*'

Doedd dim amser i dindroi. Unrhyw eiliad rŵan a byddai'r fflamau'n profi'n drech na'r ail injan hefyd, ac unwaith y digwyddai hynny, byddai'n rhy hwyr i neb neud dim. Gan anwybyddu'r boen oedd i'w deimlo rŵan, cododd a hopian ar ei ungoes iach tuag at y gwarddrws yng nghefn yr awyren. Waeth pa mor gyndyn fyddai'r drws hwnnw i agor, fe deimlai'n ffyddiog bod ganddo'r nerth corfforol i'w rwygo oddi ar ei golfachau, pe bai raid . . . coes glec neu beidio!

Yn groes i'r disgwyl, fodd bynnag, fe ildiodd y drws yn rhwydd a theimlodd Huw ei anadl yn cael ei chipio gan y gwynt i'r düwch oer tu allan.

'*Rear hatch open!*' gwaeddodd, i hysbysu'r lleill bod yno ddihangfa barod iddyn nhwtha hefyd.

Gwelodd y fflamau'n tafodi allan o injan bella'r adain, ac yn yr eiliad honno clywodd ei phartneres yn gneud sŵn gobeithiol, fel petai hitha ar fin deffro; yn troi ac yna'n tagu, yn troi ac yn tagu eto wrth i'r peilot ymdrechu'n arwrol i'w hailgychwyn hi. Teimlodd Huw ddiferion yn rhewi ochor ei wyneb, a sylweddoli nad glaw ond tanwydd oedd yn chwythu ar y gwynt, a'i ias fel cusan rew.

Yn yr eiliad honno, fe'i daliwyd ef mewn cyfyng-gyngor. Be i neud? Neidio i'r düwch, ynte oedi a gobeithio'r gora? Neidio i achub ei groen ei hun, ynte glynu efo'i gyfeillion, doed a ddêl? Beth pe bai'n neidio i ddwylo'r gelyn, a bod y *Welsh Lady*'n llwyddo i hercian adre'n saff wedi'r cyfan? Dyna fyddai'n warth arno, meddyliodd.

Ond byr y parhaodd ei gyfyng-gyngor. A fynta'n pendilio ar ei ungoes yn fan'no, yn y drws agored, fe ffrwydrodd y bibell danwydd yn yr injan agosaf ato yn belen o dân a gwelodd fflam hir yn saethu tuag ato. Yn reddfol, trodd ei ben draw, ond ymhen dim roedd ochor dde ei wyneb, a gwallt a chroen ei ben yn cael eu hysu gan wres y tanwydd.

Gyda gwaedd o boen, gollyngodd ei hun i ddüwch y nos, i bowlio drosodd a throsodd yn y gwagle. Y gwynt oer yn fferru'i wyneb oedd ei unig gysur.

Hyd yn oed wrth ffwlbala i agor ei barasiwt, gwibiai'r pryderon yn llif drwy ei feddwl. Be fyddai tynged y *Welsh Lady*? Oedd gweddill y criw wedi ei ddilyn? A gafodd Skip, y peilot, amser i'w achub ei hun? Yna teimlodd blwc egar o dan ei geseilia – plwc yn bygwth rhwygo'i freichia o'u gwraidd – a mwya sydyn roedd y bwrlwm drosodd ac ynta'n pendilio'n rhynllyd tua'r ddaear. Pa mor uchel oedd o, tybed? Pedair mil o droedfeddi? . . . Pum mil, falla? Fo oedd y *navigator*! Fe ddylai wybod! Ond câi drafferth meddwl yn glir. Cyn belled ag y gwyddai, roedd yn hongian uwchben düwch diderfyn.

Craffodd o'i gwmpas, yn y gobaith o weld parasiwtiau eraill yn ymrithio fel madarch yng ngola'r lleuad, ond roedd y nos o'i gwmpas yn wag ac oer, ac yn arallfydol o ddistaw hefyd. Ond y cochni ar y gorwel! Be oedd hwnnw? Oedd y wawr yn torri'n barod? 'Na!' meddai llais bach yn ei ben. 'Dresden yn llosgi ydi nacw!'

Llewygu fyddai'n braf. Ymroi i'r düwch. Anghofio'r ysu arteithiol ar ei wyneb a'r gwayw cynyddol yn ei goes wrth i waed a theimlad lifo'n ôl iddi. Ond roedd llais rheswm yn ei rybuddio fel arall – 'Mae'r ddaear yn dod yn nes a rhaid iti gadw'n effro, rhag ofn . . .' Rhag ofn be? Ni allai feddwl yn glir.

Isa'n y byd y syrthiai, ucha'n y byd yr ymddangosai amlinell dywyll y mynyddoedd o'i gwmpas. Chwiliodd am siâp cyfarwydd. Yr Wyddfa oedd y pig acw yn y pellter, siŵr o fod . . . A dacw Moel Siabod! . . . Pa un oedd y Moelwyn Mawr, tybad? Ond doedd llais rheswm, chwaith, ddim yn rhy bell – 'Nid yn Eryri rwyt ti rŵan, Huw, ond ym Mynyddoedd . . .' Pa fynyddoedd? Mynyddoedd duon . . . diarth . . . di-enw.

Daeth y ddaear ato heb ei disgwyl a theimlodd wayw yn saethu i fyny trwy'i gorff. Ai fo oedd piau'r sgrech oedd yn rhwygo'r nos? Dyna'r peth olaf a gofiai cyn i ddüwch bendithiol ddod i foddi'r artaith.

16eg Chwefror 1945

'COME HOME. TELEGRAM TODAY. HUW MISSING.
MAIR.'

Roedd yn hwyr bnawn dydd Iau, y pymthegfed o
Chwefror, arno'n derbyn telegram ei wraig, wedi i
Dora Morris ddod â fo'n unswydd iddo, i'w waith.
Aeth ynta ar ei union wedyn at Reolwr newydd y pwll
i wneud cais am 'lîf'.

'Nai?' meddai hwnnw'n ddigydymdeimlad, cystal ag
awgrymu bod y berthynas yn rhy bell i ganiatáu'r cais.

'Mwy fel brawd a deud y gwir, syr. Wedi'n magu
efo'n gilydd'

'Hm!' Ebychiad cyndyn gan ddyn nad oedd mor
barod ei gymwynas â Mr Prytherch, gynt. A dyn, hefyd,
nad âi allan o'i ffordd i neud ffafr â chonshi. Ond fe
ddaeth caniatâd cyndyn oddi wrtho o'r diwedd: 'Iawn,
ta! Cyn belled â bod cyflogau'r wythnos yn barod cyn
iti fynd.'

Golygodd hynny weithio'n hwyr ac mewn gwewyr
y pnawn hwnnw a'r bore canlynol, ac roedd yn bnawn
dydd Gwener ar Ifan yn gadael Gresford. Cyrhaeddodd
Flaendyffryn chydig cyn chwech o'r gloch a cherddded
adre drwy'r tywyllwch a'r oerni.

11.35 Ll / T OHMS
PRIORITY MR E. HUGHES, 1 LITTLE LORD STREET,
BLAENDYFFRYN, NORTH WALES
REGRET TO INFORM YOU THAT YOUR NEPHEW,
FL/SGT H. HUGHES IS MISSING AS A RESULT OF
OPERATION ON NIGHT OF 13/14 TH FEBRUARY 45.
LETTER FOLLOWS. PLEASE ACCEPT MY PROFOUND
SYMPATHY.
OT 704 PFF SQUADRON

'Bora 'ma y dôth hwn!' Estynnodd Mair amlen arall iddo rŵan. 'Dwi'n cymryd mai dyma'r llythyr a gafodd ei addo.'

Cydiodd Ifan yn yr amlen a syllu'n hir arni, cyn mentro'i hagor.

'Gwell edrych be sydd ganddyn nhw i'w ddeud, Ifan,' meddai ei wraig gan osod llaw dyner ar ysgwydd ei gŵr.

Yn y gegin gefn, gwnâi Nain Llanrwst ei gora i gadw'r plant yn dawel, er parch i deimlada'u tad. Nid bod trafferth cael y fechan i fodloni ond cicio a strancio a wnâi Rhys, a hyd yn oed ynghanol ei alar fe deimlodd Ifan fod y bychan yn haeddu blas y wialen fedw am fod mor gecrus ac anodd-ei-drin.

Llithrodd lafn ei gyllell boced o dan ymyl yr amlen ac yna tynnu'r llythyr ohoni:

> *Group 5 PFF Squadron,*
> *Swinderby, Lincs*
> *16th February1945.*
>
> *Dear Mr E. Hughes,*
>
> *It is with deep regret that I write to confirm the sad news of my telegram, yesterday, that your nephew Flight Sergeant H. Hughes is missing as a result of operations on the night of February 13th, 1945.*
>
> *Your nephew was navigator on a Pathfinder aircraft detailed to carry out an attack on the German city of Dresden. The pilot of a companion Pathfinder witnessed his plane being shot down by enemy fighter aircraft but was unable to say whether there were any survivors. Should your nephew have successfully baled out and been taken captive by the enemy, then you should have the news confirmed by the International Red Cross Committee within the next six weeks.*

*Please accept my sincere sympathy during this
anxious period of waiting.*

*I have arranged for your nephew's personal effects
to be taken care of by the Committee of Adjustment
Officer at the Station and these will be forwarded to
you through normal channels in due course.*

Yours, with sincere condolence,

J. K. Clement

Wing Commander.

Mr E. Hughes,
1 Little Lord Street,
Blaendyffryn, North Wales.

Gwasgodd Ifan ei lygaid a phlygu'i ben mewn
gweddi ddistaw. 'O Dduw, wele . . . wele bechadur
gwan yn . . . yn plygu ger Dy fron, i . . . i erfyn arnat
am . . . am Dy drugaredd grasol . . .'

Ond gwrthod dod a wnâi'r geiria. Fo – Ifan Lòrd
Bach, o bawb – na chawsai drafferth erioed i siarad
efo'i Greawdwr, yn crafu rŵan am rwbath i'w ddeud!
Ifan Huws, y parotaf ei weddïa yn Sêt Fawr Caersalem,
slawer dydd, yn teimlo'i Dduw yn ddiarth, rŵan, ac yn
bell, am mai'r cwbwl a welai ac a glywai oedd wyneb
cyhuddgar ei fam yn ymrithio yn ei feddwl, a'i llais yn
edliw yn ei glust – *'Fe addewist ti edrych ar ei ôl o, Ifan
. . . Dy gyfrifoldab di oedd Huw! Dy gyfrifoldab di, a neb
arall . . . Oedd colli Rhys ddim yn ddigon genti, dwâd?'*

A gyda'r cyhuddiad, daeth golygfa arall i'w gof.
Corff yn siglo oddi ar gangen noeth yng Nghoed Cwm
. . . gwynab cyfarwydd yn welwlas o ddiarth . . . llygaid
gwag . . . y tafod hir, ymwthgar . . . O Dduw! Ai fo
oedd i gael y bai am hynny i gyd, hefyd?

Daeth llais Mair i dorri ar yr hunlle. 'Dydw i ddim

369

wedi cysylltu efo neb arall, cofia. Mi fydd raid i Elsi dy chwaer gael gwbod, wrth reswm. A Gaenor Parry hefyd, 'tasai'n dod i hynny. Mae hitha'n siŵr o deimlo i'r byw, wyst ti.'

'Mi a' i rŵan,' medda fo, a chodi ar ei union, yn falch o unrhyw esgus i adael y tŷ a chael llonydd efo'i feddylia.

Wrth glywed ei gŵr yn tagu'n ddagreuol yn ei eiria, gwasgodd Mair ei fraich mewn cydymdeimlad tawel ac yna'i wylio'n cerdded i lawr llwybyr yr ardd.

Galwodd Ifan yn nhŷ ei chwaer, a synnu at ei phellter, a'i chyndynrwydd i'w wahodd i'r tŷ. Gallai amau pam, wrth gwrs – roedd busnes teilwra Harri wedi diodde rhywfaint, mae'n siŵr, oherwydd bod ei frawd-yng-nghyfraith yn gonshi. Dros garreg y drws y darllenodd Elsi'r telegram a'r llythyr, a hynny heb i ddeigryn loywi ei llygad.

'Ddaru hi deimlo rhwbath o gwbwl, os gwn i?' gofynnodd Ifan iddo'i hun, wedi gwrando arni'n mwmblan ei gofid ac yna'n cau'r drws yn araf yn ei wyneb. 'Bach iawn oedd yr arwydd, beth bynnag. Ond damia unwaith! Hi ydi mam Huw, wedi'r cyfan. Hyd yn oed os ydi'r ddau wedi dieithrio dros y blynyddoedd, fe ddylsai hi deimlo rhwbath o'i golli, siawns! Hi aeth trwy wewyr ei eni . . . ei fagu ar ei theth . . . chwara efo fo ar yr aelwyd . . . canu hwiangerddi iddo . . . ei suo i gysgu'r nos. Hyd yn oed os oes ganddi hi blant eraill erbyn heddiw, Huw, wedi'r cyfan, oedd ei chyntafanedig hi . . . a'i hunig fab. Ydi hi'n bosib i fam a phlentyn bellhau a dieithrio cymaint?'

Roedd yn gasach ganddo feddwl am dorri'r newydd i Gaenor Parry. Yn un peth, roedd gan honno fwy na

digon i boeni amdano'n barod, efo Gwil yn garcharor
rhyfel yn y Dwyrain Pell ers tair blynedd a hanner a
hitha'n gwybod fawr mwy na hynny yn ei gylch. Felly,
i ohirio'r annymunol, cyfeiriodd Ifan ei gamre allan o'r
dre. Fe âi draw at Garreg y Defaid, i edrych i lawr dros
Goed Cwm. Roedd arno angen amser iddo'i hun, i
feddwl ac i gofio.

'S'mai, Ifan Hughes?' meddai rhywun, a daeth
cyfarchiad clên oddi wrth rywun arall hefyd ond am
na chlywodd mohonyn nhw, chododd Ifan mo'i ben
i'w cydnabod. Cyn pen dim, roedd wedi gadael y tai
a'r bobol i gyd o'i ôl.

Wrth Garreg y Defaid, câi drafferth dal ei dir yn
erbyn y gwynt cry oedd yn chwythu i fyny'r Cwm, a
chadwai un llaw yn drom ar ei ben, rhag i'w gap gael
ei gipio i ebargofiant. Y gwynt a gâi'r bai ganddo hefyd
am y dagra yn ei lygaid. Gorff a meddwl, fe deimlai'n
wag ac yn ddiffrwyth, fel petai ei ymennydd a'i
ymysgaroedd wedi cael eu sugno allan ohono, i adael
dim ar ôl ond cneuen goeg.

Ar y gorwel, uwch pellter Bae Aberteifi, torrai
colofn o haul drwy'r cymyla trymion, i daflu cylch o
arian disglair ar y dŵr, ond llwyd oedd pob man arall,
o dan awyr blwm. Oddi tano, roedd y Cwm ar ei fwya
llwm a'i fwya gaeafol, ac yn gweddu i'w deimlada ef i'r
dim. I lawr acw, ar y chwith, gwelai fod hen ffordd y
Neuadd Ddu yn dipyn culach ac yn dipyn mwy
caregog a chaeadfrig heddiw nag oedd hi slawer dydd,
pan oedd o'n blentyn. A draw ar y dde, dyna gyflwr
ffordd hynafol Dôl Wen hefyd, ond mai cors a
chrawcwellt, yn hytrach na choed cyll, oedd yn
gwasgu ar honno bellach. A rhwng y ddwy, Ffarm
Cwm a'i dolydd, efo'r afon yn nadreddu'n gul drostyn

nhw. Yn union oddi tano, ar lechwedd caregog, ymrithiai Coed Cwm yn sgerbydol yn y gwyll cynnar.

Chwiliodd â'i lygaid, rŵan, am y llwybyr hwnnw nad oedd wedi ei droedio ers y noson hunllefus honno chwarter canrif yn ôl, ond er craffu a chwilio, doedd dim i'w weld ond rhedyn crin yn drwch ac ambell faen mawr yn dangos ei ben mwsoglyd, trwyddo. 'Ffor'cw roedd o'n arfar rhedag, beth bynnag!' medda fo wrtho'i hun, a theimlo tristwch oherwydd bod pobman wedi troi mor ddiarth iddo; bod hen ffyrdd wedi troi'n llwybrau, a hen lwybrau wedi diflannu i'r gwyllt.

Y Cwm fu maes chwara plant Blaendyffryn, erioed; cenhedlaeth ei fam a'i genhedlaeth ynta. A chenhedlaeth Huw hefyd, 'tai'n dod i hynny. Cofio, rŵan, y tro cynta iddo fynd â Huw i bysgota yn Afon Cwm. Cofio'r pleser o weld y bychan yn bachu ei frithyll cynta a'r balchder ar ei wyneb wrth ei godi o'r dŵr. Cofio'r union bwll yn yr afon, hyd yn oed! A chofio'r wên fuddugoliaethus ar y gwyneb chwemlwydd . . . Droeon eraill, cofio mynd â fo i hel mwyar a chnau ac eirin tagu yn eu tymor, neu bricia at gynna tân. A chof clir am y tro arall hwnnw pan grwydrodd Huw, yn ddiniwed ifanc, i ganol llwyn o ddanadl nes bod ei goesa bach noethion yn wrymiau poenus drostynt; a'r brathu tafod dewr wedyn, i gadw'r dagra draw! Ei gofio'n gwrido o gael ei ddal efo'i gariad cynta ar ei fraich. Cofio'i wylio'n gadael am y coleg. Cofio'r diwrnod balch ym Mangor. Cofio'i weld yn ei lifrai am y tro cynta . . . mor olygus, mor . . . mor ysgafala! Cofio'i wên, cofio'i chwerthin, cofio'i gwmnïaeth . . . cofio pob dim amdano. Oedd, roedd y gneuen wag yn llawn unwaith eto wrth i'r atgofion a'r emosiyna lifo'n ôl, i ychwanegu at y ffrwd dagra.

Huw Lòrd Bach

'Hon yw hi, rwyf bron yn siŵr!' meddai'r Saesnes ganol-oed, gan fachu'i braich am un ei gŵr. 'Co bach sydd gen i am y lle, ond hon yw'r stryd. Dydi hi ddim mor llydan â be dwi'n gofio, efallai, na hanner cyn brysured, chwaith, er gwaetha'r holl geir sydd wedi'u parcio yma heddiw, ond hon yw hi, heb unrhyw amheuaeth. Ond nid mewn heulwen fel hyn rwyf i'n ei chofio hi. Rhyw stryd lwyd ac oer oedd hi i Louise a minnau. Ond dechrau gaeaf oedd hi, bryd hynny, wrth gwrs.'

Safent ar gornel y Stryd Fawr yn syllu i fyny Lòrd Street, oedd â'i hanner chwith mewn haul poeth a'i hanner de mewn cysgod pleserus. Nid nepell oddi wrthyn nhw ar y Stryd Fawr, roedd tri o lancia'r dre yn troelli'n edmygus o gwmpas y Daimler du a barciwyd yno chydig eiliada ynghynt; pob un yn oedi yn ei dro wrth ffenest y gyrrwr i graffu ar grandrwydd ei du mewn.

'Wela i ddim arwydd i ddeud ei henw hi,' meddai'r gŵr, mewn Saesneg yr un mor fonheddig â'i wraig. Ond er ei fod yn chwilio am enw'r stryd, cadwai un llygad hefyd ar ei gar ac ar y tri bachgen oedd yn rhoi cymaint o sylw i hwnnw. Doedd clywed un ohonyn nhw'n gweiddi *'Ffycin lyfli o gar!'* mewn iaith estron ddim yn gneud llawer i dawelu'i bryderon, mwy nag oedd y sŵn bygythiol yn ymateb annealladwy y llall – *'Paid â rhegi, Moi! Mae 'na ddynas yn fancw! Mae hi'n dy glywad di!'*

'Os nad wyt ti'n siŵr, yna pam na ofynnwn ni i hwn, 'ta?'

Roedd o wedi sylwi ar ddyn-mewn-oed tal yn

hercian dod i lawr y stryd tuag atynt, ei goes glec yn taflu allan fel gwyntyll efo pob cam. Gellid tybio mai'r ffon yn ei law chwith oedd yr unig beth a'i cadwai rhag colli'i gydbwysedd a mesur ei hyd ar y llawr. Er gwaetha'i gloffni drwg, fodd bynnag, roedd ganddo gorff cry a chyhyrog, ac roedd ei grys gwyn, llewys byr, yn amlygu brest lydan a breichia cryfion, brown. Gwisgai het wellt ar ochor ei ben ac yn dynn yng nghesail ei fraich dde cariai becyn sylweddol o lyfrau ac amlenni. Wrth ei ochor, tuthiai ci defaid du a gwyn.

'Na, paid!' meddai'r Saesnes yn frysiog yn ôl. 'Does dim golwg rhy glên arno fo.'

Hanner disgwylient i'r dyn eu cydnabod, serch hynny, wrth iddo gyrraedd y Stryd Fawr, petai ond trwy nodio'i ben neu ddymuno 'Pnawn da', ond wnaeth o ddim byd ond codi blaen ei ffon a throi ei wyneb draw, mewn sioe o'u hanwybyddu.

'W!' meddai'r wraig, wedi i'r dieithryn fynd o glyw. 'Dyna iti ddyn a golwg frwnt arno fo!'

'Doedd y graith hyll ar ochor ei wyneb ddim yn help, chwaith,' meddai'i gŵr. 'Welist ti hi?'

'Do, fe ges i gip arni cyn iddo fo droi ei wyneb draw.'

Aeth y dieithryn yn angof wrth i fws Crosville ruo heibio gan adael cwmwl o fwg du taglyd o'i ôl.

'Tyrd!' medda hi, gan roi plwc i fraich ei gŵr. 'Mi awn ni i fyny i weld. A phaid â phoeni am y car!' medda hi wedyn, wrth deimlo'i gyndynrwydd i symud. 'Nid Lerpwl ydi fan'ma, cofia!'

Ildiodd y gŵr yn fwy parod rŵan, o sylwi bod y llancia wedi troi cefn ar y Daimler ac yn ei gneud hi ar letraws dros y Stryd Fawr, i gyfeiriad siop Woolworths, ganllath neu ddau i ffwrdd.

'O be allaf gofio, Richard, dyw petha ddim wedi

newid rhyw lawer er pan oedd Louise a finna yma, ddeugain mlynedd yn ôl. Fel hyn yn union dwi'n cofio'r lle.' Edrychodd i'r chwith – 'Siop ddillad ar y gornel yma' – ac yna i'r dde – 'a'r Co-op ar y gornel acw. Mi fydden ni'n cael ein gyrru i fan'cw byth a hefyd, i nôl rhyw neges neu'i gilydd . . . A sbia! Mae'r siop barbwr yn dal i fod yno hefyd!'

Erbyn hyn, roedd hi wedi cychwyn cerdded i fyny'r stryd, gan ymgolli yn ei hatgofion wrth i'r rheini lifo'n ôl, o un i un.

'Y llaethdy hefyd!' gwichiodd gyda phleser amlwg, wrth i sŵn tincial poteli gwag syrthio ar ei chlust. 'Rwy'n cofio cael fy anfon i fan hyn i nôl llond piser o lefrith . . . A sbia!' meddai hi, fel 'tai hi'n gweld gwyrth arall. 'Mae'r capel yn dal yn yr un lle, hefyd!'

Chwarddodd ei gŵr. 'Lle'r oeddet ti'n disgwyl iddo fod, Wendy? Oeddet ti'n meddwl, falla, y basa fo wedi neidio i ochor arall y stryd?'

'Ti'n gwbod yn iawn be dwi'n feddwl,' medda hitha, gyda gwên.

Ymlaen mewn tawelwch wedyn am ugain llath neu ragor, gan ennyn chwilfrydedd ambell wraig yn nrws agored ei thŷ.

'O!' Ebychiad o siom y tro yma. 'Sbia! Mae'r siop tsips a'r siop fach melysion wedi mynd,' medda hi'n drist. 'Dwi'n siwr mai yn fan hyn yn rhywle yr oedden nhw.' Pwyntiai rŵan at y tai ar ochor chwith y rhes. 'Bechod!' medda hi wedyn, i danlinellu'i siom. 'Mi fyddai Louise a finna weithia'n cael ein gyrru i nôl desglaid o tsips at ein swper . . .'

'*Shut! Years ago! Inglish living there now.*'

Trodd y ddau i gyfeiriad y llais a gweld dyn-mewn-oed yn eistedd ar stôl – neu'n hytrach ar hen gadair

galed ddi-gefn – yng nghysgod drws agored ei dŷ.
Gwelsant ef yn tynnu'i sbectol unfraich oddi ar ei
drwyn ac yn gwthio'i gap stabal yn ôl yn ddidaro dros
ei gorun, heb falio bod hynny'n amlygu moelni'i ben.
Doedd ei ên ddim wedi gweld rasal ers deuddydd neu
dri ac ychwanegai hynny at yr olwg ddi-raen oedd
arno. Gwisgai wasgod agored dros grys digon pỳg yr
olwg ac roedd ei drowsus melfaréd yn oleuach ei liw ar
y penglinia, lle'r oedd rhychau'r cordiwrôi wedi
gwisgo'n llyfn. Ar ei lin, daliai gopi o'r *Daily Express*, ac
arno gŵpon ffwtbol *Littlewoods*. Roedd y dasg o ennill
ffortiwn wedi gorfod aros tra bod Twm Annie Twm yn
rowlio sigarét anghelfydd iddo'i hun. O'r drws agored
tu ôl iddo deuai llais ifanc swynol yn canu *'Don't cry
for me Argentina'*, a llais crasach yn la-laio cyfeiliant
crynedig iddi.

'O! Bechod!' meddai'r Saesnes drwsiadus yn ôl.
'Ond mae blynyddoedd lawer er pan oeddwn i yma,
wrth gwrs. Prin fy mod i'n cofio'r lle a dweud y gwir
wrthych chi.'

'Ydych *chi* wedi byw yma'n hir?' gofynnodd ei gŵr
i'r Cymro. 'Yn y stryd yma, dwi'n feddwl.'

*'Lived here forever, I 'ave. After I got married, like.
Except when I was in the war*, yn de.'

'O! Hen filwr! Feteran o'r Ail Ryfel Byd? Efo pa
gatrawd, os ca i ofyn?' Roedd y diddordeb yn ddidwyll.
'Efo'r *Lancashires* y gwnes i fy ngwasanaeth
cenedlaethol.'

'Worked in quarry, I did . . . for years . . . underground!'
meddai Twm Annie Twm yn ôl, gan ddewis
anwybyddu cwestiwn y Sais a rhoi ateb celwyddog i un
arall na cafodd ei ofyn.

Goleuodd llygada'r wraig. 'A!' medda hi'n gynhyrfus,

378

fel roedd petha'n dod yn ôl iddi. 'Dyna un peth rwy'n ei gofio o'r amsar pan oedd fy chwaer a finna'n aros yma! Llond stryd ohonoch chi'r chwarelwyr yn cerdded adre bob dydd.' Trodd at ei gŵr i egluro: 'Roedd fel petai byddin fawr yn dod yn nes ac yn nes, nes bod y stryd i gyd yn crynu o dan ein traed ni.' Yna troi eto at Twm Annie Twm: 'A weithia, os oedd Louise a finna wedi deffro'n gynnar, mi fydden ni hefyd yn eich clywad chi'n mynd i'ch gwaith yn y bora bach, a hitha'n dywyll fel y fagddu tu allan.'

'In winter, it was black like a cow's belly when we was goin to work. Hard life in them days. They get bus up to quarry now!' Rhoddodd hynny le i blwc o chwerthin gwawdlyd o wddw Twm. *'Young lads today 'ave no idea, 'ave they? No idea what it was like in them days.'*

'Ydi, mae'r stryd wedi newid llawer . . . o beth rwyf i'n ei gofio, beth bynnag.'

'Yo're telling me! It's left to see it now!'

Taflodd y dieithriaid gip ddryslyd ar ei gilydd, mewn diffyg deall.

'Efo pwy ti'n siarad, Twm?'

I ganlyn y cwestiwn yma, daeth pen cyrlyrsiog a chorpws helaeth Annie Twm i'r golwg, tu ôl i'w gŵr. Gwisgai ffedog flodeuog a honno wedi'i chlymu'n dynn amdani. Rywle tu ôl iddi, roedd y Beatles wedi dechra bloeddio *'She loves you yeah, yeah, yeah . . .'*

'Y ddau yma oedd yn holi, a finna'n deud wrthyn nhw gymint o chwith ydi hi, o'r amsar a fu . . . Tro'r hyrdigyrdi 'na i ffwr', wir Dduw, ddynas!' medda fo wedyn, o deimlo'i hun yn gorfod gweiddi mwy nag oedd raid. 'Rhyw blydi *comic songs* o fora gwyn tan nos!'

'Paid titha â dangos dy oed!' medda hitha, yr un

mor ddiamynadd yn ôl, a heb osgo mynd i roi taw ar y
radio. '*Comic songs* o ddiawl! Canu pop mae pawb yn 'i
alw fo y dyddia yma, siŵr Dduw! Eniwei, pwy ydi
rhein, beth bynnag? A be ma nhw isio, 'lly?'

'Duw a ŵyr! Hi oedd yn deud wrth ei gŵr – os mai
dyna pwy ydio – ei bod hi'n cofio'r siop tsips dros
ffor', a siop fach Musys Parri, stalwm.'

'*You've been ere before, then, 'ave you?*'

O fod wedi'i thrwytho yng nghaneuon yr oes, a
threulio'i dyddia yng nghwmni Tony Blackburn a'i
debyg, doedd Saesneg Annie Twm ddim cweit mor
glapiog ag un ei gŵr.

Nodiodd y wraig ddiarth. 'Adeg y rhyfel,' medda hi.
'Fe fu fy chwaer a minnau'n aros mewn tŷ rownd y
gornel yn fan'cw, os cofiaf i'n iawn.' Pwyntiodd tua
phen ucha'r rhes.

Daeth y wybodaeth hon â chwilfrydedd newydd i
lygaid Annie Twm. '*In Little Lòrdstryd you mean?* . . .
Faciwîs *you were? In Little Lòrdstryd?*'

Nodiodd y wraig ddiarth eto. 'Nid wyf yn cofio
rhyw lawer o'r adeg honno, a dweud y gwir wrthych
chi. Doeddwn i ond deg oed ar y pryd a fuon ni ond yn
aros yma am ddau neu dri mis. Ond gan fod y gŵr a
finna'n digwydd bod yn mynd trwy'r dref heddiw . . .
ar ein ffordd i Gricieth am wyliau . . . wel, roedd yn
gyfle i mi gael gweld y lle unwaith eto. Y tro cyntaf
mewn deugain mlynedd i mi ddod yn ôl yma!'

'*Who you stay with, then? Which 'ouse?*' Ond yn
hytrach nag aros am ateb, trodd Annie Twm at ei gŵr.
'Tria gofio pwy oedd yn byw yn Stryd Lòrd Bach adag
rhyfal, Twm! . . . Ifan Lòrd Bach yn y cynta. Pwy oedd
yn yr ail dŷ? Ti'n cofio?' Wrth weld hwnnw'n ysgwyd
ei ben yn ddiddiddordeb, 'Ti'n ôplès!' medda hi, a

thurio eto i'w chof. 'Os cofia i'n iawn, mi fuodd 'na fwy nag un teulu'n rhentu Nymbyr Tŵ gan Ifan Lòrd Bach, cyn iddo fo neud y ddau dŷ yn un.'

Safai'r dieithriaid yn amyneddgar ar ymyl y pafin, gan wenu'n gellweirus ar ei gilydd, yn sŵn y parablu diystyr.

'Gwag oedd Nymbyr Thrî, beth bynnag . . . hyd yn oed mor gynnar â hynny! *Huw* Lòrd Bach oedd pia fo, dyna sut dwi mor siŵr . . .'

'Hy!' medda Twm yn wawdlyd. 'Fuodd hwnnw ddim yno'n ddigon hir i droi clos yno!'

'Doedd o byth adra, dyna pam! Mi aeth o'n syth o'r colej i'r êrffors . . .'

'Ti'm yn disgwyl i mi gofio hynny, ddynas, a finna ar *active service* fy hun.'

'*Active service* o ddiawl! Yr unig *action* welist ti oedd tsips yn ffrio yn y Nâffi yn Aldershot!' A chyn i'w gŵr gael cyfle i achub ei gam, fe aeth Annie ymlaen: '. . . ac wedyn mi gafodd ei gymryd yn brusnyr-of-wôr, a ddôth o ddim yn ôl i fyw i Stryd Lòrd Bach wedyn . . . Eniwei, fo oedd yn byw yn Nymbyr Thrî a Gaenor Goch yn Nymbyr Ffôr . . . Roedd gan *honno* ddau faciwî, dwi'n cofio! Ond dau hogyn oedd rheini, dwi bron yn siŵr. Na, hyd y galla i gofio, fuodd Ifan Lòrd Bach a meiledi ddim yn cadw faciwîs o gwbwl.'

'Dyna lle ti'n ròng!' meddai Twm yn swrth, ond yn fuddugoliaethus, serch hynny, o gael rhoi Annie yn ei lle am unwaith. 'Mae gen i go am blant yn aros efo nhwtha hefyd.' Onid oedd Ifan Lòrd Bach wedi edliw faciwîs iddo yn siop Bob Jôs Crydd, ers talwm?

Yn hytrach na chydnabod goruchafiaeth ei gŵr, fodd bynnag, trodd Annie at y dieithriaid unwaith eto. '*You stay in first 'ouse, yes?* Nymbyr wàn?'

'Y tŷ pen. Dyna chi. Ond nid wyf yn cofio enwau'r bobol, mae gen i ofn. Yr unig beth rwy'n ei gofio yw bod Louise a finna wedi cymryd at y dyn oedd yn byw yno. Roedd o'n ddyn caredig iawn.' A throdd at ei gŵr i egluro rhywbeth oedd newydd ei tharo: 'Fo ddaru brynu'r llyfr Cymraeg hwnnw inni,' medda hi. Yna, wedi gweld ar ei wyneb ei fod yn dallt pa lyfr y cyfeiriai hi ato, trodd eto at Twm Annie Twm a'i wraig. 'Rwy'n ei gofio fo'n trio dysgu Louise a finna i ddarllen ambell air o Gymraeg,' medda hi gyda chwerthiniad byr, atgofus. 'Ond chafodd o fawr o lwyddiant, mae gen i ofn. Na llawer o gyfle chwaith, a dweud y gwir! Goeliwch chi bod y llyfr yn dal gen i, hyd heddiw? On'd ydi, Richard?'

Cytunodd hwnnw eto efo'i wên gwrtais.

'. . . Ac fe synnech chi gymaint y bu'n plant ninnau, hefyd, yn edrych ar y llunia ynddo fo, pan oedden nhw'n fach. Does fawr ryfedd bod y llyfr yn datgymalu, erbyn heddiw.' Chwarddodd eto, yn ymesgusodol bron. 'Weithiau, pan fyddaf yn y tŷ fy hun, byddaf yn bodio trwyddo i gael cip ar y lluniau unwaith eto. Rwy'n cofio fel y byddwn i wrth fy modd yn arogli'r tudalennau hynny . . .'

Erbyn rŵan, roedd ei chwerthin pytiog hi wedi troi'n wên freuddwydiol.

'. . . Shone Blewin Coch . . .' meddai hi, a'i hynganiad o'r gair olaf yn rhyfeddol o agos i'w le. 'Will Quack Quack,' medda hi wedyn, a chwerthin eto.

'*I know book you mean!*' meddai Annie Twm. '*My sister's children got it too. But I think she put it in bin in the end because pages was falling out all the time . . . like yewer book.*'

Yn raddol, ciliodd y chwerthin o lygaid ac o lais y

Saesnes. 'Rwy'n gobeithio cael ei weld, heddiw, os yw'n dal yn fyw,' meddai hi. 'Y dyn a roddodd y llyfr yn anrheg inni, rwy'n feddwl! Ni allaf yn fy myw â chofio'i enw ond roedd ganddo wyneb caredig, beth bynnag. Os yw'n dal yn fyw, yna mae'n siŵr o fod yn bur hen erbyn hyn.'

'*Ifan Huws! Was that his name?*' gofynnodd Annie Twm.

Goleuodd wyneb y Saesnes o'r newydd. 'Evan! *Uncle* Evan! Ia, dyna fo! *Uncle* Evan fydden ni'i alw fo.'

'*Too late!*' meddai Twm Annie Twm, heb fymryn o gydymdeimlad yn ei lais nac ar ei wyneb. '*Berried him last month they did. Dropped dead on pavement outside Council Offices he did. He had a* hartan!'

'*Thrombo!*' eglurodd Annie, cyn i'r dieithriaid gael cyfle arall i ddangos diffyg deall. Yna, wrth ei gŵr, yn wawdlyd, '*Hartan*, wir!'

'Susnag ydi *heart*, siŵr Dduw,' medda fynta'n amddiffynnol yn ôl. '*There was three who dropped dead that week, I remember! Terrible thing this . . . this thrombo isn't it? People are dropping dead like peas with it. Doctor Pritchard says it must be something we was eating in the war, because of the rations. But that's a lot of* lol, *I say. Eniwei, you won't find his . . . his . . .* Be uffar di *bedd* yn Susnag, Annie?'

'*Grave*,' medda honno, yr un mor wybodus â chynt, ac ailosod ei breichia pleth yn fwy cyfforddus ar ei brestia helaeth. Tu ôl iddi, roedd y Beatles yn dal i *yeah yeah yeah*-io.

'*That's right! No stone on 'is grave, see. Too soon to put one, see. You 'ave to wait one year, at smallest, before they put stone on grave, or it will . . .*' Gan na wyddai sut i egluro yn yr iaith fain na allai carreg fedd drom aros ar

383

ei thraed mewn tir meddal, fe benderfynodd Twm adael y frawddeg ar ei chanol.

Daeth siom y wraig ddiarth yn amlwg rŵan, wrth iddi sylweddoli bod ei siwrnai wedi bod yn ofer.

'Ifan Huws *was sefnti ffôr!*' meddai Annie Twm. *'He and me were same age, like . . . In sgŵl twgeddyr,'* ychwanegodd, er mwyn pwysleisio nad oedd Ifan Lòrd Bach mor hen ag yr oedd hon wedi'i awgrymu. *'Only he was more clever than me, like . . . He was years older than her, you know? Than his wife, I mean! . . . She is still living in same 'ouse, you know, but she doesn't go out a lot because of bad* cricmala.' I egluro'n well, ac yn hytrach na gorfod gofyn i'w gŵr am help, dechreuodd Annie rwbio'i migyrna a gneud gwyneb i awgrymu poen. *'You are going to see her, today?'*

Ysgydwodd y wraig ddiarth ei phen yn bendant. 'Na. Wna i mo hynny,' medda hi, 'ond fe awn ni cyn belled â phen y stryd, i mi gael gweld y tŷ unwaith eto. Fedrwch chi ddeud wrtha i, a gawson nhw blant o gwbwl?'

Fel y câi'r cwestiwn ei ofyn, roedd Twm Annie Twm wrthi'n dal matsian at ei sigarét lac ac yn gwylio eiliad o fflam yn cydio yn y papur Risla tena.

'Two boys they had,' meddai Annie, fel petai hi'n rhoi tystiolaeth mewn llys barn. *'Oh! And a girl as well!'* ychwanegodd. *'But she died when she was small, like.* Rhys ap Ifan *they called the biggest, after Ifan Huws's brother who hanged himself in* Coed Cwm *years and years ago. He was simple, like . . . The brother, I mean!'*

Er bod ei fochau'n pantio wrth iddo ymdrechu i gadw tân ar faco llac ei sigarét, fe deimlodd Twm reidrwydd i ychwanegu at y farn honno: *'Nuts he was!'* medda fo, trwy wefusa tyn. *'He fighted in the war*

*though! The Big War, I mean! But Ifan Lòrd Bach, his
brother . . . well, he was a conshi, like.'*

Dewis anwybyddu gwawd y geiria ola a wnaeth y
wraig ddiarth. 'Beth yw hanes y plant?'

*'The girl had Duffthîria. A lot died with it in them days.
The biggest boy is working in Ingland . . . in Shriwsbri, I
think . . . with the Incym Tacs, like. A bit of a mami's boy
he was. The other one lives in Bangur, or somewhere like
that. He's got a good job with the Bibi-sî. We liked him
better, didn't we Twm? He was a bit of a cês, like!'*

'Wel, diolch ichi am y sgwrs,' meddai'r Saesnes, gan
droi i adael.

'Yewer sister? Has she *been back 'ere after the war?'*

Parodd y cwestiwn annisgwyl i gwmwl bychan ledu
dros wyneb y wraig ddiarth. 'Fe fu Louise farw'n fuan
wedi inni fynd yn ôl i Lerpwl,' medda hi. 'Wyth oed
oedd hi. Fe gafodd hi *polio* tra oedd hi yma ac fe
gafodd hi ei symud o'r ysbyty yn fa'ma i'r Royal
Infirmary yn Lerpwl, ond fuodd y beth fach ddim byw
yn hir iawn wedyn . . .'

'Mi fyddai'n well inni frysio, Wendy,' meddai'r Sais
yn dyner, rhag gweld ei wraig yn suddo'n ormodol i'w
hatgofion. 'Diolch am y sgwrs,' medda fo wrth Annie
Twm a'i gŵr.

'Ia, diolch,' medda hitha'n floesg, gan gymryd ei
harwain i ffwrdd.

Wrth eu gwylio nhw'n pellhau i fyny'r stryd,
'Cwpwl clên!' meddai Annie. 'Ti'm yn meddwl?'

'Dydan nhw ddim ar y plwy, beth bynnag!' medda
fynta, yn eiddigeddus edliwgar.

'Ti'n iawn yn fan'na,' cytunodd hitha. 'Mi fentra i
ddeud bod ei dillad *hi* wedi costio ceiniog neu ddwy!
Nid dillad catalog oedd rheina, garantîd iti!'

'Diawl!' medda Twm wrth iddo sylweddoli rhywbeth yn sydyn. 'Ddaru mi ddim meddwl deud wrthyn nhw bod brawd Ifan Lòrd Bach wedi hercian heibio, chydig funuda'n ôl, efo'r blydi ci 'na wrth ei gwt, fel arfar. Mae'n siŵr eu bod nhw wedi'i basio fo ar y ffor'. Ond fasa fo ddim wedi deud dim byd wrthyn nhw, mae'n siŵr. Ti'n gwbod, cystal â finna, cymaint o hen gingron ydi'r uffar.'

*   *   *

'Oedd hi'n d'atgoffa di o rywun, Wendy?'

Methai'r Sais â chelu gwên wrth ofyn y cwestiwn oherwydd ei fod yn rhag-weld ymateb ei wraig.

Heb orfod meddwl ddwywaith, 'Ena Sharples!' sibrydodd hitha'n ôl. 'Mae hi'r un ffunud ag Ena Sharples.'

A chlosiodd y ddau at ei gilydd, i chwerthin yn ddistaw, er eu bod nhw'n saff allan o glyw Twm Annie Twm a'i wraig erbyn rŵan.

'A doedd ynta ddim yn Errol Flynn chwaith, oedd o?'

Chwerthin eto.

'Ar un adeg roeddwn i'n poeni braidd ein bod ni wedi achosi ffrae rhyngddyn nhw. Roedden nhw i'w gweld yn taeru'n arw, beth bynnag.'

Nodiodd ei gŵr i gytuno. 'On'd oedd ganddo fo ddywediada da, dŵad?' medda fo. 'Chlywais i erioed neb o'r blaen yn dweud bod rhywbeth yn ddu fel bol buwch. Mae o'n ddweud da, wyt ti ddim yn meddwl, Wendy? . . . A phan soniodd o wedyn am y bobol 'na'n disgyn yn farw fel pys! Wel! Rhaid i mi gofio hwnna hefyd!'

*   *   *

386

'Brawd Ifan Lòrd Bach ddeudist ti?' Roedd dirmyg yng nghwestiwn Annie Twm i'w gŵr. 'Callia, wir Dduw! Brawd o ddiawl! Hogyn ei chwaer o, hogyn Elsi Lòrd Bach, ydi'r Huw 'na, siŵr Dduw! Roedd o gynni hi cyn priodi rioed. Aros di!' Daeth golwg feddylgar i'w gwyneb hi. 'Pwy oedd y tad, hefyd, dŵad? . . . Diawl! Dwi i fod i wbod yn iawn, sti! Ond fedra i yn fy myw â chofio rŵan . . . Mi ddaw yn ôl imi mewn munud, mae'n siŵr . . . Ond pwy fasa'n meddwl yn de, Twm? Faciwî Ifan Lòrd Bach o bawb! Chwara teg iddi am ddŵad yn ôl yma i'n gweld ni'n de, ar ôl yr holl amsar? Ond bechod, hefyd, na fasa hi wedi dŵad yma fis ynghynt, cyn i Ifan Lòrd Bach ei phegio hi. Mi fasa fo wedi bod yn falch iawn o'i gweld hi, dwi'n siŵr. Ond dyna fo! Dyna drefn Rhagluniaeth iti, Twm!'

Ac wrth i'r radio tu ôl iddi lyncu ysbaid o dawelwch, dechreuodd Annie Twm ganu mewn llais crynedig, *'Rhagluniaeth fawr y Nef, mor rhyfedd yw . . .'*

Trodd ynta'i ben i edrych i fyny arni'n syn. 'Arclwydd Mawr, ddynas! Ti'n dechra câl rilijys mênia, ta be?'

'Honna oedd fy ffêfret i yng nghwarfodydd canu Capal Tabernacl stalwm, pan oeddan ni'n blant.' Gwenai'n hiraethus rŵan. 'Ac yn y bandohôp roeddan ni'n dysgu petha fel *Draw draw yn Tséi-na a thî-roedd Japán, plant bach mel-yn-ion sy'n byw . . .'*

Doedd y canu stacato a'r llais crynedig ddim yn gweddu i'w gilydd, rywsut.

'Dyro'r gora iddi, wir Dduw! Ti fel blydi cacwn mewn potal!'

'Iê-su co-o-fia'r plant, Iê-su co-o-fia'r plant. Án-fon gen-hád-on ym-héll dros y môr, Iê-su co-o-fia'r plant.'

'Be ddiawl ti'n drio'i neud, ddynas? Creu diwygiad,

387

ta be? Os ma gobeithio cael tröedigaeth fel gafodd Ifan Huws Lòrd Bach ers talwm wyt ti, wel waeth iti heb, ddim. Ti'n rhy hen ac yn rhy blydi hyll i fynd i'r Nefoedd, byth.'

'Hy!' medda hitha, hefyd rhwng difri a chwara. 'Ti'm yn *oil painting* dy hun! A *ti*'n un da i siarad, beth bynnag! Hen eglwyswrs oedd dy deulu di, ac ma pawb yn gwbod na chafodd 'run o'r rheini fynd i'r Nefoedd erioed!'

'*And now for the Bruce Springstein classic "Born To Run",*' meddai llais y radio, i dorri ar y gwamalrwydd a pheri i Annie Twm sobri unwaith eto.

'Rhaid bod ganddi hi dipyn o feddwl o Ifan Lòrd Bach . . . Ti'm yn meddwl, Twm? . . . i fynd allan o'i ffordd fel hyn i chwilio amdano fo? A wyst ti be? Beth bynnag oedd Ifan Huws, mi fydd hi'n chwith ar y diawl i Flaendyffryn 'ma ar ei ôl o, cofia.'

'Falla, wir,' ebychodd ei gŵr yn gyndyn. Ac yna'n fwy gwamal, 'Mae'r hen air yn ddigon gwir, beth bynnag? Os myn glod, bydded farw!' A gyda'r doethineb syfrdanol hwnnw, plygodd dros ei gŵpon unwaith eto, gan fwmblan rhywbeth blin am 'blydi Ostrêlian ffwtbol'.

'Dim ond ddoe ddwytha'r oedd Ruth May a finna'n sôn am y peth. Meddylia di . . .'

Er nad oedd Twm yn cymryd fawr o sylw ohoni erbyn rŵan, dechreuodd Annie restru rhinwedda Ifan Lòrd Bach ar fysedd ei llaw dde. 'Roedd o ar y Cownti Cownsul ac ar y Cyngor Tre. A deud y gwir, roedd o'n uffar o gownslar da ac mi fydd hi'n gollad ar ei ôl o, gei di weld. Roeddan nhw'n deud yn ei gnebrwng o, medda Leusa gwraig Moi Peintar wrtha i wsnos dwytha, ei fod o wedi cael rhyw ònyr ers talwm am fod

388

yn gownti cownslar mor hir. Ei neud yn òldyr man, medda hi. Beth bynnag ydi peth felly! . . . Ac roedd o'n Jê Pî hefyd, cofia! *Ac* yn *Chairman Governors* y Cownti Sgŵl . . .'

Er ei fod yn brysur efo'i gŵpon, rhaid bod Twm yn gwrando rhywfaint. 'Hy!' medda fo'n ddilornus. 'Mi wnâth dy Ifan Lòrd Bach di ddigon o lanast yn fan'no, 'sa ti'n gofyn i mi! Fo a'r blydi *headmaster* Welsh Nash newydd 'na sydd yno, rŵan. Tynnu nyth cacwn am eu penna efo'r blydi busnas Cymraeg 'ma. Arglwydd mawr! Meddylia! Isio i'r plant ddysgu *Science* a phetha felly yn Gymraeg! Blydi nonsans, os clywis i rioed! Ro'n i'n cael traffarth dallt petha felly yn Susnag yn yr *Higher Grade* stalwm, heb sôn am drio'u dallt nhw mewn blydi Cymraeg . . . A ti di clŵad y Cymraeg posh mae'r plant 'ma'n iwsio, y dyddia yma?' Chwythodd trwy wefusa llac i neud sŵn rhech wawdlyd. 'Nid i Jyncshyn a Colwyn Bay maen nhw'n mynd bellach ond i Gyffwrdd Llandudno a Bâu Colwyn a llefydd felly. A dydyn nhw ddim yn gwatsiad telifishyn fatha chdi a fi. Gwatsiad telebu maen nhw, os gweli di'n dda!' Mwy eto rŵan o sŵn chwythu dirmygus. '. . . A dydi'r blydi titsars 'ma'n ddim gwell, chwaith! Dydi rheini ddim yn medru cyfri'n iawn eu hunain! . . . *Un deg dau . . . un deg pump . . . un deg wyth . . . dau ddeg!* . . .' Dyna sut maen nhw'n dysgu plant i gyfri, y dyddia 'ma. Arglwydd mawr! Fûs i rioed mewn na choleg na dim ond dwi'n gwbod mai *deuddag* a *phymthag* a *deunaw* ac *ugian* ydi'r ffor' iawn o gyfri! Ond dyna fo! Ar Welsh Nashis fel Ifan Lòrd Bach mae'r bai, dwi'n deud wrthat ti.'

'Ddyliat ti ddim siarad fel'na am y marw!' medda hitha ar ei draws, yn geryddol.

'Pỳ! Ac i feddwl ei fod o'n rhoi ei hun yn gymint o blydi Cristion. Lêbor mae pob Cristion go iawn yn fôtio, siŵr Dduw! Lêbor oedd Iesu Grist ei hun, i ti gael dallt!'

Am ei bod hi wedi'i glywed o'n rhefru hyd syrffed ar y pwnc yma cyn rŵan, aeth Annie Twm ymlaen efo'i rhestru, 'Roedd o hefyd yn gythral o weithgar ar bwyllgor y Town Tîm, a fo oedd Ysgrifennydd y côr mawr, wrth gwrs . . . A phaid â gofyn i mi be neith Capal Caersalam hebddo fo! Pe bai o ddim wedi cael y dröedigath 'na, flynyddoedd yn ôl, ac ailddechra mynd i'r capal, mi fasa'r Achos wedi mynd i'r gwellt yn fan'no ers talwm iawn. Jentlman os buodd un erioed.'

Heb iddi sylwi, roedd Twm wedi colli diddordeb eto, a hynny am fod ganddo betha amgenach i'w gneud na gwrando ar ei wraig yn canu clodydd Ifan Lòrd Bach o bawb. 'Joondalup fyrsus Wanneroo! Am ddiawl o enwa ar dima ffwtbol! Ond mi geith fod yn ddrô, beth bynnag,' medda fo, yn fwy wrtho'i hun na dim arall, gan osod croes bendant yn y sgwâr bach perthnasol.

Am iddi feddwl mai sŵn cytuno oedd mwmblan aneglur ei gŵr, aeth Annie Twm ymlaen: '. . . Fuodd petha ddim 'run fath yng Nghapal Caersàlem, wyst ti, ar ôl i'r hen T. L. Morgan ei phegio hi. Ti'n cofio hwnnw'n dwyt, Twm? Ew! Dyn neis iawn oedd o . . . Cristion yn byw 'i grefydd! . . . Ddim fatha'r dŵ-làl 'na ddoth yn ei le fo. Neu'r dili-do diweddara 'ma! Mae hwnnw'n uffernol o sych-dduwiol, meddan nhw i mi. Y cwbwl sydd gynno fo o'r pulpud bob Sul ydi bod pawb yn bechaduriaid a bod yn rhaid i ni i gyd fynd ar ein glinia mewn sachlian a lludw i ofyn am faddeuant ac am gael ein hachub. Ma hi fel blydi tiwn gron

gynno fo, mae'n debyg. Arglwydd mawr! Meddylia am
fynd i capal bob Sul, jest i wrando ar beth felly! Does
ryfadd yn byd bod y blydi lle'n wag. A wyst ti'i fod o'n
gweddïo am ddeng munud cyfan, meddan nhw i mi!
Meddylia . . .'

Ar yr eiliad honno, fodd bynnag, doedd Twm ddim
isio meddwl ymhellach na chanlyniad tebygol y gêm
rhwng Geelong a Melbourne, y Sadwrn nesa.

'. . . Gweddïo am ddeng munud! Be uffar sgynno fo
i ddeud wrth Dduw, medda chdi, na alla fo'i ddeud
mewn chwartar yr amsar?' A chwarddodd Annie rŵan
yn fyr ac yn ddihiwmor. ''Tasa fo'n gorfod ffonio'r Bod
Mawr bob tro mae o isio gair efo Fo, jyst meddylia
faint o fil ffôn fasa gynno fo! Arglwydd Mawr! Roedd
yr hen Joseph Edwards, gwnidog Capal Tabernacl ers
talwm – heddwch i'w lwch! – yn deud bob amsar bod
Iesu Grist wedi'n dysgu ni sut i weddïo. *Ein Tad, yr hwn
wyt yn y Nefoedd, sancteiddier Dy enw* . . . ac yn y blaen.
Rhyw funud cwta mae peth felly'n gymryd, neno'r
Arglwydd! Felly pam, medda chdi, mae'r Efengýls 'ma
isio deng munud? Rhaid bod gynnyn nhw fwy o
bechoda na phawb arall i gyd efo'i gilydd. Be ti'n
ddeud, Twm?'

Dyna pryd y sylweddolodd fod ei gŵr wedi ymgolli
go iawn yn ei gŵpon ffwtbol ac na châi hi ateb
ganddo, byth. 'Pŷ!' medda hi'n ddiamynedd, a
diflannu'n ôl i'w thŷ, i gwmni Tony Blackburn a
nodau olaf Bruce Springsteen.

*   *   *

Safai'r Saesnes a'i gŵr yn fud, yn syllu i fyny ar Stryd
Lòrd Bach . . . neu hynny oedd ar ôl ohoni.
Murddunod, bellach, oedd dau o'r tai – tŷ Gaenor

Goch gynt wedi hen fynd â'i ben iddo, a golwg fawr gwell ar Dŷ'r Eos, chwaith, gan fod sawl llechen wedi llithro oddi ar do hwnnw hefyd, i adael tyllau duon yma ac acw; tyllau a fyddai'n tyfu'n fuan yn ôl mympwy'r gwynt. Dim ond dau baen oedd yn gyfan yn ei ffenestri ac roedd ei ddrws yn hongian yn gil-agored i'r tywydd. Pwyntiodd Wendy'n drist at drwch o redyn a deiliach yn tyfu o'i gorn.

Doedd dim giatiau i gau ar erddi'r ddau dŷ, ac roedd defaid i'w gweld yno'n pori'n ddibryder, fel petaen nhw oedd piau'r lle.

'Ah!' medda hi, wrth i atgof arall ddod yn ôl. 'Dyna iti beth arall dwi'n gofio am y lle 'ma, Richard! Y defaid! Roedden nhw'n cael crwydro o gwmpas fel licien nhw. Hyd yn oed ar y Stryd Fawr, cofia!'

Tawelodd eto. Yna pwyntiodd at y tŷ pen, oedd â mwg yn dod o'i gorn. 'Dyna lle'r oedd Louise a finna'n aros,' medda hi'n drist. 'Dim ond rŵan dwi'n sylweddoli mor fach ydi'r lle. Ac mor dlawd yr olwg! Rhaid bod pethau'n bur fain arnyn nhwtha hefyd, ar y pryd, wyst ti. Ac eto i gyd, mi brynodd Yncl Evan y llyfr 'na'n anrheg i Louise a finna.'

Synnodd Wendy at yr anwyldeb a deimlai tuag at rywun roedd hi prin wedi'i nabod.

'. . . Anodd credu bod deugain mlynedd wedi llithro heibio,' medda hi. 'Ond ddim wrth edrych ar rheicw, chwaith!' ychwanegodd, gan gyfeirio'n ôl at y ddau furddun ym mhen arall y rhes.'

'Tyrd!' medda fynta. 'Fe awn ni'n nes, i ti gael gweld y lle'n iawn. Mi fyddi di'n fwy bodlon, wedyn.'

'Byddaf, debyg. Wedi'r cyfan, go brin y do' i'n ôl yma byth eto.'

Dringodd y ddau y pwt o allt yn araf a thawedog.

'Ti wedi nghlywed i'n sôn am Lwybr y Chwarel,' meddai hi ymhen sbel, gan bwyntio i fyny heibio i dalcen y tŷ y bu hi a'i chwaer unwaith yn aros ynddo. 'Wel, hwn ydi o! Mi fyddai'r chwarelwyr yn cerdded i lawr ffor'ma o'u gwaith bob dydd, wrth eu cannoedd, ac mae tramp eu traed nhw wedi aros yn fy ngho i, byth. Pob un yn gwisgo sgidia hoelion trwm a rheini'n llwch llwyd i gyd. Dwi'n cofio fel y byddai'r llestri'n ysgwyd ar y dresel wrth iddyn nhw gerdded heibio. A weithia mi fydden ni'n gweld wagenni'n cael eu gollwng i lawr yr inclên. Ond yli fel mae bariau honno wedi rhydu, erbyn rŵan.' Trodd i edrych yn ôl ar Lòrdstryd, oddi tani. 'Roedd y stryd acw'n llawn o'u sŵn nhw . . . Y chwarelwyr, dwi'n feddwl! . . . ac roedd y ffordd yn crynu dan eu traed. Ond sbia ar y lle, rŵan! Mae hi fel y bedd yma ac mae gwair yn tyfu dros y llwybr.'

'*Can I help you?*'

Heb iddyn nhw sylwi, roedd gwraig y tŷ pen wedi dod allan i'w cyfarch. Safai yno ar garreg ei drws, yn edrych i lawr dros wal ei gardd lechweddog. Gwisgai ffrog ddu ac roedd ei gwallt brithlwyd fel petai o newydd fod mewn corwynt. Rhwbiai ei dwylo ynghyd, mewn ystum o geisio golchi'r boen ohonyn nhw.

'*You look lost; that's why I'm asking.*'

'Ym . . .'

Daliwyd Wendy mewn eiliad o ansicrwydd. Er na allai hi roi gwyneb i wraig *Uncle Evan* gynt, na chofio fawr ddim amdani, mwy na'i bod hi'n ddynes ifanc dlos ar y pryd, fe synhwyrai mai'r un oedd honno â'r blwmpan flonegog oedd rŵan yn eu cyfarch o ddrws ei thŷ. 'Ond does bosib!' medda hi wrthi'i hun, wedyn, wrth i hen ddarlun hunllefus ymrithio yn ei chof –

393

darlun o goesa noeth yn ymgordeddu yn llewyrch y tân, a gwyll y stafell o'u cwmpas yn llawn griddfan a chysgodion aflonydd ac ochneidio chwantus. 'Does bosib mai hon oedd honno?' Cofiodd ei hun yn dianc yn ôl i'w llofft, at Louise fach; honno'n llegach ac yn druan yn ei gwely, yn ymdrechu'n ddewr i fygu ei griddfan a'i hochneidiau ei hun rhag tramgwyddo yn erbyn Auntie-beth-bynnag-oedd-ei-henw-hi.

'Na, dydw i'm yn meddwl, diolch,' medda hi'n swta, yna troi at ei gŵr, 'Tyrd, Richard! Dwi wedi gweld mwy na digon.'

*   *   *

Wedi gwylio'r dieithriaid yn diflannu o'i golwg, ciliodd Mair Huws yn ôl i'w thŷ. Bu'r mis diwetha, ers colli Ifan, yn fywyd unig arni, ac roedd hi wedi dod i sylweddoli, mwy nag erioed, mor ddiarffordd oedd ei chartre. Oni bai am Mandy, ei *home help*, a'r dyn llefrith, doedd neb arall yn galw yno, mwyach. Dyna pam bod ymweliad ei brawd-yng-nghyfraith, gynna, wedi bod mor annisgwyl. Ond galw i bwrpas wnaeth hwnnw hefyd.

Allai hi ddim cofio pryd y gwelodd hi'r postman ddwytha. Galwad ffôn oddi wrth Arthur, rhyw dair wythnos yn ôl, yn fuan ar ôl y cnebrwn, ond dim gair oddi wrth Rhys. Ond dyna fo! Rhai sâl am sgwennu oedd y ddau. Gwahanol iawn i'w tad.

Oherwydd bod y crydcymala wedi anffurfio'i migyrna a rhoi clo ar ei dwylo, doedd fawr ddim y gallai hi ei neud drosti'i hun o gwmpas y tŷ, bellach. Treuliai ei dyddia'n eistedd wrth ffenest ei stafell fyw, yn syllu allan ar olygfa gyfarwydd, lwyd. Defaid llwydion . . . tai a thoeau llwydion . . . tomennydd llwydion . . . creigia a

394

chymyla llwydion . . . Môr diderfyn o lwydni. Mor wahanol i wyrddni Dyffryn Conwy, slawer dydd.

Fe fyddai hi wedi prynu set deledu ers talwm iawn pe bai posib cael llun call arni, ond roedd Tomen Bonc Isa'n rhwystr parhaol i beth felly. Ac i gynhesrwydd yr haul hefyd, o ran hynny! Cymaint y bu'n swnian ar Ifan, dros y blynyddoedd, am gael symud tŷ, i ran arall o'r dre, lle medren nhw gael llun clir, fel ei bod hitha hefyd yn gallu gwylio'r rhaglenni yr oedd merched eraill yn gwirioni amdanyn nhw ers blynyddoedd ac yn eu trafod byth a hefyd mewn siop ac ar y stryd. *Coronation Street*, *Top of the Pops*, *This Is Your Life* . . . Roedd hi isio cael dod i nabod cymeriada ffraeth fel Ena Sharples a Hilda Ogden, a dilyn helyntion powld merched fel Elsie Tanner . . . Enwa yn unig oedd y bobol yma iddi hi; cymeriada o gig a gwaed i bawb arall.

Aeth yn ôl at y bwrdd bach o flaen y ffenest, lle'r oedd hen focs cardbord llawn o lunia yn aros amdani; bocs a fu'n magu llwch ym mhen draw'r sbensh ers blynyddoedd lawer. Wrthi, yn tuchan a thagu i ddod â hwnnw i olau dydd yr oedd hi, funud yn ôl, pan glywodd hi leisia'r Saeson tu allan.

Fyddai hi ddim wedi cofio am y bocs, na mynd i'r drafferth i chwilio amdano chwaith, oni bai bod ei brawd-yng-nghyfraith wedi galw heibio, gynna.

'Wedi dŵad i nôl yr amlen 'na sy'n perthyn imi,' medda fo, yn ei ffordd ddiamynedd arferol, heb na 'phlîs' na dim. 'Honno gafodd ei gyrru i Ifan pan . . .'

'Pan oedd pawb yn meddwl dy fod ti wedi cael dy ladd?'

'Ia.'

I Ifan, fel *next-of-kin* – neu *'next-to-the-king'* chwedl Now Wirion ers talwm – y cawsai *'personal effects'* Huw eu hanfon, ddiwedd mis bach 1945, pan gredid ei fod wedi cael ei ladd yn y cyrch ar Dresden. Nid bod ganddo lawer o eiddo ar y gora ond roedd yno rai pethau i'w trysori, mae'n debyg, yn enwedig y llyfr bychan o'i atgofion yn *Bomber Command*, hyd at ei *sortie* olaf.

Ond pam dod i holi am yr amlen, heddiw, o bob diwrnod? Pam na fasa fo wedi'i hawlio hi flynyddoedd yn ôl, tra oedd Ifan yn fyw? Doedd o ddim wedi egluro pam a doedd hitha, chwaith, ddim wedi gofyn, rhag cael min ei dafod. Felly, fe aeth i nôl yr amlen iddo, o'r cwpwrdd yn y parlwr.

'A dwi isio benthyg dyddiaduron Ifan, hefyd,' medda fo wedyn, 'ac unrhyw lunia sydd ar gael o'r teulu.'

Deud eto, nid gofyn, ac am hynny bu ond y dim iddi hitha wrthod, oherwydd bod ei agwedd awdurdodol yn mynd o dan ei chroen hi. 'Wel, dwn i ddim be am hynny, Huw. Fe ddeudodd Ifan fwy nag unwaith mai Arthur oedd i gael rheini ar ei ôl o.'

'*Benthyg* ddeudis i, Mair! Fe'u cei di nhw 'nôl o fewn yr wsnos.'

Ychydig iawn o Gymraeg a fu rhyngddi hi a'i brawd-yng-nghyfraith ers blynyddoedd lawer. Dyn anodd i gymryd ato oedd Huw Lòrd Bach. Dyn anghynnes . . . wrth ei fodd yn tynnu'n groes . . . wrth ei fodd yn tynnu pobol yn ei ben heb unrhyw reswm. 'Effaith y rhyfal,' fyddai esgus Ifan bob tro. 'Meddylia di mor wahanol roedd o'n arfar bod, Mair. Mor boblogaidd! Yn enwedig efo'r merchaid!'

Oedd, mi roedd o'n hogyn golygus iawn, bryd hynny, cofiodd Mair, rŵan. A pharod ei wên a'i sgwrs hefyd. Ond fe ddoth adra o'r rhyfal yn ddyn gwahanol; yn ddyn chwerw a sarrug a chas-ei-dafod. A hyll hefyd, os oedd hi'n weddus deud!

Er mwyn cadw'r ddesgil yn wastad, fe roddodd hi iddo bob dim roedd o wedi'i ofyn amdano, gan gynnwys dyddiaduron Ifan a'r holl lythyra roedd hwnnw wedi'u cadw'n ofalus dros y blynyddoedd. Hyd yn oed yr hen lythyra rheini efo'r rhuban coch amdanyn nhw . . . llythyra'r brawd hŷn o'r ffosydd yn Ffrainc. A rŵan roedd hi wedi dod o hyd i lunia'r teulu iddo, hefyd.

Gyda'i dwylo crydcymalog, cododd Mair y bocs a'i droi wyneb i waered ar y bwrdd o'i blaen, i wylio'r cynnwys yn rhaeadru allan ohono. Er bod ambell lun lliw yn tynnu llygad yn syth, y rhai du a gwyn oedd o fwya diddordeb iddi hi. Daliodd un o'r rheini ei sylw, rŵan. Ei mam a hitha, efo Rhys yn fabi ar ei braich. Ifan dynnodd y llun yma, efo'r camera-ail-law a brynodd yn Wrecsam ers talwm. Llun hefyd o'i mam a'i thad yn ifanc, ar fuarth Bryn Teg. Hwn wedi melynu'n arw gydag amser. Doedd wybod pwy a'i tynnodd. Llun hefyd o briodas ei rhieni. Tua dwsin o griw i gyd, a hanner y gwyneba'n ddiarth, ac wedi bod felly iddi erioed. Y fath grandrwydd dillad a hetia! Ffasiwn yr oes! . . . Llun diweddarach rŵan o deulu Bryn Teg – ei mam a'i thad, ei brodyr a'i chwiorydd, a hitha Mair yn wyth oed.

Gyda bysedd anystwyth, chwalodd fwy ar y pentwr a throi pob llun oedd wyneb i waered. Llun o'r Parch. T. L. Morgan yn weinidog ifanc. Cofiodd glywed Ifan yn deud bod y rhan fwya o aeloda Caersalem wedi archebu'r llun yma o'u gweinidog, gymaint oedd eu parch tuag ato . . . Llun o griw mawr o faciwîs, wedi'i dynnu o flaen festri Caersalem, yn fuan wedi iddyn nhw gyrraedd Blaendyffryn. Dim ond pump o'r wyneba oedd yn dal i fod yn gyfarwydd iddi. Ar eu heistedd ym mhen y rhes flaen ar y chwith, y ddwy chwaer a fu'n aros am chydig efo Ifan a hitha. Eu henwa? Methai'n lân â chofio, ar y funud. Be ddoth o'r ddwy, tybad? Yng nghanol yr ail res, y ddau fachgen a fu'n aros efo Gaenor Parry. Terry a Jimmy oedd enwa rheini, beth bynnag! Ac yn y rhes gefn, yn sgwario'i ysgwydda ac yn tynnu tafod digwilydd i'r camera, Michael Foster! 'Gymaint mae o wedi newid ac wedi parchuso ers y dyddia hynny!' medda Mair Hughes wrthi'i hun.

Syrthiodd ei llygad ar lun arall, a doedd hi ddim yn siŵr sut i ymateb i hwn, ai gyda gwên ynte â gwg? Llun o'i phriodas hi ac Ifan! Dotiodd at ei phrydferthwch ei hun yn ifanc ac at mor siapus o dena roedd hi yn y dyddia hynny. 'Yn dipyn o *catch*,' chwedl ei thad, slawar dydd. Rhy dda i chwarelwr cyffredin, ym marn yr hen ddyn, yn enwedig un oedd wyth mlynedd yn hŷn na'i ferch. Ac o edrych yn ôl rŵan, falla mai ei thad oedd yn iawn, wedi'r cyfan. Fe allai hi fod wedi gneud yn dipyn gwell iddi'i hun, yn reit siŵr . . . Ond dyna fo! Doedd dim i'w ennill rŵan trwy freu-ddwydio'n wag. Nid hi oedd y gynta, na'r olaf chwaith, i orfod byw efo camgymeriada'r gorffennol . . . Er,' meddai wrthi'i hun, gan graffu unwaith eto ar y llun, 'roedd Ifan, hefyd, yn ddyn golygus yn ei ddydd. *Give the Devil his due!* Mynd i edrych yn hen yn ifanc wnaeth o. Wrth i'w wallt deneuo, roedd y bwlch oed rhyngddyn nhw wedi mynd i ymddangos yn llawer iawn mwy nag oedd o mewn gwirionedd, ac erbyn iddi hi gyrraedd ei deg ar hugain, roedd Ifan wedi moeli cymaint nes edrych yn debycach i hanner cant ac yn ddigon hen i fod yn dad iddi.

Yn nesa, llun o'r plant yn fach! Rhys a Gwen Alis

fach, ac Arthur yn fabi deufis rhyngddyn nhw. Rhys a
Gwen Alis wedi rhewi gwên, ar orchymyn eu tad, ac
Arthur yn rhythu mewn rhyfeddod a dychryn, ei
lygaid yn fawr a gloyw!

Daeth deigryn i'w llygad. Roedd hi'n cofio, fel ddoe,
y llun yn cael ei dynnu; yn cofio mai hi ei hun oedd
wedi peri'r syndod ar wyneb y bychan trwy danio
matsian a gneud stumia i ddal ei sylw, fel bod Ifan yn
cael dewis yr eiliad i dynnu'r llun. Doedd dim rhaid iddi
edrych ar y dyddiad mewn inc ar y cefn i wybod pryd y
tynnwyd hwn. Y pedwerydd ar bymtheg o Hydref 1946,
diwrnod pen blwydd Gwen Alis yn ddwy oed. Y noson
honno roedd gwres y fechan wedi codi'n sydyn a'i
llwnc wedi cau nes peri iddi fygu'n gorn. Ac erbyn i
Doctor Tom gyrraedd, roedd yn rhy hwyr. Cyn diwedd y
gaea hwnnw fe hawliodd y *Diphtheria* gynifer â saith o
blant y dre, yn ogystal â phedwar oedolyn.

Sychodd ddeigryn, a chofio unwaith eto gymaint o
ergyd i Ifan – i'r ddau ohonyn nhw – fu colli 'Alis
fach'. Bu ond y dim i Ifan golli ei bwyll, bryd hynny. A
cholli ei ffydd yn reit siŵr. A'i hunan-barch hefyd,
oherwydd, dros nos, fe droes ei gefn ar gapel ac ar
weddi, dechra melltithio'i Dduw, a mynd i chwilio am
gysur yn y dafarn, o bob man! Y cyfnod duaf yn eu
hanes fel teulu, cofiodd Mair rŵan. Pum mlynedd o
uffern. Pum mlynedd o gyd-fyw efo dyn diarth. Pum
mlynedd o dlodi ac o grafu byw!

'Oni bai am garedigrwydd Nain a Taid Llanrwst,
does wbod be fasa wedi digwydd inni.'

Droeon, yn ystod y cyfnod anodd hwnnw, fe
geisiodd ei rhieni ddwyn perswâd arni i adael ei gŵr a
dychwelyd i Ddyffryn Conwy, atyn nhw, 'fel bod yr
hogia'n cael gwell chwara teg.' Ond gwrthod wnaeth

hi, bob cynnig. 'Gwirion nid creulon ydi Ifan yn ei gwrw, Mam. A chofiwch mai fo ydi tad fy mhlant i, wedi'r cyfan. Fe ddown ni trwyddi, gewch chi weld!'

Ac fe ddaethon hefyd, diolch i Rhys yn bennaf, oherwydd fo, yn ei ddiniweidrwydd, a ddaeth â'i dad yn ôl at ei goed.

'Ydi taid Elen Siop Gig yn ddyn da, Dad?'

Roedd y bychan seithmlwydd wedi dod i sefyll reit o flaen ei dad, i ofyn ei gwestiwn diniwed. Hwnnw'n lled-orwedd yn ddiog yn ei gadair ar y pryd.

'Falla'i fod o. Be ddiawl wn i?' Cyfarthiad dyn swrth, dyn wedi chwerwi.

'Am ei fod o'n mynd i'r capal, ia Dad? Ac yn gweddïo?'

'Paid â gofyn cwestiyna gwirion, wir Dduw! Mae pawb yn gwbod bod pobol capal i gyd yn bobol dda!'

Ond doedd y bychan ddim yn ddigon hen i adnabod dirmyg.

''Dach *chi*'n ddyn drwg, felly, Dad?'

Yn dâl am ei ryfyg diniwed, ac am ddod yn rhy agos at y gwir hefyd, falla, cafodd Rhys druan glupan giaidd ar ochor ei ben, a chuwch blin ei dad i ddilyn. 'Cer o ngolwg i, y cythral bach haerllug!'

Wrth fyseddu'r llun yn ei dwylo cymalog, cofiodd Mair ei chwerwedd hitha ar y pryd; cofio mor agos y bu iddi ymosod ar ei gŵr, a hynny yng ngŵydd y plant. Ond fe gafodd nerth o rywle i beidio. A diolch am hynny. Medrodd frathu'i thafod a mygu'i dicter, o leia nes i'r hogia fynd allan o glyw, oherwydd dyna un peth na wnaethai hi ac Ifan erioed oedd ffraeo yng ngŵydd y plant.

Ond fu dim rhaid ffraeo, y diwrnod hwnnw, a hynny am i'r bychan, ar ôl derbyn y glustan, sefyll ei dir am eiliad neu ddwy, i edrych yn syfrdan ar ei dad trwy lygaid llawn dagra. Dagra o boen, dagra o siom. Yna, roedd o wedi rhedeg o'r tŷ efo'i frawd bach ar ei ôl.

Bu hynny'n ddigon i Ifan. Yr eiliad nesa, fe'i llethwyd gan don o euogrwydd ac edifarhad, a llithrodd oddi ar ei gadair i'r llawr, i aros ar ei linia yno am amser hir, yn beichio crio ac yn mwmblan am faddeuant. Maddeuant gan bwy, wyddai hi ddim. Ond aeth o ddim i'r dafarn y diwrnod hwnnw. Na byth wedyn, chwaith!

Gwenodd Mair yn drist. *'Ifan Lòrd Bach wedi cael tröedigaeth!'* . . . *'Ifan Lòrd Bach wedi cael ei daro gan yr Ysbryd Glân!'* Dyna'r math o beth a gâi ei ddeud pan ddechreuodd ei gŵr fynychu'r oedfaon yng Nghaersalem unwaith eto. Criw'r dafarn, serch hynny, yn gweld y peth mewn goleuni gwahanol: *'Ofn marw a mynd i Uffarn mae'r diawl gwirion!'* oedd yr eglurhad gwawdlyd yn fan'no. Ond roedd hi, Mair, yn cofio edifeirwch ei gŵr. Ac yn cofio'i gywilydd. Yn cofio hefyd fel y byddai'n mynd allan o'i ffordd i fod yn hwyr yn cyrraedd y capel, fel y câi sleifio i mewn i'r sedd gefn heb i neb ond y gweinidog sylwi arno. Ac ar wasanaeth Cymun, arferai sleifio allan cyn i'r bara a'r gwin gael eu rhannu, am nad oedd yn deilwng, medda fo, i ymddangos wrth Fwrdd yr Arglwydd. Aethai deunaw mis arall heibio cyn iddo gymryd ei berswadio'n ôl i'r Sêt Fawr.

Â'i llaw figyrnog, estynnodd Mair am lun arall o ganol y pentwr – un â ffrâm gardbord lwyd o'i amgylch a'r geiria *Llew Griffith, Photographer, New Road, Blaendyffryn* mewn llythrenna aur aneglur arni – a theimlodd hen gywilydd yn llifo'n ôl. Doedd dim rhaid gofyn o ble'r oedd y llun yma wedi dod! Na phryd,

401

chwaith! Llun pedwar milwr ifanc yn gwenu'n llydan i'r camera, a gŵr hŷn, ungoes ac ar fagla, yn gwmni iddyn nhw. Pob gwynab ond un yn ddiarth iddi. Ond gallai eu henwi i gyd, serch hynny, am fod y wybodaeth i'w chael mewn llawysgrifen flêr ar gefn y llun: *Home on leave, Gorphenaf 1917. Or chwith ir dde – Alun Gwyn Jones, Rhys Hughes (Rhys Lòrd Bach), Fi, James Evans (Jim Gelli), David Williams (Dei Melbourne House) a Thomas Edwards y Cwm (ar ei faglau). Thomas Edwards yn digwudd pashio ar y pryd a Rhys yn gweiddi arno i mewn i gaul tynu ei lun efo ni, am ei fod wedi colli ei gous yn rhyfal Sowth Africa.*

Pam dal ei gafael ar y llun yma o gwbwl? Fe ddylsa hi fod wedi'i ddifa fo flynyddoedd yn ôl, neu ei roi 'nôl i'w wir berchennog tra oedd hwnnw'n dal ar dir y byw. 'Pe bawn i wedi gneud hynny,' meddyliodd, 'yna mi fyddai blynyddoedd ola Ifan a finna efo'n gilydd wedi bod yn dipyn hapusach nag y buon nhw . . . a fyddai Rhys ac Arthur ddim wedi cael achos i ddieithrio cymaint chwaith.'

Gloria, gwraig Rhys, a gychwynnodd y draffarth i gyd, chwe blynedd union yn ôl, ar ei phen blwydd hi, Mair, yn drigain oed. Fe ddaethai'r teulu drosodd o'r Amwythig, ac Arthur a'i deulu ynta o Fangor, yn unswydd i ddathlu'r achlysur.

'I just love Welsh dressers.'

Bu Gloria yn llygadu'r ddresal a'r cloc mawr eto fyth, o'r eiliad iddi gerdded i mewn i'r tŷ.

'. . . As the eldest, I suppose these will be passed down to you, Rees?'

A hitha, Mair, yn ddigon craff i sylwi ar Anwen, ei merch-yng-nghyfraith arall, yn rhoi pwniad i Arthur, cystal â deud *'Rhaid iti gadw llygad ar y gloman ddigwilydd yma!'*

402

Er na chynigiodd Rhys atebiad i gwestiwn ei wraig, eto i gyd fe gododd ymhen sbel a mynd draw at y ddresal gan smalio diddordeb yn y llestri gleision oedd arni. A dyna pryd y cafodd gip anffodus o'r llun oedd wedi cael ei wthio tu ôl i un o blatia mawr y silff ucha; llun a fu'n cuddio yno ers deng mlynedd ar hugain a mwy, heb neb ond hi, Mair, yn ymwybodol o'i fodolaeth.

'Pwy 'di rhain, Nhad?' medda fo, gan ei dynnu allan a'i ddangos. *'I don't recognize any of them!'* medda fo wedyn, er mwyn i'w wraig a'i blant allu dallt ei gwestiwn.

'Dow! Welis i mo'r llun yma erioed o'r blaen! O ble dôth o, Mair? . . . Rhys fy mrawd ydi un ohonyn nhw, beth bynnag!'

Wrth gofio syndod Ifan ar y pryd, fe deimlodd Mair y gwrid yn dod yn ôl yn boeth i'w gwyneb eto rŵan.

'The brother who fought in the Great War? Which one is he, Dad?'

Yna Tony, hogyn hyna Rhys, yn camu mlaen yn bowld i bwyntio at y llun. *'God! No need to ask is there? You look exactly like him, Dad! Just look at the hair!'*

Ac wrth gwrs, fe fu'n rhaid i Gloria, wedyn, gael ychwanegu'i phwt hitha. *'Oh, yes!'* medda hi. *'Yo're the spitting image of him, Rees! Same nose . . . same shape eyes . . . and you've both got a widow's peak with that funny little tuft of white hair in it.'* Wrth ddeud hynny, roedd hi wedi cydio â blaena'i bysedd yn y blew claerwyn oedd gan ei gŵr uwchben ei dalcen – *'He's had this ever since I've known him, you know? This little plume of white hair.'* Gellid meddwl ei bod hi'n deud rhywbeth syfrdanol o newydd wrth rieni ei gŵr. *'It must be something that runs in the family!'*

'Nid . . . *That's not my . . .'*

Teimlodd Mair yr un gwrid poeth yn codi i'w gwyneb eto rŵan, chwe blynedd yn ddiweddarach, wrth gofio fel roedd Ifan wedi rhewi'n gegrwth ar ganol brawddeg wrth iddo ynta sylwi ar yr un tebygrwydd ag a welsai'r lleill, oherwydd nid at Rhys Lòrd Bach y pwyntiai bys Tony, ond yn hytrach at y llun o Jim Gelli. Oedd, roedd Ifan wedi troi i edrych arni, a'r syndod yn ei lygaid yn troi'n gwestiwn, a'r cwestiwn yn gyhuddiad a'r cyhuddiad wedyn yn boen ac yn ddicter.

Gwadu wnaeth hi, wrth gwrs, wedi i bawb arall fynd adre, a dal i wadu wedyn hefyd am flynyddoedd. Ond blynyddoedd o bellter ac o oerni fu ei blynyddoedd olaf hi ac Ifan gyda'i gilydd – ac erbyn heddiw roedd hi'n difaru na fyddai hi wedi cyfadde'i hanffyddlondeb flynyddoedd ynghynt ac erfyn am ei faddeuant. O leia fe fyddai'n haws byw efo'i chydwybod erbyn heddiw. Ond wnaeth hi ddim, ac fe aeth Ifan i'w fedd yn ddyn siomedig, edliwgar.

Rhaid bod Rhys ac Arthur hefyd wedi synhwyro'r gwir, y diwrnod hwnnw, chwe blynedd yn ôl – sef y gwir nad oedden nhw'n rhannu'r un tad – oherwydd fe dyfodd dieithrwch rhyngddyn nhwtha hefyd, yn fuan iawn ar ôl hynny. Ac er i Arthur gadw cysylltiad â'i rieni dros y blynyddoedd diwethaf, dieithrio mwy a mwy a wnaethai Rhys. Do, fe ddaeth i gnebrwn ei dad – i gnebrwn Ifan – ond hawdd gweld mai wysg ei din y gwnaeth o hynny ac addo galw eto'n fuan i weld ei fam. Ond dal i ddisgwyl roedd hi.

*   *   *

'Saf yn fan'na!' gwaeddodd. 'Aros!' medda fo wedyn yn rhybuddiol gan ddal cledar ei law yn rhwystyr i'r ci.

Eisteddodd hwnnw'n ufudd lle'r oedd, tu allan i'r drws, ac aeth Huw Lòrd Bach i mewn i Siop Fosters i nôl ei gopi o *Private Eye*. Roedd arno hefyd isio sigaréts a bocs go neis o siocled *Dairy Milk*.

'Pedwar punt a saith ceiniog, os gwelwch yn dda, Mustyr Huws' meddai'r ferch ifanc, o du ôl y cownter.

Wrth ei hochor, yn fusnes i gyd, safai ei nai bychan, pump oed, yn rhythu mewn rhyfeddod a dychryn ar y graith oedd yn hagru gwyneb y dyn òd yn yr het wen. Roedd o'n chwilio am dystiolaeth bod Owi, ei ffrind yn yr ysgol, yn deud y gwir, sef mai gwaith y dyn hyll yma, ers talwm, oedd dal llewod yn Affrica a bod un ohonyn nhw, ryw ddiwrnod, wedi trio brathu'i ben o i ffwrdd. A phan oedd o'n trio dengyd oddi wrth y llew mi ddaru 'na grocodeil mawr ddwyn ei goes o a'i bwyta hi a rŵan roedd o'n gorfod gwisgo coes-cocio-bach! Yn ôl Owi, roedd gan y dyn 'uffar o dwll mawr yn ei ben', a dyna pam ei fod o'n gorfod gwisgo het bob amser, er mwyn cuddiad ei frêns.

'*Pedair* punt a saith *g*einiog!' gwaeddodd llais o gefn y siop yn rhywle; llais dyn a swniai fel petai wedi cael llond bol ar orfod cywiro camgymeriada gramadegol ei ferch.

'Pedair punt a saith geiniog,' ailadroddodd honno'n ufudd gan daflu gwên ymddiheurol i gyfeiriad ei chwsmer.

'Duw a ŵyr be mae'r athrawon yn ei ddysgu i'n plant ni, y dyddia yma!' gwaeddodd y llais eto.

'Ydi'r hen ddyn yn flin efo chdi eto heddiw, ngenath i? Pe bawn i ti, mi awn i dros y ffordd i

Woolworths i chwilio am waith. Mi gei di well cyflog o lawar yn fan'no.'

Er nad oedd gwên ar wynab Huw Lòrd Bach, fe wyddai'r ferch oddi wrth y disgleirdeb yn ei lygad chwith mai tynnu coes ei thad roedd o.

'Paid â gyrru'r cwch i'r dŵr, y cythral!' meddai hwnnw, eto o gefn y siop, ond yn fwy chwerthinog y tro yma. 'Mae Gwenno 'ma'n ddigon anodd ei thrin fel mae hi, heb i ti gynhyrfu'r dyfroedd . . . Sut wyt ti, beth bynnag?' A daeth Michael Foster, perchennog y siop, i'r golwg o du ôl i bentwr o focsys cardbord o wahanol faint. 'Newydd gael *delivery* 'achan,' eglurodd, 'ac yn tsecio bod pob dim wedi cyrradd. Fe synnet ti fel mae rhai o'r ffyrms 'ma yn ei thrio hi, wyst ti. Deud eu bod nhw wedi anfon y peth yma a'r peth arall ac yn gwbod o'r gora nad ydyn nhw ddim. Dwi'n gorfod bod am fy mywyd, cofia.'

'Wyt, debyg! Isio gair efo chdi, Mike.'

Roedd Mike Foster yn hen gyfarwydd â thôn swta ei ffrind. 'Gwell iti ddod trwodd 'ta!' medda fo, gan arwain y ffordd i'r stafell gefn. 'Ffeindia le i roi clun i lawr . . . Gyda llaw, llongyfarchiada ar yr erthygl yn *Barn* y mis yma. Roedd hi cystal â dim byd dwi wedi'i ddarllan gen ti, hyd yn oed yn dy golofn yn y *Guardian*, slawar dydd.'

Er nad yn un i ddangos ei deimlada, roedd canmoliaeth o'r fath bob amser yn dderbyniol gan Huw Lòrd Bach. Yn ôl yn niwedd y pum-dega a gydol y chwe-dega, bu ganddo'i golofn wythnosol ei hun ym mhapur y *Guardian*, colofn wleidyddol a fu'n boblogaidd ac yn ddadleuol iawn am ddeuddeng mlynedd a mwy. Bu'n cyfrannu ambell erthygl yn achlysurol cyn hynny i'r papur a gadael cystal argraff ar y Golygydd nes i hwnnw, o'r diwedd, gynnig colofn reolaidd iddo, gan ychwanegu: *'I like your work, Hughes, and I particularly like your political philosophy, but if I'm to give you your own column then you'll have to find yourself a pen name . . . a pseudonym, nom de plume . . . call it what you will. Do that and the job's yours.'* Y ddau'n cytuno wedyn ar yr enw 'Hugh Welsh', a'r golofn *'Welsh on . . .'* yn ennill ei phlwy yn fuan iawn, yn rhannol am i'r golygydd neud yn fawr o gyflwyno'r awdur fel *'decorated war hero'* ond yn bennaf oherwydd arddull ymosodol a di-flewyn-ar-dafod Hugh Welsh wrth drafod gwleidyddion amlwg y dydd a pholisïau tramor Prydain Fawr a'r Unol Daleithiau. Roedd yn golofn a ddenai ymateb chwyrn iawn o sawl cyfeiriad, ond ennill yn hytrach na cholli darllenwyr a wnâi peth felly. Yn 1959, er enghraifft, fe greodd y golofn storm o brotest o gyfeiriad llywodraeth Harold Macmillan, am i'r awdur rag-weld bendithion yn deillio o chwyldro Fidel Castro yn Cuba, a storm arall, flwyddyn yn ddiweddarach, wrth iddo weld ochor Rwsia yn hytrach nag America yn y ffrae rhwng y ddwy wlad wedi i daflegrau'r comiwnyddion ddinistrio'r awyren U-2 uwchben Corea. Dyna pryd y dechreuwyd cwestiynu cymhellion gwleidyddol Hugh Welsh a thros nos fe dyfodd ymgyrch ffiaidd yn erbyn *Hugh the Red*, efo'r wasg Dorïaidd yn ei gyhuddo o annheyrngarwch, a hyd yn oed o deyrn-fradwriaeth. Caed rhai hyd yn oed yn awgrymu y dylid mynd â'i fedalau i gyd oddi arno, am nad oedd mwyach yn deilwng ohonynt. Trwy groen ei ddannedd yn unig y llwyddodd Hugh Welsh i oroesi'r storm honno.

Yna, yn 1962, dyna gorddi'r dyfroedd gwleidyddol unwaith eto trwy ddadla yn erbyn y ddedfryd yn Israel i grogi Adolf Eichmann am ei droseddau yn erbyn cenedl yr Iddewon. '. . . *Carcharwch ef am oes ar bob cyfrif, ond peidiwch â'i grogi. Wedi'r cyfan, onid conglfaen cyfreithiau holl wledydd Cred yw bod Bywyd – hyd yn oed bywyd Adolf Eichmann, y dihiryn mwyaf – yn sanctaidd yng ngolwg Duw? Waeth beth fo'r drosedd, ni ddylem byth ddefnyddio'r Gyfraith fel esgus i ddial, ond yn hytrach fel erfyn rhesymol i gadw troseddwyr rhag aildroseddu. Pan fo Dyn yn dewis dial er mwyn dial, yna mae'n gostwng ei hun i'r un lefel â chreaduriaid direswm ac i'r un lefel, ysywaeth, â'r troseddwr y mae am weld ei gosbi . . .'*

Ddiwedd y flwyddyn ganlynol, yn dilyn y bradlofruddiad yn Dallas, fe luniodd hefyd gyfres o erthygla yn dadansoddi arlywyddiaeth John F. Kennedy yn yr Unol Daleithia a chafodd ei feirniadu'n hallt o sawl cyfeiriad am fod mor naïf â chysylltu'i hun â'r rhai oedd yn honni mai cynllwyn y CIA yn hytrach na gweithred diniweityn fel Lee Harvey Oswald oedd tu cefn i'r dienyddiad.

Fe ddaeth y cwymp hir-ddisgwyledig i'w yrfa yn y diwedd pan geisiodd brofi mewn cyfres o erthygla bod MI5 a'r gwasanaetha cudd eraill yn mynd ati'n fwriadol i bardduo cymeriad y Prif Weinidog, a hynny er mwyn tanseilio'i lywodraeth Lafur. Fu Hugh Welsh, mwy na Harold Wilson, ddim yn ei swydd yn hir iawn wedyn! Ac er i Wilson gael cyfnod byr arall wrth y llyw yng nghanol y saith-dega, fu dim ail gyfle i Huw Lòrd Bach.

'Diolch. Dwi'n gwerthfawrogi dy farn.' Yna, heb gymryd gwynt, fe aeth ymlaen i egluro i Mike Foster bwrpas arall ei ymweliad â'r siop. 'Wyt ti'n cofio'r rhaglan honno neuthon ni i'r Bî-Bî-Èc flynyddoedd yn ôl, i ddathlu chwartar canrif diwadd y Rhyfal? . . . Wel,

mi ddôth Arthur, hogyn Ifan fy mrawd, ar y ffôn bora
'ma i ddeud eu bod nhw'n bwriadu'i hailddarlledu hi
ar y trydydd o'r mis nesa, ddeugian mlynadd i'r
diwrnod ers cyhoeddi'r rhyfal . . . Meddwl y caret ti
gael gwbod, dyna i gyd.'

'O! Diolch iti am ddeud!' medda Mike, yn amlwg
yn falch o dderbyn y wybodaeth, cyn ychwanegu gyda
gwên ddireidus. 'Wyt ti'n meddwl y byddi di'n
corddi'r dyfroedd eto, y tro yma?' Ond o glywed sŵn
chwyrnu'n dod o wddw'i ffrind, brysiodd y siopwr at
drywydd arall, 'Wyst ti be, Huw? Mi fydd hi'n rhyfadd
iawn clywad lleisia Gwilym Parry ac Ifan dy frawd
unwaith eto a'r ddau ohonyn nhw, bellach, wedi'n
gadael ni.'

'Hm!' Tynnodd Huw amlen o'i boced a'i dal allan
hyd braich, i Mike Foster gydio ynddi. 'Sbia be ddôth
drwy'r post, bora 'ma! . . . Cyd-ddigwyddiad ta be?'

Yn ufudd, estynnodd y llall am y llythyr, i'w
ddarllen.

BRITISH BROADCASTING CORPORATION
Y GORFFORAETH DDARLLEDU BRYDEINIG

18fed Awst 1979
Mr Hugh Hughes,
Little Lord Street,
Blaendyffryn,
Sir Feirionnydd.

Annwyl Mr Hughes,

    *O fewn y misoedd nesaf, mae BBC Cymru yn
bwriadu cynhyrchu cyfres o raglenni dogfen a fydd
yn olrhain hanes arwrol nifer o Gymry Cymraeg yn
ystod yr Ail Ryfel Byd.*

    Ein gobaith yw gallu cynnwys eich profiadau

unigryw chwi yn y gyfres hanesyddol hon. Os ydych
yn ffafriol i'r syniad – a mawr obeithiaf eich bod –
yna, o dderbyn cadarnhad gennych yn yr amlen
amgaeedig, byddaf yn cysylltu â chwi eto'n fuan i
drefnu cyfarfod, fel y gallwn gytuno ar ffurf ac ar
gynnwys y rhaglen ac ar y lleoliadau i ffilmio
ynddynt.

Edrychaf ymlaen at dderbyn ymateb cadarnhaol
oddi wrthych.

Yr eiddoch yn gywir,
John Lewis
(Cynhyrchydd y gyfres)

'Ti am dderbyn, gobeithio?'

'Ydw. Dwi angan y pres.'

Gwenodd y siopwr. Nodweddiadol o Huw Lòrd
Bach, meddai wrtho'i hun. Bob amser mor bendant.
Byth yn un i hel dail.

'Cyd-ddigwyddiad, ti'm yn meddwl? Y llythyr yn
cyrraedd bora 'ma ac yna, o fewn yr awr, hogyn Ifan
yn fy ffonio i o Fangor i ddeud bod y Bî Bî Èc yn
bwriadu ailddarlledu'r rhaglan 'na! . . . Sut bynnag,
mae gen i resyma erill dros neud y rhaglan . . . a phwy
ŵyr na fyddi ditha'n cael dy gynnwys yn honno
hefyd, pan ddaw hi'n amsar.'

Daeth syndod i wyneb Mike Foster. 'Fi? . . . Pam fi?'

'Wel, mae'n siŵr y byddan nhw isio ffilmio
rhywfaint o'r rhaglan *yma*, ym Mlaendyffryn. Os felly,
mi fydd isio crybwyll y faciwîs a ddaeth yma i aros, ac
yn arbennig amball un fel chdi ddaru ymgartrefu yma
ar ôl i'r rhyfal orffan, a dod yn gystal Cymro.'

Gwenodd y siopwr. Roedd clod o unrhyw fath gan
Huw Lòrd Bach yn werth cymryd sylw ohono. 'Ond y

410

gwir ydi na ches i fawr o ddewis, Huw,' medda fo. 'Yn bymthag oed ac wedi colli pob un o nheulu yn y Blits, doedd gen i nunlla arall i fynd. Oni bai am Lewis a Dorothy Jones – bendith ar eu penna nhw! – does wbod be fasa wedi digwydd imi. Cartra plant amddifad, siŵr o fod. A chyn bellad ag yr oedd dysgu Cymraeg yn y cwestiwn, doedd gen i ddim dewis yn fan'na, chwaith. Ddim ym Mlaendyffryn, o bob man! Ac yn enwedig ar ôl imi ddechra ffansïo Gwenith, o bawb . . .'

Gwyddai'r siopwr mai'r disgleirdeb yn llygad chwith Huw Lòrd Bach oedd y peth agosa at wên y gallai ei ddisgwyl oddi wrtho.

'. . . Ti'n gwbod am Gwenith! Fedri di'i dychmygu hi'n priodi Sais uniaith?' Chwarddodd. 'Wyst ti be ddeudodd hi, pan ofynnis iddi hi mhriodi i? . . . *Pan gawn ni blant*, medda hi, *dydyn nhw ddim i gael clywad gair o Susnag nes byddan nhw wedi dysgu eu mamiaith yn iawn i ddechra. Dallt?*' Chwarddodd y siopwr eto. 'Doedd gen i ddim dewis ond cytuno. Sut bynnag, roedd gen i grap go lew ar y Gymraeg erbyn hynny. Ac wrth gwrs, wna i ddim meddwl siarad gair o Susnag efo hi na'r plant. Ond diawl erioed, Huw – fel y clywist ti, gynna – dwi yn fy ngwaith yn cywiro iaith y plant; fi neu Gwenith. Ac mae Gwenno'n ddwy ar bymthag erbyn rŵan! Dwi'n deud y gwir wrthat ti, mae safon iaith pobol ifanc yr oes yma'n dirywio o ddydd i ddydd.'

'Dim dewis ond dal ati, felly!'

'Ia, debyg.' Yn sydyn, gostyngodd y siopwr ei lais, i swnio'n gyfrinachol. 'Ond cyn iti fynd, Huw, gair bach yn dy glust di. Os oes gen ti ffansi gneud elw bach del i ti dy hun, yna pryna *shares* yn *Plantation Holdings*! . . .

411

Dwi newydd glywad o le da bod 'na *takeover bid* ar fin cael ei neud am y cwmni. Pan ddigwyddith hynny, mi fydd gwerth y *shares* yn saethu i fyny. Rhyngot ti a fi, dwi wedi bod ar y ffôn, gynna, ac wedi buddsoddi'n sylweddol.'

Fe wyddai Huw fod Mike Foster yn edmygydd mawr o'r Prif Weinidog newydd a'i fod wedi llyncu'i hathroniaeth gyfalafol hi.

'Diolch iti am y cyngor ond dwi'm yn meddwl y bydda i'n ei dderbyn o, rwsut.'

Er i ymateb Huw swnio'n sych ac anniolchgar, chwerthin wnaeth y siopwr, am y gwyddai be oedd barn ei gwsmer am Margaret Thatcher a'i pholisïau. 'Be sy, rhen fêt?' medda fo'n chwareus. 'Ofn cael dy weld fel cyfalafwr, wyt ti? Ofn troi yn Dôri rhonc, a chael dy hun yn fôtio i Magi yn hytrach nag i'r Blaid Fach yn y lecsiwn nesa?'

Er ei fod yn gwybod o'r gora bod Mike yn tynnu'i goes, methodd Huw â chuddio'i ddirmyg. 'Pỳ! Dda gen i mo'r ddynas!' medda fo'n ddibrisiol, cyn ychwanegu'n hanner cellweirus ei hun, 'Ond be ti'n ddisgwyl? Methodist oedd ei thad hi! 'Taen nhw wedi bod yn Annibynwyr, mi fasa hi wedi cael gwell cychwyn ar fywyd ac wedi dysgu'r adnod *Na thrysorwch i chwi drysorau ar y ddaear.*' Diflannodd y disgleirdeb o'r llygad chwith mor sydyn ag y daeth. 'Ond dyna fo! Mae'n amlwg ei bod hi isio'n troi ni i gyd yn bobol faterol. Ond cofia di hyn, Mike! Mae materoldeb a hunanoldeb yn mynd law yn llaw. *Hunanoldeb yw melltith fwyaf y ddynoliaeth.*'

Chwarddodd Mike mewn syndod y tro yma. 'Arglwydd Mawr! Rwyt ti wedi cael crefydd o rwla, mwya sydyn! Ond dyna fo, mae gallu dyfynnu o'r

Beibil yn handi iawn weithia, yn enwedig os oes gwendid yn dy ddadl di.'

'Geiria Gladstone oedd rheina,' medda Huw, gan anwybyddu'r gwamalrwydd. 'Sut bynnag, gair bach o rybudd! Os wyt ti am ddablo mewn *stocks and shares*, yna cofia gadw pob gwaith papur yn ofalus. Mi fydda i eu hangan nhw at ddiwadd y flwyddyn ariannol.'

'Wrth gwrs, Mustyr *Tax Inspector*!'

'Archwiliwr Treth Incwm 'dach chi'n feddwl, ia Dad?' Gwenno yn gweiddi o'r siop!

'*Touché!*' medda'i thad, gyda gwên. Yna'n uwch: 'Ti'n rhy breplyd er dy les, ngenath i!' Ac yna mewn islais eto, 'Cymdeithas yr Iaith a Dafydd Iwan ydi pob dim ganddi hi ar y funud, mae gen i ofn. A Saeson mewn tai haf ydi'r gelyn mawr!'

'Chwara teg iddi!' meddai Huw Lòrd Bach yn ôl. 'O leia mae ganddi hi rwbath i gredu ynddo fo.'

Chwarddodd y siopwr. 'Dyna mae'i mam hi'n ddeud hefyd. Ond ofn iddi dynnu nyth cacwn yn ei phen sgen i. Sut bynnag, mae hi a Mari ei ffrind wedi cael cynnig mynd i berthyn i'r côr cerdd dant 'na sy'n mynd ar daith i Batagonia y flwyddyn nesa. Siawns y cadwith hynny hi allan o drwbwl.'

'Pob lwc iddi, ddeuda i sut bynnag.' Fel y deudis i gynna, cofia gadw pob gwybodaeth ynglŷn â'r *stocks and shares*.'

Ers iddo golli ei swydd efo'r *Guardian*, flynyddoedd yn ôl bellach, roedd Huw wedi bod yn cynnig ei wasanaeth i bobol fusnes y dre, i osod trefn ar eu cyfrifon ariannol bob blwyddyn a llenwi eu ffurflenni treth incwm, ac roedd Mike Foster yn un o'r rhai a gymerai fantais o'r gwasanaeth hwnnw. I Huw Lòrd Bach, roedd hon yn ffordd nid yn unig o ychwanegu

413

mymryn at ei bensiwn rhyfel pitw ond hefyd o gyfiawnhau rhywfaint ar y radd Mathemateg o goleg y Brifysgol ym Mangor, slawer dydd.

Gydag ymdrech weladwy, a help ei ffon, cododd rŵan, i adael.

'Hwda!' meddai'r siopwr, gan estyn bocs cardbord gwag iddo, o'i weld yn stryffaglu efo'r pentwr anhylaw o amlenni a llyfra. 'Rho'r cwbl yn hwn. Mi fydd yn haws o gymaint â hynny i ti eu cario nhw, wedyn.'

Fel roedd Huw yn rhoi trefn ar ei lwyth, clywodd lais hen wraig yn dod trwodd o'r siop: 'Deudwch i mi, ngenath i, faint o'r gloch ydi hi, erbyn hyn?'

'*Twenty five past two, Musus Wilias.*'

'Arglwydd mawr, hogan!' ffrwydrodd ei thad, eto o'r stafell gefn. '*Pum munud ar hugian wedi dau* ti'n feddwl, ia ddim? Ti'n gweld be dwi'n feddwl, Huw?'

Pan gamodd Huw Lòrd Bach allan i'r awyr iach, sylwodd fod y Stryd Fawr yn brysurach nag arfer. Waeth pa ffordd yr edrychai, roedd dynion a merched o bob oed i'w gweld yn crwydro'r palmentydd, gan gyfarch ei gilydd yn gleniach nag arfer, diolch i'r tywydd braf. Dim ond y gwragedd oedd i'w gweld ar unrhyw berwyl penodol, megis i brynu cig at y Sul neu i siop E. B. Jones y groser i nôl rhyw fân nwyddau neu'i gilydd.

Ar fympwy, penderfynodd daro heibio tŷ ei chwaer yn Park Square i holi yn ei chylch. Fe glywsai ei bod hi wedi gwaelu'n arw ers iddo alw i'w gweld, dridia'n ôl.

Er na fu erioed lawer o Gymraeg rhyngddo fo ac Elsi, eto i gyd fe deimlai rywfaint o ddyletswydd i holi yn ei chylch, nawr ei bod hi'n wael. Fe wyddai'n iawn be oedd natur y berthynas rhyngddo fo a hi ond fedrodd o erioed feddwl amdani fel mam, rywsut. Mwy

414

nag oedd o erioed wedi ystyried Ifan fel dewyrth. Chwaer hŷn a brawd hŷn oedd y ddau wedi bod iddo, er pan allai gofio.

'Smâi heddiw?' . . . 'Sut hwyl?' . . . 'Pnawn da, Mr Huws!'

Ei unig ffordd o gydnabod pob cyfarchiad oedd trwy godi mymryn ar y ffon yn ei law chwith, a cherdded ymlaen heb hyd yn oed droi pen i edrych nac i nodio'n glên. Nid Twm Annie Twm oedd yr unig un ym Mlaendyffryn i honni mai 'hen uffar sych ac oriog' oedd Huw Lòrd Bach.

Fel roedd o'n gadael y Stryd Fawr am Park Square, daeth sŵn canu cyfarwydd i'w glyw a theimlodd y gwaed yn codi'n boeth i'w ben.

Mi welais Jac-y-do
Yn hercian rownd y tro . . .

Trodd i gyfeiriad y sŵn a gweld tri llanc, oddeutu'r pymtheg oed, yn ei wylio o ochor bella'r stryd, dau ohonyn nhw'n crechwenu'n wirion wrth i'r trydydd ganu

. . . Het wen ar ei ben
ac un goes bren . . .

ac yna'n ymuno efo fo yn yr 'Ho ho-ho ho-ho ho!' ar y diwedd.

Nid dyma'r tro cynta iddo ddiodde gwawd y tri yma ond, er ei fod yn corddi eto rŵan, doedd dim y gallai ei neud ynglŷn â'r peth. Nid yn unig eu bod nhw'n cadw pellter ond roedden nhw hefyd yn gwybod o'r gora nad oedd gan ddyn dros ei drigain oed efo coes glec, mo'r gobaith lleia o redeg ar eu hôl a'u dal. Felly, efo'i lygaid yn melltennu, cododd ei ffon i bwyntio'n fygythiol tuag atyn nhw ar draws y stryd, a dal i rythu nes i'r wên gilio'n llwyr oddi ar wyneba dau ohonyn nhw o leia. Ond daliai'r trydydd i grechwenu'n heriol. Yr hyn a wylltiai Huw yn fwy na dim oedd yr argraff a gâi – ac nid am y tro cynta, chwaith – fod ambell un arall ar y stryd, dynion yn eu hoed a'u hamser, mwya'r cywilydd iddyn nhw, yn mwynhau'r dilorni cyhoeddus.

'Oes gynnoch chi ddim cwilydd, deudwch?'

Hen wraig oddeutu'r pedwar ugain oed oedd piau'r cwestiwn ac roedd wedi gosod ei chorff bregus o fewn dwylath i'r tri bachgen ac yn codi bys mor grynedig â'i llais, i'w herio. Roedd ei gwyneb, os nad ei henw, yn gyfarwydd i Huw.

'. . . A dyma sut mae'ch rhieni chi wedi'ch magu chi, ia?' medda hi, yn ddigon uchel i Huw, a sawl un arall hefyd, ei chlywed. 'Hogyn Dei'r Allt wyt ti'n de?' medda hi eto, gan ysgwyd ei bys at yr un a fu'n canu. 'Aros di i mi weld dy dad, y cena bach iti!'

Trodd crechwen y llanc yn edrychiad pwdlyd a beiddgar. 'Dowch, hogia!' medda fo gan droi'i gefn ar y wreigan fel petai hi ddim yno, a cherdded i ffwrdd gan sgwario'i ysgwydda, yn ddyn i gyd. Yna, ar ôl tri neu bedwar cam, ailddechreuodd ganu'r un gân, er yn dipyn tawelach y tro yma, tra bod y ddau arall yn ei ddilyn fel defaid, gan bwffian chwerthin a thaflu ambell gip digwilydd dros ysgwydd.

'Peidiwch â chymryd sylw ohonyn nhw, Mustyr Huws,' galwodd yr hen wreigan o ochor arall y stryd, eto'n ddigon uchel i amryw eraill ei chlywed. 'Beio'r rhieni ydw i! Maen nhw'n ddigon parod i gael plant ond does gynnyn nhw mo'r syniad lleia sut i'w magu nhw, y dyddia yma. Na'r amynadd, chwaith! Mi wnâi fyd o les iddyn nhw a'u plant fynd i'r capal, i gael dysgu sut i barchu pobol erill. 'Dach chi'm yn meddwl?'

Gan nad oedd wedi mynychu unrhyw le o addoliad ei hun ers blynyddoedd lawer, penderfynu peidio ateb wnaeth Huw Lòrd Bach. Yn hytrach, fe gododd fymryn ar ei ffon i gydnabod ei ddiolch i'r hen wraig am ei chefnogaeth a gadawodd y Stryd Fawr o'i ôl.

Canllath ar y mwya oedd ganddo i'w gerdded i dŷ ei chwaer.

'O! Chi sy 'na, Huw! Dwi'n falch o'ch gweld chi. Dowch i mewn!'

Roedd croeso Ruth, hogan hyna Elsi, mor ddiffuant â'i gwên a sylwodd ynta o'r newydd ar lyfnder ei chroen ac ar dlysni syml ei gwyneb crwn. 'Pedair blynedd sydd rhyngon ni,' meddyliodd, 'ond mae hi'n edrych yn dipyn iau na'i hanner cant a saith.'

Wedi siarsio'r ci i aros tu mewn i giât yr ardd ffrynt fechan, dilynodd Huw ei hanner-chwaer i'r tŷ.

'Sut mae . . . ym . . . dy fam, erbyn rŵan?' gofynnodd braidd yn chwithig.

'Go lew! Dirywio ma hi, ma gen i ofn. Ma'i brest hi fel cors. Niwmonia ar ben pob dim arall! Y doctor wedi gneud pob dim fedar o, mae'n debyg. Matar o amsar ydi hi bellach, medda *fo*.'

'A be amdanat ti? Sut wyt ti'n dod i ben â phetha?'

Fe wyddai nad oedd Ruth hanner mor galed ag y swniai. Nid ei fod yn ei hadnabod hi'n dda, gan mai ond yn ddiweddar, ers i gyflwr iechyd Elsi ddirywio, y dechreusai alw i'w gweld nhw yn Park Square, ond yn yr amser byr hwnnw, fe ddaeth i sylweddoli gymaint roedd Ruth wedi ei aberthu er mwyn ei theulu. Fel y 'chwaer fawr', roedd wedi gorfod ysgwyddo

417

cyfrifoldeba'r cartra am y rhan fwyaf o'i hoes. Gofalu am Esther, yn un peth, fel nyrs yn gofalu am glaf; byth ers i honno ddod adre o'r sanatoriwm yn Llangwyfan, bymtheng mlynedd ar hugain a mwy yn ôl. Estyn a chyrraedd iddi, ddydd a nos, pan allai honno fod wedi gneud llawer iawn mwy drosti'i hun. Ac Elsi, mwya'r cwilydd iddi, yn fodlon efo'r sefyllfa ac yn disgwyl yr un sylw a'r un tendans ei hun hefyd, wrth fynd yn hŷn, ac yn arbennig ar ôl cael ei gadael yn weddw.

'Dwi'n manejio'n rhyfeddol, wyddoch chi, Huw,' medda Ruth, efo gwên wan. 'Raid i mi ddim cwyno. Ond dwi'n ddynas ddrwg iawn yng ngolwg rhai pobol, serch hynny!'

'Be ti'n feddwl? . . . Yng ngolwg pwy, 'lly?' Wrth i'w dalcen grychu, roedd y croen ar ochor dde'i wyneb yn tynhau nes edrych fel papur sidan ar fin rhwygo.

'Pobol capal, mi ellwch fentro! Mae rhoi leiniad o ddillad allan ar y Sul yn dal i fod yn bechod anfaddeuol yng ngolwg ambell un, wyddoch chi.'

'Arglwydd Mawr! Paid â chymryd sylw ohonyn nhw! Does ryfadd bod y capeli 'ma'n gwagio, wir Dduw! Ond dyna fo! Rydw inna lawn cymaint o bechadur â thitha yn eu golwg nhw, pe bai o bwys gen i. Am na fydda i byth yn twyllu'u blydi capal nhw yn un peth! Wyst ti be ddeudodd y corgi gwnidog bach yna wrtha i'n ddiweddar? . . . Dwrnod claddu Ifan fy mrawd . . . *Dwi'n synnu nad ydach chi'n gweld yn dda i droi i mewn aton ni amball Sul, Huw Huws*, medda fo, *yn enwedig o gofio mor ffyddlon i'r Achos y bu eich brawd dros y blynyddoedd, ac fel y bu i'r Arglwydd eich gwarchod chitha trwy ddyddiau duon y rhyfel . . .*'

Wyddai Ruth ddim ai sŵn chwyrnu ynte sŵn chwerthin chwerw a glywai'n dod o'i wddw.

'. . . Wna i ddim ailadrodd be ddeudis i'n ôl wrtho fo, ond mi elli fentro bod y cwd bach hunangyfiawn wedi cael ei hyd a'i led gen i! Ac nid yn iaith William Morgan chwaith!'

Chwarddodd Ruth, rŵan. 'Dydw i ddim yn poeni am yr hyn maen nhw'n ddeud yn fy nghefn i, Huw. A deud y gwir, dim ond rhyw lond dwrn o bobol gul fel y ddynas-drws-nesa 'ma sydd ar ôl, erbyn heddiw, diolch i Dduw! Mae'r oes yn newid, welwch chi . . . er nad ydi hynny ddim bob amsar er gwell chwaith, ydi o? Ond mae gen i ofn y broblem neith godi, os digwydd rhwbath i Mam . . . yr un broblem yn union â phan fuodd Nhad farw . . . Hynny ydi, pwy gawn ni i'w chladdu hi? At weinidog Caersalem y dylwn i droi, fel o'r blaen, falla, ond mae Yncl Ifan wedi'n gadael ni erbyn rŵan, a fo nâth y trefniada at gnebrwng Nhad, os cofiwch chi. Ond dydan ni rioed wedi bod yn llawar o gapelwyr yn ein tŷ ni, mae gen i ofn. Dwn i ddim pam, cofiwch, ond mae Mam wedi bod yn chwerw iawn tuag at bobol capal er pan dwi'n cofio.'

'Paid â phoeni am betha felly, Ruth. Mi ofalith John Defis yr *undertaker* am y trefniada i gyd pan ddaw'r amsar. Ond hwda! Falla y codith hwn chydig ar dy galon di.'

Yn drwsgwl, oherwydd bod ei haffla'n llawn, daliodd Huw y bocs siocled, iddi gydio ynddo. 'I ti a neb arall, cofia!' medda fo gyda winc fach awgrymog efo'i lygad chwith. 'Dwi'n dallt bod ffilm go dda ar y bocs bach heno. Mi fydd dy fam yn dal ei thir, siawns, a gyda lwc mi fydd dy chwaer wedi mynd i glwydo hefyd.'

Daeth deigryn i lygad Ruth, er ei gwaetha. ''Dach chi'n werth y byd, Huw!' medda hi, a'i feddwl o. ''Dach chi am fynd i fyny i'w gweld hi?'

419

Roedd Elsi ei chwaer . . . ei fam . . . yn gorwedd â'i phen yn ôl ar y gobennydd, efo'i cheg yn llydan agored a düwch anghynnes ei ffroenau yn amlwg. Mewn cadair wrth y ffenest, eisteddai Esther, y chwaer iau, yn darllen rhyw gylchgrawn neu'i gilydd.

'Thought I recognized your voice!' medda hi'n asthmatig. 'Mae 'na gadair ichi yn fan'cw.'

'Na. Dwi'm am aros. Dod i'r golwg, dyna i gyd.'

'Cysgu'n sownd mae hi, *as you can see*. Chwyrnu'n braf.'

Ond awgrym o roch Angau yn hytrach na sŵn chwyrnu a glywai Huw, a rhyfeddodd ato'i hun yn gallu bod mor ddideimlad a di-hid. Wedi'r cyfan, y ddynes yn y gwely o'i flaen oedd ei fam. Ond person diarth, serch hynny. Diarth o'i dewis hi, nid o ddewis neb arall oherwydd, dros y blynyddoedd, prin bod Elsi wedi'i gydnabod o fel mab nac fel brawd. Hi na'i gŵr! Na'u merched chwaith, o ran hynny, tan yn ddiweddar. A chanlyniad peth felly fu i'r edau deuluol rhyngddyn nhw wisgo'n dena iawn dros amser. Erbyn heddiw, doedd neb ym Mlaendyffryn yn meddwl cysylltu merched Elsi â Theulu Lòrd Bach.

Serch hynny, fe deimlai Huw yn falch ei fod wedi adfer rhywfaint ar y berthynas a dod i nabod Ruth, o leia, yn well. Os oedd gan rywun hawl bod yn chwerw at fywyd, yna Ruth oedd honno, am iddi aberthu'i bywyd dros ei theulu. Aberthu'i hienctid . . . aberthu'r cyfle i ddenu cariad ac ennill gŵr . . . aberthu'i hawl i fod yn fam. Ond chwerwodd hi ddim. Yn hytrach, fe lwyddodd i gadw'i sirioldeb a'i hynawsedd drwy'r cyfan. Ac i feddwl bod rhai o bobol dda y capal yn gweld bai arni hi, rŵan, am olchi ar y Sul!

Doedd ganddo fawr o awydd ymdroi wrth erchwyn

y gwely gan fod rhochian beichus y claf ac anadlu asthmatig Esther nid yn unig yn boen ar ei glust ond yn gwasgu ar ei frest ynta'n ogystal.

'Wna i ddim aros. Mi alwa i eto.'

'So long, then!'

Fel y cyrhaeddai waelod y grisia, daeth Ruth i'w gwarfod o'r gegin gefn a'i gwên yn un reddfol.

'Cymar ofal ohonot dy hun!' medda fo wrthi. 'A chofia, os byddi di angan help yn ystod y dydd, neu os byddi di angan rhywun i fod ar ei draed efo hi dros nos, yna ti'n gwbod sut i gael gafal arna i. Dwi'n fwy na pharod i rannu'r baich, cofia!'

'Diolch ichi, Huw. Dwi'n gwerthfawrogi'r cynnig.'

Wrth ei chlywed hi'n cau'r drws arno, daeth hen gwestiwn eto i boeni Huw Lòrd Bach. 'Os gwn i ydi Ruth a'i chwaer yn gwbod be 'di'r wir berthynas rhyngon ni? Ydyn nhw'n gwbod, tybad, mod i'n hannar brawd iddyn nhw?'

Fel yr anelai'n ôl am y Stryd Fawr ac am adre, a'r ci i'w ganlyn, daeth syniad i'w feddwl chwerw: 'Pe bawn i'n dal i sgwennu i'r *Guardian*, dwi'n gwbod be fyddai testun fy ngholofn nesa i – *Welsh on . . . Nonconformist Bigotry'*.

*   *   *

Roedd hi'n rhedeg ar draws y Ddôl Fawr unwaith eto ac awel ysgafn yr haf yn cribo trwy'i gwallt golau, tonnog. O'i chwmpas, pranciai'r ŵyn yn ddeuoedd ac yn drioedd, a gallai weld a chlywed y dynion wrth eu gwaith, yn gweiddi ac yn chwerthin ar ei gilydd wrth gribinio gwair Cae Pella yn deisi bychain sych ar gyfer ei gynaeafu. Ar ei ffordd atyn nhw roedd hi rŵan, efo dwy botelaid oer o ddiod blodau'r sgawen i dorri eu syched ac, wrth iddi hi ddynwared yr ŵyn a branciai o'i chwmpas, gallai glywed a theimlo'r ddiod yn slwshan yn hyfryd yn y poteli.

Roedd pobman mor fendigedig o nefolaidd – yr awyr yn ddigwmwl a'r awel yn drwm ag arogl eithin melys, y ddôl yn garped meddal o dan ei thraed, yr haul yn taro'n boeth ar ei thalcen ac ar ei breichia noeth, y gloynnod bychain gwyn a melyn a glas yn dawnsio'n nwyfus ar flodau'r menyn a'r meillion, trydar ehedydd anweledig yn yr entrychion uwchben a pharablu ysgafn Nant y Ddôl yn cyhoeddi bod ei dŵr ar fin cael ei lyncu gan lif dioglyd afon Conwy.

Taflodd ei hun ar y borfa bersawrus a gadael i'w llygaid graffu i'r uchelderau glas, i chwilio am nodau'r gân yn syrthio'n gawod am ei phen. *'Ar las y ddôl gorweddwn i / A thithau fry yng nglas y nen / Yn tywallt mawl dy galon dwym / Yn rwbath-rwbath ar fy mhen . . .'* A be wedyn? Drapia unwaith! Dim ond ddoe ddiwetha roedd Mus Tomos Standard Ffôr wedi'i chanmol hi am adrodd cerdd I. D. Hooson ar ei chof, efo pob gair yn ei le. Ond rŵan, am ryw reswm, roedd y geiria hynny'n gwrthod dod, ar wahân i'r llinella olaf un:*'Fe fynn dy gân ehangder nen. Y cwmwl yw dy deml bêr / Ac mae d'allorau rhwng y sêr.'* Ia, Bryn Teg oedd y Nefoedd! A'r Nefoedd oedd Bryn Teg! Roedd hyd yn oed cân yr ehedydd yn bereiddiach yma.

Cofiodd fod ei thad a'i brodyr yn dal i ddisgwyl yn chwyslyd am eu diod-blodyn-sgawen, felly neidiodd i'w thraed a dechra sgipio'n heini unwaith eto, i gyfeiriad Cae Pella. Ond roedd y Ddôl Fawr yn ddi-derfyn heddiw, a'i thad a'i brodyr ond megis smotia bychain yn y pellter erbyn rŵan, a'u chwerthin yn cilio ac yn marw ar yr awel! 'Craaawc! Craaawc!' Daeth cigfran ddu fel Afagddu i lenwi'r awyr o'i blaen, gwyntyll ei hadenydd yn diffodd yr haul ac yn boddi pob sŵn braf, ei chrafangau yn tyfu'n nodwydda dur wrth ddod yn fygythiol nes . . . i blannu i mewn i'w gwyneb hi a hagru'i chnawd . . . i rwygo'i llygaid o'i phen! Doedd dim dewis ond gollwng y poteli a chodi'i dwylo i'w harbed ei hun rhag yr hugan hyll o beth. Ac yn yr eiliad honno, fe ddiflannodd ei choesa oddi tani gan ei gadael i fesur ei hyd ar y borfa. Ond nid porfa feddal y Ddôl Fawr oedd yno, bellach, eithr gwastadedd o lechi wedi'u malurio'n fân. Cae cyfan o rwbel naddu! Ac er na fu hi erioed cyn belled â Bonc Isa Chwaral y Lòrd, eto i gyd fe wyddai hi yn ei hisymwybod mai yno'r oedd hi rŵan yn gorwedd, a bod diod y blodyn sgawen yn llifo allan o'r poteli ac yn cael ei sugno gan frethyn tenau ei ffrog a thrwodd i'w chlunia poeth. Y fath siom! Y fath boen! 'Mam!' criodd. 'Mam! Lle'r wyt ti?'

Rhaid mai'r cloc mawr yn taro, neu'n hytrach yn dyrnu yn y pellter, a'i deffrôdd hi o'r freuddwyd braf a droesai'n hunlle. Ond er i'r gigfran hyll ddiflannu, daliai gwlybaniaeth y ddiod oer i lifo'n boeth rhwng ei chlunia cnawdol. Rhwng cwsg ac effro, ac er gwaetha'i chricmala poenus, neidiodd i'w thraed a chael cip o rywbeth yn hedfan oddi ar ei glin i gyfeiriad yr aelwyd o'i blaen, i dincial wedyn yn ddarna mân ar deils y grât. 'Drapia unwaith!' medda hi'n ddig, wrth weld y llanast. 'Fy llestri gora i, hefyd!' Rhaid bod cwsg wedi mynd yn drech na hi a bod ei gafael ar y cwpan wedi llacio'n raddol nes i'r te lifo'n boeth dros ei glin. '. . . Y bwlch cynta yn y llestri *bone china* drud, y set Royal Albert a ges i'n bresant priodas gan Mam a Dad!'

Teimlai'n wirioneddol flin oherwydd ei blerwch a'i cholled.

Drwy'r cyfan, parhâi'r cloc mawr i daro yng ngwyll y stafell cyn tewi o'r diwedd ar y nawfed awr.

Sylweddolodd rŵan fod y gwlybaniaeth yn dal i losgi rhwng ei chlunia a bod peryg i'r te cyfeiliorn adael staen ar ei ffrog newydd; yr un ddu ddrud a brynasai'n arbennig at angladd Ifan, fis yn ôl. Yn reddfol, cydiodd â dwylo crydcymalog yng ngodreon ei ffrog a'i phais a'u codi'n uchel i'w hysgwyd i fyny ac i lawr fel gwyntyll, fel petai hi'n disgwyl i'r gwlybaniaeth ddiflannu'n wyrthiol o'r brethyn. Yna, eu codi'n uwch fyth, a rhedeg llaw rydd dros y cochni rhwng ei chlunia noeth, er mwyn cadarnhau nad oedd y llosg yn ddim i boeni'n ei gylch. Oedd, roedd lle i ddiolch bod y te wedi colli rhywfaint o'i wres cyn dianc o'r cwpan. A lle hefyd i ddiolch nad oedd hi'n gwisgo'i sana neilon neu byddai angen tynnu'r rheini hefyd trwy'r dŵr.

Gan fod gwyll y min nos yn cau am y stafell ac yn cynnig dim cysur, meddyliodd Mair Huws am roi matsian yn y tân oer cyn mynd i newid i ddillad sych. 'Ond i be y gwna i beth felly, yr adag yma o'r nos?' meddai wrthi'i hun. 'Waeth imi noswylio'n gynnar, ddim.'

Ond yn gynta, byddai'n rhaid hel teilchion y cwpan a'r soser oddi ar yr aelwyd. Felly, cyn taro gola'r stafell ymlaen, aeth draw at y ffenest i gau'r llenni.

Dyna pryd y gwelodd hi fo! Gwyneb dyn yn gwasgu yn erbyn y gwydyr! Teimlodd ei chalon yn methu curiad. Cododd ei dwylo dros ei cheg, i fygu sgrech. Yna'r gwyneb, o weld ei hofn, yn tynnu'n ôl oddi wrth y ffenest a llaw gyfeillgar yn cael ei chodi, cystal â deud 'Dim ond fi sy 'ma.'

Ond pwy oedd y 'fi'? Doedd ganddi mo'r syniad lleia pwy oedd piau'r gwyneb na'r llaw!

Yn reddfol, rhuthrodd at y drws i roi tro diogel ar y goriad ac i roi gola'r stafell ymlaen. Yna, efo'i chalon ar garlam, mentrodd eto at y ffenest i gau'r llenni a chael rhyddhad o weld bod y gwyneb a'r llaw wedi mynd.

'Musus Huws?' Daeth cnoc ysgafn ar y drws yr oedd hi newydd ei gloi. 'Peidiwch â dychryn! Dim ond fi sy 'ma!'

Cymerodd hitha eiliad neu ddwy cyn ateb, ei llais yn wyntog wrth i guriad trwm ei chalon ddwyn rhywfaint o'i hanadl. 'Pwy ydach chi, felly? A be 'dach chi isio, yr adag yma o'r nos?'

'Jac Edwards, Musus Huws! Jac Edwards, Oldbury Street.'

'O?' Prin ei bod hi'n nabod y dyn ond cofiodd iddo ddod i gydymdeimlo â hi yn y fynwent, adeg claddu Ifan.

Yn betrus, a rhag ymddangos yn anghwrtais, aeth eto at y drws, i roi tro fel arall, rŵan, yn y goriad.

Safai'r ymwelydd diarth o'i blaen yn yr hanner gwyll. Dyn pur dal, penfoel, a chroen ei wyneb a'i ben wedi dal haul poeth y dyddia diwetha. Dyn digon golygus a deud y gwir. A thipyn iau na hi, siŵr o fod! Pedair neu bum mlynadd, o leia!

Safodd hitha yno'n fud, gan ddisgwyl iddo egluro'i neges.

'Digwydd pasio'r o'n i, Musus Huws, a meddwl tybad os oeddach chi angan rhwbath . . . Angan help o gwbwl? Mae'n gallu bod yn anodd ar wraig weddw, yn enwedig os oes gwaith trwm i'w neud.'

Aeth ei eiria â'i gwynt hi am eiliad. Cynnig help? Yr

adag yma o'r nos? 'Ym . . . Na, dim diolch ond . . . ym
. . . diolch ichi am gynnig.'

'Gweld eich bod chi wedi cael damwain fach,'
medda fo, gan edrych yn arwyddocaol i gyfeiriad y
gwlybaniaeth ar ei ffrog.'

Hitha'n meddwl ei fod o'n graff iawn i sylwi, o
styried lliw tywyll y brethyn, ond cofiodd hefyd, gyda
chywilydd, fel roedd hi wedi codi'i dillad a noethi'i
choesa i gyd, chydig eiliada ynghynt. Oedd o wedi
gweld hynny hefyd drwy'r gwydyr? Pa mor hir oedd y
dyn yma wedi bod yno'n llechu, yn ei gwylio hi, tra'i
bod hitha'n slwmbran cysgu, efo'r drws heb ei gloi?

Am y tro cynta ers iddi ddod i Stryd Lòrd Bach i fyw,
yr holl flynyddoedd yn ôl, fe deimlodd Mair yn
anniddig o ofnus yn ei thŷ ei hun. Beth petai hen
dramp neu ddieithryn wedi dod at y drws a gwthio'i
ffordd i mewn? Be wnâi hi wedyn, a hitha'n byw mewn
lle mor ddiarffordd ac allan o glyw pawb? Bu Ifan yn
traethu digon dros y blynyddoedd diwetha am ddiffyg
moesoldeb yr oes. 'Oes o wfftio at grefydd ac at gapal.'
Dyna fydda fo'n ddeud. 'Oes pan nad ydi gonestrwydd
ac egwyddor yn cyfri dim! . . . Pobol ifanc yn tyfu i
fyny heb wbod ystyr cywilydd a gwarth . . . parch at
neb na dim . . .' Byddai'n rhefru'n ddiddiwedd am
betha nad oedd hi, Mair, wedi gallu cynhyrfu rhyw
lawer yn eu cylch, na'u deall yn iawn, chwaith. Petha
fel diffygion cyfraith dyn o'u cymharu â rhagoriaetha
cyfraith Duw. Hitha'n wfftio at ei eiria a'i gyhuddo o
fod yn sych-dduwiol ac yn amharod i symud efo'r oes.
'Ond fo oedd yn iawn!' medda hi wrthi'i hun, rŵan, fel
y gwibiai'r atgofion hynny drwy'i meddwl. 'Mae'r byd
yn llawn o bobol ddrwg, y dyddia yma.' Onid oedd hi
wedi darllen yn y *Daily Post* yn ystod y dyddia dwytha

am wraig ifanc yn cael ei threisio a'i mwrdro yn ei chartre'i hun yn Lerpwl? Ac am ladron yn torri i mewn i fanc yn Leeds a churo'r *nightwatchman* i farwolaeth? Fyddai petha felly byth wedi digwydd ugian mlynadd yn ôl. Pam? Am y byddai ganddyn nhw ormod o ofn cael eu dal a'u crogi, dyna pam! Nid bod Ifan wedi cytuno efo'r ddadl honno, wrth gwrs. Iddo fo roedd pob bywyd, hyd yn oed bywyd y dihiryn mwya, yn gysegredig yng ngolwg Duw. Ia, yr un dadleuon yn union ag a ddefnyddiodd dros wrthod joinio'r armi, slawar dydd!

'. . . Wel cofiwch chi rŵan, Musus Huws! Unrhyw adag y byddwch chi angan symud rhwbath trwm neu godi glo neu . . .'

Roedd y meddylia i gyd wedi gwibio trwy'i chof yn yr eiliad o styried sut i ymateb i'r dieithryn ar garreg ei drws.

'. . . Wel, mi wyddoch chi be dwi'n feddwl!' medda fo wedyn. 'Dwi'n pasio'ch tŷ chi'n ddigon amal, cofiwch.'

'Diolch ond dwi'n iawn, diolch.' Yn fwy pendant o lawar ganddi, y tro yma.

'Dyna chi, ta!' medda fo, a throi at lwybyr yr ardd. 'Ond unrhyw bryd, cofiwch!' medda fo wedyn, dros ysgwydd, i danlinellu'i gynnig. Yna, fel petai newydd gofio rhywbeth, trodd i edrych arni eto . . . dim ond am eiliad, ond gyda chynnwrf arwyddocaol yn ei lygaid y tro yma, 'Gyda llaw, mae glas yn eich siwtio chi, os ca i ddeud!'

Wedi gneud yn siŵr ei fod o'n diflannu i'r gwyll a heibio'r gornel i Lòrdstryd, rhoddodd Mair dro penderfynol ar y goriad unwaith eto a mynd trwodd i'r gegin gefn, i gloi'r drws yn fan'no hefyd. Roedd ei meddwl yn ddryslyd. Pwy oedd y Jac Edwards 'ma oedd wedi galw'n unswydd i gynnig ei wasanaeth? Roedd hi'n cofio'i wyneb, ac yn gwybod hefyd mai chwarelwr oedd o, ond doedd yr enw Jac Edwards na Jac Oldbury Street ddim yn canu cloch, rhywsut. A pham rwdlan bod glas yn ei siwtio hi, a hitha'n weddw ac yn ei du? Oedd o'n colli'i olwg, ta be?

'Twt! Rhyw rwdlyn gwirion ydi o, mae'n siŵr!' cysurodd ei hun ac aeth ati i lenwi'r teciall letrig ar gyfer y botel ddŵr poeth. Haf neu beidio, roedd ambell noson yn gallu bod yn ddigon oer, yn enwedig i wraig mewn galar.

A dyna pryd y sylweddolodd hi pwy oedd y dyn oedd newydd alw. 'Jac-do! Dyna pwy oedd o, siŵr iawn!' medda hi, a theimlo'i hun yn mynd yn oer drosti wrth i darddiad y llysenw ddod yn ôl iddi. Fe glywsai hi Ifan yn cyfeirio ato unwaith neu ddwy. A rhai o'r merched ar y stryd yn ei drafod yn dipyn mwy smala! 'Jac-do' am ei fod o'n bla ar weddwon! 'Jac-do' oherwydd ei barodrwydd i gymryd mantais ar wragedd mewn galar . . . ar wragedd mewn du! A'i thro hi, Mair, fu hi heno!

Teimlodd groen gŵydd yn cerdded drosti.

'Y cena iddo fo!' medda hi'n uchel wrth y gegin o'i chwmpas. 'Yr hen gena drwg iddo fo!' medda hi wedyn, i gadarnhau ei dicter, wrth i hen atgof am ymwelydd arall ddod yn ôl i'w phoeni. 'Prin bod Ifan druan wedi oeri yn ei arch! . . . Mi fydda i'n cloi'r drws yn gynnar o hyn allan. A chau'r cyrtans hefyd, rhag ofn i'r cythral alw eto.'

*   *   *

Edrychodd Huw Lòrd Bach ar ei wats a thynnu'i
sbectol-ddarllen er mwyn cael rhwbio'i lygaid blinedig.
Naw o'r gloch ar ei ben!

Ar y bwrdd o'i flaen, roedd wedi gosod trefn ar
betha, yn bum pentwr taclus. Ar y chwith, llythyra
Rhys o Ffrainc ac, yn nesa at y rheini, dyddiaduron
Ifan – naw ohonyn nhw – yn ogystal â dwsin o
dudalenna teipiedig wedi dechra melynu a breuo, yna
pentwr o'i lythyra'i hun at ei frawd, o'r coleg ym
Mangor ac o'r llu awyr ar ôl hynny. Synnai fod Ifan
wedi trafferthu cadw'r rheini o gwbwl. Dwy amlen
frown gweddol drwchus oedd y pentwr nesa, y naill
efo'r geiria *Personal effects of Flight Sergeant H. Hughes,
704 PFF Squadron* mewn inc du arni a'r llall efo'r
llythrenna bras 'KONIGSTEIN' mewn pensel. Toriada
papur newydd oedd cynnwys y pentwr ola, sef pob
erthygl Saesneg a Chymraeg a sgwennwyd ganddo
erioed. Roedd Ifan wedi cadw'r rheini hefyd!

'A dyna fi wedi cymryd y cam cynta, beth bynnag.
Wyt ti'n fodlon rŵan, Ifan?'

Cofio roedd o yr addewid a wnaethai i'w frawd,
flynyddoedd yn ôl bellach. Cofio'r union achlysur
hefyd. Ifan, wrth ei longyfarch ar dderbyn swydd
barhaol efo'r *Guardian* slawer dydd, yn cyflwyno'r
teipiadur iddo. *'Dyma ti, Huw. Mi fydd hwn yn fwy
defnyddiol i ti nag i mi. Dwi'm yn ddigon o giamstar arno
fo, weldi. Yn fodia i gyd, dyna pam! Ond wyddost ti pam y
prynis i fo? . . . Paid â chwerthin, rŵan! . . . I sgwennu fy
hunangofiant, 'achan! Neu'n hytrach, i gofnodi tipyn o
hanas y teulu . . . Teulu Lòrd Bach! Dwi wedi rhyw lun o
ddechra ar y gwaith. Trio deud tipyn o hanas y dyddia
cynnar. Talu teyrnged i Mam a Nhad, a cheisio dangos mor
arbennig oedd y ddau . . . A thrio rhoi darlun teg o Rhys fy*

mrawd, hefyd. Disgrifio sut un oedd hwnnw cyn mynd i'r
rhyfal a'r newid mawr ddôth drosto fo tra oedd o yn Ffrainc
. . . Dwi wedi sôn rhywfaint am Taid Josh hefyd, yn ogystal
â chydig o atgofion am yr Hen Eos a Gaenor Parry, gan eu
bod nhw'n rhannu'r un stryd â ni. A phennod i'r Parch. T. L.
Morgan hefyd, wrth gwrs. Ond dyna cyn bellad ag y medris i
fynd, mae gen i ofn. Mi fu'n rhaid imi roi'r ffidil yn y to yn y
diwadd, wel'di, a derbyn bod y dasg yn drech na fi. Ond
mae'r addysg a'r gallu gen ti, Huw, i sgwennu'r hanas yn
llawn, a dwi'n gobeithio y cei di, ryw ddiwrnod, gyfla ac
awydd i fynd-ati i neud hynny . . . cyfuno f'atgofion cynnar i
efo dy brofiada ditha. 'Teulu Lòrd Bach'! Fe wnâi deitl da.
Ti'm yn meddwl? . . . Wnei di addo styried y peth?'

Er nad oedd wedi gaddo dim byd pendant i'w frawd
ar y pryd, gallai ei glywed yn edliw, rŵan, yn ei glust,
'Rwyt ti'n ddigon parod i neud rhaglan deledu amdanat dy
hun, ond be am d'addewid i sgwennu hanas dy deulu?'

Edrychodd ar y pentyrra o'i flaen. 'Damia unwaith,
Ifan! Pam ti'n meddwl mod i wedi mynd i'r draffarth i
hel yr holl stwff 'ma at ei gilydd?'

Ond cyn gneud dim, byddai'n rhaid erlid ysbrydion
ei orffennol ei hun yn gynta; yr ysbrydion a fu'n
cuddio ers pymtheng mlynedd ar hugain yn y ddwy
amlen frown o'i flaen. Cydiodd yn y gynta ohonynt –
Personal effects of Flight Sergeant H. Hughes, 704 PFF
Squadron – a'i throi hi wyneb i waered, i wylio'i
chynnwys yn llifo allan. Pob dim a adawsai yn ei locer
yn Swinderbury, slawer dydd, cyn cychwyn ar y *sortie*
olaf hwnnw! Eu gweld nhw, rŵan, am y tro cynta ers
hynny. Do, fe gafodd ei atgoffa droeon gan Ifan am
fodolaeth yr amlen, ond am reswm na allai mo'i ddeall
na'i egluro'n iawn, fe wnaethai esgus ar ôl esgus tros
beidio'i hawlio. Tan heddiw!

Amlen fechan wen oedd uchaf ar y pentwr. Llythyr caruaidd oddi wrth ryw Josie-neu'i-gilydd, yn crefu arno i gysylltu â hi y tro nesa y byddai'n ymweld â Chaergrawnt. Oedd, roedd ganddo frith gof am Josie. Ei thad yn ddarlithydd Athroniaeth yn un o'r colega. Cofio'i gwallt du disglair hi a'i llygaid tywyll gwengar. Cofio'i chorff siapus. Cofio'r caru direol . . .

Cydiodd mewn amlen wen arall, a'r llawysgrifen gelfydd arni'n brawf digamsyniol mai Ifan oedd awdur y llythyr hwnnw. Llythyr wedi'i ddyddio 9fed Chwefror 1945, ychydig ddyddia cyn *Operation Thunderclap*. Llythyr na chawsai gyfle i'w ateb. 'Roeddat ti'n un da am lythyr, bob amsar, Ifan' meddyliodd. 'Bechod na faswn i wedi cadw pob un o dy lythyra di, fel y cedwist ti fy rhai i. Mi fydden nhw'n gofnod hanesyddol gwerthfawr erbyn heddiw . . . A! Ro'n i'n gobeithio y basa hwn yma!'

Cydiodd yn y llyfr nodiada bychan clawr caled. Cofnod o'i amser yn yr RAF. Llai manwl na dyddiaduron ei frawd, wrth reswm, ond cofnod o bob cyfaill ac o bob cariad a gafodd yn ystod yr amser hwnnw, ac o bob *sortie* iddo fod arno erioed – ac eithrio'r *sortie* olaf un! Roedd yr hanes hwnnw i'w gael yn yr amlen frown arall.

Tynnodd drydydd llythyr allan o'r pentwr. Amlen wedi'i selio ond heb stamp. Wedi'i chyfeirio at ryw Mr a Mrs Anderson yn Wakefield. 'Yn fy sgwennu i!' Rhythodd yn ddi-ddallt arni am eiliad gan fod y cyfenw a'r cyfeiriad mor ddiarth iddo. 'Pam faswn i isio gyrru gair at ddieithriaid?' meddyliodd, cyn cofio mai dyma'r llythyr cydymdeimlad y bwriadodd ei anfon at rieni Spike, y *rear gunner* ifanc hwnnw a gollodd ei fywyd yn y *Lucky Vera*, slawer dydd.

431

Dear Mr and Mrs Anderson,
  *Please accept my profound and sincere sympathy
with you in the loss of your son. I had the honour of
serving in the same crew as . . . on twelve different
sorties . . .*

Cofiodd mai'r bwlch yn y frawddeg oedd y rheswm
pam na chafodd y llythyr ei bostio ar y pryd. Roedd o
wedi bwriadu holi ynglŷn ag enw iawn Spike ond fe
ddaeth *Operation Thunderclap* i ddrysu'i gynllunia.

  *'. . . and in that time I came to regard him as one of
  my closest friends . . . was highly regarded by all
  who knew him at Bomber Command, not only for
  his open and friendly nature but also for the
  professional way in which he always set about his
  duties. I hope it will be of some comfort for you to
  know that he died instantly from his wounds and
  that he suffered no pain . . .*

  'Blydi geiria diystyr!' medda fo'n chwerw wrtho'i
hun rŵan, gan wthio'r llythyr yn ôl i'w amlen.
'*Suffered no pain* o ddiawl! Dim poen, er bod *tracer
bullets* y Messerschmitt wedi hollti esgyrn ei ben o? A
rhwygo trwy'i gnawd? Siŵr Dduw bod y cradur bach
wedi teimlo poen . . .' Yn ddiarwybod, gwasgodd Huw
Lòrd Bach ei goes dde greithiog, lle bu pen-glin
unwaith. '. . . fel y gwn i o brofiad!'
  Ond be ddigwyddodd i gorff yr hogyn, tybad? A
gafodd hwnnw ei godi o ddyfroedd y Wash, i'w gladdu
mewn bedd parchus fel bod gan ei rieni rwla
cysegredig i ddangos eu galar? Ynte ai pydru efo'r
Lucky Vera ar wely'r môr fu ei hanes? Roedd y

432

cwestiwn wedi poeni llawer arno dros y blynyddoedd. Gwyddai fod yr atebion ar gael yn rhywle, pe bai'n mynd i'r drafferth i holi.

Roedd pump o lunia wedi syrthio allan o'r amlen, hefyd; llunia a aethai'n angof ganddo tan rŵan. Aeth ati i'w gosod mewn trefn gronolegol – Criw'r OTU yn RAF Kinloss oedd y llun cynta, wedi ei dynnu – yn ôl y dystiolaeth ar y cefn – ym Mis Hydref 1940. Chwech o wyneba ifanc yn gwenu'n ôl arno o'r gorffennol. Llun wedi'i dynnu yn yr Alban oedd yr ail hefyd. Fo ar gefn motobeic a breichia merch walltddu, chwerthinog yn gwasgu amdano o'r tu ôl. Roedd ôl y grib i'w gweld o hyd ym Mrylcreem ei wallt a bron na allai ogleuo lledar ei *bomber jacket,* unwaith eto, a theimlo'i choler wlân yn anwesu ei war. *'Efo Angela yn Ayr'* meddai'r wybodaeth ar y cefn. Tri digon tebyg i'w gilydd oedd y llunia eraill, pob un yn dangos criwia gwengar yn eu siacedi hedfan, ac Avro Lancaster anferth yn gefndir i bob llun. Craffodd yn hir a hiraethus ar y rhain, o un i un, a gweld dim byd ond pryder a diniweidrwydd ifanc ymhob gwyneb ac ymhob gwên. Oedd, roedd yn cofio pob gwyneb os nad pob enw. Y llun cynta wedi'i dynnu chydig eiliada cyn iddo gychwyn ar ei *sortie* cynta un. Cofio mai Jock oedd y peilot, mai Taff o Ddowlais oedd y *wireless operator* ac mai Alex, Canadiad o Quebec, oedd yr *upper-gunner* ond methu'n lân â chofio enwa'r tri arall.

Roedd arwyddocâd hanesyddol i'r ail lun. Criw y Pathfinder gynta i arwain sgwadron allan dros dir y gelyn. A fo, Huw Lòrd Bach, yn *navigator*! Synnodd at y gwahaniaeth rhwng hwn a'r llun o'i flaen. Er ei fod yn gwenu yn y ddau fel ei gilydd, gwyneb dyn cyfarwydd â straen a phryder a welai yn hwn. Ond be

433

arall oedd i'w ddisgwyl, a deg *sortie* ar hugain wedi mynd heibio yn y cyfamser? Rhywbeth arall a wnâi'r llun hwn yn arbennig oedd bod Arthur *Bomber* Harris – y *Commander-in-Chief* ei hun! – wedi dod i sefyll atyn nhw, yn rhan o'r grŵp. A'i fod wedi ei lofnodi, hefyd! Gallai gofio'r trydydd llun yn cael ei dynnu hefyd, ond dyma'r tro cynta erioed iddo'i weld. Hwn oedd y llun a dynnwyd ychydig funuda cyn i'r *Welsh Lady* gychwyn ar ei *sortie* cyntaf . . . a'i holaf! Felly, rhaid bod rhywun wedi gweld yn dda i'w roi yn yr amlen efo gweddill ei betha, fel bod ei deulu yn ei gael.

Gosododd y tri llun ochor yn ochor a gneud bras gyfri o'r rhai a gollwyd. Pymtheg, o leia, allan o bedwar ar bymtheg. Mwy, am a wyddai. Y fath aberth! Y fath wastraff o fywyda ifanc! 'A hannar dyn fel fi yn cael byw! I be? . . . I be?'

Gyda chymysgedd o chwerwedd a dicter, gwthiodd y *personal effects* a'r atgofion yn ôl i'w hamlen a chydio yn yr amlen arall oedd a 'KONIGSTEIN' arni. Efo cledr ei law, sgubodd weddill y llwch oddi ar honno, llwch a fu'n hel ers iddo'i thaflu hi o'r golwg ac o gof, i ben y wardrob, dair blynedd ar hugain yn ôl. Fu arno ddim awydd atgoffa'i hun am gynnwys hon, chwaith, tan heddiw.

Gwyliodd y mân ddarna papur a chardbord yn llifo allan ohoni, yn domen fechan o'i flaen. Bron na allai gofio sut y daeth pob darn unigol o bapur i'w feddiant. Yr hanner tudalen o bapur melyn, er enghraifft. Bu'n ddigon sydyn i sodro'i droed ar hwn i'w hawlio, wrth i'r gwynt ei chwythu ar draws ei lwybyr . . . Y tamaid cardbord efo'r ymyl ddu, wedyn. Cipio hwn allan o goelcerth wnaeth o, cyn iddo gael ei losgi'n llwyr . . . A'r dudalen frown. Amlen wedi'i hagor allan yn ofalus,

434

ar ôl iddo'i dwyn hi oddi ar ddesg clerc y Kommandant yn yr eiliad y trodd hwnnw ei gefn . . . Sbachu pensel hefyd o'r un lle! . . . Pob darn wedi'i orchuddio rŵan â llawysgrifen hynod o fân, hynod o gynnil, yn cofnodi'i brofiada a'i argraffiada yn ystod ei arhosiad byr yng Nghastell Konigstein.

Caeodd ei lygaid a gweld ei hun unwaith eto'n sefyll yng ngwarddrws y *Welsh Lady* . . . Teimlo'r tanwydd fel glaw oer ar ei wyneb a hwnnw wedyn yn ffrwydro'n fflam ysol . . . Cofio'i sgrech . . . Cofio plymio i oerni'r nos . . . Cofio'r pendilio araf o dan y sêr, a'r boen yn ei goes ddrylliedig yn ddim o'i gymharu ag artaith ei wyneb . . . Cofio pryderu ynghylch tynged ei gyfeillion . . . Ac yna, dim! Dim byd ond düwch bendithiol yn golchi drosto. Cofio agor ei lygaid, wedyn, i olau dydd, a'r gwely cul fel craig oer oddi tano. A hugan ddu o wraig yn plygu drosto i drin ei glwyfa, heb ronyn o gydymdeimlad yn ei llygaid trist. Ei chofio'n gosod trwyth o ddeiliach gwlyb ar gig noeth ei wyneb ac ynta'n sgrechian ei brotest cyn i'r düwch bendithiol ddod yn ôl i fygu pob dim. Cofio'r dyddia hir o orwedd yno, efo'i wyneb o'r golwg o dan gadacha, heb neb ond y wraig guchiog yn gwmni achlysurol. Ynta'n rhyfeddu nad oedd tosturi yn rhan o'i gofal, yn rhan o'i thynerwch. Cofio'r holi ofer am atebion i'w gwestiyna; hi'n dallt yr un gair a ddywedai, ynta'n dallt dim o'i Halmaeneg cyndyn hitha. Cofio'r oria effro o orwedd ac o wrando ar gyfarth gorchmynion sarrug yn y pellter neu sŵn traed milwyr yn sodlu'n awdurdodol heibio, tu allan i'w stafell. Yna, un diwrnod, pedwar dyn, tena a thlodaidd yr olwg, yn ymddangos yn nrws y stafell, yno'n unswydd i'w lusgo'n ddiseremoni i'w draed ac i sodro bagl o dan bob cesail iddo. *'You go out!'* oedd y gorchymyn swta. Cofio eto rŵan, fel roedd clywed gair o Saesneg, er gwaetha'i artaith ar y pryd, wedi codi rhywfaint ar ei ysbryd. Cofio hefyd pob cwestiwn pryderus a phob atebiad gwrthnysig:

'Lle ydw i? Lle 'dach chi'n mynd â fi?'

'Terezin!' Ateb i'r cwestiwn cynta'n unig.

'Lle mae fan'no?'

'Sudetenland. Rŵan gwna fel 'dan ni'n deud wrthat ti.'

'Ond yng ngofal pwy ydw i? Mae'ch gwisg chi'n deud nad milwyr ydach chi. Mae gen i fy hawlia fel carcharor rhyfel!'

A'r atebwr yn chwerthin yn wawdlyd cyn cyfieithu i'r tri arall. Y rheini'n chwerthin yr un mor ddirmygus o drist hefyd.

'Ar ôl be wnest ti a dy ffrindia, paid â disgwyl unrhyw hawliau yn fa'ma.'

Cael ei hysio wedyn allan i'r awyr iach, lle'r oedd Citroën mawr du yn aros, gyda milwr Almaenig wrth y llyw ac un arall, a gwn yn hongian oddi ar ei ysgwydd, yn dal drws cefn y car yn agored iddo. Yno, yn yr hanner gwyll, eisteddai swyddog canol oed, yn arwyddo'n ddiamynedd arno i roi ei fagla yng ngofal y milwr a dringo wedyn i gefn y car. Ynta'n gyndyn i ufuddhau am ei fod yn ofni eu bwriad. Fe glywsai ddigon am garcharorion yn cael eu cludo i lefydd diarffordd i'w rhoi yn erbyn wal a'u saethu! *'Come! I do not have all day!'* Ac am i'r Saesneg annisgwyl liniaru rhywfaint ar ei bryderon, fe lusgodd ei hun yn ufudd i mewn i'r car, er gwaetha'r poen o neud hynny, a synnu wedyn at barodrwydd y swyddog i sgwrsio yn ystod y daith.

'Lle 'dach chi'n mynd â fi?'

'Castell Konigstein. Rwyt ti'n lwcus mod i'n digwydd galw heibio Terezin heddiw.'

'Lwcus?'

'Ia. Fe geith dy glwyfa di well sylw yn Konigstein. I Colditz y byddet ti wedi mynd, fel arall.'

Cofiodd mai taith arteithiol fu honno iddo, gan mor gyfyng oedd sedd gefn y car i'w goes anhyblyg. Ond bu sgwrsio'r Almaenwr yn help i symud rhywfaint ar ei feddwl. Carchar i swyddogion yn unig oedd Castell Konigstein, meddai hwnnw wrtho, ac ni fyddid yn derbyn ranc mor gyffredin â *flight sergeant* yno fel rheol. 'I Gastell Colditz y dylet ti fynd. Hwnnw ydi'r carchar i filwyr cyffredin sydd agosa at fa'ma. Ond, oherwydd yr amgylchiada, dwi am neud eithriad yn dy achos di.'

'Roedd o'n sylweddoli, mae'n siŵr, bod y rhyfal ar ben iddo fo a'i wlad erbyn hynny,' meddai Huw wrtho'i hun. 'Haws gneud eithriad ohona i na thrafferthu i fynd â fi ymhellach nag oedd raid.'

Yn ystod y daith boenus honno fe gafodd glywed gan yr Almaenwr am dynged y *Welsh Lady*. Roedd hi wedi taro'r ddaear heb fod ymhell o garchar Terezin, meddai, ac fe welwyd un o'r criw yn dod i lawr ar barasiwt.

'Dim ond un parasiwt?'

'Ia. Chdi yr unig un. Duw o dy blaid, mae'n rhaid! Y lleill i gyd wedi'u lladd.'

Cofio meddwl ar y pryd '*Duw*? Be ŵyr hwn am Dduw, a fynta'n Almaenwr?'

'Mi fuost ti'n lwcus hefyd o gael yr Iddewes 'na i drin dy glwyfa di. Yn lwcus ei bod hi'n gwybod pa ddeiliach i'w casglu o'r caea, i neud trwyth ar gyfer y llosg ar dy wyneb ac ar dy ben, ac i gadw dy goes di

437

rhag mynd yn ddrwg. Ond coes glec fydd gen ti o hyn allan, gan fod padell dy ben-glin di wedi mynd.'

Cofio mygu'i siom o gael cadarnhad i'w ofnau.

'Mi ddylwn fod wedi diolch iddi cyn gadael Terezin, felly.'

'Rhy hwyr! Roedd hi wedi mynd.'

'O?'

'Wedi cael ei symud ymlaen, i le arall.'

'Symud ymlaen?'

'Ia. Carchar dros dro yn unig ydi Terezin. Lle i dorri'r daith iddyn nhw, os mynni di.'

'Nhw?'

'Yr Iddewon. Maen nhw'n cael eu symud o fa'ma i garchar mwy moethus yn y gogledd.'

Cofio'i waed yn rhewi wrth glywed y geiria hynny. Doedd ffordd y Natsïaid o drin Iddewon ddim yn ddirgelwch i neb.

'Iddewon? Ond Almaenwyr ydyn nhw! Almaeneg oedd iaith pob un ddaru mi'i gwarfod, beth bynnag!'

Cofio ymateb chwyrn y swyddog; cyfarthiad dyn a gawsai ei sarhau: 'Dydyn nhw ddim yn Almaenwyr! Wyt ti'm yn gweld gwahaniaeth mewn pryd a gwedd, ddyn? Welist ti Iddew efo gwallt gola neu lygaid glas erioed? Sut bynnag, dydyn nhw'u hunain ddim isio cael eu styried yn Almaenwyr . . . Dyna ran o'r broblem!' Yna ychwanegu gyda dirmyg, 'Eu problem nhw dwi'n feddwl, wrth gwrs!'

Fynta, Huw, yn osgoi'r ddadl honno trwy fynd ar drywydd arall: 'Iddewon neu beidio, fe gês yr argraff eu bod nhw'n elyniaethus iawn tuag ata i, beth bynnag. Yn dipyn mwy gelyniaethus nag wyt ti, er enghraifft.'

'Wyt ti'n synnu, ar ôl be wnest ti a dy ffrindia yn Dresden? Yn creu'r fath Uffern yno? Wyddost ti bod rhanna o'r ddinas yn dal i losgi, wythnos gyfan ar ôl ichi fomio'r lle? . . . Ac yn dal i fygu hyd yn oed heddiw, fis yn ddiweddarach! Oes gen ti'r syniad lleia faint o bobol a laddwyd gynnoch chi, y noson honno? . . . Dega o filoedd i ti gael gwybod! . . . Mama a phlant a hen bobol, heb sôn am y miloedd o ffoaduriaid oedd wedi dianc yno o'r Dwyrain, rhag y Fyddin Goch. Roedd y ddinas dan ei sang pan ddaru chi daro . . .'

Do, fe geisiodd brotestio er gwaetha'i euogrwydd. 'Doedd be naethon ni yn ddim gwahanol i'r hyn 'dach chi'ch hunain wedi'i neud yn Llundain a Coventry, Lerpwl ac Abertawe a llefydd eraill.'

Cofio rŵan bod yr Almaenwr wedi anwybyddu'r ddadl honno. 'Rwyt ti'n rhyfeddu, meddat ti, bod yr Iddewon yn Terezin yn edrych yn ddu arnat ti ac yn elyniaethus tuag atat ti, ond wyddost ti pam? . . .' A mynd ymlaen i ateb ei gwestiwn ei hun, yn yr un dôn gyhuddgar: '. . . Pwy ti'n feddwl sydd wedi gorfod clirio'ch llanast chi yn Dresden? Wyddost ti fod llond lorïau o Iddewon wedi bod yn cael eu hanfon o Terezin a llefydd eraill bob dydd, am bythefnos gyfan, i dynnu cyrff allan o'r rwbel, a'u claddu nhw wedyn cyn i'r llygod mawr gael atyn nhw, a chyn i'r drewdod fynd yn rhy uffernol i neb allu mynd yn agos i'r lle?'

Cofio rŵan fel roedd y geiria hynny wedi codi llawer o gywilydd arno. Cofio, hefyd, rhyfeddu bod creaduriaid mor dena ac mor wantan ag Iddewon Terezin wedi gallu gneud gwaith mor drwm ac mor afiach.

'. . . Felly, paid â synnu os oedden nhw'n filain efo ti. Be arall wyt ti'n ddisgwyl, ar ôl ichi ladd cymaint o bobol ddiniwed? Ac ugeinia o Iddewon yn eu mysg nhw hefyd, siŵr o fod! . . .'

Oedd, roedd geiria'r Almaenwr wedi tanlinellu eironi'r sefyllfa iddo. Iddewon, ar ôl llwyddo naill ai i osgoi rhwyd Himmler a'r SS am flynyddoedd neu i ddianc rhag y Fyddin Goch, yn cael eu difa gan fomiau'r genedl 'wâr' oedd i fod i'w hachub nhw!

Ddwyawr yn ddiweddarach, roedd wedi cael ei gip cynta o Gastell Konigstein.

Gwthiodd Huw Lòrd Bach y darna papur rywsut rywsut yn ôl i'w hamlen, a chododd at y drych, i syllu'n hir arno'i hun a gadael i ragor o atgofion lifo'n ôl yn un afon chwerw. Yn yr holl flynyddoedd a aethai heibio . . . ers i'r rhyfel dod i ben, ers i'r Americanwyr ei ryddhau o Konigstein, ers i'r doctoriaid yn Llundain orffen ei drin . . . doedd o ddim unwaith wedi ceisio nac wedi cael cwmni yr un ferch. Ac o edrych arno'i hun rŵan, doedd dim rhaid gofyn pam! Pa ferch fyddai am gael ei gweld ar fraich y fath erthyl o beth? Nid Josie o Gaergrawnt yn reit siŵr. Na'r un Josie arall, chwaith!

Bob tro yr edrychai arno'i hun yn y drych, am ddeuoliaeth Jekyll a Hyde y meddyliai. Doctor Jekyll ar y chwith, Mr Hyde ar y dde! Doctor Jekyll yn lluniaidd olygus o dan gnwd o wallt brith, ac yn groeniach a di-herc; Mustyr Hyde yn fwystfilaidd ei groen, o'i hanner corun moel i'w ên, yn ddyfriog ei lygad a gwyw ei glust ac yn robotaidd ei gam. Doctor Jekyll yn hiraethu am y gwynt yn ei wallt a'r haul ar ei ben; Mustyr Hyde, efo'i het ar oleddf i guddio'r moelni a'r croen crin. A'r ddau'n rhannu'r un torso cyhyrog. A'r un galon chwerw!

Camodd yn ôl o'r drych a mynd i chwilio am wydryn ac yna'r botel wisgi. Gan fod ei goes wedi cyffio'n boenus erbyn rŵan, fe âi â'i gropar arferol efo fo i'w wely, i ddechra darllen trwy ddyddiaduron Ifan, ei frawd.

*   *   *

Wedi taflu ei ffrog a'i phais dros gefn y gadair yn ei llofft, gyda'r bwriad o'u tynnu trwy'r dŵr yn y bore i gael gwared â staen y te, aeth Mair Hughes i sefyll o flaen y drych yn ei bra a'i nicar. Er gwaetha'r plygion cnawd meddal o gwmpas ei chanol, roedd hi wedi cadw'i siâp yn rhyfeddol, meddai wrthi'i hun. Doedd ei bronnau hi ddim yn hongian yn rhy flêr, o styried ei hoed, ac roedd ei gwasg yn dal yn ddigon amlwg. 'Matar o golli stôn neu ddwy, dyna i gyd. Oddi ar y bol a'r pen ôl, yn benna.' Fe âi hi ar ddeiet, o fory mlaen. Bwyta'n iachach. Rhoi'r gora i datws a bara a chymryd llai o betha melys. Fe wnâi hynny fyd o les i'w chrydcymala hefyd, yn ôl pob sôn.

Rhoddodd hanner tro i gael golwg arni'i hun o'r ochor, rŵan. 'Diawl erioed! Mae digon o ferched ifanc fasa ond yn rhy fodlon cael corff mor siapus â chdi. Ac mae glas yn gweddu iti hefyd!' meddyliodd, wrth edrych ar liw ei dillad isa. 'Yn gweddu lawn cymaint â du, siŵr o fod.'

Glas yn gweddu iddi! Roedd rhywun arall wedi deud peth felly, a hynny lai nag awr yn ôl. A doedd dim rhaid gofyn pwy! Y Jac Edwards 'na, o Oldbury Street!

Llifodd y gwrid yn boeth i'w gwyneb wrth iddi sylweddoli pam ei fod o wedi deud yr hyn ddeudodd o. Roedd o wedi'i gweld hi'n codi ei ffrog a'i phais! Roedd o wedi gweld ei choesa noeth hi! Wedi gweld lliw ei dillad isa hi hyd yn oed! 'Rhag ei gwilydd o!'

441

Ond oedi o flaen y drych a wnaeth hi, serch hynny, a rhoi lle i fwy o gwestiyna gorddi yn ei phen. Beth pe bai o'n galw rywbryd eto, ac yn rhoi ei ddwylo arni? Be wnaethai hi wedyn? Fyddai hi'n ei wthio fo draw?

'Am gwestiwn gwirion! Wrth gwrs y byddwn i! Mae'r dyn yn briod, beth bynnag!'

'Ond dydi hynny ddim yn rhwystyr o gwbwl iddo fo, yn ôl pob sôn! Nac i titha chwaith, o ran hynny, Mair! Roedd y llall hwnnw'n briod hefyd – os cofi di!'

Damia unwaith! Oedd raid codi'r hen grachen honno eto rŵan, flynyddoedd wedi'r digwydd, i noethi'r holl atgofion llidiog oedd wedi llechu oddi tani cyhyd?

Gymaint roedd hi wedi edrych ymlaen at ei the pen blwydd y diwrnod hwnnw, chwe blynedd yn ôl. Cael dathlu'i thrigain oed yng nghwmni'r hogia a'r wyrion . . . ac Ifan hefyd. Ond roedd Rhagluniaeth wedi dewis drysu'r holl gynllunia.

Rhys – ia fo, o bawb! – yn ffeindio'r llun . . . Ifan yn rhoi dau a dau efo'i gilydd heb draffarth, a'r busnas Jim Gelli 'na'n codi'i ben, ar ôl yr holl flynyddoedd . . . Rhys ac Arthur yn synhwyro tyndra'r sefyllfa, a dod i'r un casgliad â'u tad! Fu Ifan byth yr un fath efo hi wedyn. O'r diwrnod hwnnw ymlaen, fe dyfodd bwlch mawr o ddieithrwch rhyngddyn nhw.

'Rhannu ngwely i efo dyn arall!'

O leia, roedd o wedi aros nes i'r hogia a'u teuluoedd droi'n ôl am adra cyn ymosod arni.

'Na, wir, Ifan!'

A dal i wadu wnaeth hi drwy'r cyfan, er ei bod yn gwybod o'r gora bod ei chelwydd yn gwbwl amlwg iddo. Gwadu i'r diwedd. A hyd yn oed rŵan, chwe blynedd yn ddiweddarach, roedd pob gair, pob ebychiad, pob cyhuddiad, pob edrychiad brwnt o'r ffrae a fu rhyngddynt yn dal yn fyw iawn yn ei chof.

'. . . Dyn oedd bron yn ddigon hen i fod yn dad iti! Yn sleifio i fa'ma bob nos, i gael croeso gan fy ngwraig! A finna oddi cartra, yn ama dim!'

'Naddo wir!'

'Gad dy glwydda!'

Oedd, roedd o wedi codi'i law i fygwth ei tharo.

'Sut fedrat ti neud y fath beth? A pha mor hir y parhaodd yr affêr, os gwn i? . . . Wythnosa? Misoedd? Blynyddoedd, mae'n siŵr! Fe gawsoch chi'ch dau ddigon o gyfla, beth bynnag! . . . A gadael imi feddwl wedyn mai fi oedd tad ei blentyn o! A thalu am ei fagu o! Mae'n siŵr eich bod chi'ch dau wedi cael môr o hwyl am fy mhen i, yn cymryd fy nhwyllo mor hawdd.'

'Paid â siarad fel'na, Ifan! Plîs!'

'Sut gythral allet ti neud y fath beth, Mair?'

Hitha, mewn cywilydd, yn dal i wadu orau allai, tra ar yr un pryd yn osgoi mellt ei lygaid a pheri iddo gynddeiriogi mwy.

'Gad dy gelwydd, yr hwran! Nid yn unig dy fod ti wedi fy nhwyllo i ond rwyt ti hefyd wedi hudo gŵr rhywun arall. Oes gen ti ddim cwilydd, dŵad?'

Oedd, roedd ganddi gywilydd, ond roedd hi hefyd isio deud wrtho na fu dim gwaith hudo ar Jim Gelli. Os rhwbath, fo oedd wedi'i hudo hi!

'Be ti'n mynd i . . . i neud . . . ?' Cofio tagu ar ei chwestiwn ac ar ei dagra.

'Gneud? Be gythral wyt ti'n ddisgwyl imi'i neud? Mae dynion wedi cael ysgariad am lai na be wnest ti i mi.'

Cofio'r cynnwrf a'r dychryn, a'r mwy o ddagra. 'Difôrs? Aet ti ddim mor bell â hynny, does bosib, Ifan? . . . Plîs. Dwi'n erfyn arnat ti.'

443

Ac er i'w hymbil a'i dagra dawelu rhywfaint arno, fe barhaodd y cryndod dig yn ei lais: *'Er gwaetha pob dim, ti'n gwbod o'r gora na wna i byth dorri fy llw priodas ond paid â disgwyl i betha fod yr un fath rhyngon ni byth eto.'*

A fuon nhw ddim, chwaith. Chwe blynedd yn ddiweddarach, fe aeth Ifan i'w fedd yn ddyn chwerw. A sawl gwaith yn y cyfamser y bu'n bygwth mynd at Robat Gruffudd Twrna i neud ei ewyllys? *'Arthur a neb arall sydd i etifeddu'r ddresel a'r cloc mawr, i ti gael dallt!'*

Ond wnaeth o mo'i wyllys, serch hynny, ac ar ddiwrnod yr angladd fe geisiodd hi barchu'i ddymuniad. *'Roedd dy dad isio i ti gael y ddresal a'r cloc mawr, Arthur. Felly gwell iti drefnu i rywun ddod i'w nôl nhw.'*

'Bobol bach, Mam! Wna i mo hynny, siŵr! Mi fyddai'ch cegin chi'n wag iawn hebddyn nhw. Na, dyma'u cartra nhw, tra byddwch chi byw.'

Cyn camu'n ôl rŵan o ddrych y *dressing table*, taflodd Mair gip ar y llun oedd wedi dechra melynu yn ei ffrâm. Hi ac Ifan, a'r hogia yn fach. Faint o ddŵr oedd wedi llifo o dan y bont ers i hwnnw gael ei dynnu? Be na roddai hi am gyfla arall!

Do, fe fu'r mis dwytha, ers colli Ifan, yn anodd. Colli clywed ei sŵn o gwmpas y tŷ. Colli mynd efo fo yn y car i siopa. Ei golli pan oedd angen rhywun i ruthro i hel y dillad oddi ar y lein wrth i gawod fygwth, neu i newid ffiws pan âi'r gola allan yn ddirybudd. A byddai'n gweld ei golli, yn reit siŵr, pan ddeuai'r tywydd oer, ac angen codi glo a llnau'r grât bob bora. Colli ei gael wrth ei hymyl yn y gwely hefyd, pe bai hi'n onest; yn enwedig pan fyddai sŵn annisgwyl yn ei dychryn, ganol nos.

Ia, colli ei bresenoldeb yn fwy na dim. Be arall oedd

ar ôl i'w golli, beth bynnag? Nid cariad yn reit siŵr, oherwydd roedd pob arwydd o hwnnw rhyngddynt wedi hen ddiflannu. Ac nid arni hi'r oedd y bai i gyd am beth felly, chwaith, gan mai ei bellter a'i ddiffyg anwyldeb o tuag ati, o ddydd i ddydd ac o wythnos i wythnos, oedd wedi lladd ei chariad hitha tuag ato fo. Felly, pam ddylai hi deimlo'n euog rŵan am fethu teimlo llawer o hiraeth ar ei ôl?

Yn araf, gwisgodd ei choban las a dringo rhwng cynfasau oer ei gwely.

*   *   *

Daeth Huw i waelod y dudalen ola a chau cloriau'r llyfr. Be i neud? Cychwyn ar gyfrol arall, ta be? Edrychodd ar y cloc bach wrth erchwyn ei wely. Chwarter wedi dau! 'Na, mi neith hyn'na'r tro am heno!' Rhwng bod y llygad chwith yn flinedig a'r un de yn ddyfrllyd, ac yn rhannol ddall beth bynnag, doedd ganddo fawr o awydd cydio yn y gyfrol nesa o atgofion ei frawd.

Nid bod angen llawer o gwsg arno, unrhyw noson. Pedair awr ar y mwya. Gwingodd wrth gofio ei fod wedi crybwyll hynny wrth Mike Foster yn ddiweddar a bod hwnnw wedi manteisio ar gyfle i dynnu'i goes: *'Wyddost ti mai dim ond pedair awr o gwsg mae'r prif weinidog ei angan hefyd, Huw? Falla dy fod ti'n debycach i Maggie nag wyt ti'n barod i gyfadda.'*

Gorweddodd yn ôl rŵan yn nhywyllwch ei lofft a meddwl dros yr hyn y bu'n ei ddarllen yn ystod y min nos. Dotio'n gynta at lythyra Rhys, y 'brawd' na chafodd y fraint o'i nabod erioed. Roedd y rheini'n stôr o wybodaeth am fywyd yn ffosydd Ffrainc! Yn enwedig ei lythyra ola, y rhai oedd yn tanlinellu mor fregus oedd cyflwr meddwl eu hawdur erbyn hynny. Dim ymgais o gwbwl yn y rheini i arbed teimlada'i fam. Rhestru manylion erchyll am golli ffrindia a chydnabod, am rynnu mewn troedfeddi o fwd oedd yn goch gan waed, am gyrff dynion a cheffyla'n gymysg o dan draed, ac am lygod mawr yn ffynnu ar y cwbwl.

A finna'n meddwl fy mod *i* wedi gweld mwy na fy siâr o ryfal, meddyliodd.

Cofnodion manwl Ifan, wedyn, yn y *copybook* bach coch, ac yn yr un clawr glas caled efo Medi 1921 – Tachwedd 1922 ar ei feingefn. Cynnwys y rheini hefyd yn hynod o ddiddorol, yn disgrifio bywyd chwarel ar ddiwedd y Rhyfel Mawr a'r diweithdra a'r caledi dychrynllyd ym Mlaendyffryn ar y pryd. Hanes dynion galluog, craff eu meddylia, yn dadla yn y Caban, ganol dydd, ar faterion gwleidyddol a chrefyddol. Os oedd Tomos Rees a Meicyn Tanrallt a Moi Topia ac eraill – pwy bynnag oedd y rheini – yn gallu dadla mor huawdl ac mor ddeallus ar byncia dyrys megis Cytundeb Versailles, y rhyfel cartre yn Rwsia, *Home Rule* i'r Gwyddelod a goblygiada dienyddiad prif weinidog Sbaen, yna fe allen nhwtha hefyd, fel Ifan ei hun o ran hynny, fod wedi dilyn cyrsia gradd yn llwyddiannus iawn ym Mangor, pe baen nhw ond wedi cael y cyfle.

Fe ddaeth cwsg iddo rywdro cyn i'r wawr dorri.

*   *   *

Fore trannoeth, pan gododd Huw Lòrd Bach i ffenest ei lofft, synnodd weld bod y dre wedi cael ei llyncu gan niwl a glaw mân. Sylwodd, gyda diflastod mwy

nag arfer, ar y pylla dŵr yn cronni yma ac acw ar
wyneb anwastad y ffordd, yn ddrych i gysgodion
llwydlas yr awr gynnar, a gwelodd bâr o oleuada yn
ymrithio allan o'r llwydni, a sŵn teiars, i'w canlyn, yn
sïo'n gwynfannus drwy'r gwlybaniaeth.

Dyna pam bod y lle mor dywyll, meddyliodd, gan
gymharu'r amser ar ei wats efo'r hyn oedd ar y cloc ger
ei wely. Hanner awr wedi saith ar ei ben! Roedd wedi
cysgu'n hwyrach nag arfer, diolch i'r dabled Mogadon
a lyncodd gyda'i wisgi, neithiwr. Ond roedd effaith
honno hefyd wedi cilio erbyn rŵan, a'r unig ffordd o
gael gwared â'r gwayw boreol yn ei goes oedd trwy
godi a symud tipyn o gwmpas y tŷ, i helpu cylchrediad
y gwaed. Nid bod ganddo lawer o le i symud, ar y gora,
gan mai cyfyng oedd ei fynglo unllofft; ond hwylus,
serch hynny, oherwydd ei fod yn ganolog i'r dre ac
heb unrhyw elltydd blinedig rhyngddo a'r Stryd Fawr.

Ddiwedd y rhyfel, pan glywyd ym Mlaendyffryn
fod Huw Lòrd Bach wedi cael ei ryddhau o garchar y
Jyrmans a'i fod yn derbyn triniaetha dwys ar ei
glwyfau mewn ysbyty yn Llundain, fe ddaeth
Ymddiriedolwyr Cronfa'r Hogia at ei gilydd i drafod ei
achos. Daethant i'r casgliad nad oedd ei gartre yn
Stryd Lòrd Bach, efo'i risiau cul a'i ddiffyg cyfleusterau,
yn addas o gwbl iddo, bellach, a phenderfynwyd rhoi
arian o'r gronfa tuag at godi cartre newydd iddo ar
lecyn hwylus yn y dre. Caed ymateb gwych hefyd i'r
apêl am wirfoddolwyr – crefftwyr a labrwyr fel ei
gilydd – i roi o'u hamser hamdden i helpu gyda'r
gwaith. Felly, pan gafodd Huw ddod adre o'r diwedd,
fe'i croesawyd yng ngorsaf yr LMS gan faer a
phwysigion a seindorf y dre, a'i gludo mewn
gorymdaith lawen, rhwng palmentydd poblog ac o

dan res ar res o *bunting* lliwgar ac aml Jac-yr-Undeb, i'w fynglo bychan newydd.

Doedd Huw ei hun ddim wedi dymuno nac wedi croesawu'r fath dderbyniad cyhoeddus, na chwaith yr hyn a ystyriai'n ddefnydd gormodol o'r gair 'arwr' yn araith y maer. Serch hynny, fe'i plesiwyd yn ei gartre newydd ac yn enwedig gan y ffaith na ddisgwylid iddo dalu rhent o fath yn y byd ar y lle. Wedi'r cyfan, pitw ar y gora oedd ei bensiwn rhyfel. *'Dim ond un ffordd fechan,'* yn ôl adroddiad y papur lleol ar y pryd, *'i'r dref amlygu ei diolch i un o'i harwyr dewraf.'* Fe aethai'r Ymddiriedolwyr cyn belled hefyd â rhoi'r enw 'Llety'r Arwr' ar y tŷ ond mynnodd Huw gael newid hwnnw i 'Blaen Cwm'.

Yn sŵn ei fistar yn baglu ac yn stryffaglu i wisgo'i drowsus, dechreuodd y ci stwyrian wrth draed y gwely, yna'i ddilyn trwodd i'r gegin fach, i gael ei ollwng allan i'r pwt o ardd wlyb yng nghefn y tŷ, i neud ei fusnes.

Tra oedd yn aros i'r tecell godi berw, llygaddynnwyd Huw eto heddiw gan y tamprwydd yn codi'n ddu yn y gornel wrth y drws a'r plaster yn chwydu'n glytia llwydwyrdd trwyddo. Uwchben y stôf, roedd paent melynwyn y nenfwd yn plisgio fel petala rhosyn wedi crino.

Agorodd y drws i'r cnewian a gadael i'r ci diferol gamu'n ôl i mewn, i sgrytian ei wlybaniaeth dros y llawr Marley melynfrown. 'Damia di gi!' medda fo rhwng ei ddannedd, ac fel un yn ymroi i'w dynged.

Gwnaeth baned a mynd â hi trwodd i'r parlwr ffrynt. Yno'n bentwr ar y bwrdd wrth y ffenest, lle gadawsai nhw neithiwr, roedd gweddill y dyddiaduron ac, yn gwmni i'r rheini, y teipiadur Underwood a gawsai'n anrheg gan Ifan ei frawd, flynyddoedd yn ôl.

'Diwrnod iawn i fynd i'r afael â'r gwaith,' medda fo wrtho'i hun gan wylio'r dafna glaw yn pigo'r ffenest ac yn ymgynnull yn ddagra pendrwm yma ac acw; y rheini wedyn yn gollwng gafael ac yn gwibio'n ffrydia bychain i lawr y gwydr. Tu allan, doedd dim i'w weld ond llen o lwydni. Dim sôn am y mynyddoedd cyfarwydd i'r gogledd na'r de. Dim sôn hyd yn oed am Goed Cwm ar y llechwedd oddi tano.

Taniodd Woodbine a llenwi ei sgyfaint â mwg y sigarét fain. Yna, wedi godro pob cysur posib ohono a gadael iddo ddianc yn llif llesmeiriol trwy'i ffroena, estynnodd am y gyfrol nesa o atgofion ei frawd ac, ar ôl gosod ei baned mewn lle hwylus i estyn ati, gollyngodd ei hun yn drwm ac yn drwsgwl i'w gadair feddal, gan daflu ei goes anystwyth dros y pwffê o'i blaen. Heb wahoddiad, daeth y ci i orwedd wrth ei ochor ar y carped moel.

*   *   *

'Wyth o'r gloch!' meddai Mair Huws wrthi'i hun gan roi hanner tro yn ei gwely. 'Be wna i, bora 'ma? Mynd i'r capal, ta be?'

Fe wyddai, oddi wrth wyll y stafell a sŵn dŵr y to yn rhedeg i'r beipen tu allan i'w ffenest, bod y tywydd wedi troi.

Doedd hi ddim wedi colli oedfa ers claddu ei gŵr, fis a mwy yn ôl, yn bennaf rhag teimlo'n euog pan fyddai'r gweinidog yn ymweld. Ond gan na welsai hi na rhych na rhawn o hwnnw ers pythefnos neu fwy, welai hi ddim bod rheidrwydd arni hitha rŵan i neud ymdrech foreol i ymbincio ac i drajan drwy'r glaw, i smalio duwioldeb efo pobol gwên-deg nad oedd hi

449

prin yn eu nabod. Bu'n gas ganddi gapel Caersalem
erioed, ond mwy fyth rŵan. Y cyffio ar sedd bren galed
a chael ei llethu gan bobiad arall o bregeth hirfaith y
Sul diwetha a'r Sul cynt . . . a'i hatgoffa, eto fyth, o
gymaint o bechadur oedd hi a phob aelod arall o'r
gynulleidfa dena.

Aeth yn ôl at feddylia neithiwr ac at y dyn a
ddaethai i gynnig ei wasanaeth. Digwilydd, a deud y
lleia! Ond *compliment*, serch hynny, o gofio'i bod hi
flynyddoedd yn hŷn na fo. Er gwaetha'i hoed, rhaid ei
bod hi'n ddigon deniadol o hyd i allu troi pen dynion!
Felly, be am ei phenderfyniad i fynd ar ddeiet? Allai hi
neud peth felly? Llai o fara, llai o datws, llai o betha
melys? Wrth gwrs y gallai hi. Ac fe wnâi, hefyd!

Sleifiodd ei brawd-yng-nghyfraith i'w meddwl hi
eto rŵan, heb ei wahodd. O'i nabod, mi fyddai
hwnnw'n siŵr o alw naill ai heddiw neu fory i nôl y
lluniau roedd hi wedi'u gaddo iddo. Gwell cael pob
dim yn barod iddo neu fe gâi hi flas ei dafod, eto fyth.
'Ac fe sonia i wrtho fo hefyd am y medala yn y tun
baco yn nrôr y dresal. Medala'r brawd Rhys o'r rhyfal
cynta. Rhyfadd bod gan Ifan y fath feddwl o'r rheini, o
styriad ei fod o'n rhoi ei hun yn gymaint o
heddychwr! Ond dyna fo, fe geith yr Huw 'na fynd â
nhw. Dydyn nhw'n golygu affliw o ddim i mi, beth
bynnag.'

*   *   *

Fe gymerodd ddeuddydd iddo ddarllen trwy holl
ddyddiaduron ei frawd a chael achos i ryfeddu at
rywbeth neu'i gilydd ar bob tudalen. Ifan yn cofnodi
ffeithia moel un funud, yna'n ymateb yn llawnach i

faterion mwy difrifol, megis y *Wall Street Crash* yn America yn 1929 a llwyddiant etholiadol y *Nazis* yn yr Almaen yn 1930. *'Yn y dyddiau cythryblus hyn, mae pobl yr Almaen yn cael eu hudo gan fytheirio tanbaid gŵr o'r enw Adolf Hitler ond, o'r hyn a ddarllenaf, nid yw ef a'i Nazis, yn eu dillad duon, yn ddim amgen nag ail-bobiad o Mussolini a'i Fascisti yn Itali. Hawdd deall, serch hynny, pam bod y Nazis yn ennill tir mor gyflym oblegid nid yw gwlad falch fel yr Almaen yn mynd i ddioddef yn hir iawn eto yr iau trwm a osodwyd ar ei gwar gan Gytundeb Versailles.'*

Sylwodd Huw fel roedd y llawysgrifen yn llifo'n rhwydd dros y papur; yr inc un funud yn ddu ac yn drwchus ond yna'n graddol ddiffygio, cyn duo drachefn a diffygio eto. Câi'r patrwm hwnnw ei adrodd drosodd a throsodd ar y dudalen, i fradychu'r troeon y cafodd y *penholder* ei disychedu yn y botel inc. Gallai ddychmygu'r Ifan Lòrd Bach ifanc yn ymlafnio'n llafurus i gofnodi'r cyfan, a thamaid o *blotting paper* pinc bob amser wrth law.

O ddiddordeb arbennig i Huw oedd disgrifiad graffig ei frawd o'r tlodi a'r caledi ym Mlaendyffryn yn y cyfnod rhwng y ddau ryfel byd ac o'r cyni mawr trwy Brydain gyfan wrth i nifer y di-waith yn y tridegau gyrraedd cyfanswm o dair miliwn. *'Mae gweld y chwareli i gyd yn segur, a dynion yn eu dagrau am na allant roi bwyd ym moliau eu plant, yn olygfa sy'n cyffwrdd calon dyn. Fel sawl pysgotwr arall yn yr ardal, rwyf innau hefyd wedi dechrau crwydro'r mynyddoedd, bob min nos, i rai o'r llynnoedd mwyaf diarffordd, lle nad oes berygl i'r ciperiaid ein dal yn potsio. Mae styllenni fy nhad wedi dod yn ddefnyddiol iawn unwaith eto ac nid oes dim sy'n rhoi mwy o foddhad imi na gweld y dagrau o ddiolch*

*yn llygaid mamau a gweddwon pan af â physgod i'w
rhannu rhyngddynt. Rwyf yn meddwl llawer am fel y
byddai Mam, yr hen dlawd, yn twt-twtian yn feirniadol
bob tro yr âi fy nhad a Rhys allan i botsio, am eu bod yn
torri cyfraith gwlad, ond yn y byd caled sydd ohoni heddiw,
rwy'n tybio mai hi fyddai'r gyntaf i roi sêl bendith ar fy
ngweithredoedd. Gallaf ei dychmygu hi yn dweud, y funud
hon, bod yn rhaid i gyfraith gwlad blygu i gyfraith Duw.'*

Yn ddiarwybod iddo'i hun, roedd Huw yn nodio'i
ben i gytuno efo'r geiria oherwydd ei fod yn cofio'r
cyfnod hwn ei hun. Ac ynta yn ei arddega cynnar ar y
pryd, bu'n helpu Ifan efo'r styllennu. Os nad oedd
ysgol yn galw drannoeth, wrth gwrs! Cychwyn yn
ddigon buan ar nos Wener i gyrraedd Llyn Conglog
neu Lynnoedd Diwaenydd mewn da bryd at y naid
nos, a baglu eu ffordd adre wedyn trwy rug a
chrawcwellt yn nhywyllwch oriau mân bore Sadwrn, o
dan faich y sacheidiad trwm o bysgod. Cofio'r brys i
gyrraedd y tŷ cyn i'r wawr dorri, rhag cael eu gweld
gan Dêfis Plisman neu gan ryw gymydog mwy
llygadog a mwy preplyd na'i gilydd. Cofio hefyd y
blinder braf wedyn o gael suddo i'r gwely plu ac i
freichia cwsg parod. Ond trefn ychydig yn wahanol ar
nos Sadwrn, wedyn! Bryd hynny, wnâi Ifan ddim
caniatáu crwydro'n rhy bell, rhag iddyn nhw fethu
bod adre'n ôl cyn hanner nos. Doedd wiw torri'r
Saboth!

Gwenodd wrth gofio mai dyna'r tro cynta erioed
iddo feiddio herio daliada'i frawd, er mai rhwng difri a
chwarae y gwnaeth o hynny – *'Ti'n swnio fel un o'r
Phariseaid, rŵan, Ifan!'* – a chael achos i ddifaru ei
eiria'n syth wrth i fflach ddig ddod i lygad ei frawd
mawr. *'Be ddeudist ti, hogyn? Eglura dy hun!'* Doedd dim

dianc wedyn, wrth gwrs, ac egluro fu raid. *'Meddwl am y Phariseaid yn cyhuddo'r Disgyblion o fwyta o'r tywysennau ŷd ar y Saboth, dyna i gyd.'* Yna'r eiliada hir o dawelwch i ddilyn, cyn i'r wên fach euog erlid yr edrychiad dig, *'Ia, ti sy'n iawn, Huw. Mae rhagrith yn perthyn i minna, hefyd, gwaetha'r modd, ond mae rhywfaint o barch at y Sul yn gymysg â fo, gobeithio.'*

Wrth ddarllen ymlaen, daeth Huw yn ymwybodol o ddau ddatblygiad amlwg yn hanes ei frawd. Y newid yn ansawdd ei iaith ysgrifenedig yn un peth oherwydd roedd cofnodion y tridegau yn llawer cywirach o ran gramadeg na'r rhai o'u blaen, a theimlodd edmygedd wrth iddo sylweddoli pam. Roedd Ifan, efo'i drylwyredd arferol, wedi trwytho'i hun yn yr orgraff newydd, ers i honno ymddangos yn 1928.

Yr ail beth amlwg oedd y newid yn agwedd wleidyddol Ifan. Hawdd gweld, erbyn canol y tridegau, iddo gael ei ddadrithio'n llwyr yn y ddelfryd sosialaidd. Soniai'n amal am fethiant llywodraeth Lafur Ramsay McDonald i fynd i'r afael â phroblema diweithdra a thlodi ond yn fwy difrifol na hynny yn ei olwg oedd yr adroddiada a ddeuai allan o Rwsia Fawr bod miloedd o ddiniweitiaid yn cael eu dienyddio'n ddyddiol yn fan'no yn enw Sosialaeth. Erbyn 1937, y Rhyfel Cartre yn Sbaen, a'r ffaith bod awyrlu'r Almaen yn ymyrryd yn yr anghydfod oedd yn achosi pryder iddo. Ond waeth beth fyddai'r broblem, yr un oedd rhesymeg ac ateb Ifan bob gafael. Trwy droi cefn ar Dduw ac ar weddi, roedd Dyn wedi tynnu dinistr arno'i hun!

Taniodd Wdbein arall a mynd i sefyll at y ffenest. 'O gofio dy fod ti'n gymaint o hen ben, Ifan, rhaid dy fod ti hefyd yn naïf ar y diawl i feddwl y gallai dy weddïa di na gweddïa neb arall ddylanwadu ar gynllunia Stalin a Hitler a'u tebyg.'

Er bod y niwl a'r glaw mân wedi cilio ers awr neu ddwy, daliai trwch o gymyla duon i gleisio'r awyr, bron hyd at orwel Bae Ceredigion, lle'r oedd rhimyn cul o oleuni'r machlud yn gwanhau wrth yr eiliad. Hem wen Cricieth! Arwydd sicr i bobol Blaendyffryn bod y tywydd ar droi. Doedd dim golwg o Goed Cwm. Llyncwyd y rheini ers meitin gan y gwyll, a silŵétau'n unig, ar awyr ddulas y gogledd, oedd y mynyddoedd cyfarwydd.

Edrychodd ar ei wats. Deng munud wedi naw. Nos Lun! Oedd, roedd darllen dyddiaduron ei frawd wedi bod yn agoriad llygad iddo, yn enwedig y rhannau hynny oedd yn cofnodi profiada'r teulu – y disgrifiad o fywyd tlawd y cartra yn Stryd Lòrd Bach, ddiwedd 1919, ar ôl i'w dad a'i frawd golli eu gwaith yn Chwarel y Lòrd . . . y cyfeiriada cynnil at salwch meddwl Rhys . . . Gresyn, o edrych yn ôl, na fyddai Ifan wedi cynnwys mwy o fanylion am gyflwr y brawd hŷn ac am effeithiau'r rhyfel arno. Dadlennol hefyd, oedd disgrifiad Ifan o'i gyfnod fel gwrthwynebydd cydwybodol yn ystod yr Ail Ryfel Byd ac o adwaith pobol Blaendyffryn tuag ato.

'Wnes i ddim sylweddoli tan rŵan, frawd mawr, bod dy egwyddorion wedi costio mor ddrud iti.'

Hydref 1946 oedd dyddiad y cofnod olaf yn yr olaf un o'r dyddiaduron. Dim byd ar ôl hynny. Pam, tybed? Yna cofiodd! Dyna pryd y bu Gwen Alis fach farw ac yr aeth bywyd Ifan ei hun ar chwâl am rai blynyddoedd. Wnaeth o ddim ailgydio yn yr arfer o gadw dyddiadur ar ôl hynny, felly.

Tynnodd Huw sigarét arall o'r paced bach gwyrdd a

454

sugno tân arni oddi ar stwmp y gynta. Yn freuddwydiol, cydiodd yn llyfr ymarferion-llaw-fer ei frawd yn yr Ysgol Nos ers talwm, a byseddu'n gyflym trwy hwnnw.

Cofiai mor daer y bu Ifan i ddysgu'r *Pitman's* iddo ynta, wedi iddo ddod adre o'r ysbyty ar ôl y rhyfel. *'Mae'n fyd cyfyng ar bawb, Huw, ac fe gei di draffarth cael gwaith . . .' A dydi'r goes glec a hagrwch dy wynab di ddim yn mynd i neud petha'n haws!* Tebyg bod y geiria hynny hefyd ar feddwl Ifan ar y pryd ond iddo fod yn ddigon caredig i'w cadw nhw iddo'i hun. *'. . . ond synnwn i ddim na allet ti grafu bywoliaeth fel gohebydd papur newydd, wyst ti. Mae digon o bapura lleol a fydd yn fwy na pharod i gyhoeddi erthygla gen ti, dwi'n siŵr. Chei di fawr o dâl amdanyn nhw, dwi'n gwbod, ond mi fydd yn rhwbath i fynd â dy feddwl di, o leia nes y cei di dy gefn atat. Ac mi fydd pob deuswllt a hannar coron yn dderbyniol, siŵr o fod. A phwy ŵyr be all ddigwydd wedyn? . . . Raid iti ddim poeni am deipreitar! Fe gei di f'un i. Ro'n i wedi bwriadu sgwennu fy hunangofiant arno fo, sti, ond dwi wedi methu'n lân â meistroli'r dam peth. Dwi'n fodia i gyd, dyna pam! Siawns y cei di well hwyl arni na fi . . . Ond mi fedra i ddysgu tipyn o shorthand iti, cofia. Wedi'r cyfan, rhaid i bob dyn-papur-newydd gwerth ei halan fedru sgwennu shorthand. Ac mae gen i lyfr i dy helpu di hefyd . . .'*

Rhyfadd mor fyw y deuai geiria Ifan yn ôl iddo rŵan, ar ôl yr holl flynyddoedd. Aeth draw at ei silffoedd llyfra, i nôl y gyfrol.

Doedd dim rhaid chwilio'r silff isa. Cyfrolau trymion yn unig oedd yn fan'no, i gyd wedi'u benthyca oddi ar ei frawd yn y dyddia cynnar rheini ar ôl y rhyfel. *'Dos â nhw, Huw! Dwi 'di blino gwrando ar Mair yn swnian eu bod nhw'n hel llwch yn y tŷ 'ma. Mi*

455

fyddi di, o leia, yn gweld eu gwerth nhw.' Doedd dim rhaid craffu chwaith i ddarllen eu teitlau. Fe wyddai'n union be oedd yno a be oedd hanes pob un – *Gweithiau Josephus* – *'Nhad brynodd hwn'na gan y bookseller a fyddai'n dod o gwmpas y chwaral ers talwm. Talu amdano fesul chwe cheiniog yr wythnos. Felly cofia di edrych ar ei ôl o, Huw!'*; *The Practical Standard Dictionary* gan Funk & Wagnalls, wedi'i arwyddo mewn llawysgrifen blentynnaidd *'I Ifan Bach, yn anrheg gan ei fam ai dad. Gorphennaf yr ail ar hugain 1922'*; *Seven Pillars of Wisdom* T. E. Lawrence. Cyfrol hardd, clawr lledar – *'Prynu hwnna mewn siop-ail-law yn Wrecsam wnes i, Huw.'*; *The Gathering Storm* gan Winston Churchill. Y ddwy gyfrol! *'Mae'r Saeson yn gneud duw o'r Winston Churchill 'ma ond dyn hunan-falch a hunan-bwysig ydi o yn fy meddwl i. Ddaw o byth i sgidia Lloyd George, wel'di.'*

Llyfrau Cymraeg a lanwai'r silff ganol ac enw Ifan oedd ar rai o'r rheini hefyd: *Gweithiau Morgan Llwyd*; *Cerdd Dafod* John Morris-Jones; *Rhys Lewis, Enoc Huws* a *Gwen Tomos* yn gwmni i'w gilydd; tair cyfrol o waith Kate Roberts, hanner dwsin o *Gyfres y Fil*, O. M. Edwards; *Cwm Eithin*; *Orgraff yr Iaith Gymraeg*; *Caniadau* T. Gwynn Jones a sawl cyfrol arall o farddoniaeth. Fe wariwyd ceinioga prin am y rheini'n ogystal.

Am y gwyddai mai ar y silff uchaf, yn rhywle, y deuai o hyd i'r llyfr a geisiai, gwibiodd ei lygaid, rŵan, ar hyd y rhes honno – *The Power and the Glory* Graham Greene; tair o nofelau Hemingway; *The Gulag Archipelago* Solzhenitsyn; *War Poetry*; *Goodbye To All That* Robert Graves, efo enw'r Parch. T. L. Morgan arni . . .

'Ah! Dyma fo!'

Cydiodd yn y *Pitman's Shorthand* ac agor ei glawr.

To Evan Hughes with all good wishes for the future, from D. Davies, Headmaster Blaendyffryn County School. April 1919. 'Knowledge, in truth, is the great sun in the firmament. Life and power are scattered with all its beams.' (Webster)

Trodd Huw eto rŵan at ymdrechion cynnar ei frawd i ddysgu'r *Pitman's* a sylweddoli'n fuan nad oedd y llaw-fer yn ddim byd mwy na chyfieithiad slafaidd o ddyddiadur cynta Ifan, sef y *copybook* bach coch hwnnw. Daliodd i ddarllen, serch hynny, yn bennaf er mwyn rhoi prawf ar ei feistrolaeth ei hun o'r llaw-fer ar ôl yr holl flynyddoedd. Ond yna, daeth ar draws disgrifiad oedd yn ddiarth iddo; un nad oedd yn cofio'i ddarllen yn y dyddlyfr Cymraeg– *'Again last night he made me crouch with him between the bed and the wall. Be ready to go over the top when the officer blows his whistle, he said, or you will be shot at dawn. But then he said that the attack was cancelled because the Jerries had started shelling us. Then he said that they were using gas and that he was choking. I had to pretend to save him by dragging him back to bed and under the bedclothes. Then he made me stand in front of him while he pinned one of his medals on my nightshirt because I had shown courage beyond the call of duty. He always wears his medals in bed. He says that it frightens the Jerries because they can see that he is a brave man and a war hero. But it's me that he frightens when he behaves like that.'*

Wrth iddo ddarllen y geiria, aeth meddwl Huw yn ôl i'r ysbyty yn Llundain, lle gwelsai yntau, drosto'i hun, be oedd effeithia *shellshock*. Y cradur bach hwnnw, er enghraifft, a fyddai'n dobio'i ben yn erbyn y pared i gael gwared â'i hunllefau. Neu'r llall hwnnw a wnâi ddim, o ddydd i ddydd, ond rhedeg o lwyn i

457

lwyn yng ngerddi eang yr ysbyty, rhag cael ei saethu gan sneipar ar y tir agored.

'Os gwn i ai defnyddio'r llaw-fer i gelu rhai petha oddi wrth dy fam wnest ti, Ifan?'

Yna, reit ar ddiwedd y cofnodi llaw-fer, synnodd weld y dyddiad *May 1973*. Ychwanegiad diweddar iawn, o gofio bod y dyddiaduron Cymraeg wedi dod i ben yn 1946! Synnodd fwy fyth pan welodd y cyfarchiad – *Dear Huw, I hope, one day, you will read this and know the truth . . .*

Gan fod Saesneg Pitman fel cyfrwng cyfathrebu rhyngddo a'i frawd yn rhywbeth cwbl chwithig iddo, dechreuodd gyfieithu'n reddfol yn ei feddwl wrth ddarllen ymlaen ac, ymhen dim, bron nad oedd yn clywed llais Ifan yn deud y geiria yn ei glust.

. . . Trwy gyd-ddigwyddiad dwi wedi ffeindio'n ddiweddar nad fi ydi tad Rhys. Er fod Mair wedi gwadu'r peth hyd ddagra, dwi'n berffaith sicir fy meddwl, bellach, iddi fod yn anffyddlon imi tra oeddwn i oddi cartra ym mlynyddoedd y rhyfal ac mai _____ ddaru genhedlu'r hogyn. Falla y medri di ddychmygu fy ngwewyr ers imi sylweddoli'r peth. O gofio fy llw priodas, fe ddylwn i allu madda iddi ond mae gen i ofn mai cynyddu o ddydd i ddydd y mae fy chwerwedd a'm dicter tuag ati. Fedra i byth eto chwaith ddangos unrhyw gariad tadol tuag at Rhys. Felly, dwi am iti wbod, Huw, mai Arthur sydd i etifeddu pob dim o bwys ar fy ôl i a Mair – y ddresal a chloc mawr y teulu, a'm dyddiaduron i hefyd, os bydd rheini o unrhyw ddiddordab iddo. Fe gaiff Rhys ei siâr o werth y tŷ, wrth gwrs – fedra i ddim gwadu'r hawl hwnnw iddo – ond dyna'r cwbwl dwi am iddo fo'i gael.

Mi fyddai'n well gen i fod yn trafod y petha yma wynab yn wynab â thi, Huw, ond ar hyn o bryd mae fy

*nghywilydd i'n ormod o faen tramgwydd imi allu gneud
hynny . . .*

Safodd Huw yn syfrdan.

'Arglwydd mawr!' medda fo o'r diwedd, wrth i holl
arwyddocâd y neges ei daro. 'Fedra i ddim credu'r
peth!' Ac wedyn gyda mwy o fustl, 'Fedra i ddim ffycin
credu'r peth!' Yn ei dempar hyrddiodd y *Pitman's
Shorthand* ar draws y stafell nes bod y tudalenna'n
sgrytian fel adenydd ystlum cyn chwalu gyda chlec yn
erbyn y drws.

'Ifan druan! Be nest ti erioed i haeddu hwran o
wraig fel honna? A ddaru mi rioed licio'r hen fastad
bach 'na chwaith, 'tai'n dod i hynny. Mae'r ffaith ei
fod o wedi newid ei enw yn profi nad ydi o fawr o
gargo! *Rhys ab Ifan* yn rhy Gymreig gan y cwd bach a'i
ffycin gwraig la-di-da! *Reese Bevan* yn fwy derbyniol,
mae'n siŵr, ymysg crachach Amwythig ac aeloda'r
Lòj.'

Ond pam na fasa Ifan wedi rhoi enw'r tad? Pam
gadael bwlch?

*. . . Dwi wedi bod yn rhoi fy mywyd yn y glorian yn
ddiweddar, Huw, a'm cael fy hun yn brin; yn gweld fy hun
fel yr adyn hwnnw y mae Mathew yn cyfeirio ato, yr un a
gladdodd ei dalent yn y ddaear. Hynny ydi, dwi'n teimlo fy
mod wedi gadael i fywyd lithro heibio imi, heb imi
fanteisio ar y cyfla i flasu ei antur a'i gyffro. O gael ail-fyw
fy mlynyddoedd ar y ddaear, mi fyddwn i heddiw'n dewis
llwybyr tra gwahanol i mi fy hun. Peth mawr ydi edrych yn
ôl, wyddost ti, a theimlo dy fod wedi gwastraffu oes.
Camgymeriad, er enghraifft, oedd gwrthod mynd i'r rhyfal
oherwydd fe gostiodd hynny fwy nag un ffrind imi. A dwi'n
gwbod fy mod i hefyd wedi colli profiada amhrisiadwy,
megis y cyfla i deithio ac i gwarfod pobol o gefndiroedd ac o*

*ddiwylliannau gwahanol i mi fy hun. Wyddost ti na fûm i
erioed dros y dŵr yn fy mywyd ac mai dim ond unwaith y
cês i fynd cyn bellad â Llundain, hyd yn oed? Mae 'ma
blant bach ym Mlaendyffryn heddiw sydd wedi gweld mwy
ar y byd yn barod na fi . . .*

'Arglwydd mawr! Mi newidiwn i le efo chdi unrhyw
ddiwrnod, Ifan.' Yn ddiarwybod, rhedodd Huw gledr
ei law dros groen sych ei wyneb. 'Ac mi ddeuda i
gymaint â hyn wrthat ti – mi fasa'n dda ar y diawl gen
i 'tawn i rioed wedi gweld yr un iwnifform nac eroplên
na rhyfal, nac wedi gadael Blaendyffryn 'ma o gwbwl.
O leia mi faswn i wedi cael rhyw fath o fywyd wedyn.'

Nid creithia'i gorff yn unig a'i cadwai yn effro'r
nos. Mewn hunllefa di-gwsg, gwelai Huw Lòrd Bach y
ddaear yn fflam o'i gwmpas a gorymdaith ddiddiwedd
o ferched a phlant a hen ddynion musgrell yn
ymrithio allan o'r goelcerth, eu cyrff noeth yn cael eu
hysu gan dân poethach na thân Uffern, a'u llygaid dall
a'u cegau duon yn ei felltithio'n fud wrth iddyn nhw
ymlwybro'n araf heibio, ar daith ddiderfyn.

'Mi newidiwn i le efo ti unrhyw ddiwrnod, Ifan,'
medda fo eto, yn uwch y tro hwn.

*. . . Be dwi'n sylweddoli rŵan, wyst ti, ydi mor hunanol
oedd fy nghrefydd i adag y rhyfal, a gydol fy oes hefyd
petawn i'n onast. Y flaenoriaeth i mi, bob amsar, oedd
peidio gwerthu fy enaid fy hun i'r Diafol, waeth be am
eneidia pawb arall o'm cwmpas. Wrth gwrs nad oeddwn i
am weld Hitler a'i griw yn trechu'r wlad 'ma ond fy mod
i'n rhy naïf, ac yn ormod o gachgi hefyd, o bosib, i neud
dim ynglŷn â'r peth. Wyddost ti nad oes yr un diwrnod yn
mynd heibio rŵan nad ydw i'n gofyn y cwestiwn i mi fy
hun: 'Be wnest ti o werth efo dy fywyd, Ifan Huws, mwy na
chladdu dy dalent yn y ddaear?' Fel y bardd Saesneg Keats,*

460

mi alla inna ddeud 'I am the man who writ his name in water' . . .

Prin y cysgodd Huw y noson honno, rhwng bod yn meddwl am ei frawd yn cystwyo'i hun i'r fath radda yn ei henaint ac am ei iselder ysbryd oherwydd brad ei wraig. Bu'n syllu i dywyllwch nenfwd ei lofft am oria, a meddylia mwy chwerw a mwy dialgar na'i gilydd yn corddi yn ei ben.

*   *   *

Dwsin, gan gynnwys y gweinidog a'r trefnydd angladda, a ddaeth at ei gilydd, bythefnos yn ddiweddarach, i wylio arch 'Elsie Hughes 78 mlwydd oed' yn cael ei gollwng i'r bedd, a hynny o dan awyr lawn cymyla llwydion aflonydd. Cawsai Ruth alwad ffôn oddi wrth ei chefnder Arthur ym Mangor, i ymddiheuro na allai fod yn bresennol oherwydd galwada gwaith, ond ni ddaeth unrhyw air oddi wrth y cefnder arall yn Amwythig.

Ar ôl noson wlyb a stormus, daliai'r gwynt i chwythu'n gryf ac yn llaith o'r môr gan fygwth cipio hetia Ruth a Huw Lòrd Bach i fedd agored eu mam. Llowciai hefyd bob gair o weddi ddiddiwedd y gweinidog cyn i'r rhan fwyaf o'r galarwyr gael eu clywed o gwbwl. Nid bod y rheini'n poeni'n ormodol; roedden nhw wedi gorfod gwrando ar yr ystrydeba i gyd cyn hyn, a hyd syrffed, yn y gwasanaeth cyn gadael y tŷ. A doedd neb oedd yn fwy ymwybodol o'r syrffed hwnnw na Ruth ei hun.

'Gwasanaeth syml, byr, ar ei haelwyd ei hun, Mustyr Llwyd. Dyna oedd dymuniad Mam.'

'Iawn. Chi sydd i wybod.' Ond goslef ei lais yn awgrymu'n wahanol.

A rŵan, wrth wrando arno'n dal i baldaruo, fe deimlodd Ruth ryw chwerwedd cyfiawn yn berwi o'i mewn, o sylweddoli mai'r unig ran a barchwyd o ddymuniad ei mam oedd cael cychwyn ei siwrnai olaf o'i chartre'i hun. Gweinidog Caersalem a gafodd ei ffordd efo pob dim arall, trwy deyrnged honedig na fu'n ddim amgenach na phregeth ar bechod a marwoldeb dynion (a gwragedd!), a gweddi ystrydebol faith i ddilyn. Oedd, roedd y Parchedig Alwyn Llwyd wedi llwyddo nid yn unig i ddiflasu'r criw bychan o alarwyr a'u troi'n glust-fyddar ond hefyd i ailddiffinio ystyr *'byr'* a *'syml'*.

'A dyma fo'n chwara'r un gêm eto rŵan ar lan y bedd!' medda hi wrthi'i hun, gan sbecian arno rhwng ei hamranna. 'Nid yn unig ei fod o'n annoeth ond mae o'n anghwrtais hefyd.'

Daeth yn ôl iddi eiria Huw, yn y car ar eu ffordd i'r fynwent. *'Meddylia am fynd i wrando ar ryw glown fel hwn o Sul i Sul. Does fawr ryfadd bod capeli'n cau, wir Dduw! Hwn a'i debyg sy'n eu gwagio nhw!'*

Wrth i'r weddi-glan-bedd lusgo ymlaen, sylwodd Ruth fod ambell un yn edrych yn bryderus tua'r awyr, yn ofni cawod drom unrhyw funud. Yna, fel y cil-edrychai'n llechwraidd o'i chwmpas, daliwyd ei sylw hi gan rywun yn eu gwylio o bellter sawl rhes o gerrig beddau. Gŵr penwyn oedrannus. Ac er mai ei ben a'i ysgwydda'n unig oedd yn y golwg, eto i gyd fe gâi hi'r argraff ddigamsyniol fod y dieithryn yno'n unswydd i wylio angladd ei mam. I fod yn rhan ohono, hyd yn oed, oherwydd roedd yn gwisgo dillad parch ac yn dal ei het ddu yn erbyn ei frest.

Wrth ei weld hi'n sylwi arno, ciliodd y gŵr yn ôl gam neu ddau nes diflannu o'i golwg.

Dim ond pan gamodd Medwyn Saer ymlaen, i dywys Ruth at ymyl y bedd, y sylweddolodd hi fod ystrydebu'r gweinidog wedi dod i ben o'r diwedd ac y câi pawb ymlacio unwaith eto, gorff a thafod . . . ac enaid.

'*A allodd hon, hi a'i gwnaeth.* Dyna fyddwn ni'n roi ar y garrag, Huw.'

'Ti ŵyr,' medda fynta'n swta, mewn tôn oedd yn cwestiynu addasrwydd y geiria.

Roedd pawb arall wedi cychwyn yn ôl am y maes parcio, erbyn rŵan, i sefyllian ac i sgwrsio yn fan'no. Ychydig lathenni i ffwrdd, pwysai'r torrwr beddau yn amyneddgar ar ei raw, yn ymgorfforiad o Angau parchus.

'Dyna'r geiria sydd ar garrag fedd ei mam hi, mae'n debyg. O leia, dyna ddeudodd hi wrtha i, rywdro.'

'Carrag fedd dy nain wyt ti'n feddwl, mae'n siŵr?'

'Ia, wrth gwrs,' medda hitha'n frysiog, yn synhwyro'r feirniadaeth yn ei lais. 'Nain oeddwn i'n feddwl.'

'Wyt ti wedi bod at ei bedd hi o gwbwl? Bedd dy nain . . . a dy daid?'

'Wel . . . ym . . . naddo.' Os gneud iddi deimlo'n euog oedd ei fwriad, yna roedd o'n llwyddo'n rhyfeddol, meddai wrthi'i hun. 'A deud y gwir wrthach chi, Huw, faswn i ddim yn gwbod yn iawn lle i ddechra chwilio. Mae'r fynwant 'ma mor fawr.' Pe bai hi'n gwbwl onest, byddai hefyd yn cyfadde na wyddai hi, i sicrwydd, yr union enwa i chwilio amdanynt.

'Na, ro'n i'n ama.'

Gan ddefnyddio'i ffon i gadw cydbwysedd, plannodd Huw Lòrd Bach ei sawdl chwith yn ddyfnach yn y ddaear, a throelli ei goes glec mewn hanner cylch fel bod y bedd agored tu cefn iddo rŵan. Yna, gan ochor-gamu'n simsan rhwng y fyddin o gerrig coffa, anelodd am y llwybyr agosa ato.

'Mae'r rhan yma o'r fynwant yn llechweddog iawn, Huw,' meddai hi, yn synhwyro'i bod hi wedi ei yrru oddi ar ei echel, a bod angen adfer ei hwylia da, os oedd peth felly'n bosib. Gyn lleied y gwyddai hi amdano, meddyliodd. A chyn lleied, hefyd, roedd hi wedi'i wybod erioed am ochor ei mam o'r teulu.

'Ddôth dy chwaer di ddim i'r fynwant.' Nid cwestiwn ond mynegi ffaith feirniadol, rŵan, dros ysgwydd.

'Naddo. Llawn cystal hefyd neu mi fyddai hi'n mygu'n gorn yn y gwynt 'ma.'

'Hm!'

'Rhaid ichi gofio hefyd, Huw, bod ailagor bedd yn gallu ypsetio rhywun yn arw. Doedd hi ddim yn hawdd i *mi*, heb sôn am Esther, fod yn sefyll ar lan y bedd 'na gynna, gan wbod bod arch fy nhad yno hefyd. Mae Esther yn berson sensitif iawn, cofiwch.'

Dewis cerdded ymlaen heb ymateb wnaeth o, yna oedi ymhen sbel wrth fedd ar ymyl y llwybyr. Darllenodd hitha hefyd y garreg:

Yma y gorwedd gweddillion daearol
Gaenor Parry, *4 Little Lord Street, Blaendyffryn*
yr hon a hunodd ar y 26 Ebrill 1959 yn 75 mlwydd oed.
'Cledd â min yw claddu mam.'
Hefyd ei mab
Gwilym Parry, *Troed y Rhiw*
a fu farw ar 17 Medi 1970 yn 65 oed

'Aeloda'r teulu?' holodd Ruth yn betrus, yn hanner ofni ei ymateb.

'Mi allet ti ddeud hynny. Halan y ddaear, beth bynnag! Ti'n eu cofio nhw, decinî?'

Er i'w eiria cynta fradychu rhywfaint o dynerwch, doedd dim celu ar dôn gyhuddgar y *'decinî'*.

'Na, dwi'm yn meddwl,' medda hi. 'Chydig iawn o bobol y lle 'ma dwi wedi'u nabod erioed . . . wrth eu henwa, beth bynnag . . . mwya'r cwilydd imi.'

Fe wyddai yntau fod rheswm teg am hynny. Oherwydd iddi feudwyo'i hun dros y blynyddoedd i ofalu am ei theulu, doedd Ruth ddim wedi cael cyfle i gwarfod llawer o bobol nac i neud ffrindia. Yn hytrach na chydnabod ei hatebiad, fodd bynnag, trodd ei gefn surbwch arni unwaith eto, ac anelu at res o feddau priddgoch, lle bu claddu diweddar. Taflodd hitha gip trist yn ôl at fedd ei mam gan ddisgwyl gweld rhaw y torrwr beddau yn brysur wrth ei gwaith. *Claddu,* yn ei barn hi, oedd un o eiria mwya didostur yr iaith Gymraeg. Ond synnodd weld fod y torrwr beddau yn dal i bwyso ar ei raw a bod y dieithryn, a welsai hi gynnau yn eu gwylio o bell, wedi dod i sefyll rŵan at fedd agored ei mam a'i fod yn gollwng rhosyn gwyn i lawr i'r düwch. Yna, wedi oedi ennyd mewn tawelwch, fel petai'n adrodd gweddi ddistaw, ac arwyddo gair mud o ddiolch i'r torrwr beddau, wedyn, am ei amynedd, trodd ymaith yn fusgrell.

'Pwy ydi o, medda chi?' Dyna oedd hi isio'i ofyn ond roedd Huw bellter i ffwrdd erbyn rŵan ac yn plygu dros fedd ei frawd. Brysiodd hitha ar ei ôl.

'EVAN HUGHES 74 oed', yn yr un llythrennu anghelfydd ag a welwyd gynna ar blât arch y chwaer hŷn. Geiria duon ar groes a fu unwaith yn wen ond oedd rŵan yn magu staen y pridd gwlyb o'i chwmpas.

Er i chwe wythnos a mwy fynd heibio ers claddu

Ifan, gorweddai blodau'r angladd yno o hyd, yn flerwch llysnafeddog dros y bedd, ffaith oedd yn peri i Huw chwyrnu'n ddig o dan ei wynt, a thybiodd Ruth glywed 'ffycin bits anniolchgar' yn dianc trwy'i wefusa tyn.

Yn hytrach na gwylio'i ymdrech ddi-lun i grafu'r llanast at ei gilydd efo blaen ei ffon, plygodd hi i neud y gwaith yn ei le a mynd â'r cwbwl i'w daflu i gasgen sbwriel gerllaw. Diolchodd ynta'n fud iddi trwy godi mymryn ar flaen y ffon, cyn anelu am y llwybyr unwaith eto.

'Wnes i'n iawn i drefnu cnebrwn gwadd, Huw? Fe fuodd Esther a finna'n trafod y peth ac roeddan ni'n meddwl yn siŵr mai dyna fyddai Mam wedi'i ddymuno. Dyna wnaethon ni efo Dad, beth bynnag.'

'Pam ti'n gofyn, ta?'

'Ofn mod i wedi gadael rhywun allan, dyna i gyd. Mae mor hawdd tramgwyddo, yn tydi? Falla y byddai cnebrwn i ddynion wedi bod yn well.'

'Gwell i bwy, felly? Wyt ti'n meddwl y bydda 'na fwy wedi dod 'tait ti wedi rhoi'r dewis?'

Brathodd Ruth ei gwefus nes teimlo poen. Oedd raid i Huw fod mor ddideimlad ag awgrymu'r fath beth?

'. . . Heblaw'r hen ddyn oedd yn cuddio tu ôl i'r cerrig beddi yn ystod y farathon?'

'O! Fe welsoch chitha fo, felly?' Gwyddai mai cyfeiriad at y weddi oedd 'y farathon'.

'Beth bynnag arall ydw i, dwi'm yn ddall.'

Gwingodd Ruth eto wrth ei glywed, rŵan, yn edliw ei anabledd iddi.

'. . . A do, fe'i gwelis i fo'n gollwng y rhosyn i'r bedd hefyd, i ti gael dallt.'

'Oeddach chi'n ei nabod o, ta?'

'Na. Diarth hollol imi.'

'Roedd o mewn tipyn o oed, beth bynnag. Hwyrach ei fod o'n un o'r teulu? A deud y gwir, fe ddylwn i fod wedi trio cael gair efo fo cyn iddo ddiflannu. 'Taen ni wedi trefnu te cnebrwn, falla y basa fo wedi troi i mewn aton ni am sgwrs. Ond doedd Mam ddim isio peth felly. Ddim isio 'parti claddu' dwi'n feddwl! Dyna fydda hi'n galw te cnebrwn, bob amsar.' Roedd ei chwerthiniad byr yn bradychu nerfusrwydd a straen y diwrnod. 'Dim ond *Catholics* fel y Gwyddelod sy'n enjoio cnebryna, medda hi.'

'Nhw sy'n iawn!'

Efo Huw yn bod mor groes, penderfynodd Ruth mai taw oedd piau hi. Felly, dringodd y ddau y llwybyr mewn tawelwch nes dod i olwg y maes parcio lle'r oedd pawb heblaw'r gweinidog yn dal i sefyllian a sgwrsio.

'Dyma fo fedd dy daid a dy nain. Rhys, brawd hyna dy fam, ydi'r enw arall 'na. Mi gafodd *o* amsar calad yn Ffrainc yn y rhyfal cynta.'

'*A allodd hon hi a'i gwnaeth.*' Darllenodd Ruth y geiria yn uchel am eu bod yn profi'r hyn a ddywedsai hi wrtho'n gynharach.

'A dyna ti'n gwbod lle mae'u bedd nhw rŵan.' *Fel y medri di ffeindio dy ffordd yma eto,* oedd yr awgrym. 'Chofia i mo Rhys – blwydd oed o'n i pan fuodd o farw – a dim ond cof plentyn sydd gen i o Mam a Nhad hefyd – ond dwi'n dal gafal ar betha felly. Mae'n bwysig. Wedi'r cyfan, dydi Teulu Lòrd Bach ddim yn deulu mawr ar y gora.' Yna, wedi caniatáu amser iddi ddarllen holl fanylion y garreg, 'Tyrd!' medda fo. 'Mi awn ni am y car.'

Fel roedden nhw'n nesu at y lleill, clywsant Llew

Glyn, un o'r pedwar a fu'n gollwng arch ysgafn Elsi i'r pridd, yn codi'i lais yn gynhyrfus – 'Dim uffar o beryg y cei di fi i mewn i hon'na, wàs!' – a gwelsant Medwyn Saer yn wincio'n gastiog ar y lleill wrth i'w gynnig gael ei wrthod. 'Chdi oedd yn cwyno, Llew, bod y gwnidog wedi mynd adra heb gynnig lifft i ti nag i neb arall. A rŵan ti'n cwyno am mod i'n cynnig pàs adra iti yn yr hers.'

'Stwffia dy bàs! Mae'n well gen i gerddad.'

A chaed chwerthin a mwy o siarad.

'Rhyfadd ydi'r rhyddhad sy'n dilyn pob cnebrwn, 'dach chi'm yn meddwl, Huw? Dyma fi newydd gladdu Mam ond eto i gyd mae 'na ryw ysgafnder wedi dod drosta i, fel 'tai rhyw bwysa mawr wedi cael ei dynnu oddi ar f'ysgwydda i. Anodd egluro'r peth. Mae'n gneud imi deimlo'n reit euog, a deud y gwir.'

'Ydi, debyg! Ond raid iti ddim. Ti 'di gneud mwy na dy siâr.'

'Diolch,' medda hi'n dawel, yn synhwyro'r newid yn ei dymer a'r ganmoliaeth gynnil yn ei eiria.

Erbyn rŵan, roedd hers Medwyn Saer yn diflannu trwy giât y fynwent a'r cefna duon eraill yn prysuro'n dafodrydd i'r un cyfeiriad. Dim ond y car hur oedd ar ôl yno, a gyda chryn stryffîg y dringodd Huw Lòrd Bach i mewn iddo wysg ei gefn gan lusgo'i goes anystwyth ar ei ôl.

'Ewch â ni i Parcsgwêr yn gynta, plîs,' meddai Ruth wrth y dreifar, yna troi at Huw i egluro: 'Mae gen i rwbath yno i'w roi ichi gan Mam. Fe geith y car fynd â chi adra wedyn.'

'Arglwydd mawr! Mi fedra i gerddad adra o Parcsgwêr, decinî! Sut bynnag, dwi isio galw yn rhwla arall ar fy ffordd.'

Bu ei ymateb anniolchgar yn ddigon i greu tawelwch rhyngddyn nhw eto, heb ddim i dorri arno y tro yma ond grŵn teiars ar wyneb y ffordd a chŵyn y gwynt wrth i hwnnw gael ei rwygo gan gyflymdra esmwyth y car. Chwe munud yn ddiweddarach, dringodd Ruth allan a brysio i'r tŷ ac erbyn i Huw gael ei draed dano a sadio'i hun efo'i ffon ar balmant Park Square, roedd y car du yn troi'n ôl am y Stryd Fawr, a Ruth yn ymddangos unwaith eto yn nrws y tŷ efo amlen yn ei llaw ac Esther ei chwaer i'w chanlyn.

'Mae hon wedi bod yn nrôr y ddesg ers yn agos i dair blynadd, bellach. Eich enw chi sydd arni, Huw . . . yn llawysgrifen Mam. Fe gês i fy siarsio ganddi fwy nag unwaith: *Pan fydda i wedi cau fy llygad, dwi am iti ofalu bod Huw yn cael hon.* Dyna fydda hi'n ddeud. Ond does gen i mo'r syniad lleia be sydd ynddi hi chwaith, cofiwch.'

Os oedd y ddwy chwaer wedi disgwyl iddo fodloni eu chwilfrydedd, yna eu siomi gawson nhw. 'Diolch!' oedd yr unig ymateb a chafodd yr amlen ei gwthio'n ddiseremoni i boced côt. Yna, wedi tynnu cantal yr het ddu yn is dros hanner moel ei ben, cododd Huw Lòrd Bach fymryn ar flaen ei ffon, yn arwydd mud ei fod yn gadael.

'Doedd o ddim yn edrych yn *pleased* iawn, oedd o?' meddai'r ienga o'r ddwy chwaer. 'Roedd o'n cuchio'n ofnadwy beth bynnag. Ti'm yn meddwl?'

Oedd, roedd Ruth wedi sylwi hefyd ond roedd hi'n nabod eu dewyrth yn well nag Esther, erbyn rŵan. Serch hynny, yr hyn na wyddai hitha chwaith oedd bod Huw yn gwgu am ei fod yn paratoi'i hun ar gyfer ymweliad â'i chwaer-yng-nghyfraith yn Stryd Lòrd

469

Bach a bod ganddo asgwrn neu ddau i'w crafu efo honno.

*   *   *

'Wedi dod i nôl y llunia wyt ti?'

Roedd hi wedi ei weld yn hercian i fyny llwybyr yr ardd a rŵan roedd hi wedi dod i agor y drws iddo.

'. . . Ro'n i wedi dy ddisgwyl di cyn hyn. Tyrd i mewn. Mae 'na fat iti sychu dy draed arno yn fan'na.'

Anwybyddodd yntau'r cyfarwyddyd a'i dilyn hi i'r tŷ, gan sylwi nad oedd ei chroeso yn cynnwys gwahoddiad i eistedd. Gwyliodd hi'n mynd draw i gyfeiriad y dresel.

'Gweld dy fod ti wedi cael *fitted carpet* newydd ers imi alw ddwytha.'

Cynhyrfwyd hi'n syth gan ei oslef gyhuddgar. 'O! Roedd yr hen un wedi gwisgo'n arw.'

'O! Deud ti!'

Prysurodd Mair i droi'r stori trwy daro ergyd yn ôl. 'Pan oeddat ti yma ddwytha fe ddeudist y byddat ti'n galw drannoeth ac ro'n i wedi estyn pob dim yn barod ar dy gyfar di.'

Feiddiai hi ddim edliw mwy na hynny iddo, rhag gwahodd min ei dafod. A dim ond rŵan y sylweddolodd hi, gyda chynnwrf, pam bod ei brawd-yng-nghyfraith yn gwisgo dillad galar. Brysiodd i estyn iddo'r amlen barod oddi ar y dresel a chydio hefyd yn yr hen dùn baco oedd yno.

'. . . Mae yma ryw fedala ers y rhyfal cynta. Wyt ti isio rheini hefyd?'

Cydiodd ynta yn yr amlen a'r tùn, heb air o ddiolch. 'Lle'r oeddat ti pnawn 'ma?' gofynnodd yn swta.

Teimlodd Mair ei dôn gyhuddol yn gwasgu fel llaw oer am ei chalon a smaliodd rythu ar ei brawd-yng-nghyfraith mewn diffyg deall. 'Lle'r oeddwn i pnawn 'ma? . . . Fûm i ddim allan o'r tŷ. Pam ti'n gofyn?'

'Ti'm yn meddwl y basa'n rheitiach iti fod wedi dangos dy wynab yng nghnebrwn dy chwaer-yng-nghyfraith?'

Edliwiad, nid cwestiwn, a hwnnw'n peri i groen gŵydd gerdded drosti. 'Damia unwaith! Fe anghofis i bob dim,' medda hi'n dawel gan ofni bod ei chelwydd a'i heuogrwydd hi'n gwbwl amlwg iddo. 'Doeddwn i ddim wedi pasa mynd i'r fynwant ond ro'n i wedi bwriadu mynd i'r gwasanaeth yn y tŷ. Dwi wedi mynd yn anghofus iawn, Huw, mae gen i ofn. Ond dyna fo, henaint ni ddaw ei hunan, meddan nhw!'

'Pum mlynadd sydd rhyngon ni'n dau!' medda fynta'n syth, cystal â'i chyhuddo o neud esgus. Yna, cyn rhoi cyfle iddi achub ei cham, aeth ymlaen, 'Dwi'n gweld dy fod ti allan o dy ddu yn fuan iawn.'

'Be ti'n feddwl?'

'Dillad gweddw ddim yn dy siwtio di, debyg?'

'Wedi . . . wedi gorfod golchi'r ffrog ddu oeddwn i . . . ym . . .' Damia unwaith! Pam oedd raid iddi gecian a theimlo'n euog? '. . . ac mae'r ffrog las 'ma'n fwy . . . fwy buddiol na dim arall sy gen i.'

'Da na ddoist ti ddim i'r cnebrwn, felly, on'd oedd? Glas yn fwy o liw priodas na chnebrwn.'

A barnu oddi wrth ei ddirmyg brathog, roedd o eto wedi gweld trwy'i chelwydd hi. Yna, wrth ei weld yn troi i adael, gollyngodd Mair ochenaid fechan o ryddhad. Doedd ei brawd-yng-nghyfraith mo'r anwylaf o blant dynion ar y gora; heddiw roedd o'n gythral mewn croen.

Yn y drws agored, oedodd eiliad i edrych yn ôl arni, silwét ei gorff yn llenwi'r ffrâm, a'i wisg angladdol a'r het ddu gantel llydan yn ychwanegu at ei ddüwch. 'Gyda llaw, sut mae Arthur a'r teulu?'

Aeth y cwestiwn annisgwyl â gweddill y gwynt o'i hwylia hi. 'Ym . . . iawn am wn i,' atebodd yn ochelgar.

'O leia mae *o* a'i blant yn perthyn imi! Sy'n fwy nag a alla i'i ddeud am y llall, mae'n debyg.'

Cymerodd Mair ei gwynt ati yn fwy swnllyd o lawer y tro yma. Yn yr eiliad honno, dychmygodd weld llygaid ei brawd-yng-nghyfraith yn tanio'n goch yn nüwch ei wyneb. Nid Huw Lòrd Bach oedd y siâp du yn nrws ei thŷ ond y Gŵr Drwg ei hun!

'. . . gyda llaw, cofia mai Teulu Lòrd Bach a neb arall sydd i etifeddu'r ddresal a'r cloc.'

Erbyn iddo roi clep i'r drws o'i ôl, roedd ei chalon yn dyrnu yn ei brest a'i choesau'n simsanu oddi tani.

*   *   *

'Uffar dân, Annie! 'Sa ti'n gweld yr edrychiad ges i gan yr Huw Lòrd Bach 'na rŵan fel roedd o'n pasio'r tŷ 'ma! Wnes i'm byd ond nodio'n glên arno fo ond mi ges i uffar o *look* yn ôl gynno fo, fel tasa fo am fy lladd i. Doedd gen i ddim llai nag ofn y diawl. Ydi o'n colli arni, dŵad?'

'Synnwn i ddim. Cofia mai sôn am Deulu Lòrd Bach wyt ti, wedi'r cyfan. Mae 'na ginc ynddyn nhw i gyd, 'sa ti'n gofyn i mi. Ti'n siŵr o fod yn cofio'r Rhys hwnnw'n gneud amdano'i hun yng Nghoed Cwm, pan oeddan ni'n blant? Roedd hwnnw'n hurt bost, yn martsio i bob man ac yn canu petha gwirion dros lle.

Roeddan ni'n cael lot o sbòrt wrth ei ddynwarad o. Roedd Elsi Lòrd Bach – hon'na roeddan nhw'n gladdu pnawn 'ma – yn chwaer iddo fo, wrth gwrs, a mab i honno ydi'r Huw 'ma welist ti rŵan . . . ond bod y teulu wedi trio celu'r peth! A phwy ŵyr nad ydi ynta'n dechra colli arni erbyn rŵan? Pan feddyli di am y peth, mae 'na rwbath rhyfadd wedi bod ynglŷn â nhw i gyd. Ifan oedd y calla a'r clenia, am wn i.'

'Hy! Blydi conshi oedd hwnnw!'

*   *   *

Llawn cystal, o safbwynt Twm Annie Twm a'i wraig, oedd bod Huw Lòrd Bach allan o'u clyw erbyn rŵan wrth iddo droi yng ngwaelod Lord Stryd am y Stryd Fawr neu, yn y dymer filain roedd o ynddi, fe allai fod wedi ymosod yn gorfforol ar y ddau.

Wrth i'r haul ymddangos yn annisgwyl o du ôl i gwmwl, tynnodd gantal ei het yn is dros ei lygad dde, i gadw honno rhag dyfrio mwy nag oedd raid. Gwyddai ei fod mewn tymer fudur ac ni allai egluro'n iawn pam. Fe ddeuai'r plycia hyn drosto o bryd i'w gilydd wrth i iselder ysbryd roi lle i ddicter afresymol. Dichon bod a wnelo'r gwayw yn ei goes a gwres yr haul ar groen ei wyneb rywfaint â'r peth. Ond ei chwaer-yng-nghyfraith oedd y bwgan mwya, bellach.

'Mae rhywun ar frys!'

Safai Mike Foster yn nrws ei siop, yn mwynhau pum munud o seibiant a thipyn o awyr iach. Disgwyliai i Huw oedi i sgwrsio, ond ei siomi a gafodd oherwydd unig ymateb hwnnw i'r cyfarchiad fu codi blaen ffon fud, a cherdded yn syth heibio heb arafu'i gam. Ysgydwodd y siopwr ei ben gyda gwên o

473

anobaith, fel un wedi hen arfer ag odrwydd y cyfaill
oedd rŵan yn bras-hercian yn ddu o'i olwg.

'Sgwn i be oedd yn bod arno fo heddiw?' meddai
wrtho'i hun. 'Does bosib mod i wedi tramgwyddo trwy
beidio mynd i gnebrwn Elsi'i chwaer, oherwydd fe
ddeudodd o ei hun nad oedd disgwyl imi gau'r siop
jest er mwyn yr angladd. Ond mae 'na rwbath wedi
troi'r drol efo fo!' Ysgydwodd ei ben eto. 'Ond dyna fo!
Huw Lòrd Bach ydi o'n de!' A gan fodloni ar eglurhad
nad oedd yn eglurhad o gwbwl, aeth y siopwr yn ôl at
ei gownter.

Wedi cyrraedd cornel swyddfa'r post, gadawodd
Huw y Stryd Fawr o'i ôl ac anelu am y strydoedd cefn a
fyddai'n rhoi'r ffordd gynta adre iddo. Geiria Ifan yn ei
ddyddlyfr oedd yn corddi'i feddwl, a'r ffaith bod Mair
wedi achosi cymaint o dristwch i'w frawd ym
mlynyddoedd olaf ei fywyd. I bwy roedd hi wedi rhoi'r
fath groeso adeg y rhyfel, tra bod Ifan i ffwrdd? Pwy
oedd tad y snichyn Rhys 'na? Dyna'r cwestiyna oedd
wedi bod ar ei feddwl ers darllen llythyr Ifan, wythnos
yn ôl. A rhywsut neu'i gilydd fe fynnai gael yr atebion
iddyn nhw hefyd.

Torrwyd ar ei feddylia gan storm o chwerthin
afreolus a gweiddi siarad ifanc. Roedd cornel go siarp
o'i flaen ac o du draw i honno y deuai'r sŵn.

'Tyrd â swàl arall imi, cachwr!' clywodd un yn
gweiddi, ac atebiad digymrodedd yn dod oddi wrth un
arall: 'Ffyc off, Adrian! Pryna ffycin dôp chdi dy hun . . .'

Gwyddai, yn ôl agosrwydd y lleisia, y byddai'n dod
wyneb yn wyneb â nhw ar y tro, a dyna a
ddigwyddodd. Pump o lancia oddeutu'r pymtheg oed,
yn llenwi'r ffordd o'i flaen; pob un yn sgwario'i
ysgwydda, a'i wallt yn seimllyd laes dros ei glustia.

'. . . yn lle ffycin sgrownjo drag bob munu –!'

Yn yr eiliad honno, wrth weld cawr du tebyg i blismon yn ymddangos ar ei lwybyr, neidiodd panig i lygad y smociwr a gwelodd Huw ef yn ffwlbala i guddio'r sigarét amheus yn ei ddwrn bach. Sylwodd fod dychryn annisgwyl wedi dod i wyneb un o'r lleill hefyd a daeth adnabyddiaeth fel roedd hwnnw'n troi i ddianc. Saethodd Huw ei law rydd allan i gydio yn y llanc gerfydd ei war plorynnog a'i ddal yn ôl er gwaetha pob ymdrech gan hwnnw i dynnu'n rhydd.

'Chdi!'

'Ffyci . . . aaaaw!' Trodd y rheg yn wich wrth i'r gwasgu droi'n giaidd, ac yna'n 'Oooo!' hir o boen.

Safai'r pedwar arall yn syfrdan a di-ddallt.

'Oes gen ti gân imi heddiw ta, y bastad bach?' Ond gan mai dial yn hytrach na hawlio atebiad oedd ei fwriad, fe aeth ymlaen i ysgwyd y bachgen fel doli glwt: 'Be sy, 'lly? Wedi colli dy dafod fawr wyt ti, ta be? Mae gen ti fwy na digon i'w ddeud wrtha i fel rheol, yn does? A ti'n ddyn i gyd, bryd hynny.' Gollyngodd ei afael yn ddigon hir i roi clustan galed i'r bachgen efo'i law rydd, yna gafael ynddo unwaith eto cyn rhoi cyfle iddo ddianc. 'Gwranda di arna i, mêt! Meiddia di gymaint ag agor dy geg eto pan fydda i yn y golwg ac mi wasga i bob anadl o wynt allan o dy gorff bach tila di. Ti'n dallt?'

Oherwydd ei ddychryn, methodd y llanc ag ateb ar ei union a chafodd ei sgrytian eto, nes bod mwy o ddagra yn neidio i'w lygaid.

'Atab fi! Wyt ti'n dallt?'

'Ocê, ocê . . . ydw.' Doedd dim gwadu'r sŵn snifflan yn ei lais.

'Wel gwatsia di dy dafod o hyn allan ta, machgan i!'

Un sgrytiad arall a chelpan eto ar ochor pen, i dynnu gwaedd arall o boen, ac yna llaciodd Huw Lòrd Bach ei afael ar y bachgen, yn fodlon bod gwers wedi'i rhoi ac wedi'i dysgu. Ond cyn eu gadael, pwyntiodd yn fygythiol at ddwrn y smociwr. 'Ac os gwela i di byth eto'n smocio'r cachu yna, yna mi ddo i â phlisman i ddrws dy dŷ di. Ti'n dallt?'

Nodiodd hwnnw'n barod iawn, rhag cael yr un driniaeth â'i fêt.

Fel y pellhâi oddi wrthynt, clywodd y cwesiwn: 'Ti'n *okay*, Adrian?' a llais arall yn deud: 'Mae gynno fo ddim ffycin hawl gneud hyn'na ichdi! 'Sa fi'n deud wrth tad fi 'sa fi chdi.' A thrydydd llais yn datgan gyda pheth ymffrost: 'Fasa fi ddim wedi crio! 'Sa fo gneud hyn'na i fi, 'sa fi'n cicio fo yn 'i fôls . . . Jest gobeithio neith fo ddim deud wrth cops bod fi'n smocio dôp.'

Yna, pan oedd pellter diogel wedi magu rhyngddyn nhw, clywodd Huw y dagra'n troi'n weiddi heriol ar ei ôl: 'Na fi ddeud wrth tad fi amdanach chdi, y bastad! Neith o ddŵad i tŷ chdi heno a rhoi ffwc o gweir ichdi. Ti'n *dead meat*!'

*   *   *

'*I wonder* be oedd yn llythyr Mam i Huw. Oes gen ti ryw *idea*, Ruth?'

'Nagoes. Dwi wedi deud wrthat ti fwy nag unwaith yn barod.'

'Ond mae'n od . . . *don't you think*? . . . bod Mam wedi gadael llythyr iddo fo a ddim i ni.'

Er yn cytuno efo'i chwaer, roedd yn well gan Ruth daflu'r peth heibio. 'Falla mai isio cymodi efo fo roedd hi. Roedden nhw'n frawd a chwaer, wedi'r cyfan.'

'But why did they quarrel in the first place? That's what I'd like to know.'

'Pwy ŵyr? Mae petha felly'n digwydd weithia o fewn teulu. Roedd 'na belltar rhwng Mam ac Yncl Ifan hefyd, os cofi di. Doeddan nhwtha, chwaith, ddim mor glòs ag amball frawd a chwaer. A deud y gwir, fuodd 'na rioed lawar o Gymraeg rhyngddyn nhw . . . ddim i mi gofio, beth bynnag. Ond paid â gofyn pam.'

'Rhyw *skeleton in the family cupboard, must be.* Ond mi fuodd *Uncle Evan* yn ffeind iawn wrtha i, beth bynnag, yn Llangwyfan ers talwm. Dwi'n meddwl, *personally*, mai Huw ydi'r broblem, wyst ti. Dydi o ddim wedi actio fel 'tasa fo'n perthyn inni o gwbwl, ydi o? Ddim tan i Mam fynd yn wael, beth bynnag.'

'Nac'di, mae'n debyg, ond be sy'n bwysig ydi bod petha'n iawn rhyngddon ni rŵan. Sy'n beth braf, o gofio criw mor fach ydan ni fel teulu, erbyn heddiw. A ddylen ni ddim anghofio chwaith, Esther, am yr holl broblema mae Huw wedi'u cael yn ystod ei oes – brifo'n ofnadwy yn y rhyfal, cael ei gymryd yn *prisoner of war,* gorfod manejio ar ei ben ei hun wedyn, dim gwraig, methu cael job iawn am ei fod o mor *disabled*, methu dreifio car oherwydd ei goes . . . A dydw i ddim yn meddwl bod gynno fo lawar o ffrindia chwaith, wysti . . .' Chwarddodd Ruth yn fyr a dihiwmor. 'Mwy na ninna'n dwy, o ran hynny! . . . Mae'n biti drosto fo, a deud y gwir! A dwi'n tybio bod colli Yncl Ifan wedi bod yn fwy o ergyd iddo fo nag mae neb yn feddwl.'

'Ond fe sgwennodd Mam y llythyr 'na i Huw ymhell cyn i *Uncle Evan* farw. *Why write to him* a ddim i neb arall? *That's what I'd like to know.'* Am iddi gael bywyd mor gysgodol ei hun, fe'i câi Esther hi'n anodd cydymdeimlo ag anabledd neb arall. 'Wyt *ti* ddim yn *curious* hefyd?'

'Ydw, mae'n siŵr.'

'Wyt ti ddim yn difaru rŵan na fasan ni wedi agor y llythyr, Ruth? *We could have steamed it open* heb i Huw fod *none the wiser.*'

*   *   *

Pan gyrhaeddodd adre, cafodd y croeso arferol gan y ci a gadawodd ef yn rhydd i'r ardd. Yna, ar ôl rhoi'r tecell ymlaen a tharo amlen Ruth ar ymyl bwrdd y gegin, aeth trwodd i'r llofft i newid ei ddillad. Roedd yn ysu ers meitin i gael gwared â'r tei a'r siwt, ac i roi'r het ddu orau yn ôl yn ei bocs ar ben y wardrob. Doedd honno ddim hanner mor gyfforddus â'r het wellt ysgafn yr arferai ei gwisgo.

Erbyn iddo ddod yn ôl i'r gegin, roedd y tecell yn berwi. Gwnaeth baned o de a thorri brechdan iddo'i hun. Yna, wedi taenu chydig o jam yn denau dros y marjarîn, cydiodd hefyd yn yr amlen a mynd â'r cwbwl trwodd i'r parlwr, ar hambwrdd.

Cyn eistedd, safodd ennyd yn y ffenest, i syllu allan dros y Cwm. Roedd y gwynt yn dal i hyrddio'n ysbeidiol gan sgubo'r cymylau duon ac ambell ddeilen gyfeiliorn o'i flaen. Ond y fynwent lechweddog yn y pellter, efo'i rheng ar reng o gerrig llwydlas, a âi â'i sylw. Awr yn ôl, roedd wedi gwylio arch ei fam yn mynd i'r pridd yn fan'cw, a hynny heb deimlo nemor ddim tristwch yn ei galon. Fe gollodd Ruth ddeigryn ar lan y bedd ond theimlodd o ddim byd o gwbwl. A doedd dim euogrwydd rŵan chwaith!

Wedi eistedd, syrthiodd ei lygaid ar yr amlen o'i

flaen, efo'r un gair 'Hugh' mewn llawysgrifen grynedig arni. 'Rhyfadd! Dydi Elsie wedi gneud fawr ddim efo fi erioed, ond dyma hi rŵan yn gadael negas imi o'r bedd.' Roedd arno fwy o awydd rhwygo'r amlen yn ddarna na darllen ei chynnwys, ond clywai lais Ifan yn ei rybuddio mai byw i ddifaru a wnâi wedyn.

Wrth yfed ei de a bwyta'i frechdan jam, ni thynnodd ei lygaid oddi ar yr amlen. 'Hugh'! Roedd y sillafiad Seisnig yn taro mor chwithig, rywsut. *Hugh* i'w ffrindia yn yr RAF ers talwm, ac i ddarllenwyr y *Guardian* slawer dydd! Ond i bawb ym Mlaendyffryn, *Huw* oedd o! Huw Lòrd Bach.

Synnodd eto at drwch yr amlen ac, yn gyndyn braidd, llithrodd lafn y gyllell o dan y sêl a gwylio honno'n gadael staen y jam o'i hôl. Yna, wedi gwrando ar y papur yn rhwygo'n boenus ac araf, gwagiodd y cynnwys ar y plat briwsionllyd o'i flaen. Llythyr dwy-ddalen ac amlen arall dan sêl yn gwmni iddo. Amlen ddienw, sylwodd.

Taniodd sigarét a syllu'n hir ac yn ymarhous trwy'r mwg. Un paragraff hir, di-atalnod bron, mewn llawysgrifen fân, grynedig oedd y llythyr.

Annwyl Huw erbyn y byddi di yn darllen hwn byddaf i wedi eich gadael chi am fyd sydd well gobeithio. Llythyr i ofyn maddeuant ydyw yn benaf oherwydd y cam mawr a wnes i â thi dros y blynyddoedd rwyn gwbod bod Ifan wedi dweyd wrthyt flynyddoedd yn ol mai fi yw dy fam ond rwyn amau a fedrodd yntau chwaith ddweyd y cyfan wrthyt gan mai hogyn ysgol oedd ef pan gefaist ti dy eni ac mae yn gwestiwn genyf fi os y gwnaeth Mam egluro yr amgylchiadau yn llawn iddo yntau

479

chwaith. Fel y gwyddost ti nid Harry fy ngwr yw dy dad ond paid a meddwl yn rhy ddrwg ohonof am hyny y cwbwl a ddywedaf yw fy mod innau hefyd wedi caul cam yn y dyddiau cynar nid gan mam a nhad oherwydd fe fuont hwy yn barod iawn i dy fagu di er mwyn i mi gael mynd allan i weithio y rhai a wnaeth gam â mi ac â thithau felly oedd teulu dy dad. Er mai ifanc oeddem ni'n dau ar y pryd roedd ef a minnau mewn cariad a byddem wedi priodi rwyn siwr ond roedd ei rieni ef yn ddig ac yn anfaddeugar iawn tuag atom ac fe gafodd dy dad ei anfon i Lerpwl yn ddigon pell oddicartref i weithio gyda dewyrth iddo yno cyn i ti gael dy eni o gwbwl. Arnaf i y syrthiodd y gwarth i gyd ac mae rhai pobl ym Mlaendyffryn na ellais i faddau iddynt byth wedyn, pobl capel yn benaf. sut bynag pan gefais gynig gwaith gan Elsyn Teiliwr tad Harri fe gytunodd Mam i dy fagu di yna ymhen amser fe briododd Harri a finnau a chael plant ein hunain ond nid oedd Harri am i Ruth ac Esther wybod dy fod yn hanner brawd iddynt ac roedd yn siarsio'i gwsmeriaid ar y pryd i beidio sôn gair am y peth wrth y merched. Nid oedd am i mi chwaith ymwneyd llawer efo ti ac er fy nghywilidd fe gytunais efo fo ac maen siwr dy fod yn fy nghasau â chas perffaith am dy amddifadu di fel y gwnes i ond rwyf am iti wybod un peth, rwyf wedi meddwl llawer amdanat dros y blynyddoedd ac wedi colli nosweithiau lawer o gwsg yn poeni amdanat yn ystod dyddiau duon y rhyfel a cholli llawer o ddagrau distaw hefyd pan oeddit ti yn prisoner of war ac wedyn pan ddoist ti adref a phan welais gymaint roeddit ti wedi caul dy anafu ni fedrwn i

ond meddwl amdanat ti'n fabi ar fy nglin yn nhŷ
Taid Josh ers talwm a minnau yn canu hwiangerddi
iti. Rwyn cofio'r diwrnod y cefaist ddod adref a'r
Maer yn dy groesawu yn y stesion a'r band yn
arwain y procession a phawb yn hapus ac yn
gweiddi hwre fi oedd yr unig un oedd yn crio y
diwrnod hwnw ond chafodd neb weld fy nagrau
cofia. Fe fyddwn wedi rhannu fy nheimladau efo
Ifan fy mrawd ond roudd ef yn fuan wedyn yn mynd
trwy gyfnod anodd iawn ei hun ar ol colli ei ferch
fach efo dyptheria . . .

Pwysodd Huw ei ben yn ôl dros ei war a gwylio
mwg yr Woodbine yn codi'n gylch ar gylch tua'r
nenfwd. Oedd, roedd o'n cofio Alis fach yn marw,
ychydig fisoedd wedi iddo ddychwelyd i Flaendyffryn.
Cofio uffern Ifan ar ôl hynny hefyd.

. . . Fedra i ddim dweyd bod fy mhriodas efo Harri
wedi bod yn un hapus cofia roudd o'n garedig a
phob dim felly ond doeddwn i ddim yn ei garu fel
roeddwn yn caru dy dad. pan fuodd Harri farw yn
gynharach eleni cefais y fath sioc ymhen ychydig
ddyddiau pan dderbyniais lythyr cydymdeimlad o
Lerpwl oddi wrth dy dad nad oeddwn wedi ei weld
na chlywed dim oddiwrtho ers yr holl flynyddoedd.
dweyd yr oedd ei fod wedi gweld yn y Daily Post fod
Harri wedi marw ac roedd yn dweyd ei fod ef ei hun
hefyd yn weddw ers pedair blynedd a'i fod yn ddi-
blant. er gwaethaf y dyddiau anodd rhwng y ddau
ryfel roudd wedi codi busnes da iddo'i hun yn y
dociau yn Lerpwl meddai ef ond fe fuodd yn
anlwcus wedyn pan gafodd yr iard a'r warws fawr

481

oedd ganddo eu bomio gan y Jyrmans ac fe gollodd bob dim ond fe weithiodd yn galed ar ol y rhyfel a chodi'r busnes yn ôl. Mae wedi riteirio ers blynyddoedd wrth gwrs ac fe ddywedwn i ei fod yn eithaf cyfoethog erbyn heddiw. roedd yn sôn yn ei lythyr am ddod yma i'm gweld ond anfonais air byr yn ôl ato'n syth yn gofyn iddo beidio ond wnes i ddim egluro'r rheswm pam iddo chwaith. rydw i wedi byw celwydd mor hir weldi ac mae gen i ofn rwan i Ruth ac Esther ddod i wybod y gwir am eu mam. rhaid ei fod wedi digio oherwydd wnaeth o ddim anfon gair ar ôl hyny. rwyn ysgrifennu'r llythyr hwn atat yn awr rhag ofn na chaf gyfle arall i egluro iti gan nad wyf yn rhy gry fy iechyd fy hun erbyn hyn weldi a rhag ofn y byddi di ryw ddiwrnod eisiau gwybod y gwir amdanat dy hun. Yn yr envelop sydd efo'r llythyr hwn rwyf wedi rhoi dy birth certificate di. rwyf wedi ei chuddio ai chadw hi'n ofalus ar hyd y blynyddoedd, nid yw enw dy dad arni ond rwyf wedi ei ysgrifenny ar y tu ôl ac fe gei di felly blesio dy hun os wyt am ei hagor hi ai peidio. paid a meddwl yn rhy ddrwg o dy fam machgen i nac o dy dad chwaith gallai pethau fod wedi bod mor wahanol wyddost ti pe bai Rhagluniaeth wedi trefnu'n wahanol ar ein cyfer ni ond dyna fo mae bywyd yn gallu bod yn garedig i rai ac yn greulon iawn i eraill fel y gwyddost ti ond yn rhy dda. Bendith arnat ti Hugh anwyl. gobeithio y gelli wneyd lle yn dy galon i faddau imi.

Dy fam, Elsie.

Hydref 1976

Daeth lwmp anghyfarwydd i wddw Huw Lòrd Bach a ffieiddiodd ei hun am ganiatáu'r fath wendid. Dros y blynyddoedd, roedd wedi caledu'i hun rhag pob meddalwch. Alla fo fadda i Elsie . . . i'w fam? Oedd angan madda o gwbwl? 'Nid o'm rhan i, beth bynnag,' meddai wrtho'i hun, 'gan na wnes i rioed ei hystyried hi fel mam, beth bynnag.' Roedd yr unig fam a gawsai ef yn perthyn i fyd ac i oes arall. 'Ond mae'n amlwg bod Elsie angan maddeuant ac mi alla i roi hynny iddi.' Cliriodd ei lwnc yn ddiamynedd a gadael i'w feddwl droi eto at yr hyn a wawriodd arno wrth iddo ddarllen y llythyr.

'Dyna pwy oedd o, felly!' meddai, gan ryfeddu at y ffaith bod ei dad ac ynta wedi cael cip ar ei gilydd am y tro cynta erioed y pnawn hwnnw, heb i'r naill sylweddoli pwy oedd y llall. Ac er ei waetha, rŵan, fe'i cafodd ei hun yn chwilio am ryw debygrwydd rhyngddo a'r hen ŵr unig a ddaethai i sefyll at y bedd ar ôl i bawb arall adael, i ollwng rhosyn ar yr arch. Bu yntau, hefyd, yn dalsyth yn ei ddydd, siŵr o fod, ond bod y blynyddoedd wedi crebachu'i gorff.

Eiliad yn unig y parhaodd yr ysfa i gymharu, yna cydiodd Huw yn yr amlen-dan-sêl, i'w rhwygo hi'n ddarnau mân a gollwng y rheini fel conffeti rhwng ei fysedd nes eu bod yn gorchuddio'r llythyr ar y plat o'i flaen. Fydda fo'n difaru'i fyrbwylledd?

Cyn iddo gael amser i bendroni, daeth curo caled ar ddrws y cefn a dechreuodd y ci gyfarth. Estynnodd am ei ffon a stryffaglu i'w draed.

O du arall yr hiniog, safai gŵr boliog canol oed yn sgyrnygu arno, ei grys yn dynn am ei ganol a'r botymau uchaf heb eu cau, fel bod blew ei frest yn gweld golau dydd.

'Chdi oedd y bastad roddodd gweir i'r hogyn 'ma?'

483

Sgwariai ei ysgwydda'n heriol ac roedd ogla cwrw yn drwm ar ei wynt. Tu ôl i'r tad, safai Adrian yn crechwenu.

Am iddo fod yn sensitif erioed i'r gair 'bastard', fe deimlodd Huw Lòrd Bach y gwaed yn codi'n goch i'w ben a brwydrodd i ffrwyno'i dymer. 'Ia, ac roedd o'n haeddu pob dim gafodd o. Chdi, mae'n debyg, ydi Dei'r Allt, ei dad o?'

'Tŵ ffycin reit, boi!' A chododd hwnnw fys bygythiol a'i ddal o dan drwyn Huw. ''Sa uffar o neb yn gosod ei facha ar fab i mi, iti gael dallt, ac yn reit siŵr ddim ryw ffycin spastic fatha chdi . . .'

Dyna gymaint ag a ddaeth allan o geg Dei'r Allt cyn i ddwrn mawr ei daro ar ochor ei ên nes ei fod o'n baglu'n ôl i freichia'i fab.

'Be alwist ti fi, y rowlyn tew?'

'By . . . by . . .' Roedd y syndod ar wyneb Dei'r Allt yn amlwg wrth iddo sylweddoli'r cryfder oedd yng nghorff ac ym mreichia'r dyn gwyllt oedd rŵan yn bytheirio yn ei wyneb. Roedd o'n difaru'n barod na fyddai wedi rhoi mwy o goel i'r straeon a glywsai am Huw Lòrd Bach, sef ei fod o'n *ex-paratrooper* ac yn un byr ei dymer a pharod ei ddyrna. Fel hen ddyn cloff a hyll roedd o wedi meddwl amdano erioed ond rŵan dyma weld yn wahanol. Serch hynny, rhaid oedd ymateb i'r her, neu gywilyddio yng ngŵydd ei fab. Felly, gan sadio'i hun ar ei sodla a sgwario'i ysgwydda o'r newydd, mentrodd gam bygythiol ymlaen unwaith eto. 'Os mai ffycin cweir wyt ti isio . . .'

Wrth i ddyrna Dei'r Allt godi, trawodd Huw Lòrd Bach ef yr eildro, o dan ei lygad dde y tro yma, nes ei fod o'n baglu wysg ei ochor ac ar ei hyd i ganol yr unig lwyn oedd yn y pwt gardd.

'Gad i tad fi fod, y . . . y . . .' Ond roedd Adrian wedi dysgu brathu'i dafod yn well na'i dad.

Cododd Dei'r Allt yn simsan ac fel yr anelai am y giât, clywodd Huw ef yn mwmblan rhywbeth am 'ffycin dyn ddim yn gall'.

*   *   *

'Ac yn awr, cyfle i wrando ar raglen a ddarlledwyd gyntaf naw mlynedd yn ôl.'

I ddilyn y cyflwyniad moel, daeth sŵn ffrïo a chraclo wrth i hen record ddechra troi – *'We'll meet again, don't know where, don't know when . . .'* – ond erbyn i Annie Twm ymuno efo'i *'For I know we'll meet again some sunny day . . .'* roedd y gân yn graddol ddistewi ac yn rhoi lle i lais undonog cyflwynydd arall. *'Croeso i'n rhaglen, yn fyw o Neuadd y Penrhyn, Bangor . . .'*

'Vera Lynn!' meddai Annie'n hiraethus. 'Ddy Ffôrsus Ffêfrét! Doedd 'na neb tebyg iddi, sti.'

'. . . ar achlysur dathlu chwarter canrif . . .'

Am fod ansawdd yr ail lais yn llai eglur nag un y cyflwynydd cynta, dechreuodd Twm Annie Twm chwara efo botyma'r radio gan beri i'r sain gilio a chryfhau a chilio eto.

'Rho'r gora i dy ffidlan, wir Dduw!'

'Uffan dân, ddynas! Dwi mond yn trio cael gwell risepshyn, dyna i gyd.'

'Wel ddaw o ddim gwell na hyn'na iti, 'tait ti'n ffidlan o hyn tan ddydd Sul pys! Hen recordiad ydi o, siŵr Dduw! Meicroffôns henffasiwn oedd gynnyn nhw amsar hynny.'

'Arglwydd mawr, ddynas! O wrando arnat ti'n paldaruo, 'sa rhywun feddwl bod y rhaglan wedi cael ei

485

recordio yn oes yr arth a'r blaidd yn hytrach na naw mlynadd yn ôl . . . A! Dyna welliant!'

A bodlonodd Twm Annie Twm ar ansawdd sain a oedd, os rhywbeth, yn salach na chynt.

'. . . Mae llawer erbyn heddiw sy'n ceisio dweud na chafodd yr Ail Ryfel Byd lawer o effaith ar fywyd cefn gwlad Cymru ond roedd hynny ymhell o fod yn wir, wrth gwrs, ac i brofi hynny heno rydym wedi gwahodd pedwar gŵr yma atom i Neuadd y Penrhyn, i rannu gyda chwi, y gwrandawyr, eu profiadau arbennig hwy o gyfnod y rhyfel. Eu henwau yw Michael Foster, Hugh Hughes, Gwilym Parry ac Evan Hughes. Magwyd tri ohonynt yn yr un stryd fechan o dai, yn nhref chwarelig Blaendyffryn, Sir Feirionnydd, ac er mai yn Lerpwl y ganed y pedwerydd gŵr, eto i gyd fel un o blant Blaendyffryn y mae yntau hefyd yn ystyried ei hun. Fel y cawn glywed yn ystod y deugain munud nesaf, mae gan bob un ohonynt ei stori ddiddorol ei hun i'w hadrodd . . .'

Chwarddodd Twm Annie Twm yn ddirmygus. 'Diddorol, ddeudodd o? Arglwydd mawr! Pwy s'isio gwrando ar gonshi fel Ifan Lòrd Bach yn mynd dros ei hanas?'

'Cau dy geg a dyro jàns i dy din am unwaith! Dwi isio clywad y rhaglan 'ma os nad wyt i. Roedd 'na lot o siarad amdani y tro cynta y cafodd hi ei brôdcastio, yn enwedig y petha ddeudodd Huw Lòrd Bach . . . ond doedd gynnon ni ddim weiarales amsar hynny, diolch i ti!'

Llyncodd Twm ful. Roedd Annie wedi edliw digon iddo yn y gorffennol eu bod nhw'n methu fforddio weiarles newydd am ei fod o'n gwario'i bres dôl ar gwrw ac ar geffyla.

'. . . Fe ddechreuwn ni felly efo'r iengaf o'n gwesteion, sef Mustyr Michael Foster. Fel roeddwn i'n egluro i'r gwrandawyr, Mustyr Foster, nid ym Mlaendyffryn y cawsoch chi eich geni . . .'

'Nage. Dod yno'n faciwî wnes i, pan o'n i'n ddeg oed . . .'

'Ac mi dalodd iti hefyd, ngwash i, o styried dy fod ti wedi gneud dy ffortiwn ar gorn pobol y dre 'ma.'

Oedd, roedd Twm Annie Twm wedi treulio'i ful yn fuan iawn.

*   *   *

'. . . Ond fel un o bobol Blaendyffryn, ac fel Cymro glân gloyw dwi'n styried fy hun erbyn heddiw, wrth gwrs . . .'

Gwenodd Mair Huws wên fach drist. Roedd yn anodd uniaethu'r Micky Foster bach cegog, a gollodd ei holl deulu yn y blits ers talwm, efo'r dyn busnes parchus Michael Foster oedd wedi gneud mor dda iddo'i hun ers hynny; yn berchennog dwy siop yn y dre, a'i fryd, yn ôl pob sôn, ar agor un arall yn Nolgellau yn fuan iawn.

'. . . Oni bai am Lewis a Doris Jones, a phobol dda Blaendyffryn, does wbod be fyddai fy hanes i erbyn heddiw. Chewch chi ddim pobol gleniach yn unman dan haul na phobol Blaendyffryn . . .'

*   *   *

'. . . Er mod i'n bymthag oed erbyn i'r Rhyfal ddod i ben, atgofion plentyn sydd gen i fwya o'r cyfnod. Cofio'r convoys o lorïau yn mynd trwy'r dre . . . Cofio gweiddi "Any gum chum?" a'r Iancs ar eu ffordd i'r camp ym Mronaber yn taflu chewing gum a cheinioga inni o gefn lorri er mwyn cael hwyl wrth ein gweld ni'n sgrialu amdanyn nhw . . .'

Crychodd Huw Lòrd Bach ei lygaid rhag mwg yr

Woodbine ac, â llais Mike Foster i'w ganlyn, aeth trwodd i'r gegin gefn i nôl gwydryn gwag iddo'i hun. Smôc ac ambell wisgi oedd ei unig gysuron mewn bywyd, bellach. Bu amser pan fyddai'n mynd allan i'r Queens ddwywaith yr wythnos a chael cwmni Mike ac un neu ddau arall yn eu cornel arferol yn fan'no. Ond, yn raddol, fe ddechreuodd ddiflasu ar sgwrs rhai oedd flynyddoedd yn iau na fo'i hun. Yna, ar yr wythfed o Chwefror 1966, fe drodd y profiad yn hunlle iddo. Y bar yn llawnach nag arfer y noson honno; pob bwrdd wedi'i gymryd a llawer yn sefyll yn dal eu peintiau ac mewn awyr oedd yn las gan fwg. O'i gornel, gwyliai yntau'r miri oedd o'i flaen; pawb yn gweiddi siarad, er mwyn cael eu clywed, ond dim un sgwrs yn ddealladwy iddo, serch hynny; hyd yn oed y drafodaeth o gwmpas ei fwrdd ef ei hun. Am hynny, fe ddechreusai syllu o'i gwmpas yn freuddwydiol ac wrth i gyrff wahanu am eiliad yn llwybyr annisgwyl o'i flaen, fe sylwodd ar lanc yn eistedd ar stôl uchel wrth y bar, efo'i gefn ato. Roedd rhywbeth yn anesmwyth o gyfarwydd ynglŷn ag ystum ac unigrwydd y bachgen. Ac yna, fel petai hwnnw'n synhwyro bod rhywun yn ei wylio, fe drodd yn araf i edrych i fyw llygaid Huw ac, â gwên drist, codi ei wydryn mewn cyfarchiad mud. Profiad eiliad oedd o, cyn i'r cyrff glosio at ei gilydd unwaith eto, fel llenni'n cau ar olygfa llwyfan, ond yn yr eiliad honno fe droes Huw Lòrd Bach yn groen gŵydd drosto, oherwydd y gwyneb a welsai'n gwenu arno trwy'r llen o fwg oedd gwyneb Spike, y *rear-gunner* ifanc a gollodd ei fywyd uwchben Hamburg slawer dydd – ar y seithfed o Chwefror 1945 a bod yn fanwl gywir, ddiwrnod cyn ei ben blwydd – ac a aeth i lawr wedyn efo'r *Lucky Vera* i'w fedd dyfrllyd yn y

Wash! Wedi cael ei wynt ato, ac yn ei ddychryn, roedd Huw wedi stryffaglu allan o'i gornel a gwthio'i ffordd at y bar, gan greu storm o brotest. Ond doedd neb yn aros amdano ar y stôl uchel. Neb cyfarwydd, beth bynnag. Roedd Spike wedi dathlu'i ail ben blwydd yn un ar hugain, ac wedi mynd! A dyna'r tro ola i Huw Lòrd Bach fynychu'r Queens nac unrhyw dafarn arall.

'. . . Yr hyn sy'n arbennnig am ein tri gwestai nesaf yw eu bod yn llythrennol wedi eu geni a'u magu drws nesaf i'w gilydd. Dim ond pedwar tŷ oedd yn Little Lord Street, Blaendyffryn . . .'

Tywalltodd joch mwy hael nag arfer o'r Bell's i'w wydryn a phenderfynu rhoi cymaint â hynny wedyn o ddŵr am ei ben fel ei fod yn para iddo weddill y min nos. Yna, dychwelodd i gwmni'r radio a'r ci.

'. . . I'r Llynges yr aethoch chi, Mustyr Parry. Unrhyw reswm pam?'

'Am mai i'r Navy yr aeth fy nhad, am wn i. Fe gollodd o ei fywyd ar y môr yn ystod y Rhyfal Cynta.'

Ysgydwodd Huw ei ben yn hiraethus a gwasgu gweddill ei Woodbine i'r soser wrth ei ochr. Fe ddaethai Gwil adre o Japan yn ddyn toredig, a'i gorff esgyrnog yn greithia i gyd. Byddai'n ddigon parod i sôn am ei fywyd fel llongwr ar y Repulse ac am ei helyntion mewn llefydd fel y Scapa Flow a Chefnfor India, hyd at yr amser y cymerwyd ef yn garcharor rhyfel, ond roedd yn gwbwl gyndyn i drafod ei brofiada ar ôl hynny. Gallai Huw ddallt y cyndynrwydd hwnnw'n well na neb. Yr unig beth a glywsai ef Gwil yn ei ddeud erioed am ei flynyddoedd yng ngharchar – a hynny rhwng difri a chwarae – oedd: 'O leia mae gen i un peth i ddiolch i'r Japs amdano. Fe gaethon nhw warad â'r atal-deud oedd gen i!' A gwyddai

Huw fod y datganiad chwerw hwnnw'n celu myrdd o ddyrnodau a fflangellau, yn gosb ac yn wers bob tro y clywid y carcharor truan yn cecian siarad. Flynyddoedd yn ddiweddarach, byddai'r chwerwedd hwnnw'n dal i'w amlygu'i hun o bryd i'w gilydd, yn enwedig pan glywai Gwil fod hwn-a-hwn wedi prynu car *Nissan* newydd iddo'i hun.

'Diolch ichi am rannu rhai o'ch profiada efo ni, Mustyr Parry. A rŵan fe drown ni at un arall a ddioddefodd o dan law y gelyn . . .'

Taniodd Huw sigarét arall. Fis i'r diwrnod ar ôl gneud y rhaglen, tra'n gwylio arch ei ffrind yn cael ei gollwng i'r un bedd â Gaenor ei fam, fe ddaethai geiria Gwil yn ôl iddo: *'Pan ddaw f'amsar – a fydd hynny ddim yn hir rŵan, Huw – dwi am gael fy nghladdu efo'r hen gwîn, rhag iddi deimlo'n unig, wyst ti, a nhad mor bell. A gan ei fod o'n fedd i dri, mi fydd lle i Olwen yno hefyd pan ddaw ei hamsar hitha.'* Oedd, roedd Gwil Parry wedi synhwyro llaw Angau yn taflu'i chysgod drosto.

'. . . Fe drown ni'n awr at ein trydydd gwestai, sef Mustyr Hugh Hughes. Fe gawsoch chi eich anrhydeddu â'r DFC am eich gwrhydri, Mustyr Huws. Rhaid eich bod . . .'

'Matar o farn ydi hyn'na.'

'Ym! . . . Be 'dach chi'n feddwl, Mustyr Hughes?'

Estynnodd Huw am ei wydryn a gadael i'r wisgi lifo'n araf i lawr ei lwnc. Gallai gofio, fel ddoe, y syndod ar wyneb yr holwr.

'Faswn i ddim yn disgrifio gollwng bomiau ar bobol ddiniwad yn wrhydri o fath yn y byd.'

'Wel . . . ym . . . rydach chi'n bod yn rhy . . . yn rhy wylaidd rŵan dwi'n siŵr.'

'Ddim o gwbwl. Oes gynnoch chi syniad o fath yn y byd sut deimlad ydi edrych i lawr ar dre fawr a honno'n

wenfflam, gan wbod bod miloedd yn mynd trwy Uffern yno
ac mai chi oedd yn rhannol gyfrifol am yr uffern hwnnw?'

'*Ond . . . ym . . . doeddech chi ond yn gneud yr hyn a*
ddisgwylid ichi'i neud, sef . . . ym . . . gneud eich rhan i
ennill y rhyfel.'

O ailwrando rŵan, gallai gydymdeimlo rhywfaint
ag anghysur yr holwr ar y pryd.

'*Be? Trwy ladd gwragedd a phlant?'*

Nid ei fod wedi mynd i Neuadd y Penrhyn, y
diwrnod hwnnw, yn unswydd er mwyn tynnu'n groes
ond roedd rhyw ddiawledigrwydd wedi cydio ynddo
gynted ag y dechreuodd yr holwr sôn am wrhydri a
medalau a phetha felly.

'. . . *Er gwybodaeth, "terror bombing" oedden nhw'n*
galw peth felly. Un peth oedd creu difrod i ffatrïoedd arfa a
chanolfanna diwydiannol ac ati, ond roedd mynd ati'n
fwriadol i ddifa tref gyfan ac i ladd miloedd ar filoedd o
ddiniweitiaid yn rhwbath hollol wahanol. Ymosod ar bobol
na allai daro'n ôl! "Gwrhydri" ddeudsoch chi? Syniad
Churchill ac Arthur Harris ac un neu ddau arall oedd o,
gyda llaw! . . .'

'*Ond dyna oedd Hitler a Goering a'u tebyg yn ei neud*
hefyd, ia ddim?'

'*Ia. A dyna chi wedi gneud y gymhariaeth, gyfaill!'*

Wrth wrando eto ar gecian anghysurus yr holwr, fe
wyddai Huw ei fod wedi gneud cam mawr â'r cradur
trwy fwrw'i chwerwedd arno, mor gyhoeddus.

'. . . *Cymerwch nos Fawrth, y trydydd ar ddeg o*
Chwefror, nineteen forty five, fel enghraifft, gan mai dyna'r
ymgyrch olaf i mi fy hun fod arni. Os gwn i a ydi'r
gwrandawyr yn sylweddoli nad ydyn nhw hyd heddiw yn
gwbod i sicrwydd faint o bobol a gafodd eu lladd yn
Dresden y noson honno? Ugain mil . . . deugain mil . . .

mwy o bosib . . . oherwydd roedd y dre dan ei sang ar y pryd, nid yn unig efo Almaenwyr ond hefyd efo miloedd ar filoedd o ffoaduriaid o Ddwyrain Ewrop.'

Cofiodd eto, rŵan, figmas ofer yr holwr wrth i hwnnw geisio ei gael i newid trywydd y sgwrs. *'Ym . . . Dyna'r noson y cawsoch chi eich cymryd yn garcharor gan y gelyn, ia ddim? A fyddech yn barod i ddeud wrth y gwrandawyr sut y cawsoch chi eich trin fel carcharor rhyfel, Mustyr Hughes?'*

'Yn well na'm haeddiant, ddeudwn i.'

'Ond allwch chi ddim gwadu nad oedd yr Almaenwyr yn cam-drin eu carcharorion . . .'

'Falla wir, ond nid dyna mhrofiad i. Roedd 'na gam-drin o'r ddwy ochor, beth bynnag.'

Gwrandawodd eto rŵan ar y saib feichiog a ddaethai i ganlyn y sylw hwnnw hefyd ganddo.

'Ond fedrwch chi ddim cymharu ymddygiad Prydain a'r cynghreiriaid efo'r hyn a wnaeth yr Almaenwyr, does bosib? Roedden ni, o leia, yn parchu Cytundeb Genefa.'

'Cytundeb Genefa ddeudsoch chi? Gyfaill annwyl, mae gen i ofn na wyddoch chi mo'i hannar hi! At ddiwadd y rhyfal, wyddoch chi fod yr Iancs, ar orchymyn neb llai na Dwight D. Eisenhower – y Supreme Commander of Allied Forces ei hun . . .' Roedd y dirmyg i'w glywed o hyd yn ei lais. *'. . . wedi gorchymyn lladd miloedd ar filoedd o'u carcharorion rhyfal? A wyddoch chi sut? Trwy eu llwgu nhw i farwolaeth! Ar orchymyn – ia, gorchymyn! – Eisenhower, doedd dim bwyd o fath yn y byd i gael ei roi i'r Jyrman prisoners of war ac roedd pwy bynnag a fyddai'n torri'r gorchymyn hwnnw mewn peryg o gael ei saethu yn y fan a'r lle. Felly, gyfaill, peidiwch â meddwl am eiliad mai'r Jyrmans oedd yr unig rai i gyflawni erchylltera . . .'*

*   *   *

'Arglwydd mawr! Glywist ti be ddeudodd o rŵan ta, Annie? Lladd ar Ike, myn uffan i! Lladd ar y feri boi ddaru ennill y rhyfal inni . . . wel, efo lot o help gan Monty, wrth gwrs.'

'Ym . . . wel, ym . . . diolch, Mustyr Hughes. Fe gawn ni symud ymlaen rŵan at ein gwestai olaf, sef Mustyr Evan Hughes. Mae'n wir deud, Mustyr Hughes, bod eich profiad chi o'r rhyfel wedi bod yn dra gwahanol i un eich brawd?'

'Tŵ blydi reit hefyd! Roedd y diawl yn ormod o gachgi.'

'Dyro'r gora iddi, wir Dduw, Twm! Ti fel rugarŷg!

'Oedd, gwahanol iawn. Fe wrthodis i fynd i'r fyddin ar sail fy naliada ar y pryd. O fod wedi cael fy magu ar aelwyd Gristnogol, ro'n i'n credu bod Bywyd yn sanctaidd a bod dynion yn frodyr i'w gilydd, pwy bynnag ydyn nhw a lle bynnag y bôn nhw . . .'

'Roeddech chi'n wrthwynebydd cydwybodol, felly?'

'Oeddwn, ac fe ges fy anfon i Gresford ger Wrecsam, i weithio yn y pwll glo yn fan'no, a hynny bum mlynedd yn unig ar ôl y danchwa fawr yn un naw tri pedwar pan laddwyd dros ddau gant a hannar o ddynion . . .'

'Fel roeddat ti'n deud yn gynharach, Annie, rhyw deulu rhyfadd ar y diawl ydi'r Teulu Lòrd Bach 'ma, choelia i byth.'

'Doedd hi ddim yn hawdd arnoch chi, mae'n siŵr. Oedd pobol Blaendyffryn yn eich trin chi'n wahanol oherwydd eich daliadau?'

'Nid pawb, o bell ffordd, ond roedd ambell un yn bur chwerw tuag ata i, wrth gwrs. Ond pwy welai fai arnyn nhw'n de? Tra oedd eu gwŷr a'u meibion nhw yn mentro'u bywyda yn y rhyfal, ro'n i'n cael cerddad y stryd yn groeniach . . .'

'Oeddat, y cachgi uffan!'

'. . . Coeliwch fi, doedd hi ddim yn hawdd imi wynebu pobol bryd hynny, nac am flynyddoedd wedyn chwaith, mae'n wir. Roedd blynyddoedd y rhyfal yn gyfnod unig iawn imi, ac i'm gwraig yn ogystal. Fe ddioddefodd hi lawn cymaint â finna, os nad mwy. O leia roeddwn i yng nghanol dieithriaid ond roedd hi'n gorfod wynebu ffrindia a chydnabod.'

'Ai teimlad o euogrwydd oedd o, ta be?'

Aeth eiliad neu ddwy heibio wrth i Ifan styried sut i ateb.

'Na. Dwi'n meddwl mai wedyn . . . ar ôl y rhyfal, falla . . . y daeth yr euogrwydd. Ar y pryd, roedd fy nghydwybod i'n eitha tawal oherwydd fy mod i'n argyhoeddiedig nad oes gan yr un dyn byw yr hawl i fynd ag einioes dyn arall. I mi, roedd torri'r gorchymyn "Na ladd" yn gyfystyr â damnio'r enaid hyd Dragwyddoldab.'

'Yn ôl eich gwynt, rwy'n cael yr argraff eich bod yn gweld petha dipyn bach yn wahanol erbyn heddiw. Ydw i'n iawn?'

Eiliadau eto o bwyso a mesur y cwestiwn.

'Mae'n siŵr eich bod chi. 'Dach chi'n gweld, i mi, ar ddechra'r rhyfal, roedd petha'n ymddangos yn gliriach ac yn dipyn symlach nag oeddan nhw mewn gwirionadd. Brwydyr rhwng y da a'r drwg oedd hi, ac yn fy meddwl i doedd gan y drwg ddim gobaith o lwyddo. Y gwir plaen ydi nad oeddwn i'n sylweddoli ar y cychwyn be oedd maint bygythiad Hitler a'i Natsïaid ond gydag amsar fe ddois i sylweddoli fy . . . fy . . . wel, naïfrwydd fasa amball un yn ei alw fo, mae'n debyg . . .'

'Diffyg gỳts faswn i'n ei alw fo, mêt!'

'. . . Ond wedi deud hynny, rhaid cofio hefyd nad ydi rhyfal wedi atab yr un broblem erioed heb greu un arall yn ei lle. Fel y deudodd Mustyr Lloyd George ei hun, rywdro –

gŵr y mae gen i barch mawr tuag ato, hyd heddiw, gyda
llaw – "Ni fu erioed yr un rhyfel da na'r un heddwch
gwael" . . .'

'Ew! Dyna iti ddeud da, yn de Twm? Roedd Ifan
Lòrd Bach yn llygad ei le efo lot o betha, sti, ond mi
gafodd o gam mawr gan rai o bobol y dre 'ma, mwya'r
cwilydd iddyn nhw.'

*   *   *

'. . . *For I know we'll meet again some suuu-neeey day.*'

Wrth i Vera Lynn ddod â'r drafodaeth i'w therfyn,
eisteddodd Huw yn ôl, i fyfyrio ar yr hyn y bu'n
gwrando arno. Gan i'r rhaglen gael ei darlledu'n fyw,
naw mlynedd yn ôl, dyma'r tro cynta iddo fo'i hun
gael gwrando arni.

Roedd atgofion Mike Foster wedi bod yn ddifyr,
rhai Gwil Parry yn drist a'i gyfraniad o ei hun yn
gythreulig o gecrus, meddyliodd, ond profiada Ifan
oedd wedi gadael yr argraff ddyfnaf, heb os. Ei
ddisgrifiad, er enghraifft, o awyrgylch amddifad
Gresford yn y dyddia hynny ac o erchylltra'r bomio ar
Lerpwl; ei dystiolaeth o ddiwylliant y glowyr; ei hanes
am ddyfodiad y Bevin Boys i'r pwll yn 1943 . . . ac yn
anad dim, ei onestrwydd ynglŷn â'i ddaliada
heddychlon ei hun a'r frwydyr fewnol y bu'n rhaid
iddo'i diodde. 'Chdi oedd y dewra ohonon ni i gyd,
Ifan. Ac i feddwl fy mod i wedi bod mor feirniadol
ohonot ti ar y pryd!'

Estynnodd am y pentwr o hen lythyra oddi ar y
bwrdd bach wrth ei ymyl a dechra tyrchu trwyddyn
nhw, nes dod o hyd i'r un y chwiliai amdano. Llythyr
Alun Gwyn at Ifan, wedi ei bostio ar yr wythfed o

Hydref 1939, y diwrnod roedd o, Huw, wedi mynd 'nôl i Fangor i gychwyn ar ei flwyddyn olaf yn y coleg –

'. . . A dyna'r hyn y ceisiais ei egluro i Huw hefyd, gynnau . . .'

Er bod deugain mlynedd wedi mynd heibio, daliai i gofio sgwrs y pnawn hwnnw ar aelwyd Alun Gwyn a'r geiria oedd i'w gweld eto rŵan, yn y llythyr o'i flaen –

' ". . . Wrth gwrs bod disgwyl i ninnau'r Cymry godi arfau yn erbyn Adolf Hitler a'i Natsiaid," meddwn i wrtho. "Wedi'r cyfan, rhaid herio'r Diafol yn ei holl agweddau. Ond cofia ei bod hi'r un mor hanfodol i gymdeithas wâr gael dynion fel Ifan dy frawd hefyd, i gadw llais cydwybod yn fyw ynghanol yr holl orffwylltra jingoistic." Fe ddyfynnais eiriau George Lansbury iddo: "Yr unig ffordd i ryddid a heddwch yw trwy ein haileni, a'n gweled ein hunain mewn pobl eraill, a Duw ym mhawb." A da yw cofio geiriau'r athronydd mawr Plato: "Dim ond y Meirw sydd yn gweld diwedd ar ryfel, byth." '

Caeodd Huw Lòrd Bach ei lygaid a gweld wyneba Spike a Quinnie a Skip ac eraill yn ymrithio yn ei gof. 'Alun Gwyn ac Ifan oedd yn iawn, wedi'r cyfan,' medda fo wrtho'i hun.

*   *   *

Fe wnaeth yr ymweliad â'r Almaen, ddiwedd Hydref, a chofnodi ei hanes cythryblus ar ffilm, fyd o les i Huw Lòrd Bach, yn enwedig y diwrnod a dreuliodd yn Dresden ei hun. Bu'r profiad hwnnw'n gatharsis go iawn iddo ac yn falm i'w enaid. Er nad oedd wedi edrych ymlaen o gwbwl at y rhan yma o'r daith, eto i gyd, wrth grwydro strydoedd Altstadt – rhan hyna'r ddinas – a syllu ar yr adeilada enwog a godwyd o'r

496

newydd o lwch y rhyfel – y Zwinger, tŷ opera Semper, y palas brenhinol, yr eglwys gadeiriol – fe deimlodd ryddhad yn ei enaid. Ond y cyffro mwya o ddigon iddo fu clywed bod mab un o beilotiaid *Operation Thunderclap*, eurych wrth ei alwedigaeth, yn bwriadu cyflwyno croes euraid i'w gosod ar dŵr mawreddog eglwys Frauenkirche, unwaith y câi'r gwaith ar honno ei orffen. Os oedd creithia Dresden yn diflannu, meddai wrtho'i hun, yna roedd gobaith i greithia'i euogrwydd ynta hefyd gilio gydag amser.

O Dresden, fe aed ymlaen wedyn dros y ffin i Tsiecoslofacia, i ymweld â'r cyn-garchar rhyfel yn Terezin.

'Hyd y galla i gofio, mae'r lle'n union fel ag yr oedd o.' Corddai'r teimlada yn ei ben wrth iddyn nhw gerdded drwy'r twnnel o goed caeadfrig tuag at borth y carchar.

'Atyniad i dwristiaid ydi o erbyn heddiw,' eglurodd y cynhyrchydd yn ddidaro, heb weld arwyddocâd y foment i Huw. 'Hwn yn amsar da i ddod yma, a deud y gwir, rŵan bod y tymor ymwelwyr wedi gorffan! Mi gawn ni ddigon o lonydd i ffilmio.'

'Mae o'n codi'r cryd arna i, beth bynnag,' meddai un o'r ddwy ferch oedd yn y criw. 'Mae'n gyrru ias i lawr fy nghefn i.'

I'r dde o'r rhodfa, ymestynai mynwent eang efo ambell lwyn bythwyrdd yn dyfiant amlwg ymysg y beddau.

'Iddewon i gyd,' eglurodd Huw, gan bwyntio at y Seren Ddafydd anferth ar bolyn yn y pellter.

'Ydi'r lliwia hyll ma ddim yn gneud ichi feddwl am y Natsïaid ac am y swastika deudwch?' holodd yr un ferch eto.

Mur o frics browngoch oedd yn amgylchynu'r carchar ond roedd llygaid y ferch ar y porth bwaog efo'i feini mawrion wedi'u peintio'n ddu a gwyn llachar am yn ail. 'A sbïwch, da chi, ar lun y ci du 'ma ar y wal, efo'r gair *POZOR* uwch ei ben o. Ych â fi! Mae o mor fygythiol. Fel 'tai'r SS yn dal yma ac yn dal i redeg y lle.'

'Dyna'r union awyrgylch 'dan ni isio'i chreu, siŵr iawn,' meddai'r cynhyrchydd efo tinc ddiamynedd yn ei lais. 'Reit!' medda fo wedyn gan droi at ei ddyn camera, ei dôn yn awgrymu prysurdeb a brys. 'Dyma sut 'dan ni'n mynd i weithio petha, Bill! Y peth cynta fydda i isio fydd siot o Mr Hughes draw yn fan'cw . . .' Pwyntiodd yn ôl drwy'r twnnel o goed. '. . . fel mae o'n dod i olwg y carchar. Siot ohono fo o'r cefn yn gynta. Dechra efo siot agos o'i draed yn cicio trwy'r dail crin, yna agor y lens yn raddol i ddangos ei gorff i gyd ac wedyn y coed a'r cysgodion o'i gwmpas. Yna'i ddilyn o, gam wrth gam, yr holl ffordd at ddrws y porth yn fama. Ocê, Bill?'

'Chdi ydi'r bòs!' medda hwnnw braidd yn sych am na chafodd gyfle i neud ei awgrymiada'i hun.

'Da iawn. Mi allwn ni greu awyrgylch wych yn fa'ma. Mi fyddwch chi, Mr Hughes, yn gwisgo'ch côt a'ch het ddu, wrth gwrs, er mwyn ychwanegu at yr awyrgylch honno. Dychmygwch yr olygfa! . . . A chdi, Kenny!' medda fo wedyn, gan gyfarch y dyn sain. 'Mae'n bosib y bydda i'n penderfynu peidio cael unrhyw fiwsig cefndir i'r olygfa arbennig yma. Dim sŵn o gwbwl. Tawelwch llethol ond am sŵn traed Mr Hughes yn y dail crin. Dychmyga'r peth!'

'Iawn!' cytunodd hwnnw, yr un mor sych â'i gyfaill, gan awgrymu ei fod wedi gweithio efo gwell cynhyrchwyr rhaglenni yn ei ddydd.

'Wedyn, fe wnawn ni'r un siot ohono fo eto, ond o chwith y tro yma. Y camera yn edrych allan o'r porth yn fa'ma. Dechra efo'r olygfa gyfan, y fynwent a'r coed a'r cwbwl, a Mustyr Hughes fel smotyn yn y pellter ac yn tyfu, tyfu wrth ddod yn nes. Dychmygwch y peth!' Edrychodd tua'r awyr. 'Reit! Os symudwn ni'n reit sydyn fe ddylen ni allu cwbwlhau'r ddwy siot yna cyn diwedd y pnawn. Yna, fory, mi ganolbwyntiwn ni ar ffilmio tu mewn i'r carchar.'

Daeth 'Ych â fi' arall o gyfeiriad y ferch ac aeth pawb ati i baratoi at waith.

*   *   *

Drannoeth, fe gymerodd beth amser i Huw ddod o hyd i'r gell fach y bu'n garcharor ynddi yn 1945 ond fe lwyddodd o'r diwedd, gyda help gofalwr y gwersyll. Tipyn o wefr iddo fu canfod ei enw – *Fl/Sgt H.H.* – yn dal yno, wedi'i grafu i mewn i blastar llwydwyn y wal a'r dyddiad *14/3/45* oddi tano. 'Mis i'r diwrnod ar ôl cael fy nal,' eglurodd. 'Ddeuddydd wedyn ro'n i'n gorfod gadael am Konigstein.'

'Mae'r ymwelwyr yn gwirioni pan welan nhw betha fel hyn, o gyfnod y rhyfel,' meddai'r gofalwr. Ond fo ei hun oedd wedi gwirioni fwyaf, gan mai Huw oedd yr unig gyn-garcharor o Terezin iddo'i gwarfod erioed.

*   *   *

'Os eith petha cystal yn Konigstein, yna mi fydd gynnon ni ddeunydd rhaglan arbennig, dwi'n meddwl, Mustyr Hughes.'

Eisteddent gyferbyn â'i gilydd yn seddi blaen y bws.

499

Ar y pryd, roedd meddwl Huw yn ôl efo'r daith anghysurus honno yng nghefn car y *Kommandant*, slawer dydd.

'. . . Dyma sut dwi'n gweld petha'n dod at ei gilydd . . .'

Rhoddodd y cynhyrchydd y gorau i neud nodiada yn ei lyfr bach gan wthio'i feiro tu ôl i'w glust ac o'r golwg yn ei wallt llaes.

'. . . Dechra'r rhaglan efo *footage* allan o *archives* y BBC . . . awyr y nos yn llawn o Lancasters a lot o *searchlights* a *flak* a phetha felly. A sŵn hefyd, wrth gwrs! Y *drone* dychrynllyd yn llenwi'r awyr. Wedyn, dangos y *bombs* yn syrthio a Dresden yn llosgi . . . Hynny i gyd mewn du a gwyn, wrth reswm! . . . Fedrwch chi ddychmygu mor . . . mor *atmospheric* fydd peth felly, Mustyr Hughes? Yna, fe ddangoswn ni *shot* o un o'r Lancasters yn mynd i lawr a rhywun yn syrthio dan barasiwt . . . Mae petha felly i'w cael yn yr *archives* hefyd, wrth gwrs . . . Wedyn, fe fyddwn ni'n troi at eich hanes chi yn Terezin ac yna yn Konigstein . . .'

Ar y pryd, roedd y bws yn dringo'n ôl dros fynyddoedd Saxony, tua'r Almaen unwaith eto. Gwelai Huw ei hun yn ôl rŵan yn y *Welsh Lady*, ei goes dde yn ddiffrwyth odditano a llais cynhyrfus Skip yn bloeddio '*Bale out! Bale out!*' yn ei glust. Gwelai ei hun unwaith eto'n brwydro i gael y parasiwt am ei gefn ac yna'n hopian ar ei ungoes iach trwy'r mwg a'r ogla tanwydd oedd yn prysur lenwi'r awyren. Clywodd eto regfeydd Franny yn cyhoeddi bod y '*fuckin forward hatch*' yn gwrthod agor a Princie, y *rear gunner*, yn gweiddi'n orffwyll o'r cefn ei fod yn methu cael ei goes yn rhydd . . . yna Quinnie'n bloeddio cysur, ei fod ar ei ffordd i'w helpu . . . Gwelai ei hun eto'n sefyll yng ngwarddrws agored y Lancaster efo'r gwynt oer yn chwipio trwy'i wallt ac ogla'r tanwydd yn gryfach nag erioed . . . yr injan allanol yn poeri tân a'r llall yn segur fud. Yna'r fflam annisgwyl fel llyfiad draig ar ei foch, a'r oerni a'r gwres yn asio i greu un artaith hir. Ac yna'r syrthio i'r düwch, i adael ei ffrindia am byth yn yr Uffern o'i ôl.

Doedd o ddim yn hapus o gwbwl efo syniad y cynhyrchydd i ddangos Lancaster yn syrthio i'r ddaear. Roedd gormod o ysbrydion ynghlwm wrth olygfa felly. Ond cyn iddo allu mynegi gwrthwynebiad, gwaeddodd gyrrwr y bws dros ysgwydd a phwyntio i'r pellter, lle disgleiriai cryman arian o ddŵr yn yr haul. 'Yr Elbe!' cyhoeddodd. 'Mi fyddwn yn Konigstein o fewn hanner awr.'

*   *   *

'Dyma'r unig ffordd i mewn ac allan o'r gaer . . .'

Safai Huw wysg ei ochor, yn egluro i lygad y camera. Tu ôl iddo troellai twnnel llydan i mewn i graig oedd yn codi'n llyfn ac yn serth i'r entrychion, i ymuno yn fan'no efo muriau cadarn y gaer. Prin y gellid gweld lle'r oedd y graig yn gorffen a'r waliau'n cychwyn gan mor grefftus a mentrus y bu'r adeiladwyr wrth eu gwaith.

'. . . Dim ond un dyn erioed a fedrodd ddengyd o'ma, a Ffrancwr oedd hwnnw.'

Ar arwydd y cynhyrchydd, trodd Huw Lòrd Bach rŵan a cherdded am y twnnel, gyda lens y camera yn ei ddilyn nes iddo ddiflannu i dywyllwch y graig.

'*Cut!*'

Roedd gan bawb syniad go dda erbyn hyn o ba mor anorchfygol oedd Castell Konigstein oherwydd fe gawsent gip o bellter o'r graig yn codi'n gawraidd uwchlaw dyffryn yr Elbe, a'r gaer yn ffitio'n dynn fel coron am ei chopa. Fe aeth yr olygfa gynta honno â gwynt pob un ohonyn nhw. 'Does bosib,' meddai un o'r criw yn anghrediniol, 'ein bod ni'n mynd i fyny i fan'cw i ffilmio?'

Ond yma roedden nhw, rŵan!

'Ro'n i'n lwcus mai i fa'ma y cês i ddod . . .'

Erbyn hyn, roedd y camera i mewn yn y gaer ac yn edrych i lawr ar Huw Lòrd Bach yn dringo'n araf ac yn boenus i fyny'r rhodfa o'r twnnel.

'Gwna'n siŵr dy fod ti'n canolbwyntio ar ei gloffni i ddechra ac wedyn ar y graith sydd ar ei wyneb o,' meddai'r cyfarwyddwr yng nghlust y dyn camera.

'Dwi'n gneud fy ngora!' meddai hwnnw trwy wefusau tyn. Roedd yn cael digon o drafferth, fel roedd hi, i gadw meicroffon y dyn sain allan o'r llun.

'. . . yn lwcus oherwydd mai carchar i *officers* yn unig oedd Konigstein, a doeddwn i fy hun ond rhyw bwt o *flight sergeant*. Oni bai am fy anafiada, mae'n siŵr mai i Colditz y baswn i wedi gorfod mynd, gan mai hwnnw oedd y carchar agosa i fa'ma.' Ar gais y cynhyrchydd, anadlai Huw yn drymach nag oedd raid, er mwyn awgrymu'r uchder roedd o wedi dringo iddo. 'Sut bynnag, i fa'ma y cês i ddod, i ganol Ffrancwyr a Rwsiaid a Saeson a Phwyliaid, pob un ohonyn nhw o ranc dipyn uwch na fi, ac yn cael eu trin gyda thipyn mwy o barch na phetaen nhw'n garcharorion cyffredin. Ond fu dim rhaid imi aros yma'n hir, diolch i'r Drefn, oherwydd ymhen deufis roedd y *Kommandant* yn ildio'r lle i ofal y Ffrancwyr . . .'

'*Cut!*' Camodd y cynhyrchydd ymlaen. 'Ildio i'r

Americanwyr oeddech chi'n feddwl, dwi'n siŵr, Hugh?'

'Nage ddim! Fe ildiodd y *Kommandant* y gaer i'n dwylo ni – neu'n hytrach i ddwylo'r Ffrancwr ucha'i ranc oedd yma – cyn i'r Iancs gyrraedd. Doedd o ddim am i rheini gael y plesar o feddwl mai nhw oedd wedi'n rhyddhau ni.'

'O! Sori! Pob dim yn iawn, felly!' Gwenodd y cynhyrchydd wên gyndyn i guddio'i embaras a throi at ei ddyn camera, 'Reit, Bill, tra dy fod ti'n cael tipyn o siots cyffredinol o'r safle, fe geith Mr Hughes . . .' Trodd eto at y Cymro. '. . . ddangos imi lle roeddech chi'n arfar cysgu a lle roeddech chi'n mynd i gael trin eich anafiada ac ati . . . a lle, hefyd, roedd swyddfa'r clarc hwnnw lle y dwynsoch chi'r papur a'r bensel i sgwennu'ch atgofion.'

'Ia, iawn.'

'. . . Mae petha felly'n gofnod hanesyddol pwysig, wrth gwrs. Roeddech chi'n sôn hefyd am rai petha diddorol eraill sydd yma yn Konigstein. Y gasgen win fwyaf yn y byd, ddeudsoch chi? Ac mi ddaru chi sôn am ryw ffynnon go arbennig hefyd?'

'Do. Dros bum can troedfadd o ddyfn. Fi oedd yn cael y gwaith o godi dŵr ohoni bob dydd gan na fedrwn i neud dim byd arall o werth.'

'Wow! Pum can troedfedd!'

'Roedd yn cymryd hydoedd imi droi'r handlan i godi'r bwcad o'r gwaelodion.'

'A thipyn o fôn braich hefyd, ddwedwn i. Mi fydd manylion fel'na o ddiddordeb i'r gwylwyr hefyd, Hugh.'

*   *   *

'Mae Huw Lòrd Bach yn dipyn cleniach nag oedd o, choelia i byth?'

Wrth i'r wythnosa lithro heibio, fe ddechreuodd amryw o bobol Blaendyffryn feddwl felly, o dderbyn cyfarchiad amgenach na blaen ffon yn codi, er nad oedd y cyfarchiad hwnnw'n ddim mwy na 'Smâi heddiw?' neu 'Bora braf'!' di-wên. Y syndod mwya oedd mai Huw ei hun fyddai'n cyfarch gynta, yn amal, a chafodd neb llai nag Annie Twm ei syfrdanu un bora, ar y Stryd Fawr, pan welodd hi flaen ffon yn codi heb gael ei chyfarch a 'Sut ydach chi, Musus Robas?' yn cael ei ofyn yn ddigon clên fyth, ac yna 'Roedd yn ddrwg gen i glywad am eich profedigaeth.'

Ers colli Twm mor ddirybudd, bythefnos yn ôl, roedd Annie wedi arfar â phobol yn deud peth felly. Ond Huw Lòrd Bach o bawb!

*   *   *

Mair Huws oedd yr unig un na welodd newid yn ei brawd-yng-nghyfraith. Os rhywbeth, roedd ei agwedd tuag ati hi yn chwerwach nag erioed.

Galwodd i'w gweld hi rai dyddia cyn y Nadolig, i ddychwelyd y dyddiaduron a'r lluniau. 'Dwi wedi cael be dwi'i isio ohonyn nhw. Gofala mai i Arthur y byddi di'n eu gadal nhw! Mi neith o eu gwerthfawrogi nhw'n fwy na'r llall 'na.'

Cystal â deud nad oedd gan Rhys unrhyw hawl ar betha Ifan.

'. . . Gweld dy fod ti wedi cael telifishyn newydd, hefyd!' medda fo wedyn, a'i lygaid yn crwydro'r stafell.

'Do,' medda hitha'n heriol, gydag awydd ychwanegu . . . *petai o unrhyw fusnas i ti!* 'Mae'n bosib

504

cael llun go lew yma rŵan ar ôl codi'r mast newydd yn
Nebo. Pryd fyddan nhw'n dangos dy raglan di?'

Oedd, roedd hi wedi gneud ei gora i fod yn glên
efo fo. Petai hi gallach!

'Noson Gŵyl Ddewi. Pryd fuost ti at fedd Ifan
ddwytha?'

Damia fo! Roedd o'n gwybod i'r dim sut i danio'i
heuogrwydd! 'Ym . . . Dwi'n bwriadu mynd cyn Dolig,
ond dydi hi ddim mor hawdd cael bloda yr adag yma
o'r flwyddyn.'

'Os ti'n deud!' A gadawodd y tŷ, heb hyd yn oed y
cwrteisi o ffarwelio â hi.

*   *   *

Treuliodd Huw y gaea'n ymlafnio efo cofiant y teulu
ond roedd y gwaith yn araf a llafurus am mai yn
Gymraeg yr ysgrifennai. Efo'i flynyddoedd o brofiad ar y
Guardian byddai wedi bod yn haws o lawer ganddo
sgrifennu yn Saesneg ond oherwydd bod Ifan wedi
llunio'r penoda cynta yn Gymraeg, doedd fawr o ddewis
ganddo ynta rŵan ond cadw at yr un cyfrwng. Nid ei
fod yn twyllo'i hun y câi'r gwaith terfynol ei gyhoeddi
ond roedd wedi addo i'w frawd y byddai'n cwbwlhau'r
hanes. Felly, pa ddewis oedd ganddo ond cadw at ei air?
O leia doedd o ddim yn brin o ddeunydd, oherwydd
roedd dyddiaduron manwl Ifan a'i hanesion mwy
pytiog ef ei hun, yn chwarel doreithiog o wybodaeth.

Erbyn y gwanwyn, roedd y gwaith, i bob pwrpas,
wedi'i gwbwlhau a Huw Lòrd Bach yn meddwl beth
oedd orau i'w neud efo'r pentwr trwchus o
dudalennau teipiedig.

*   *   *

'Dyna hyn'na wedi'i neud!' meddai Mair Huws wrthi'i hun gan sefyll yn ôl i syllu ar y tusw bloda ac i ddarllen y garreg fedd.

Er Cof am
Gwen Alice
Annwyl blentyn Evan a Mair Hughes, 1 Little Lord
Street, Blaendyffryn
yr hon a ddychwelodd i freichiau'r Iesu
Hydref 19eg 1946, yn ddwyflwydd oed.
Yr Arglwydd a roddodd a'r Arglwydd a ddygodd
ymaith
'Cwsg, nes gweld ein gilydd eto,
Cwsg, a gwyn dy fyd.'

Hefyd ei thad
Evan Hughes (Ifan Lord Bach)
a fu farw'n ddisymwth Gorff. 9fed 1979
yn 74 blwydd oed
'Mi a ymdrechais ymdrech deg
Mi a gedwais y ffydd.'

Ei dewis hi fu'r llinellau gan Eifion Wyn. Cofio eu dysgu i Mus yn yr ysgol, slawer dydd. Cofio'u canu nhw hefyd, fwy nag unwaith, mewn dyddia gwell –

'Tan y ga-a-reg las a'r blo-dau,
Cy-sga be-erl dy fam . . .'

Sychodd ddeigryn o gornel ei llygad a mwmblan yn hunangyfiawn 'O leia, fedar yr Huw 'na ddim edliw imi'r eildro'. Yna aeth i eistedd ar un o'r meinciau wrth wal ucha'r fynwent, i gael ei gwynt ati ac i fwynhau gwres yr haul ar ei chroen. Fory, fe ddaliai hi'r trên am Lanrwst i roi bloda ar fedd ei rhieni hefyd. 'Fel hyn ma hi ar Sul y Bloda, bob amsar,' meddyliodd, gan wylio cryn ddwsin o rai eraill yn igam-ogamu yma ac acw rhwng y cerrig beddau efo'u hafflau yn llawn blodau. 'Sioe o liwia mewn un rhan fechan o'r fynwent a'r gweddill ohoni'n llwyd ac yn llwm.' Rhes ar res o feddau heb flodyn yn agos atyn nhw. Rhes ar res o feirwon wedi hen fynd yn angof. Os gwn i a ddaw rhywun â blodyn arna inna, ryw ddiwrnod?'

Creodd y meddwl hwnnw rywfaint o hunan-dosturi. Arthur oedd ei hunig obaith. Ac eithrio'r cerdyn Nadolig – cerdyn Saesneg wedi'i arwyddo gan Gloria – roedd Rhys wedi dieithrio'n llwyr. Dim gair oddi wrtho hyd yn oed ar ddydd ei phen blwydd! O leia roedd Arthur yn ffonio unwaith yr wythnos i holi'n ei chylch. Ond doedd ynta byth yn dod drosodd i'w gweld hi, chwaith. Prysurdeb gwaith, medda fo.

'*Lovely day!*'

'Ym . . . *yes.*' Doedd hi ddim wedi clywed sŵn ei droed.

'*Mind if ah join yah?*'

'Ym . . . *no.*'

'*Wonderful view!*' medda fo wedyn, yn werthfawr-ogol, gan ollwng ei hun ar ben arall y fainc a chyfeirio at y llechwedd coediog yn y pellter a'r rhes mynyddoedd creigiog tu hwnt. '*If this weren't a cemetery, ah'd seriously consider buildin a 'ouse 'ere.*' A gwenodd yn gellweirus, i dynnu gwên fach gyndyn oddi wrthi hitha.

Roedd ei bresenoldeb yn ei hanesmwytho braidd. Beth pe bai rhywun yn eu gweld a thybio'i bod hi yn ei gwmni? Fe ddylai neud esgus i adael, meddai wrthi'i hun. Ond pam ddylai hi, a hitha'n mwynhau bod yma?

Oherwydd y tywydd braf, roedd hi wedi gneud ymdrech arbennig i fod ar ei gora, heddiw. Ffrog las ysgafn a fu, tan ychydig fisoedd yn ôl, yn rhy dynn o lawer iddi; cadwen a chlustdlysa llwydlas a sgidia o'r un lliw ond bod sodla'r rheini yn rhy uchel braidd. Am y tro cynta ers hydoedd, fe deimlai'n nwyfus, ac roedd y gwaed yn llifo'n gynnes trwy'i gwythienna unwaith eto.

'Yuh never walked all the way 'ere, dij yah, luv?'

Sylweddolodd ei fod yn edrych ar ei hesgidia, ac yn llygadu ei ffera a'i choesa hi'n ogystal. 'Ym . . . no. I came on the bus.' Be wydda fo lle'r oedd hi'n byw, beth bynnag? Fe allai ei thŷ hi fod o fewn canllath i'r fynwent, am a wydda fo. Doedd hi chwaith ddim yn hoff o'r ffordd roedd o'n siarad â hi. 'Luv', wir!

'Can ah offer yah a lift back?'

'No thank you. There's a bus stop just outside the cemetery gates.' A chododd i'w adael.

Cododd ynta, fel unrhyw ŵr bonheddig, ac estyn ei law iddi, i'w hysgwyd. 'Frederick Gould's the name.'

'Ym . . . Mair Hughes,' medda hitha, braidd yn gyndyn. Roedd presenoldeb y dyn yn ei hanesmwytho. 'Nice meeting you. Goodbye!'

'Ah'll walk with yah as far as me car, if tha's okay with you.'

'Ym . . . yes, alright then.' Be ddeudai hi, heb swnio'n anghwrtais?

Mewn hanner canllath neu lai, cafodd ei hanes i gyd. Gŵr gweddw . . . dyn busnes llwyddiannus wedi ymddeol . . . ei fab-yng-nghyfraith, rŵan, yn rhedeg y cwmni yn Nottingham . . . ond fo'i hun oedd y perchennog o hyd . . . Wedi cael llond bol yn ddiweddar ar bobol dduon yn symud i mewn i'r ardal, i fyw'n fras ar y dôl ac i hel at ei gilydd mewn *ghettos* budron. *'Ah thought first of movin to the south o' France, or Tuscany . . . thah's in Italy, by the way! . . . bu then ah thought "Wha the 'ell! They can't even talk English there" so ah decided to come to Wales, seein thah this is just a part of England, like.'*

'There's my bus coming! Goodbye!'

'Ah'll be seeing yah, Mary!'

Er yn falch o'r esgus i'w adael, gallai deimlo'i sylw yn gyffro o'i mewn. Felly, wedi cymryd ei sedd ar y bws, chwiliodd amdano a'i weld wrth ddrws ei gar, yn gwenu ac yn codi llaw arni. Melltithiodd ei hun am wenu'n ôl.

Tachwedd 1980

'Mae hi'n llawn o'r daith, Huw! Wedi cael croeso anhygoel gan y Cymry yno ac wedi gweld pob math o ryfeddoda hefyd. Cael amser yn Buenos Aires ar eu ffordd yno a stopio wedyn yn Rio ar eu ffordd yn ôl. Mae o wedi bod yn brofiad a hannar iddi, faswn i ddeud. Mae hi'n sôn yn barod am hel ei phres i fynd yn ôl yno.'

Daeth dau gwsmer i mewn efo'i gilydd a bu'n rhaid i Huw aros nes i Mike Foster roi sylw iddyn nhw. Wedi i'r rheini adael, lledodd gwên dros wyneb y siopwr.

'Fedri di gesio pam?'

'Hogyn, mae'n siŵr!'

'Ti'n iawn!' Chwarddodd Mike. 'Romero . . . Romero . . . Romero. Dyna'r cwbwl sydd ar ei gwefus hi, o fora gwyn tan nos! Does ond wsnos ers iddi ddod 'nôl a mae hi wedi sgwennu dau lythyr ato fo'n barod.'

'*Young love!*' meddai Huw Lòrd Bach, ond doedd ei

lygad chwith yn bradychu dim disgleirdeb oherwydd nid ar garwriaeth Gwenno yr oedd ei feddwl ond yn hytrach ar y sibrydion yr oedd newydd eu clywed am ei chwaer-yng-nghyfraith.

'*Mair Huws Lòrd Bach yn canlyn miliynêr, meddan nhw.*'

'*Dyna glywis inna hefyd. Sais rhonc, yn de?*'

'*Ond mae o'n dysgu Cymraeg, yn ôl pob sôn. Mae o'n medru deud "Bore da" a "Nos da" a "Iechyd da" yn barod.*'

Doedd y ddwy ddim wedi sylwi arno'n oedi, o fewn clyw.

'*Y diawl lwcus iddi! Nid jest bod gynno fo bres ond mae o hefyd yn uffar o foi smart, meddan nhw.*'

'*Young love* o ddiawl!' medda Mike, yn torri eto ar ei feddylia. 'Pam na alla hi wirioni am rywun yn nes adra?' Sŵn rhwng difri a chwarae oedd yn ei lais. 'Yn enwedig a finna wedi prynu siop arall yn Nolgella, rŵan! Mi fydd Gwenno'n gadael yr ysgol, gyda hyn, a gan nad oes ganddi unrhyw ddiddordab mewn mynd i goleg, medda hi, yna mi fydda i'n disgwyl iddi gymryd cyfrifoldab am ran o'r busnas. Y peth ola dwi isio iddi'i neud, wir Dduw, ydi gwirioni'i phen am rywun ym mhen arall y byd!'

'Fe allet ti brynu siop iddi ym Mhatagonia.'

'Digon hawdd i ti wamalu, Huw! Gwenno ydi'r unig un o'r plant sy'n dangos unrhyw ddiddordab yn y busnas.' Llithrodd cwmwl dros wyneb Mike Foster. 'Mae peryg y bydd Heledd, yr hogan hyna 'cw, a'i theulu bach yn gorfod gadael yr ardal. Yn ôl Gwyn, ei gŵr hi, mi fydd nifar o'r hogia sy'n gweithio yn yr atomfa yn cael eu symud i Dungeness i weithio yn yr atomfa yn fan'no, a'r tebyg ydi y bydd Gwyn yn un ohonyn nhw. Meddylia, Huw! Dungeness, o bob man! Mi fydd y bychan yn tyfu i fod yn Sais . . .'

Brathodd Huw Lòrd Bach ei wefus rhag atgoffa Mike o eironi'r geiria.

'. . . Dwi wedi cynnig rhan o'r busnas iddyn nhwtha, rhag eu bod nhw'n gorfod gadael o gwbwl, ond does gan yr un o'r ddau ddiddordab, felly be arall alla i'i neud, yn de?'

'Be am y mab, ta? Fydd gynno fo ddim diddordab, ar ôl dod allan o'r Armi?'

'Pwy, Glyn?' Ysgydwodd y siopwr ei ben yn bendant. 'Dim peryg yn y byd! Yr Armi ydi'i betha fo. Mae o'n cael dysgu crefft yn fan'no, medda fo, ac mae o wrth ei fodd efo'r bywyd. Digon o ffrindia, digon i'w neud, teithio'r byd . . . Weli di fai arno fo?'

Doedd Huw ddim am ateb y cwestiwn. 'Be mae Gwenith yn ddeud?'

Chwarddodd y siopwr yn chwerw. 'Fedri di'm dychmygu? Doedd hi ddim isio i Glyn fynd i'r Armi yn y lle cynta, wrth gwrs, a fi sy'n cael y bai na faswn i wedi gneud mwy i'w rwystro fo. Ond dyna fo, mae gan hogia ifanc eu meddylia'u hunain y dyddia yma.' Crychodd ei dalcen. 'Nid nad ydw inna'n poeni yn ei gylch o hefyd, cofia! Roedd o ar y ffôn neithiwr ddwytha yn deud bod sôn y bydd ei *regiment* yn mynd allan i Ogledd Iwerddon yn o fuan rŵan. Cheith Gwenith ddim llawar o gwsg wedyn, yn reit siŵr. *"Os ydi'r IRA yn medru lladd rhywun fel Lord Mountbatten, yna does neb yn saff yno."* Dyna mae hi'n ddeud.' Wrth i bry wibio'n drymentllyd o'i flaen, ceisiodd ei sgubo i ffwrdd â chefn ei law. 'Gyda llaw,' medda fo yn falch o'r cyfle i droi'r stori, 'ddaru ti brynu *shares* yn Plantation Holdings, llynadd, fel yr awgrymis i?'

Ysgydwodd Huw ei ben ac atal rhag cyfadde nad

oedd ganddo'r diddordeb na'r cyfalaf i neud unrhyw beth o'r fath.

'Mi fuost ti'n wirion iawn, cofia. Wyddost ti eu bod nhw'n werth chwe gwaith hynny erbyn heddiw? Ond dwi wedi cael cyngor rŵan i'w gwerthu nhw i gyd a buddsoddi mewn dau gwmni arall . . . Oman Oil a Conroy Construction. Mae 'na ffortiwn i'w gneud yn y Dwyrain Canol y dyddia yma, Huw. Cofia hynny! Cwmni'n adeiladu *oil rigs* ydi Conroy Construction a nhw sy'n sypleio *rigs* i Oman Oil. Ond yr un *Directors* sydd ar y ddau gwmni, fel dwi'n dallt. Mae'n debyg bod Oman Oil wedi buddsoddi'n drwm yn Irac dros y blynyddoedd dwytha ond mai dim ond rŵan mae'r elw go iawn yn dechra dod trwodd.'

'O! Deud ti!' Ailosododd Huw Lòrd Bach yr het wellt yn fwy cyfforddus ar ochor ei ben. 'Rhaid imi'i throi hi,' medda fo, yn falch o'r esgus a roddai ei wats iddo.

Fel roedd yn gadael y siop, daeth wyneb yn wyneb â merch ienga Mike, yn cyrraedd adre o'r ysgol.

'Cofia fi at Romero pan fyddi di'n sgwennu ato fo nesa,' medda fo gyda winc ddireidus a chael pleser o'i gweld hi'n gwrido.

'O, Dad!' medda hitha'n swil, ond gyda pheth pleser, serch hynny. 'Oes raid ichi ddeud wrth bawb?'

Mai 1982

Roedd yn hwyr yn y min nos pan ganodd y ffôn.

'Yncl Huw?' Swniai'n gynhyrfus.

'Arthur? Chdi sy 'na? Gêst ti'r job honno?'

Roedd ei nai wedi deud wrtho rai wythnosa

ynghynt ei fod yn gobeithio am swydd Cynhyrchydd Newyddion efo'r sianel Gymraeg newydd.

'Rhy fuan, Yncl Huw. Fydd y sianel ddim yn cael ei lansio am rai misoedd eto. Nid dyna pam ro'n i'n eich ffonio chi. Ydi o'n wir am Mam?'

'Ydi be'n wir?'

'Ei bod hi'n bwriadu ailbriodi?'

Syrthiodd tawelwch dros y lein.

'Yncl Huw, 'dach chi'n fy nghlywad i?'

'Ydw, dwi'n dy glywad di.'

'Wel?'

'Pwy ddeudodd beth felly wrthat ti?'

'Rhys newydd fy ffonio fi rŵan. Y tro cynta i ni siarad efo'n gilydd ers claddu Nhad! Mam wedi'i ffonio fo, medda fo, a gofyn iddo *fo* adael i mi wbod.'

'Os ydi dy fam wedi deud ei bod hi'n priodi, yna pam gofyn i mi?'

Synhwyrodd Arthur Lòrd Bach y chwerwedd yn llais ei ddewyrth. 'Ond wyddech chi ddim?'

'Mi wyddwn ei bod hi'n canlyn rhyw Sais, ers tro, ond chlywis i ddim gair am briodas, tan rŵan.'

'Fedra i ddim credu'r peth! Mae'r cyfan wedi bod yn gymint o sioc. Does ond pythefnos er pan ddaru ni alw i'w gweld hi – Anwen a finna a'r plant – a dwi wedi bod yn ei ffonio hi'n rheolaidd bob wsnos, i holi yn ei chylch, ond soniodd hi ddim unwaith ei bod hi hyd yn oed yn canlyn neb, heb sôn am briodi. Dwi'n ddig na fasa hi wedi deud wrtha i ei hun, yn hytrach na gofyn i Rhys, o bawb, neud ei gwaith budur hi drosti. Be wyddoch chi am y . . . y darpar ŵr 'ma ta?'

'Dim byd mwy na'i fod o'n filiynêr sy'n aros mewn tŷ-ar-rent.'

'Be?'

Clywodd Arthur chwerthiniad bach sych yn ei glust.

'Fe ddylet ti wbod fod pob Sais diarth yn filiynêr i bobol Blaendyffryn,' meddai Huw Lòrd Bach yn ddiamynedd ond ataliodd rhag ychwanegu bod Mike Foster wedi clywed 'y darpar ŵr' yn cyfeirio at Mair fel *'rich widow'*.

'Oes 'na rwbath y galla i'i neud, 'dach chi'n meddwl?'

'Jest gofalu dy fod ti'n cael dy ddwylo ar betha dy dad, dyna i gyd.'

'Ia'n de!'

*   *   *

Yr un noson, aeth yn ffrae hyd ddagra ar aelwyd Mike Foster.

'Dwi'n deud wrthoch chi rŵan! Os ceith Romero ei ladd, wna i ddim siarad efo Glyn byth byth eto.'

Hyd yma, roedd y siopwr a'i wraig wedi dangos mwy nag oedd raid o gydymdeimlad efo'u merch ienga, a hynny yn wyneb eu holl bryderon eu hunain ynglŷn â'u mab. Er nad oedd unrhyw sicrwydd bod cariad Gwenno ym myddin yr Ariannin o gwbwl, gan nad oedd gair wedi dod oddi wrtho ers i'r rhyfel ddechra, eto i gyd, ers suddo'r *General Belgrano* ar yr ail o'r mis a chlywed bod rhai cannoedd wedi colli'u bywydau arni, roedd eu merch wedi byw mewn gwewyr pur.

Yn y flwyddyn a hanner a aethai heibio ers taith y côr i Batagonia, roedd Romero wedi dod drosodd i gyfarfod â theulu'i gariad ac i dreulio mis cyfan ar eu haelwyd, ac roedd Gwenno hitha wedi talu'r gymwynas yn ôl trwy fynd i'r Wladfa at ei deulu ynta, yn fuan wedyn.

'A beth os ceith Glyn ei ladd? Be wnei di wedyn?' gofynnodd ei mam, mewn llais a awgrymai ei bod hitha hefyd wedi dod i ben ei thennyn.

Bu'r cwestiwn tawel hwnnw'n ddigon i sobri Gwenno, a'r eiliad nesa dechreuodd feichio crio am nad oedd gan ei chalon ifanc ateb i un dim.

Diwrnod y Briodas

Fis union yn ddiweddarach, ar y pedwerydd ar ddeg o Fehefin, a Margaret Thatcher yn clochdar *'Rejoice! Rejoice!'* yn ei buddugoliaeth, roedd merch drist Mike Foster yn dal i ddisgwyl llythyr o Batagonia.

Dyna'r diwrnod hefyd y priodwyd Mair Hughes a Fred Gould yn Swyddfa'r Cofrestrydd ym Mlaendyffryn, heb neb arall yn bresennol ond Rhys, o deulu'i fam, a Shirley, merch ganol-oed y priodfab, a'i merch ddeunaw oed hitha.

Wnaeth Rhys ddim oedi mwy nag oedd raid. Yn syth ar ôl y seremoni, fe drodd yn ôl am adra, ond arhosodd Shirley a'i merch yn Stryd Lòrd Bach am rai dyddia wedyn. Erbyn iddyn nhwtha hefyd adael, roedd nifer o amheuon annymunol wedi dechra cadw Mair Huws yn effro'r nos.

*   *   *

'*Crandrwydd* ddeudist ti, Annie? Arglwydd mawr! Roedd hi'n grandiach na'r Cwîn Myddyr ei hun!'

Ers marw Twm Annie Twm roedd Ruth May wedi

dechra galw'n rheolaidd yn nhŷ ei hen ffrind am banad-ganol-bora; Annie'n gyfrifol am y te, hitha am y bisgedi Garibaldi.

'Damia! 'Sa ti mond wedi deud wrtha i dy fod ti'n pasa mynd i weld y brodas, mi faswn i wedi dŵad efo chdi, siŵr Dduw,' meddai Annie Twm a'i llais yn llawn o sŵn edliw.

'Diawl! Wyddwn i ddim eu bod nhw'n priodi, hyd yn oed,' meddai Ruth May, i achub ei cham. 'Digwydd pasio ro'n i fel roeddan nhw'n dŵad allan o'r rejistri offis. Esu! Mae hi wedi cael gafal ar uffar o foi smart. A mae o'n dysgu Cymraeg, cofia! Fel roedd o'n dringo i mewn i'r car, fe welodd o rai ohonon ni'n gwylio o'r ochor arall i'r stryd, a wyst ti be nâth o? Codi'i law, mwya clên, a gweiddi "Bore da!" arnon ni. Ond ddaru *hi* ddim cymryd y sylw lleia ohonon ni, wrth gwrs.'

'Naddo mwn! Sut bynnag, mae o'n gefnog iawn, i ti gael dallt!' Doedd Annie ddim am i Ruth May gael y gora o'r stori.

'Dwi'n gwbod!' medda honno'n hunanfoddhaus. 'Miliynêr, meddan nhw!'

'Ia, ond wyddost ti sut mae o wedi gneud ei bres, ta?' Prysurodd Annie Twm ymlaen rhag ofn bod Ruth May yn gwybod yr ateb. 'Uffar o fusnas mawr gynno fo yn Lloegar; tu draw i Lundan yn rhwla. Ond mae o wedi riteirio rŵan, wrth gwrs, a gwerthu'r busnas. Yn ôl pob sôn, mae o'n bwriadu buldio tŷ newydd iddyn nhw yn y Sowth-o'-Ffrans, neu i lawr yn ochra Harlach. Dydyn nhw ddim wedi penderfynu'n iawn, eto.'

'Does dim byd yn fawreddog ynddo fo, ma raid. 'Sa ti wedi disgwyl car a shôffyr, yn basat? Ond mab Mair Huws oedd yn eu dreifio nhw, yn ei gar ei hun.'

'Pa un?'

516

'Be? Sgynno fo fwy nag un car?'

'Pa fab o'n i'n feddwl, yr hulpan!'

'O! Yr hyna! Doedd y llall ddim yno o gwbwl. Yn ôl be glywis i, dydi petha ddim yn rhy dda rhyngddyn nhw. Rhwng y ddau frawd, dwi'n feddwl.'

'Hy! Hogia rhyfadd ar y diawl fuon nhw rioed, 'sa ti'n gofyn i mi. Mae'r hyna 'na'n rêl gŵr mawr, a dwn 'im pwy mae'r llall 'na'n feddwl ydi o. Jest am ei fod o'n gweithio i'r Bi-bi-Sî!'

'Be? Ti'n nabod y ddau yn o lew, felly?'

'Ydw, siŵr Dduw! Dwi'n eu cofio nhw'n iawn, yn blant ar hyd lle 'ma. Mae 'na lot o bobol yn meddwl eu bod nhw'n frodyr cyfa, ond dydyn nhw ddim. Nid Ifan Lòrd Bach oedd tad yr hyna 'na, i ti gael dallt.'

'Dwi'n gwbod. Ti 'di deud wrtha i'n barod, fwy nag unwaith.'

'Eniwei, be am Huw Lòrd Bach, ta? Oedd hwnnw ddim yn y briodas?'

'Nagoedd. Dim ond pump oedd yno i gyd ac ar ôl dŵad allan o'r rejistri offis mi ddaru nhw i gyd wasgu i mewn i un car, fel sardîns.'

'Os gwn i lle roeddan nhw'n mynd ar eu hyni-mŵn?'

*　　　*　　　*

Ers deuddydd neu dri, roedd Huw wedi bod yn gweld smotiau duon yn mynd a dod o flaen ei lygaid, ond wedi gneud yn fach o'r peth. Noson priodas ei chwaer-yng-nghyfraith fe deimlodd ryw ben-ysgafnder yn dod drosto, fel y bu bron iddo â cholli'i gydbwysedd a mesur ei hyd ar lawr ei lofft.

'Dos i weld y doctor, ben bora!' meddai llais bach

yn ei ben. Llais digon tebyg i un Ifan ei frawd, meddyliodd.

* * *

Cododd Gwenith a Mike Foster drannoeth i ganfod nodyn brysiog ar fwrdd y gegin:

> *Annwyl Mam a Dad,*
> *Rhaid i mi adael. Mae'r rhyfel drosodd rŵan ac mi fydd Glyn yn cael dod adref ar 'leave' yn reit fuan mae'n siŵr. Felly gwell i mi beidio bod yma pan ddaw o. Dwi'n 'sorry' am adael ysgol cyn gorffen fy arholiadau ond doeddwn i ddim yn bwriadu mynd i'r coleg, beth bynnag, felly fydd hynny ddim llawer o bwys.*
> *Peidiwch poeni amdanaf, mi fyddaf yn iawn. Fe wnaf ffonio mewn diwrnod neu ddau i adael ichi wybod lle rydwi.*
>
> > *Cariad mawr,*
> > *Gwenno. XXX*

* * *

Y bore hwnnw, fe fethodd Huw Lòrd Bach â chodi o gwbwl. Deffrôdd yn fuan ar ôl chwech, fel arfer, a dod yn ymwybodol yn syth o'r diffrwythdra yn ei gorff. Ni allai symud ei fraich na'i goes chwith o gwbwl. 'Arglwydd mawr!' medda fo wrtho'i hun mewn dychryn. 'Dwi wedi cael strôc!'

RHAN 4

Arthur Lòrd Bach

1999

Gorweddai'r hen ŵr yn hollol lonydd, yn gwrando ar dipiada diddiwedd y cloc a sŵn cenllysg bras yn tatsian yn erbyn gwydyr ffenest ei lofft. Roedd sŵn arall hefyd wedi taro ar ei glyw, sŵn llai cyfarwydd a sŵn a barodd iddo anesmwytho braidd, ond ar ôl clustfeinio'n hir daeth i'r casgliad mai ffrwyth dychymyg yn unig fu hwnnw.

Yn boenus o araf, trodd i graffu ar wyneb y cloc bach yng ngola gwan y stryd tu allan. Deng munud wedi hanner nos. Oes gyfan ers i Gwynfor y *carer* fynd a'i adael! Hwnnw, fel arfer, wedi bod ar frys diamynedd i osod swper o'i flaen a'i annog wedyn i'w lowcio fel y câi ei roi yn ei wely cyn hanner awr wedi wyth. *'Tywydd yma, mae'n well ichi fod yn gynnas yn eich gwely yn gwylio'r teli. 'Dach chi'm yn meddwl? Programs da cyn Dolig fel hyn, cofiwch. Ac os byddwch chi'n dal yn effro, mi fedrwch chi watsiad* Crimewatch *hefyd, os liciwch chi. 'Dach chi'n licio'r program hwnnw'n dydach?'*

Arglwydd mawr! Doedd y ffaith ei fod o'n hen ac yn fusgrall ddim yn rhoi hawl i ryw gadiffán fel hwnna weiddi siarad efo fo a'i drin fel petai o'n blentyn bach neu'n ffŵl hannar call!

Meddyliodd am roi'r gola ymlaen ac ailgydio yn ei lyfr ond roedd yn ormod o ymdrech troi i ymestyn at swits y lamp wrth erchwyn ei wely.

'Yma y bydda i rŵan nes i'r diogyn Gwynfor 'na alw yn y bora i nghodi a ngwisgo fi. A fydd hynny ddim cyn hannar awr wedi naw, mae'n siŵr. Arglwydd mawr! Un awr ar ddeg yn fy ngwely! 'Sa waeth imi fod mewn cartra-hen-bobol ddim!'

Ei falchder a'i styfnigrwydd ef ei hun – a'i dymer

hefyd – a'i cadwodd rhag lle felly, hyd yma. Fe geisiodd sawl un ddwyn perswâd arno dros y blynyddoedd – ei feddyg, y gweithwyr cymdeithasol, Arthur hyd yn oed – i fynd i gartra gofal, *'er eich lles eich hun'* ond gwylltio a gwrthod a wnaethai bob tro – *'Hen neu beidio, musgrall neu beidio, strôc neu beidio, mae'n well gen i farw yn fy nhŷ ac yn fy ngwely fy hun. Felly, i'r diawl â chi!'* Erbyn heddiw, wrth gwrs, roedd pawb wedi hen anobeithio efo fo ac yn rhoi iddo'r llonydd roedd o wedi mynnu'i gael. Gwynfor, deirgwaith y dydd, i'w godi a'i wisgo a sodro bowlenaid o uwd llugoer o'i flaen, i neud mygiad o Cup-a-soup a thaenu Flora ar frechdan sleis iddo at ginio ac i'w ruthro i wely cynnar fin nos, oedd ei unig ymwelydd a'i unig gymorth, bellach. Roedd yn chwith am gwmni ac am gysur yr hen gi. Ond roedd blynyddoedd ers i hwnnw'i adael a gwrthodwyd iddo gael un yn ei le. *'Na! Fedrwch chi ddim cael ci arall.'* Hen sguthan o swyddog cymdeithasol a wnaeth y penderfyniad hwnnw ar ei ran. *'Allech chi ddim edrych ar ei ôl o, siŵr iawn. A sut bynnag, beth petaech chi'n baglu drosto fo ac yn torri braich neu glun? Mi allech chi fod yn gorwadd ar lawr yn fa'ma am oria lawar cyn i neb ddod i'ch helpu chi.'*

Ochneidiodd yn ddig. Pa hawl oedd gan bobol fel'na i wthio bys i'w botas o, byth a hefyd? 'Busnesu ddiawl!' medda fo'n ffyrnig rŵan wrth y tywyllwch o'i gwmpas.

Yna, o gornel llygad, cafodd gip o gysgod ar y llenni, yn symud fel ysbryd rhyngddo a golau gwan y stryd tu allan. Rhy agos i fod yn cerdded y ffordd, meddai wrtho'i hun. Oedd, roedd rhywun yn ei ardd. Gallai glywed y cenllysg yn fan'no yn crensian yn ysgafn o dan draed.

Yn reddfol, a'i galon yn cyflymu, ymbalfalodd am y ffon a gadwai wrth ei ymyl ar y gwely, bob nos. *Chwarter wedi hanner nos!* meddai gwyneb egwan y cloc wrtho. Clustfeiniodd, â'i nerfau ar dynn. Dyma lle byddai'r hen gi wedi dangos ei werth, meddyliodd. A'i ddannedd hefyd!

Llusgodd yr eiliada heibio'n ddistaw. Y crensian traed . . . y cysgod aflonydd ar y llenni, fel cwmwl yn pasio dros leuad . . . Ai dychymyg fu'r cyfan? Na, neu fyddai ei galon ddim yn dal i guro'n wyllt. A fyddai ei law iach ddim yn gwasgu mor dynn am goes y ffon, chwaith. Fe gâi'r ymwelydd hwyrol deimlo blas ei charn eifori ar ochor ei ben, pe bai raid.

Daeth sgrytiad arall o genllysg i ddawnsio'n swnllyd ar lechi'r to a chlywodd rwmblan taran yn y pellter. Yna, cyn i sŵn y naill na'r llall farw'n llwyr, torrodd clec fel clec gwn drwy'r tŷ, a chynhyrfwyd ef gan glindarddach gwydyr yn chwalu'n deilchion ar deils oer ei gegin. Roedd rhywun yn torri i mewn!

'Pwy uffar sy 'na?' gwaeddodd, a'i dymer yn gwrthod rhoi lle i ofn. 'Aros di i mi godi, y diawl, pwy bynnag wyt ti!'

Yn ei frys i daflu dillad y gwely'n ôl efo'i law iach, dihangodd y ffon o'i afael a disgyn yn drom ar lawr y llofft.

'Damia!' medda fo. 'Y blydi llac ei afael a gyll . . . Pwy ddiawl wyt ti?' gwaeddodd wedyn. A gan duchan a rhegi, ymdrechodd i rowlio ar ei ochor fel bod ei goesau – yr un glec a'r un ddiffrwyth – yn hongian yn drwm dros yr erchwyn. Yna, ar ei eistedd, gwyrodd ymlaen yn ddi-lun i ymbalfalu am y ffon golledig ar dywyllwch y llawr. Ond roedd yn rhy bendrwm rŵan i gadw cydbwysedd a theimlodd ei hun yn powlio ymlaen wysg ei dalcen, ac mor ddiamddiffyn â sach o datws.

Wrth i'w ben dwlcio'r carped treuliedig, saethodd mellt gwyn o boen trwy'i lygaid. 'Arglwydd mawr! Gweld sêr mae pawb call, nid mellt!' medda fo wrtho'i hun, a rhyfeddu ei fod yn gallu meddwl peth mor hurt ynghanol ei holl drafferthion. Prin bod y syniad hwnnw wedi croesi'i feddwl, fodd bynnag, nad oedd o'n dechra ymbalfalu'n wyllt unwaith eto am ei ffon, i'w amddiffyn ei hun rhag pwy bynnag oedd yn torri i mewn i'w dŷ. Yna, wrth i'w gorff hanner-gwyw wrthod ufuddhau i'w ymdrechion i godi, clywodd wich fechan gyfarwydd drws ei lofft yn agor, yn rhybudd bod yr ymwelydd i mewn yno efo fo, rŵan.

'Pwy uffar wyt ti?' gwaeddodd eto, gan ddal i ffwlbala am ei ffon.

Fe'i dallwyd eiliad wrth i'r bylb letrig noeth uwch ei ben ddod yn fyw, ac yna ymddangosodd siâp main rhyngddo a'r golau, i'w brocio'n giaidd â blaen troed yn ei ysgwydd ac yna yn ei ben.

'Chdi deud lle ma ffycin pres chdi ne fi sticio hwn i mewn i ffycin gŷts chdi.'

Roedd y llais yn swnio'n ddiarth ac yn bell ac yn raddol sylweddolodd pam. Roedd gwyneb y boi, pwy bynnag oedd o, wedi'i guddio â mwgwd du, ac mewn llaw esgyrnog gwelodd fflach cyllell; ei llafn yn hir ac yn ddanheddog. 'Cyllall fara!' medda fo wrtho'i hun wrth i honno ymddangos yn fygythiol o dan ei drwyn. Ond er bod llais bach rhybuddiol yn sibrwd 'Bydd ofalus!' yn ei ben, doedd ei gynddaredd ddim yn barod i wrando ar unrhyw reswm.

'Arglwydd mawr!' medda fo, gan syllu'n heriol i'r llygaid disglair yn nhyllau'r mwgwd. 'Wyt ti'n gall, dŵad . . . pwy bynnag wyt ti? Dwi'n *eighty one* ac ar fy mhensiwn ers blynyddoedd. Sut uffar wyt ti'n meddwl bod gen i bres?' Nid cryndod ofn ond cryndod oed a chryndod her a dicter oedd yn ei lais.

Ond doedd yr ymosodwr, chwaith, ddim mewn tymer i resymu. 'Deud lle mae *cash* chdi, y ffycin bastad!'

Teimlodd yr hen ŵr fin danheddog y gyllell yn torri trwy frethyn brau ei byjamas a ffrwd fechan o waed yn cynhesu ei fraich oer. Ond wnaeth hynny mond creu mwy o styfnigrwydd ynddo.

'Paid ti â siarad fel 'na efo fi, y cachgi bach!' medda fo'n fygythiol rhwng ei ddannedd, gan ffieiddio'i gorff ei hun, yr un pryd, am fethu herio'r llwfrgi gwantan-yr-olwg. Y gair 'bastad' oedd wedi tramgwyddo fwya.

Yn dâl am ei ryfyg, derbyniodd gic ffiaidd arall, yn ei glun y tro yma, a gwelodd fin y gyllell yn llifio i mewn i'w fraich arall, yr un chwith. Ond theimlodd o fawr o boen na gwres gwaed y tro hwn, diolch i ddiffrwythdra'r rhan honno o'i gorff.

Erbyn hyn, roedd y dieithryn yn plygu'n isel drosto a sylweddolodd, gyda pheth dychryn, fod y llygaid tu mewn i'r mwgwd nid yn unig yn ddisglair ond yn ymylu ar fod yn lloerig hefyd. Serch hynny, doedd ei styfnigrwydd ddim yn barod i ildio modfedd.

'Mae gen ti broblem yn does, mêt? Isio pres drygs wyt ti, ia?'

Yn ateb, suddwyd y gyllell yn giaidd i gnawd ei ystlys a sylwodd yr hen ŵr ar y rhyfeddod yn dod i'r llygaid gwyllt am nad oedd ei brath wedi creu arwydd o boen.

'Os ma chdi ddim deud lle ma ffycin pres chdi, mae chdi'n ffycin *dead meat.*'

Er gwaetha'i gyflwr, ac er sylweddoli rŵan bod y bygythiad yn un real iawn, roedd y diawledigrwydd yn dal i'w feddiannu. Gorweddai yno ar lawr ei lofft, yn derbyn, bellach, na allai godi na gneud dim i'w arbed ei hun. Crwydrodd ei lygaid heibio'r gyllell, heibio'r dyn lloerig oedd yn cydio ynddi, at y llun ar y wal. Llun wedi'i neud â phensel, pan oedd o'n orweddog yn y sbyty, slawer dydd. *Y llun gora wnes i rioed*, meddyliodd. *A Ifan, 'y mrawd, wnâth y ffrâm iddo fo.*

Rhaid bod y lleidr wedi dilyn ei edrychiad oherwydd fe gydiodd yn y llun, rŵan, a'i rwygo oddi ar y wal. 'Www!' medda fo'n ddilornus. 'Mae chdi'n licio eroplêns?' Yna, craffodd i ddarllen y llythrennu mân ar flaen yr Avro Lancaster. 'Www! Welsh Lady! Mae gyn chdi cariad, felly?' A gan chwerthin yr un mor ddirmygus eto, gollyngodd y llun wrth ei draed a sodro'i sawdl trwyddo.

Wrth glywed sŵn y gwydyr yn chwalu a'r ffrâm yn hollti, fe deimlodd yr hen ŵr ei dymer yn poethi eto. 'Ti'n uffar o *hero*, on'd wyt – y bastad bach! – yn cuddiad tu ôl i'r balaclafa 'na. Be sy? Ydi dy wynab di'n rhy hyll i'w ddangos i'r byd, ta be?'

Llwyddodd hynny i dynnu chwyrnu dig o'r geg lafoeriog. 'Sbia gwynab chdi ta! Gyn chdi mae gwynab ffycin hyll, mêt!' Ac fel petai i brofi'r pwynt, plygodd eto a thynnu min danheddog y gyllell trwy groen tynn y foch dde nes bod cnawd gwywedig honno'n agor fel bol pysgodyn, a'r gwaed yn ffrydio allan. 'Chdi'n cofio fi rŵan ta?' A gyda chryn drafferth, crafangodd y llanc y mwgwd oddi am ei ben a dod â'i grechwen a'i anadl ffiaidd a'i wyneb pantiog yn nes ac yn nes at wyneb yr hen ŵr. 'Chdi'n cofio fi, y bastad?' gofynnodd wedyn, a phoeri'n ffiaidd i lawr i'r gwyneb gwaedlyd. Er bod y llygaid yn disgleirio'n orffwyll, eto i gyd, roedd rhyw farweidd-dra'n perthyn iddyn nhw hefyd, ac roedd rhywbeth mwy nag oerni'r nos yn gyfrifol am welwedd afiach y gwyneb. Unwaith eto, teimlodd yr henwr fin y gyllell . . . yn plannu i'w ystlys y tro yma, a throwsus ei byjamas yn troi'n drwm ac yn ludog gan waed.

'Gyn tad fi mae hwn'na! . . . A gynno fi mae hwn!'

Wrth deimlo'r llafn yn suddo i'w gylla . . . ddwywaith, deirgwaith . . . gwnaeth Huw Lòrd Bach ei orau i fygu'r boen. Roedd y gwyneb uwch ei ben yn cilio i'r niwl.

'Dwn 'im . . . pwy . . . wyt ti. Does . . . dim . . . pres.'

Ac o'r niwl tyfodd sŵn dyrnu cyson; sŵn pedwar prop a phedair injan Rolls Royce Merlin. *I'll get you out, Taff!*' meddai rhywun, o'r pellter. Llais Quinnie, siŵr o fod! Daeth gwên wan i'w wyneb.

'Ffwc o bwys!' meddai llais mwy real yn ei glust. 'Ma chdi'n *dead meat, anyway,* y bastad!'

*   *   *

Chwarter i wyth oedd hi pan ganodd y ffôn yn swyddfa'r Adran Newyddion ym Mryn Meirion, Bangor.

'Hai, Dad?'

'Ifan? Ti sy 'na?'

'Gwrandwch! Newydd gael galwad, rŵan . . . tân go ddrwg ym Mlaendyffryn yn ystod y nos . . . un *fatality* . . . dyn mewn oed. *Murder* maen nhw'n ama. Meddwl y carech chi gael gwbod.'

'O! Diolch iti. Fe anfona i griw camera draw yno rŵan. Be 'di'r cyfeiriad?'

'Dim syniad ar hyn o bryd. Fe ro' i ganiad ichi'n nes ymlaen.'

'Os cei di gyfla, wnei di alw i edrych am dy nain? Dwyt ti ddim wedi'i gweld hi ers tro, dwi'n siŵr.'

'Ddim ers *September*, ryw ben . . . Cyn diwadd y *season* sgota.'

Er nad oedd gan Arthur Lòrd Bach ei hun fawr o ddiddordeb mewn pysgota, eto i gyd roedd yn hynod falch bod ei fab yn ymddiddori yn y grefft a'i fod wedi etifeddu holl offer ei daid – y ddwy enwair a'r rhwyd, a'r waledi efo'u hamrywiaeth cyfoethog o blu. I Yncl Huw roedd y diolch penna bod hynny wedi digwydd. Fo ddaru bwyso arno, flynyddoedd yn ôl, i'w hawlio nhw gan ei fam, cyn i ŵr newydd honno eu gwerthu nhw am bres peint. Yr hyn a blesiai Arthur yn fwy na dim, oedd bod Ifan ei fab – er iddo gael ei eni a'i fagu ym Mangor – yn cael mwy o bleser o bysgota yn ardal Blaendyffryn nag mewn unrhyw bysgodfeydd eraill yng ngogledd Cymru.

'Wel, tria alw i edrych amdani heddiw. Fe weli di gryn wahaniaeth ynddi, dwi'n gwbod. Pan alwodd dy fam a finna yno wythnos yn ôl, fe gawson ni'n dychryn yn arw o weld y fath newid ynddi. Mae hi wedi dechra ffwndro, mae gen i ofn. A dydi'r gŵr 'na sgynni hi fawr o help, wrth gwrs!'

'Iawn. Mi fydda i'n brysur drwy'r dydd, Dad, fel y medrwch chi ddychmygu, ond mi alwa i i'w gweld hi rywbryd cyn nos.'

'Diolch iti, Ifan! O! A ti'n meddwl y cei di jàns hefyd i bicio i weld Yncl Huw? Dwyt ti ddim wedi'i weld o ers blynyddoedd, dwi'n siŵr. Paid â dychryn pan weli di'r tŷ, cofia! Mae llanast y diawl yno. *Tŷ Jeroboam* mae dy fam yn galw'r lle! Ond dyna fo!

Mewn cartra-hen-bobol y dylsai'r cradur fod ers blynyddoedd, ond ei fod o'n ormod o ful, yn rhy styfnig i ildio. Duw a ŵyr sut mae o'n manejio drosto'i hun a fynta wedi cael y fath strôc flynyddoedd yn ôl.'

'Ia'n de.'

'Mae o'n cael *carer*, wrth gwrs, ond dydi rhywun felly ddim yn clirio llanast ac yn llnau tŷ fel bydda *home helps* yn 'i neud, yn yr hen ddyddia.'

'Iawn, Dad!' meddai Ifan, gan neud ei ora i guddio'r diflastod o'i lais. Nid nad oedd ganddo gryn feddwl o'i hen ddewyrth, wrth gwrs, o gofio cymaint roedd hwnnw wedi bod trwyddo yn ei fywyd, ond roedd pethau eraill pwysicach yn galw am ei sylw heddiw, o bob diwrnod.

'Ac os cei di gyfla, tria'i gael o i sôn am ei fedala wrthat ti. Mae o wedi addo rheini i mi, yn ogystal â rhai petha eraill hefyd – llyfra ac ati – oedd yn arfar perthyn i Nhad. Petha'r teulu, Ifan! Teulu Lòrd Bach! A gynno fo mae medala Rhys o'r Rhyfal Cynta hefyd, hyd y gwn i. I mi y mae rheini hefyd i ddod. Mae'r hen gradur yn tynnu mlaen yn arw rŵan, wyst ti, a 'tai rhwbath yn digwydd iddo fo, yna does wbod be ddaw o'i betha fo. Go brin ei fod o wedi gneud wyllys, mae'n siŵr.'

'Iawn, Dad! Hwyl, rŵan!'

'Diolch iti . . .' Ond roedd ei fab eisoes wedi rhoi'r ffôn yn ôl yn ei boced.

Fel Cynhyrchydd Newyddion, roedd gan Arthur Lòrd Bach le i ddiolch bod Ifan yn aelod o dîm *Crime Scene Investigation* Gogledd Cymru oherwydd, trwyddo fo, câi wybod am bob damwain a phob trosedd ddifrifol yn llawer iawn cynt na thrwy'r sianelau arferol, a chanlyniad peth felly oedd bod gohebydd a

chamera'r BBC bob amser ar y blaen i gynrychiolwyr y
cyfryngau eraill.

*   *   *

'Un o fa'ma wyt ti, felly, Evan?'

Roedd yn gas ganddo'r ynganiad Seisnig o'i enw, yn
enwedig oddi wrth Gymro di-Gymraeg fel Jeff, oedd
yn hanu o dre Wrecsam.

'Teulu Nhad, ia, ond nid fi'n bersonol. Un o Fangor
ydw i'n wreiddiol ond mod i rŵan yn byw yng
Nghonwy.'

Roedd y fan y teithien nhw ynddi newydd ddod
dros Fwlch Gorddunant ac i olwg y dre, ac fel y
disgynnent yr allt serth tuag at honno, dechreuodd
tomennydd o rwbel llechi gau amdanynt, fel
rhaeadrau o ddŵr llwyd wedi rhewi. Oherwydd y
cymylau duon uwchben, roedd y rhaeadrau rheini'n
llwytach nag arfer, heddiw, ac yn fwy bygythiol
rywsut. Tu draw iddynt, dringai llechweddau'r
mynyddoedd o'r golwg i'r niwl.

'Twll din byd, sa ti'n gofyn i mi!' meddai Jeff eto.

'Lle ti'n feddwl?' holodd Ifan yn biwis. 'Bangor? . . .
Conwy?'

'Fa'ma, siŵr Dduw!' Ac arwyddodd y gyrrwr at y dre
oedd yn dechra agor o'u blaen.

'Ti'n deud 'tha i!' meddai trydydd aelod y grŵp yn
ddilornus gan wyro ymlaen yn ei sedd, i gael gwell
golwg ar y graig serth oedd yn gwyro dros siopau'r
stryd fawr. 'Blydi dỳmp go iawn, 'sa ti'n gofyn i mi!'

Digon anodd i Ifan fu dioddda'r Cymro'n dirmygu,
ond roedd clywed Sais rhonc o Lannau Mersi yn
ategu'r sylw yn dân ar ei groen, er na allai egluro'n
iawn pam, chwaith. Wedi'r cyfan, doedd ganddo ynta

530

ddim achos o deyrngarwch i Flaendyffryn, mwy na bod ei nain yn byw yma a'i fod yn dod yma i bysgota.

'Peidiwch â bod mor rhagfarnllyd, wir Dduw!' medda fo'n ddig, gan edrych yn gyhuddgar o'r naill i'r llall. Doedd yn malio dim bod y Scowsar, fel y *Senior CSI*, yn fòs arno.

'. . . Be wyddoch chi am y lle, beth bynnag, mwy na be 'dach chi'n weld ohono fo rŵan?'

Crechwenu yn hytrach nag ateb a wnaeth y ddau arall.

'. . . Pobol sy'n gneud lle yr hyn ydio. Ia ddim?'

Am reswm na allai mo'i egluro, ddim hyd yn oed iddo'i hun, fe deimlai Ifan reidrwydd cry i achub cam y dre.

'. . . A chewch chi ddim pobol gleniach, mwy cyfeillgar na phobol Blaendyffryn yn unlla dan haul! Cymrwch chi hyn'na gen i!'

Ond parhau i wenu ac i giledrych yn wawdlyd ar ei gilydd a wnâi'r ddau arall, fel petai gan Ifan ddim gobaith mul o'u darbwyllo.

'. . . Oes un ohonoch chi'n cofio cael galwad i Flaendyffryn erioed o'r blaen?'

'Nagoes, diolch i Dduw!' A chwarddodd Jeff, y dreifar, am ben ei jôc ei hun.

'. . . Ond faint o weithia 'dan ni wedi cael ein galw i Wrecsam yn ystod y flwyddyn ddwytha 'ma, Jeff? Pum tân bwriadol, i mi eu cofio. Heb sôn am ddwy lofruddiaeth a dau achos o drais. A ti'n trio deud wrtha i bod Wrecsam yn llai o dỳmp na fa'ma?'

Fu dim rhaid i Jeff ateb y cwestiwn, fodd bynnag. 'Dyma ni!' medda fo, wrth i'r fan ddod i olwg dwy injan dân, a chriw bychan chwilfrydig o bobol a phlant-mewn-gwisg-ysgol yn loetran am y ffordd â nhw. Roedd yno hefyd ddau blismon i ofalu na fyddai neb o'r cyhoedd yn tarfu ar waith y diffoddwyr.

Safai'r diffoddwyr chwyslyd yn ddeuoedd ac yn drioedd blinedig, pob un â'i fygaid poeth o de mewn un llaw a bisged yn y llall. Wrth eu hymyl, oedai tair gwraig yn amyneddgar, pob un â thebot llawn mewn llaw, yn barod i gynnig 'Panad arall?'

Wrth gamu allan o'r fan, roedd ar flaen tafod Ifan i dynnu sylw'i ddau gyd-weithiwr rhagfarnllyd at gymwynasgarwch y merched ond, yn sydyn, sylweddolodd yn union lle'r oedd.

'Arglwydd mawr!' medda fo'n gynhyrfus. 'Tŷ fy newyrth ydi hwn!'

Roedd ychydig o fwg du yn dal i ddianc yn ddiog trwy do tyllog y bynglo ac roedd yr awyr laith yn drwm o ogla llosgi.

'. . . Rhaid imi ffonio Nhad!'

*   *   *

Tua'r un adeg, cyrhaeddodd Fred Gould yn ôl adre ar ôl bod yn nôl ei bapur boreol o Siop Fosters.

Siop Fosters oedd hi i bobol Blaendyffryn o hyd, er nad teulu Foster oedd yn ei chadw hi ers blynyddoedd bellach, byth ers chwalfa fawr yr wythdegau. Dyna pryd y 'collodd' Mike a Gwenith Foster eu dwy ferch, i bob pwrpas, wedi i Gwenno, yr ienga, adael cartra o dan gwmwl ac i'w chwaer hi, ychydig ddyddia'n ddiweddarach, gyhoeddi'n ddagreuol bod Gwyn a hitha a'r plentyn yn gorfod symud i bellafoedd Lloegr i fyw. Yna, ymhen y rhawg, cafodd y rhieni glywed bod Gwenno wedi ymuno â phrotest Comin Greenham a'i bod yn rhannu tent yn fan'no gyda thair o ferched hŷn na hi. Cawsant air hefyd oddi wrth Heledd, y ferch hynaf, i ddeud bod Gwyn a hitha wedi ymgartrefu yn eu tŷ newydd ar gyrion Dungeness ond bod hiraeth am Flaendyffryn ac am eu teuluoedd yn eu llethu nhw'n ddyddiol. Ond roedd Michael bach, serch hynny, wrth ei fodd yn ei ysgol newydd ac yn pigo'r Saesneg i fyny heb drafferth yn y byd. Yna, rai misoedd wedyn, caed clywed bod Gwenno wedi gadael Comin Greenham, i gyd-fyw mewn fflat yn Taunton efo brawd un o'i chyd-brotestwyr – myfyriwr a gawsai ei daflu allan o Goleg yr Iesu, Caergrawnt, oherwydd ei fod yn defnyddio cyffuriau. Newyddion o'r fath, ynghyd â'r pryder cynyddol am Glyn pan gafodd hwnnw a'i gatrawd eu hanfon i Ogledd Iwerddon am yr eildro, a gafodd y bai gan Mike Foster pan ddaeth ei wraig adre o'r feddygfa, un diwrnod, i gyhoeddi trwy'i dagrau ei bod yn dioddef o gancr y fron a bod y doctor wedi rhoi gwedd bur ddu ar betha. Wyth mis yn ddiweddarach, daeth y chwiorydd a'r brawd ynghyd eto, am y tro cynta ers tair blynedd, i angladd eu mam. Prin bod neb yn nabod Gwenno erbyn hynny, gan nad oedd hi ond croen am asgwrn, a'i llygaid yn ddwfn mewn cleisiau duon yn ei phen. Yna, ar noson yr angladd, aeth yn ffrae fawr rhyngddi hi a'i brawd, wrth i'r naill edliw petha cas i'r llall. Glyn, yn ôl Gwenno, oedd wedi lladd ei chariad hi yn y Falklands, a phobol o'r un feddwl â fo oedd o blaid arfogi llonga tanfor efo taflegra niwclear, gan fygwth heddwch y byd. Y brawd wedyn yn taro'n ôl trwy gyhuddo'i chwaer fach o fod yn jynci, ac o siarad ar ei chyfer am betha na wyddai hi ddim byd o gwbwl yn eu cylch. Nid yn unig ei bod hi'n annheyrngar i'w theulu, meddai, ond i'w gwlad yn ogystal. Fe ddaeth y ffrae honno i ben efo Gwenno'n rhuthro allan o'r tŷ yn ei dagra gan roi clep i'r drws o'i hôl, a Glyn yn gadael yn fuan wedyn, i ddal y trên ola'n ôl i Loegr, i ymuno â'i gatrawd yn gynt na'r bwriad. Ac fel petai'r storm deuluol honno ddim yn ddigon o gosb ar y tad, o fewn dyddia wedyn daeth cwymp mawr ar y Farchnad Stòc ac fe aeth Mike Foster yn fethdalwr dros nos. Yn ei gywilydd, fe roddodd y gorau i fynychu cyfarfodydd y Lòj, yn ogystal â sawl cymdeithas arall. Ac ar ben y cyfan, ychydig flynyddoedd yn ddiweddarach, fe ddaeth Glyn yn ôl o Ryfel y Gwlff yn diodde'n ddrwg o'r hyn a elwid yn *Gulf War Syndrome*. Dim ond Heledd a gadwai gysylltiad â'i thad, bellach, ond roedd Blaendyffryn yn lle diarth iawn i'w phlant hi.

'You'll never guess what I just 'eard in the paper shop, just now.'

Gollyngodd ail ŵr Mair Huws ei hun a'i bapur newydd i'r gadair freichia o flaen y tân. Dywedai'r geiria dros ysgwydd, gan roi'r argraff nad oedd o bwys ganddo a oedd hi'n gwrando ai peidio.

'Apparently, yo'r favourite brother-in-law's no longer with us. His 'ouse got burnt down in the night and he went up with it.'

Ar y pryd, roedd Mair Huws yn eistedd wrth y bwrdd tu cefn iddo, ei dwylo di-lun yn dirwyn pellen fawr o edafedd er mwyn cael ei hailrowlio, yn dynnach ac yn llai o faint. Fe wnâi beth felly'n amal y dyddia yma, pan nad oedd ganddi rywbeth gwell i'w neud. Oedodd, rŵan, yn y gorchwyl, i geisio deall be oedd newydd gael ei ddeud wrthi. *Burnt down . . . went up . . .*? Doedd dim ystyr i beth felly, meddai wrthi'i hun, a mynd ymlaen wedyn â'r dirwyn diddiwedd.

'Bloody 'ell, woman! Didn' yah 'ear wha I jus said?'

Ochneidiodd y Sais yn ddiamynedd, fel petai o wedi cael llond bol ar ei hynfydrwydd hi. Yna gwaeddodd yn uwch gan roi'r argraff ei fod yn siarad â rhywun oedd naill ai'n fyddar neu ddim yn gall, *'Yo'r brother-in-law is . . . D E A D . . . DEAD! Gone up in smoke! Silly bugger must 'ave bin smokin in bed, they reckon. Jesus! It 'ad to come, I suppose. The cantankerous old sod was an accident jus waitin to 'appen, if yah ask me.'*

Am fod ei gefn yn dal ati, doedd Fred Gould ddim i wybod bod ei wraig wedi gollwng y bellen o'i dwylo a bod honno, rŵan, wedi rowlio oddi ar wyneb y bwrdd i'r llawr. Doedd o ddim i wybod chwaith ei bod hi'n edrych yn anghrediniol arno trwy'i dagra ac mai cefn pen ei gŵr cynta a welai hi o'i blaen.

'O! Mae'n ddrwg gen i glywad, Ifan. Ro'n i'n hoff iawn o Huw wyst ti.'

Tro'r gŵr oedd troi i rythu'n anghrediniol, rŵan.

'Good God, woman! 'Ave you completely lost yo'r marbles or somethin? Yah know damn well I don't understand any of yo'r bloody lingo . . . And I'm not yo'r bloody "Evan" either! 'E's bin dead and buried for fuckin years.'

*　　　*　　　*

'Dim amheuaeth o gwbwl, Dad. Roedd o wedi hen farw cyn i'r tân gael ei gynna.'

'Mae hynny'n rhyw fath o gysur, mae'n debyg.'

Roedd hi'n tynnu am chwech o'r gloch ac roedd y ddau *CSI* arall yn dal i fynd drwy'r tŷ efo crib fân. Penderfyniad yr *SIO* – y *Senior Investigating Officer* – fu iddynt ddal ati nes gorffen y gwaith, rhag gorfod dod yn ôl drannoeth, a gweithient rŵan yng ngolau lampa halogen llachar. Digon cyndyn fu'r ddau arall i ganiatáu awr o hoe i Ifan, iddo gael trafod materion teuluol efo'i dad.

Ar wahân i riddfan gwynt oer yn y gwifrau

uwchben a sgrech ambell gorn car diamynedd yn y pellter, yr unig sŵn arall oedd fflapian y tâp melyn-a-glas a amgylchynai fynglo Pen Cwm, yn rhybudd i bawb gadw draw. I'r un bwriad, cerddai plismon rhynllyd yn ôl a blaen ar y pafin tu allan i'r giàt.

Safai Arthur Lòrd Bach a'i fab ochor-yn-ochor yng ngardd ffrynt y bynglo, yn syllu i lawr ar Goed Cwm yn y gwyll oddi tanynt. Roedd yr aer o'u cwmpas yn llaith ac yn drwm o hyd o arogl coed a mortar llosg. Rywle yn y pellter, dechreuodd ci goethi.

'Mi fydd disgwyl imi fynd i'w olwg o yn y *mortuary*, mae'n debyg . . . i dystio mai fo ydi o. Ond pwy fasa'n gneud y fath beth, Ifan? Ei ladd o fel'na! Dwi'n gwbod bod Yncl Huw yn gallu bod yn gradur digon pigog a styfnig ond – diawl erioed! – doedd o ddim yn haeddu hyn. Doedd o'm yn fygythiad i neb na dim.'

'Peidiwch â phoeni, Dad. Mi fydd y cythral oedd yn gyfrifol o dan glo'n fuan iawn, gewch chi weld.'

'Be? 'Dach chi'n gwbod pwy ydi o?'

'Ddim yn hollol ond fydd *CID* fawr o dro'n cael eu dwylo arno fo. Rhywun lleol. Dim amheuaeth am hynny. Ac mae o wedi gadael digon o *evidence* i'w grogi ei hun. "*Christmas has come early!*" Dyna ddeudodd yr *SIO* pan welodd yr olion gwaed ac olion bysidd ar wydyr drws y cefn. Ac roedd o'n canmol hogia'r injan dân am sylwi ar y gwaed yn ddigon buan ac am neud yn siŵr bod yr olion ddim yn cael eu golchi i ffwrdd efo'r dŵr. Sut bynnag, fydd dim problem cael proffeil *DNA*. Ac mi fuodd o'n ddigon gwirion i adael y gyllall ar ôl hefyd, ond bod ei charn hi wedi'i losgi'n bur ddrwg yn y tân.'

'Dim olion bysedd ar honno, mae'n siŵr?'

'Na, dim gobaith. Ond fel dwi'n deud, chân nhw

fawr o draffarth cael eu dwylo ar y cythral. Mae *CID* wedi bod wrthi drwy'r dydd efo'u *enquiries*.'

'Mae'n sobor o beth bod yr hen gradur wedi gorfod diodda fel'na, wyst ti, ar ôl yr holl mae o wedi bod trwyddo, dros y blynyddoedd. Ond roedd o wedi marw cyn y tân, medda chdi?'

'Oedd.'

'Ond fe gafodd ddiodda, serch hynny?'

'Anodd deud faint. Roedd o wedi cael ei stabio o leia bump ar hugian o weithia, i mi gyfri, ond fe allai'r gynta fod wedi bod yn ddigon i'w ladd o. Mi fydd gan rywun well syniad ar ôl y *post mortem*.'

'Pump ar hugian o weithia? Arglwydd mawr! Dim ond dyn lloerig fasa'n gneud y fath beth.'

'Rhyw jynci yn *desperate* am bres *fix*. *Guaranteed* ichi, Dad! Dwi 'di gweld digon o betha tebyg, cyn heddiw.'

'Ac Yncl Huw yn gwrthod rhoi dim iddo fo, mae'n siŵr.'

'Neu'n methu, falla.'

'Be ti'n feddwl?'

Syrthiodd eiliad o dawelwch rhwng y ddau.

'Yn y job yma, Dad,' medda Ifan o'r diwedd, gan ddewis ei eiria'n ofalus, 'mae rhywun yn gweld mwy na'i siâr o dai tlawd, ond mae hwn . . .' Nodiodd gyda'i ben at y bynglo llosg tu cefn iddo. '. . . ymysg y rhai tlota dwi wedi'u gweld erioed. Gwely a rhyw dri dodrefnyn bach oedd gynno fo . . . Dyna'r cwbwl! Ac roedd o'n byw ar y gwynt, 'sa chi'n gofyn i mi. Chwartar torth, a honno wedi dechra llwydo, mymryn o lefrith yng ngwaelod potal, mymryn o farjarîn ar sosar, hannar pacad o uwd a dau dùn bîns, a dyna i gyd oedd yn ei gwpwrdd o. O! A phedwar *teabag* wedi sychu. Yn ôl be welis i heddiw, roedd Yncl Huw yn defnyddio'r un un *teabag* drosodd a throsodd. Wyddwn i ddim ei fod o'n gymaint o gybydd.'

'Cybydd?' meddai'r tad yn freuddwydiol. 'Tlawd fel llygodan eglwys, debycach gen i.'

Synhwyrodd Ifan awgrym o gywilydd yn llais ei dad; cywilydd nad oedd wedi gneud mwy dros yr hen ddewyrth tra oedd hwnnw'n fyw.

'. . . Doedd bosib bod gan yr hen gradur lawar o fodd, wyst ti. Gyda llaw, ddaethoch chi ar draws ei fedala fo o gwbwl?'

'Naddo, mae gen i ofn. Ddim hyd yma, beth bynnag.'

'Rheini hefyd wedi llosgi, mae'n beryg.'

'Os mai yn y llofft roedd o'n eu cadw nhw, yna does fawr o obaith. Ond os oeddan nhw rwla arall yn y tŷ, yna fe allan nhw ddod i'r golwg gan na chafodd y tân ddim cyfla i grwydro i'r gegin fach na'r parlwr. Y dŵr sydd wedi gneud y llanast mwya yn fan'no. Wedi difetha'r llyfra i gyd, mae gen i ofn. Roedd rheini wedi cael eu sgrialu ar hyd y llawr ym mhob man, wrth i'r llofrudd chwilio am bres neu rwbath o werth, mae'n debyg. Fe fus i'n edrych trwy amball un. Enw Taid oedd ar rai ohonyn nhw. Un yn bresant gan ei fam a'i dad pan oedd o'n dechra gweithio yn y chwaral.'

'Wedi'u difetha i gyd?' Ni cheisiai Arthur guddio'i siom. 'Bechod! Ond be am y corff ei hun? Oedd hwnnw wedi llosgi'n ddrwg, ta be?'

Ysgydwodd Ifan ei ben, er ei bod yn rhy dywyll i'w dad weld y symudiad. 'Na, ddim cymaint â hynny. Y croen wedi duo a blistro, wrth gwrs, ond fe gyrhaeddodd hogia'r *fire brigade* cyn i'r cnawd losgi gormod. Fydd hi ddim yn hawdd ichi edrych arno fo yn y *mortuary*, dwi'n gwbod, ond mi fydd yn ddigon hawdd ichi'i nabod o.'

'Y llofrudd wedi cynna'r tân yn fwriadol, ti'n meddwl?'

'Dim amheuaeth am hynny, ond ddôth o ddim yma efo'r *intention* i losgi'r lle, chwaith.'

'Sut gwyddost ti hynny?

'Wel, pe bai o wedi bwriadu llosgi'r tŷ, yna mi fydda fo wedi dod ag *accelerant* efo fo i neud y job yn iawn. Petrol neu rwbath tebyg. Ond, o be welson ni, y cwbwl oedd gan hwn i gychwyn y tân oedd llwyth o bapur. Nid papur newydd chwaith ond pentwr o bapura wedi'u teipio. Petha roedd Yncl Huw wedi bod yn gweithio arnyn nhw, dwi'n ama.'

Yn ofalus rhag iddi rwygo, tynnodd Ifan ddalen wlyb, wedi ei phlygu, o boced ei ofarôl wen.

'Roedd hon yn dal i fod yn y *typewriter*. Ylwch be 'di'r nymbyr arni! *Three two five!* Roedd Yncl Huw ar ganol sgwennu llyfr, ddeudwn i. Ond chawn ni byth wbod yn iawn, 'cos mae'r *pages* erill i gyd wedi cael eu defnyddio i gychwyn y tân.'

Cydiodd Arthur Lòrd Bach yr un mor ofalus yn y ddalen fregus a wthiwyd tuag ato drwy'r tywyllwch, a'i gweithio hi'n ddiogel rŵan i mewn i boced ei anorac. 'Mi ga i olwg arni ar ôl mynd adra,' medda fo, a'i lais yn llawn siom.

'Ond peidiwch â chymryd arnoch wrth neb mod i wedi'i rhoi hi ichi, cofiwch. Dydi'n gwaith ni ddim wedi'i orffan eto, felly doedd gen i ddim hawl dod â hi allan o'r tŷ.'

'Dim gair, dwi'n addo,' meddai'r tad. 'Rŵan gad inni fynd i weld sut mae dy nain.'

*   *   *

Dywedai ei reddf wrtho am agor y drws, gweiddi 'Iw-hŵ! Fi sy 'ma!' a cherdded i mewn heb wahoddiad. Dyma'i gartre, wedi'r cyfan. A'i fam oedd yn byw yma! Ond roedd Fred Gould wedi dwyn yr hawl hwnnw oddi arno flynyddoedd yn ôl, felly curodd y drws yn barchus ac aros i rywun ei ateb.

'Somebody at the door, woman! Answer it!'

O glywed y llais pell yn gorchymyn ei fam mor anghynnes, rhoddodd dro dig ar ddwrn y drws a'i wthio'n agored. 'Tyrd!' medda fo'n swta, gan annog Ifan i'w ddilyn.

'Who the bloody . . .!'

Anwybyddodd Arthur Lòrd Bach y Sais pigog yn y gadair freichia wrth y tân a mynd i chwilio am ei fam yn y gegin gefn.

'Sut ydach chi, Mam? Ylwch! Dwi wedi dod ag Ifan i'ch gweld chi.'

Yn raddol, ciliodd y dryswch o lygaid yr hen wraig. 'Wel, wel!' medda hi, a'i gwên yn rhychu'i gwyneb. 'Mae'n dda'ch gweld chi'ch dau, ar ôl yr holl amsar. Lle ti 'di bod cyhyd, Ifan?' A daeth i wasgu ei hŵyr yn ei breichia.

Taflodd y ddau ddyn edrychiad arwyddocaol ar ei gilydd.

'Mi wna i banad inni,' medda hi gan estyn yn rhiwmataidd rŵan am y tecell letrig a'i ddal o dan y tap, ond heb gofio tynnu'i gaead. Parodd hynny i ddŵr dasgu dros bob man a'i glychu hitha.

'Gadwch o i mi, Mam!' meddai Arthur a chymryd y tecell oddi arni.

'I'll 'ave a cuppa if yo're brewin.'

'Gwna un dy hun, y llabwst!' meddai'r hen wraig o dan ei gwynt a phrysuro i estyn tair cwpan o'r

540

cwpwrdd. 'Fe gawn ni banad yn y cwpana *bone china* a gawson ni'n bresant priodas gan Mam a Nhad. Ti'n cofio, Ifan?' Edrychodd ar ei hŵyr am gadarnhad. 'Ond bod yr hen ddyn budur 'na wedi torri un ohonyn nhw.'

'Pwy oedd hwnnw, Nain?' gofynnodd Ifan, yn hanner amau mai cyfeirio at ei hail ŵr roedd hi.

'Wel y Jim Cro 'na, wrth gwrs! Ti'n ei gofio fo siŵr iawn, Ifan.'

'Nac'dw, cofiwch.'

'Be s'arna i, dŵad?' medda hi wedyn gyda chwerthiniad bach ymddiheurol, gan roi'r argraff ei bod wedi sylweddoli ei chamgymeriad. 'Jac-do o'n i'n feddwl, siŵr iawn, nid Jim Cro!'

'O, deudwch chi, Nain,' meddai Ifan, a gwenu'n dosturiol ar ei dad.

'Mi faswn i'n cynnig cacan ichi ond mae'r bolgi acw wedi buta'r blydi lot.'

Cymerodd Arthur ei wynt ato. Doedd o rioed wedi clywed ei fam yn rhegi o'r blaen.

'. . . Does dim digon iddo fo'i gael, wir!' ychwanegodd yr hen wraig, a chwerwedd lond ei llais. 'Ddeuda i be!' medda hi wedyn, yn gyfrinachol. 'Mi awn ni â'n panad trwodd i'r parlwr gora. Fe gawn ni lonydd yn fan'no. Mi geith o neud ei banad ei hun. Mae o'n ddigon 'tebol ond ei fod o'n rhy ddiog i godi oddi ar ei hen ben-ôl hyll.'

Stafell oer a di-dân oedd y parlwr gora a theimlai Arthur yn ddig fod ei fam yn barod i ddiodde'r fath anghysur tra bod ei gŵr-o-Sais yn hawlio clydwch y gadair freichia wrth dân y stafell fyw ac yn mwynhau rhaglen deledu swnllyd yno.

Buan y gwelodd Arthur mor anodd oedd cael

unrhyw fath o sgwrs gall efo'i fam. 'Fe glywsoch chi am Yncl Huw, debyg?' medda fo o'r diwedd gan ddotio, ar yr un pryd, at y ffordd yr eisteddai hi fraich-ym-mraich efo Ifan ar y soffa.

'Do, cofia! Annwyl oedd o'n de! Ro'n i'n hoff iawn o Huw, cofia. Cael ei ladd yn y chwaral, meddan nhw.'

'Rhywun ddaru roi ei dŷ fo ar dân, Mam. Dyna pam mae Ifan yma heddiw. Efo'i waith . . . Edrych i mewn i be ddigwyddodd.'

'Taw â deud!' Ac wedi gwenu, eto fyth, ar ei hŵyr a gwasgu'i fraich yn dynn yn ei chesail, aeth ymlaen, 'Mae'r hen chwaral 'na'n beryg bywyd, wyst ti. Isio'i chau hi sydd. Yn de, Ifan?'

Llowciodd Arthur weddill ei de a chodi i adael. Roedd gweld a chlywed ei fam mor ddryslyd â hyn yn dristwch ac yn boen iddo. *Gobeithio bod y dyn 'ma'n edrych ar ei hôl hi,'* medda fo wrtho'i hun, gan amau hynny yr un pryd. 'Dwi am alw yma eto ymhen rhyw ddeuddydd neu dri, Mam, i fynd trwy betha Nhad, os ydi hynny'n iawn efo chi. Ei ddyddiaduron o, a'r llunia a phetha felly.'

'Ia. Ac fe gei di fynd â'r ddresal a'r cloc mawr hefyd, wysti. Yn ceith, Ifan? Arthur sydd i fod i'w cael nhw, medda chdi.' Daeth golwg ddu dros ei gwyneb. 'Neu mi fydd hwn a'i deulu wedi'u dwyn nhw i gyd, wyst ti.' A phwyntiodd i gyfeiriad y stafell fyw a sŵn y teledu.

'Iawn, Mam. Mi wna i hynny, hefyd.' Haws cytuno na thrio rhesymu â hi. A fydda fo fawr callach chwaith o ofyn a oedd hi wedi gneud ei hewyllys ai peidio.

'Ond paid ti â phoeni, machgian i,' medda hi, gan ostwng ei llais yn gyfrinachol. 'Maen nhw i gyd yn saff. Dwi wedi cuddiad pob dim, sti.'

'Da iawn, Mam!' meddai Arthur a rhedeg ei law yn annwyl trwy'i gwallt. 'Reit! Mae'n mynd yn hwyr a rhaid inni'i throi hi.'

Wrth i Ifan helpu'i nain i godi oddi ar y soffa, lledodd golwg ddryslyd a phoenus dros ei gwyneb hi.

'Dwyt ti'm yn mynd yn ôl i'r Armi heno, wyt ti, Ifan?'

'Rhaid imi, Nain, neu mi fydd petha'n ddrwg arna i, wyddoch chi.'

'Bydd, debyg. Wel brysia adra eto, wnei di? Dydw i ddim yn licio'r hen ddyn arall 'ma, sti.' A chrychodd ei thrwyn i ddangos diflastod. 'Hen ddyn brwnt-ei-dafod ydio. Ddim 'run fath â chdi, o gwbwl.'

*   *   *

'Faint ydi'i hoed hi rŵan, Nhad.'

'Mi fydd hi'n wyth deg ac wyth ymhen y mis. Roedd hi wyth mlynadd yn iau na Nhad a rhyw chwech neu saith yn hŷn nag Yncl Huw, os cofia i'n iawn.'

Wrth i'r Saab wau ei ffordd i lawr rhwng y ceir llonydd ar Lòrd Street, fflachiai ei olau'n llachar ar ambell arwydd yma ac acw.

'Lot o dai ar werth yma, choelia i byth!' meddai Arthur, yn fwy wrtho'i hun na dim arall. 'Cymry oedd yn byw ym mhob tŷ pan o'n i'n hogyn ac roedd pawb yn nabod pawb. Ond erbyn heddiw, does wbod pwy ydi pwy.'

'Oed da!' meddai Ifan, yn dal i feddwl am ei nain. 'Ond mae'r hen wraig yn colstro'n arw, yn dydi? Roedd hi'n meddwl yn siŵr mai Taid o'n i, on'd oedd?'

Gwenodd ei dad wên fach drist. 'Rwyt ti'n ddigon

tebyg i Nhad, wyst ti Ifan, ond dy fod ti fymryn yn dalach na fo. Tebycach i Yncl Huw yn hynny o beth, falla. *Teulu Lòrd Bach yn ei nerth!* Dyna fasa Nhad yn ddeud, 'tai o yma rŵan. Mae dy chwaer, wedyn, yn tynnu mwy ar ôl teulu dy fam. *Career girl* ydi hi. Dim sôn am briodi a chael plant. Diolch, felly, am Arnold! Fo ydi unig ddyfodol Teulu Lòrd Bach, bellach.' Ond doedd fawr o argyhoeddiad yn ei lais. Yna, yn fwy gobeithiol, 'Oni bai, wrth gwrs, dy fod ti ac Allison yn rhoi brawd neu chwaer iddo fo.'

Chwarddodd Ifan yn ysgafn a dihiwmor. 'Na. Wneith hynny ddim digwydd bellach, Nhad. Yn y byd sydd ohoni, mae un plentyn yn ddigon i boeni'n ei gylch.' Yna, yn hytrach na chydnabod bod y sefyllfa rhyngddo a'i bartner Allison yn dirywio o ddydd i ddydd a'u bod nhw'n styried gwahanu, chwarddodd Ifan eto, i guddio'i wir deimlada. 'Dyfodol y teulu! Mae hwn'na'n gythral o gyfrifoldab i'w osod ar ysgwydda plentyn tair ar ddeg oed. 'Dach chi'm yn meddwl, nhad?'

Chwarddodd Arthur hefyd, rŵan.

'. . . Sut bynnag, mae gan Rhys eich brawd wyrion, hefyd. Be am ofyn iddyn nhw rannu'r cyfrifoldab?'

'Paid â sôn am rheini, wir Dduw! Dydyn nhw ddim isio gwbod am eu gwreiddia. Mwy na Rhys ei hun chwaith, o ran hynny. Saeson ydyn nhw, i bob pwrpas. Ac fel Saeson maen nhw'n meddwl, hefyd!'

Bu bron i Ifan ag atgoffa'i dad mai chydig iawn o Gymraeg oedd gan Arnold chwaith, diolch i wrth-Gymreictod Allison.

'Ydi Arnold wedi bod efo chdi'n sgota rhai o'r llynnoedd 'ma, dŵad?'

'Na. Dim diddordab, mae gen i ofn.'

'Mwy o ddiddordab mewn pêl-droed, mae'n siŵr? Fel ei daid!'

'Ia.'

Doedd gan Ifan mo'r stumog i gydnabod i'w dad gyn lleied o ddiddordeb oedd gan Arnold mewn unrhyw fath o chwaraeon. Yn hytrach, daeth geiria Allison yn ôl i'w boeni, unwaith eto – *'Arnold is going to be a fashion designer, I'm sure. He just loves going through my old catalogues and cutting out the different style dresses and things.'* Dyna fu dechra'r dieithrio, medda fo wrtho'i hun. Fo yn feirniadol o ddiddordeba merchetaidd ei fab; Allison, ar y llaw arall, fel petai hi'n gneud ei gora i'w hannog a'u meithrin nhw.

Daeth llais ei dad â fo allan o'i fyfyrdod. 'Mae'n loes calon gen i weld Mam yn ffwndro fel mae hi, cofia. Gobeithio bod y dyn 'na yn edrych ar ei hôl hi, ddeuda i.'

'Doedd ganddi hi ddim gair rhy dda iddo fo, beth bynnag. Be wnaeth iddi'i briodi fo o gwbwl, deudwch?'

'Ei thwyllo hi wnaeth y cythral! Wyt ti'm yn cofio? Smalio ei fod o'n ddyn busnas llwyddiannus a'i fod o'n ariannog. Dim o'r fath beth, wrth gwrs! Gweithio mewn ffatri oedd y diawl, nes cael ei neud yn *redundant*. Paid â gofyn imi pam y daeth o yma, i Flaendyffryn, o bob man! I chwilio am do rhad uwch ei ben, dwi'm yn ama. Ac i fanteisio ar rywun diniwad fel Mam. Roedd o'n cymryd arno mai gŵr gweddw oedd o, nes i'w ferch roi ei throed ynddi, ddiwrnod y briodas, a llithro deud mai wedi cael ysgariad oedd o, a bod ei mam hi'n dal yn fyw. Dychmyga'r sioc a gafodd Mam pan glywodd hi beth felly! Ond dyna fo. Roedd 'na fai arni hitha hefyd yn priodi rhywun hollol

545

ddiarth fel'na, a hynny mor fuan ar ôl colli Nhad. Mi gymerodd flynyddoedd imi fadda iddi, wyst ti. Ond dŵr dan bont ydi peth felly hefyd, erbyn heddiw. A waeth heb â chodi pais . . . Neu, fel y byddai Nhad yn arfar ddeud – *Dydi'r felin ddim yn malu efo'r dŵr sydd wedi mynd.'*

Tawel iawn oedd hi ar y Stryd Fawr wrth i'r car fynd ag Ifan yn ôl at ei waith ond roedd y trafod dros beint, yn nhafarnau'r dre, yn frwd iawn wrth i sawl dihiryn lleol gael ei amau o'r drosedd.

'Cofia roi caniad os bydd unrhyw ddatblygiada pellach.'

'Iawn, Dad.' A safodd Ifan tu allan i gartra'i Yncl Huw gynt nes i ola coch y Saab gael ei lyncu gan y niwl llaith.

*   *   *

Wedi cyrraedd ei gartre ar Ffordd Siliwen ym Mangor, agorodd Arthur Lòrd Bach y ddalen soeglyd yn ofalus a'i thaenu dros y rheiddiadur, i'w sychu. Sylwodd fod y plygiadau yn ei rhannu'n bedair rhan a bod y geiria o boptu pob plygiad meddal yn annealladwy. Ond gallodd ddarllen digon i sylweddoli mai tudalen o hanes ei deulu oedd hi. Tudalen 325!

Diawliodd o dan ei wynt wrth i'r gwir ei daro am yr eildro. Roedd hanes maith Teulu Lòrd Bach wedi mynd i ebargofiant yn y fflamau.

*   *   *

Bedwar diwrnod yn ddiweddarach, aeth y newydd fel tân gwyllt trwy'r dre.

'Glywist ti?'

'Clywad be, 'lly?'

546

'*Police raid*, ben bora heddiw. Tŷ yn Gwndwn Fawr! Llond tair fan o blismyn yn cyrraedd yno efo'i gilydd, am chwech o'r gloch y bora.'

'Be? *Drugs raid* arall?'

'Nage. Y *murder*! *Murder* Huw Lòrd Bach!'

'Be? Maen nhw wedi arestio rhywun?'

'Do. Pwy ti'n feddwl oedd o?'

'Un o ddau, mae'n siŵr! Naill ai'r Sais-gwallt-hir 'na sy'n cadw llond tŷ o gŵn ac sy'n dwyn fel fyd fynnith o o siopa'r dre 'ma, neu yr Adrian Jynci 'na. Mae'r ddau mor hurt â'i gilydd.'

'Ti'n iawn! Adrian Jynci oedd o.'

'Hy! Dwi wedi deud, fwy nag unwaith, na ddaetha dim da o hwn'na.'

'Ond mae'n bechod dros ei wraig a'i blant o.'

'Dwn 'im be am hynny, chwaith! O leia fe gân nhw fwy o chwara teg, rŵan, efo traed yr hen uffar yna'n sownd.'

*　　　*　　　*

'Mae o'n wir, felly?'

'Ydi, Dad. Fe gafodd ei gymryd i mewn ben bora heddiw. Mi faswn i wedi'ch ffonio chi cyn hyn ond dim ond newydd glywad ydw i fy hun.'

'Wyt ti'n gwbod ei enw fo?'

'Ydw. Adrian Thomas. Ond allwch chi ddim datgelu hynny ar y Newyddion, cofiwch.'

'Dwi'n dallt hynny, siŵr.'

'Ddim nes y ceith o ei jarjio, beth bynnag. Ond fydd hynny ddim yn hir. Pan ddaw'r canlyniada *DNA* yn ôl o Chorley, fe gawn ni *match* perffaith, gewch chi weld.'

'Sut elli di fod mor siŵr?'

547

Chwarddodd Ifan dros y ffôn. 'Oherwydd bod y diawl twp wedi cachu'i grefft yn barod.'

'Be ti'n feddwl?'

'Goeliwch chi ei fod o'n mynd o gwmpas tafarna Blaendyffryn bnawn ddoe yn trio gwerthu petha? Roedd o'n desbrét am bres *fix*, mae'n debyg. Gesiwch be oedd o'n drio'i werthu!'

Ond doedd Arthur, ei dad, ddim mewn tymer i chwarae'r gêm. 'Mi fydd raid iti ddeud wrtha i, mae gen i ofn.'

'Medala Rhyfal Byd Cynta a'r Ail! Fedrwch chi gredu y galla rhywun fod mor hurt? Doedd y diawl gwirion ddim hyd yn oed wedi sylweddoli bod enw Rhys, brawd mawr Taid, ar rai ohonyn nhw, ac enw Yncl Huw ar y lleill.'

'Diolch ei fod o dan glo, beth bynnag. A diolch bod y medala'n saff. Ydw i'n nabod ei deulu fo, os gwn i?'

'Mae'n siŵr eich bod chi. Mae o wedi'i eni a'i fagu ym Mlaendyffryn, beth bynnag. Ond dyna'r cwbwl a wn i ar hyn o bryd.'

*   *   *

'Is thah the 'ealth Centre? . . . Right! . . . Now lissen! I want a doctor 'ere now . . . Little Lord Street! . . . 'ouse number? . . . There's only one bloody 'ouse 'ere! . . . To see my wife, thah's why . . . Whah's wrong with 'er? She's a bloody nutcase, thah's whah's wrong with 'er! She needs bloody certifying, if yah ask me . . . No! I can't! . . . 'Ow the 'ell can I bring 'er to the surgery? I'm eighty five meeself, for Christ's sake! . . . Look 'ere! Unless 'e's 'ere in 'alf an hour, I'll be phonin for a bloody ambulance, so tell 'im to get 'is bloody act together.'

Rhoddodd Fred Gould y ffôn yn ôl yn galed yn ei

grud ac ochneidio'n flin wrth glywed y traed unwaith eto'n trajan yn ôl ac ymlaen, ôl ac ymlaen, ar lawr y llofft uwch ei ben. Clywai hefyd furmur pell yn gyfeiliant i sŵn y camau. Cydiodd yn y teclyn unwaith eto a deialu rhif arall.

'*Shirley ? Is tha' you? Listen, luv! Can yuh just jump on a bloody train and come 'ere? . . . Yeah! Right now! Today! . . . Why? Because this bloody woman is drivin me up the wall, thah's why! She never stops bloody jabberin to 'erself in Welsh and she's always bloody shifting things around. I need someone to look after me, luv . . . WHA' THE 'ELL WAS THA? . . .*'

Edrychodd i fyny a gweld y bylb trydan yn siglo'n ôl ac ymlaen. A barnu oddi wrth eu clindarddach ysgafn, roedd llestri'r dresel hefyd wedi cynhyrfu.

'*. . . Whah in Christ's name is she up to, now? I'd better check . . . Get on thah bloody train, Shirley, for God's sake!*'

*   *   *

Dros y ffôn, awr yn ddiweddarach, derbyniodd Arthur Lòrd Bach alwad gynhyrfus oddi wrth Anwen, ei wraig.

'Mae'r dyn 'na, sy'n byw efo dy fam, newydd ffonio. Mae hi wedi syrthio, bora 'ma, ar lawr y llofft ac mae'r doctor yn ama'i bod hi wedi torri'i chlun . . .'

'Rarglwydd mawr! Be nesa?'

'Mae hi ar ei ffordd i Sbyty Gwynedd, y funud 'ma, mewn ambiwlans, i gael *x-ray*. Ro'n i'n gofyn i'r hen ddyn 'na os oedd o wedi pacio coban a phetha molchi iddi, rhag ofn. Ddim wedi cael amsar, medda fo! A doedd o ddim fel 'tai o'n poeni rhyw lawar, chwaith. Eniwêi, dwi am fynd draw i'r sbyty erbyn y bydd yr ambiwlans yn cyrraedd ac, os bydd raid, mi a' i i lawr i

Fangor wedyn i brynu beth bynnag y bydd hi ei angan. Tyrd ditha draw pan gei di gyfla.'

*   *   *

Rhedeg yma ac acw fu hanes Arthur Lòrd Bach dros y dyddia nesa. Roedd canlyniad y *post mortem* wedi cadarnhau mai cyllell fara Yncl Huw ei hun a gafodd ei defnyddio gan y llofrudd a bod honno wedi gadael cynifer â naw anaf ar hugain ar gorff ei pherchennog. Ym marn y patholegydd, roedd yr hen ŵr yn farw cyn i'r tân gael ei gynnau o gwbwl.

Daeth cadarnhad hefyd, o'r Adran Fforensig, mai gwaed y gŵr lleol Adrian Thomas a gafwyd ar wydyr drws y bynglo. Roedd hynny ynddo'i hun, heb sôn am y medalau a gaed yn ei feddiant, yn ddigon o dystiolaeth i'r ynadon wrthod mechnïaeth iddo a threfnwyd dyddiad iddo ymddangos gerbron barnwr Llys y Goron yng Nghaernarfon.

'Mae'r Crwner wedi rhoi caniatâd i'w gladdu, o'r diwadd, Ifan, a dwi am ofyn i Robat Idris, yr *undertaker* ym Mlaendyffryn, ymgymryd â'r trefniada i gyd. Be ti'n feddwl?'

'Ga i neud awgrym, Nhad? Pam na chysylltwch chi efo cangan Blaendyffryn o'r *British Legion*, a gadael iddyn *nhw* drafod a threfnu efo'r *undertaker*? Rhaid ichi gofio bod Yncl Huw yn un o arwyr yr Ail Ryfal Byd ac mi fydd y *British Legion* yn disgwyl cael cymryd rhan, faswn i'n tybio. Mi fyddan nhw'n fwy na pharod i drefnu'r seremoni a chael rhai o'u haeloda i gario'r arch hefyd, gewch chi weld.'

Tybiodd Ifan glywed ochenaid fechan o ryddhad yn dod dros y lein a chasglodd fod ei awgrym wedi symud llwyth o bryder oddi ar feddwl ei dad.

'Gyda llaw, welsoch chi'r deyrnged i Yncl Huw yn y *Guardian*, heddiw?'

'Do. Dim llai na'i haeddiant, ddwedwn i, yn enwedig o gofio cyn lleied o sylw a gafodd o ym mhapura Gogledd Cymru.'

'Wyddwn i rioed, tan heddiw, ei fod o wedi bod yn sgwennu *column* i'r *Guardian*, flynyddoedd yn ôl. Gyda llaw, sut mae Nain erbyn hyn, ar ôl y driniaeth?'

'Yn weddol rydd o boen, diolch am hynny, ond mae'i meddwl hi wedi gwaethygu'n arw. Mae hi'n cawlio'n ofnadwy, erbyn rŵan. Anasthetig yn medru cael effaith fel'na ar hen bobol, meddai un o'r nyrsys wrtha i. Dydi hi'n gneud dim ond rwdlan o fora gwyn tan nos. Os nad ydi hi'n cneifio neu'n corddi neu'n lladd gwair, yna mae hi'n adrodd barddoniaeth yn ddibaid. Maen nhw wedi gorfod ei symud hi i ward fach, ar ei phen ei hun rŵan, rhag ei bod hi'n styrbio'r cleifion erill . . .'

'Bechod!'

'. . . ac mae sôn am ei gyrru hi i sbyty Blaendyffryn i dderbyn ffisiotherapi yn fan'no. Ond wyddost ti nad ydi'r dyn 'na ddim wedi bod ar ei chyfyl hi ers iddi ddod i Fangor. Na hyd yn oed ffonio i holi yn ei chylch!'

'Rhaid ei fod o'n gythral diegwyddor! Ond i ddod 'nôl at Yncl Huw! Roedd ganddo fo insiwrans ar y tŷ, dwi'n cymryd?'

'Mae'n gwestiwn gen i. Wedi'r cyfan, nid fo oedd pia'r lle. Y Cownsil pia hwnnw. Ac fel y gwelist ti drosot dy hun, doedd gan yr hen gradur fawr ddim o werth. Dim byd y gallai pres insiwrans ei brynu'n ôl, beth bynnag.'

'Insiwrans at ei gladdu o'n i'n feddwl. Bydd raid i rywun wynebu'r gost honno.'

'Dwi'n gobeithio mai dyna pam y ffoniodd Dewi Gittins y twrna fi, gynna. Isio siarad efo fi, medda fo. Rhwbath ynglŷn ag Yncl Huw. Dwi am fynd draw i Flaendyffryn pnawn 'ma, i'w weld o.'

*   *   *

Wrth ddringo'r grisia cul ac arogl hen lwydni'n cau amdano, doedd Arthur Lòrd Bach fawr o feddwl bod ei nain wedi gneud yr un siwrnai ac o dan amgylchiada digon tebyg, dri chwarter canrif ynghynt.

'William Roberts a'i Fab, Cyfreithwyr' fu'r enw ar y drws tu allan er pan allai Arthur gofio, a dyna oedd yno o hyd mewn llythrennu aur treuliedig, er i sawl cenhedlaeth o dwrneiod diberthynas hawlio'r olyniaeth ers hynny. A'r diweddara o'r rheini oedd Dewi Gittins, un o gyfoedion Arthur yn y Cownti Sgŵl, slawer dydd.

'Mae'n dda dy weld di, ar ôl yr holl flynyddoedd,' meddai'r twrna, gan godi o du ôl i'w ddesg ac estyn llaw i Arthur ei hysgwyd. 'Dyro glun i lawr!' medda fo wedyn, gan bwyntio at gadair bren oedd â'i sedd yn llyfn a disglair o ganlyniad i'r cenedlaethau o gluniau eraill a fu'n rhwbio ynddi. 'Mi gymeri di banad, mae'n siŵr? Coffi?' A chyn disgwyl am ateb, cododd y ffôn a gofyn i'w ysgrifenyddes drefnu dwy baned iddynt. 'Sut mae dy fam, erbyn hyn? Pryd geith hi ddod adra, ti'n meddwl?'

'Anodd deud. Does dim math o siâp cerddad arni. A deud y gwir wrthat ti, Dewi, mae'n gwestiwn gen i a ddaw hi byth yn ôl i'w chartra. Ond roeddat ti isio trafod rhwbath ynglŷn ag Yncl Huw, medda ti?

'Oeddwn. Hen dro i hyn'na ddigwydd iddo fo. Ond

552

o leia maen nhw wedi dal y cythral a'i lladdodd o. Mi wyddost ti pwy ydi hwnnw?'

'Dim ond ei enw, dyna i gyd.'

'Adrian Thomas. Mab Dei'r Allt!'

Ysgwyd ei ben a wnâi Arthur oherwydd roedd llawer iawn o bobol Blaendyffryn yn ddiarth iddo, bellach.

Cyrhaeddodd yr ysgrifenyddes efo paned bob un iddyn nhw.

'Wyddost ti os ddaru Yncl Huw neud polisi insiwrans arno'i hun?'

Wrth weld y twrna'n gwenu'n arwyddocaol, fe deimlodd Arthur chydig o gywilydd o fod wedi gofyn y cwestiwn. 'Paid â meddwl mod i'n disgwyl cael pres ar ôl yr hen foi. Meddwl am y costa claddu oeddwn i.' Cymerodd gegiad o goffi i gael ei wynt ato. 'Ond fyddet *ti*, wrth gwrs ddim callach os oedd o wedi insiwrio'i hun ai peidio.'

'Na,' meddai'r twrna, a'r hanner gwên yn dal i chwarae yng nghorneli ei lygaid a'i geg. 'Y mwya tebygol o wbod fasa Wil Prîmiym. Y fo ydi'r unig *insurance agent* lleol sydd ar ôl yma, bellach. Rho ganiad iddo fo!'

Tro'r twrna oedd sipian ei goffi rŵan a gwelodd Arthur ei lygaid cyfreithiol yn pefrio dros ymyl ucha'r cwpan. Roedd Dewi Gittins yn mwynhau'r sefyllfa a doedd Arthur Lòrd Bach ddim yn dallt pam.

'Pam oeddat ti isio gair efo fi ta, Dewi?' gofynnodd o'r diwedd.

'Fedri di ddim dyfalu?'

'Dyfalu? Be sy 'na i'w ddyfalu?'

Yn ateb, gwyrodd y twrna ymlaen yn ei gadair i osod cledr ei law ar ddogfen oedd yn gorwedd ar y ddesg o'i flaen. 'Ewyllys dy Yncl Huw!' medda fo, ac eistedd yn ôl unwaith eto i fwynhau'r sioc ar wyneb Arthur.

'Ewyllys? Be? Fe nâth Yncl Huw ewyllys?' Gan na allai gymryd y peth o ddifri, fe chwarddodd yn uchel ac yn anghrediniol. 'Gad imi gesio! Mae o wedi gadael ei fedala imi.'

Nodiodd Dewi Gittins ei ben gyda gwên.

'Roedd o wedi deud mai fi oedd i gael rheini. Ond yn nwylo'r heddlu maen nhw, dwi'n cymryd?'

'Ia, gan eu bod nhw'n rhan bwysig o'r dystiolaeth. Ond paid â phoeni, mi fydda i'n trefnu i ti eu cael nhw, yn syth ar ôl i'r treial ddod i ben.'

'Wel! Dyna ni, felly!' Llowciodd Arthur weddill ei goffi gan roi'r argraff o fod yn paratoi i adael.

'Mae 'na un peth bach arall yn y wyllys hefyd, Arthur,' meddai'r twrna, a'i lygaid yn diflannu bron yng nghrychni ei wên. 'Mae dy ddewyrth wedi gadael pres iti'n ogystal.'

'Pres? Ti'n jocian!' A chwarddodd Arthur yn fyr ac yn ddisgwylgar.

'Matar bach o . . .' Edrychodd y twrna ar y papur i gael yr union swm. '. . . *seventy five thousand pounds plus all accrued interest*. Dyna sydd yn y wyllys.'

'Matar bach o . . .?' Os oedd ei nain yn gegrwth ac anghrediniol dri chwarter canrif ynghynt, roedd Arthur Lòrd Bach yr un mor syfrdan rŵan.

'Ia. I ti mae'r cwbwl, ac eithrio be sydd ar ôl i'w dalu. Costa'r angladd, er enghraifft.' Gwenodd, 'A fy ffi inna, wrth gwrs! Ond mi fydd dros bedwar ugian mil yn aros, hyd yn oed wedyn.'

'Arglwydd mawr! Ti'n tynnu nghoes i, Dewi! Fedra i ddim credu'r peth. Lle fasa Yncl Huw, o bawb, yn cael y fath arian? Roedd o'n byw fel llygodan eglwys, fel y gwyddost ti dy hun.'

'Mi alla i ddeud wrthat ti o ble, a phryd, a chan bwy, ond ddim pam. Fe gafodd hon ei gneud...' Craffodd y twrna ar y dyddiada gyferbyn â'r llofnodion ar waelod yr ewyllys. '... dair blynadd ar ddeg yn ôl; ar y seithfed o Ebrill, *nineteen eighty seven*. Dwi'n cofio'r diwrnod yn iawn. Fe gyrhaeddodd dy ddewyrth yma'n ddirybudd ryw fora, yn ffrwcslyd ac yn fyr ei dymar. *"Dwi isio gneud fy wyllys,"* medda fo wrtha i, yn ei ffordd swta arferol. *"Dwi isio gadael pob dim sydd gen i i Arthur, hogyn ienga Ifan fy mrawd."* Doedd dim posib ymresymu na thrafod dim byd yn gall efo fo ... Wel, fe wyddost ti cystal â minna sut un oedd o! ... Sut bynnag, y cwbwl ddeuda fo oedd bod rhyw berthynas neu'i gilydd newydd farw yn Lerpwl a gadael swm sylweddol o arian ar ei ôl. Roedd o wedi rhoi'r cwbwl mewn *deposit account* yn y Midland Bank, ond doedd gynno fo ddim bwriad twtsiad yr un geiniog ohonyn nhw medda fo wrtha i. A wnaeth o ddim chwaith, yn ôl be ddeudodd y manejyr wrtha i ddoe, pan ffoniais i fo. A rŵan, Arthur, chdi bia'r cwbwl.'

'Does gen i rioed go' am unrhyw deulu yn Lerpwl. Be oedd yr enw, Dewi?'

'Emlyn Jenkins.'

Ysgydwodd Arthur ei ben mewn dryswch llwyr. 'Enw hollol ddiarth i mi, beth bynnag. Ond diolch amdano, pwy bynnag oedd o!'

A chwarddodd y ddau.

*   *   *

They shall grow not old, as we that are left grow old:
Age shall not weary them, nor the years condemn,
At the going down of the sun and in the morning
We will remember them.

Closiodd chwe aelod y Lleng Brydeinig at lan y
bedd, i saliwtio'r ymadawedig mewn eiliada o
dawelwch dwys, yna camu'n ôl i roi lle i'r teulu
bychan gael talu eu teyrnged hwytha.

'Teulu isio pawb dod i Queens Hotel i cael *cup-o-tea*
a *something to eat* rŵan.'

Wedi gneud y cyhoeddiad carbwl, cychwynnodd y
ficer i fyny'r llechwedd, yn ôl am y maes parcio, fel
petai o am fod y cynta am y baned a'r *something to eat*.
Llusgai'r nifer bychan o alarwyr fel cynffon ddu o'i
ôl. Yn eu mysg, roedd dau gyn-filwr oedrannus a
chynrychiolaeth fechan o'r heddlu lleol, yn ogystal â
gŵr unig a thoredig iawn yr olwg. Oherwydd ei iechyd
bregus, edrychai'n llawer hŷn na'i oed ond roedd Mike
Foster wedi mynnu cael talu'r deyrnged olaf i'w hen
gyfaill.

O lan y bedd, gwyliodd Arthur Lòrd Bach nhw'n
mynd.

'Gwasanaeth neis iawn,' meddai Anwen, gan wasgu
braich ei gŵr, fel arwydd tawel o'i bodlonrwydd.
'Roedd yr hen gradur yn haeddu cnebrwng parchus
fel'na.'

Ers cyhoeddi'r ewyllys, roedd hi wedi cnesu'n arw
tuag at Yncl Huw.

'Dwn 'im be ddeudai'r hen foi, chwaith,' meddai ei
gŵr yn freuddwydiol. 'Gwasanaeth mewn eglwys, o
bob man. A ficar i'w gladdu!'

'Wel, ti roddodd y trefniada yn nwylo'r *British Legion*.'

'Doedd o ddim yn gapelwr mawr, dwi'n gwbod, ond roedd o'n dal i fod yn aelod yng nghapal Caersalem, hyd y gwn i. Ond dyna fo! Does dim gweinidog yn fan'no mwyach, mwy nag yn unrhyw un o gapeli eraill y dre 'ma . . . rheini sy'n dal ar agor, hynny ydi! Felly, be neuthwn i'n de?'

'Dwi mor falch ein bod ni wedi talu am rîth neis iddo fo, cofia. Mae'r bloda 'ma'n fendigedig, yn dydyn?' Yn ei meddwl, roedd hi'n cymharu'r dorch o'i dewis hi efo torchau llai trawiadol y Lleng Brydeinig a'r heddlu.

Yn hytrach nag ateb, plygodd Arthur Lòrd Bach i rwygo rhosyn gwyn allan o'r dorch ddrud, yna trodd ei gefn ar fedd agored ei ddewyrth ac anelu am ran arall o'r fynwent, lle'r oedd y llythrennu ar y cerrig wedi dechra pylu. O'u hôl, clywsant hyrddiadau o bridd yn dawnsio'n ddideimlad ar gaead disglair yr arch.

'Mae o'n edrych yn unig ac yn dila iawn, mae gen i ofn.' Roedd wedi gosod y rhosyn ar fedd llwm ei dad. 'Fe ddylswn fod wedi dod â bloda arno fynta . . . arnyn nhwtha . . . hefyd, heddiw o bod diwrnod.'

Wrth synhwyro'r nodyn o euogrwydd yng ngoslef ei gŵr, 'Fe ddown ni â rhai arno fynta hefyd,' meddai Anwen, 'y tro nesa y byddwn ni'n dod i edrych am dy fam. Gyda llaw, lle mae dy daid a nain wedi'u claddu?' Holi er mwyn troi'r stori oedd ei bwriad.

'Draw acw, yn yr hen ran, yn rhwla.' A phwyntiodd Arthur yn ddiamcan i gornel ucha'r fynwent, fel petai o ddim yn siŵr ei hun, chwaith. 'Fasa'n well inni bicio i'r sbyty unwaith eto, dŵad, cyn troi am adra? Cha i ddim cyfla i ddod drosodd i'w gweld hi eto tan ddiwadd yr wythnos.'

Welodd o mo'r eiliad o ddiflastod yn llygaid ei wraig. Roedden nhw wedi bod yn yr Ysbyty Coffa unwaith yn barod heddiw, cyn y cnebrwng, ac wedi treulio orig faith yn dal pen rheswm efo hen wraig oedd bellach yn ddiarth i'r ddau ohonyn nhw.

'Wyt ti'm yn meddwl mai gwell fasa gadael iddi hi am heddiw, Arthur? Dydi'r hen graduras ddim callach pwy ydan ni, beth bynnag. A wnawn ni ddim byd ond ei hanesmwytho hi'n ddiangan. Os awn ni yno, wneith hi ddim byd ond dechra swnian eto am gael mynd adra i Lanrwst, at ei mam a'i thad. Ti'n gwbod fel mae hi! A'r nyrsys geith y draffarth efo hi wedyn, ar ôl i ni adael. Sut bynnag, 'dan ni'n rhwym o ddangos ein gwyneba yn y Queens, gan na chafodd pawb gyfla i gydymdeimlo efo chdi cyn gadael y fynwant.'

'Ia, iawn,' cytunodd ei gŵr, yn fwy parod nag oedd goslef ei lais yn awgrymu. Yna, gydag ochenaid o ddiflastod, 'Gobeithio y bydd y mileniwm newydd yn dechra'n well na mae hwn yn gorffan; dyna'r cwbwl ddeuda i.'

*   *   *

Y noson honno, roedd Mair Huws yn rhwyfus iawn, a'i thymheredd uchel yn destun pryder i'r nyrs a gadwai olwg arni. Erbyn chwarter wedi dau y bore, fe ddirywiodd ei chyflwr gymaint fel y penderfynwyd galw doctor ati ac yn yr ychydig eiliada y bu'r nyrs ar y ffôn yn galw arno, fe lwyddodd y claf, rywsut neu'i gilydd, i grafangu dros ochor warchodol y gwely a syrthio'n drwm i'r llawr. Pan ddychwelodd y nyrs i'r ward, yr hyn a'i hwynebai hi oedd yr hen wraig yn gorwedd yn anymwybodol, efo'i phen mewn pwll o waed. Dal i gysgu a wnâi'r cleifion oedrannus eraill.

558

'Gwell galw'r teulu i mewn,' meddai'r doctor, gynted ag y gwelodd ei chyflwr. 'Mae'n gwestiwn gen i a fydd hi'n dal yma erbyn y bora.'

*   *   *

'What, now? In the middle of the night?' oedd ymateb cysglyd Shirley, merch Fred Gould. *'Christ! I'm not goin to bring 'im down now, am I? Not at this time o' night! He'll catch 'is death of cold.'*

'You do as you please,' meddai'r nyrs yn ôl wrthi'n swta. *'I've let you know, so it's up to you, now.'*

*   *   *

Aeth yn ganol bore cyn i Arthur gael y neges. Erbyn hynny, roedd ei fam wedi tynnu ei hanadl olaf.

*   *   *

'Diolch i Dduw bod Gwyn Idris wedi fy ffonio fi mewn pryd, ddeuda i! Mi allwn i dagu'r bitsh Shirley 'na! Hi a'i thad!'

Roedd Anwen wedi sylwi ar y gwrid ar wyneb ei gŵr wrth iddo gerdded lawr llwybyr yr ardd. Fe gynigiodd hi fynd efo fo i'r tŷ, i siarad efo Fred Gould, er mwyn ceisio darbwyllo hwnnw i gladdu yn hytrach nag amlosgi corff ei wraig, ond ei hun y mynnodd Arthur gael mynd, a'i gadael hitha'n eistedd ar bwt o wal ger Llwybyr y Chwaral, i aros amdano.

'Pam? Be ddeudodd hi?'

'Deud bod *cremation* yn rhatach na chladdu, os gweli di'n dda. Ac mai cael ei grimêtio oedd dymuniad ei thad hi, beth bynnag. Dim sôn am be oedd dymuniad Mam!'

'A be ddeudist ti?'

'Fe gês i ddigon o ras i gau ngheg, diolch i Dduw, gan mai fo, fel gŵr iddi, sydd gan yr hawl i benderfynu. Do'n 'im isio codi gwrychyn y diawl fwy nag oedd raid, rhag iddo fo styfnigo.'

'Be wnest ti wedyn, ta?'

'Defnyddio dadl oedd yn siŵr Dduw o lwyddo efo'r ddau ohonyn nhw. Mi gynigis dalu'r costa i gyd fy hun, ond imi gael ei chladdu hi yn yr un bedd â Nhad.'

'Ac fe gytunon nhw?'

'Be *ti*'n feddwl?' meddai Arthur, gan neud ei ora i beidio swnio'n fuddugoliaethus. 'Ond welwn ni'r un o'r ddau yn y cnebrwng, gei di weld. Mae hi wedi gneud ei hesgusion yn barod – ei thad yn rhy wan i fynd i'r fynwant; hitha, fel *carer* iddo, yn gorfod aros adra i edrych ar ei ôl.'

'Be? Mae hi'n cael ei thalu am edrych ar ôl ei thad ei hun? Alla i ddim credu'r peth!'

Taflodd Arthur Lòrd Bach un olwg olaf ar ei gartre, gynt, a'i chwerwedd yn troi'n dristwch wrth i'w lygaid grwydro at yr adfeilion drws nesa, lle'r oedd brwyn a thrwch o ddanadl poethion ac amal fiaren wedi hen hawlio Tŷ'r Eos a Thŷ Gaenor. *Drain ac ysgall mall a'i medd, Mieri lle bu mawredd* meddyliodd, wrth i gwpled o englyn ddod yn ôl iddo, o'i ddyddiau yn y Cownti Sgŵl, slawer dydd. Dim ond cof plentyn oedd ganddo am Gaenor Parry, a arferai fyw yn y tŷ pella, ond gwag fu'r tŷ arall – 'Tŷ'r Eos', chwedl ei dad – er pan allai ef gofio. Yncl Huw fu piau'r ddau, ar un adeg, ond ei fod wedi gadael iddyn nhw fynd â'u pennau iddynt dros y blynyddoedd. Ac erbyn rŵan, roedd talcen tŷ ei fam yn agored i'r tywydd ac yn sugno pob tamprwydd.

Tŷ ei fam?

560

'Tyrd o'ma, wir Dduw!' medda fo. 'Dwi 'di gweld mwy na digon. Mi awn ni draw i weithdy Gwyn Idris yr *undertaker* i ddiolch iddo fo am ffonio ac i ddeud wrtho bod newid yn y trefniada.'

Er mwyn cael ail-fyw rhywfaint o atgofion ei blentyndod, a hefyd er mwyn cael hel ei feddwl at ei gilydd cyn wynebu Gould a'i ferch, roedd Arthur wedi dewis parcio'r Saab ar y Stryd Fawr, fel y câi gerdded i fyny Stryd Lòrd at ei hen gartre. Ond bach iawn o hwyl oedd arno rŵan wrth anelu'i gamre'n ôl i lawr.

'. . . Mae'n gas gen i feddwl am Mam yn gorwadd mewn *chapel of rest* yn hytrach nag yn ei chartra'i hun. Ond o leia fe geith hi fwy o barch yn fan'no nag a gaethai hi gan yr hen uffar yna a'i ferch.'

'Tria beidio meddwl gormod am y peth, Arthur. Waeth iti heb â chynhyrfu, ddim. . . . Wyst ti be? Mae Lòrdstryd 'ma'n dipyn mwy llewyrchus nag oedd hi, choelia i byth,' medda hi, yn y gobaith o symud ei feddwl. 'Pob man yn daclus. Pob tŷ wedi'i beintio'n ddel. A char o flaen pob un.'

'A phump neu chwech ohonyn nhw ar werth! A neb ond dieithriaid i'w prynu nhw, mae'n siŵr! Duw a ŵyr sut gymdeithas fydd yma mewn pum neu chwe blynadd arall. Mwy o rai tebyg i'r Shirley 'na a'i thad yn symud i mewn, gei di weld!'

'Rhaid iti beidio â chymryd dy gorddi ganddyn nhw, Arthur. Ti'n cael dy fŷta gan gasineb, mae gen i ofn, a dydi hynny ddim yn gneud unrhyw les i dy iechyd di.'

Roedd ei gŵr wedi bod yn cwyno dipyn yn ddiweddar efo poen yn ei gylla.

'Mi fuodd 'na amsar pan o'n i'n nabod pawb oedd yn byw ym mhob tŷ. Pobol glên, gymdogol. Pobol fel

561

Annie Twm a Twm Annie Twm, er enghraifft! Dyna iti gymeriada oedd rheini! Dwi'n cofio mai fa'ma roeddan *nhw*'n byw!' Pwyntiodd at y tŷ fel roedden nhw'n mynd heibio iddo. 'Bob amsar ar ben drws, dwi'n cofio! Os nad fo, yna hi! Siôn a Siân fydden ni'n eu galw nhw.'

Diolchodd Anwen am y chwerthiniad byr a ddaeth oddi wrtho, a chwarddodd hitha i'w annog ymlaen. 'Pam Siôn a Siân? Roedd ganddyn nhw enwa digon diddorol yn barod, neno'r tad!'

'Ti'n cofio'r peth-deud-tywydd hwnnw, ers talwm? Os oedd Siôn allan, yna roedd hynny'n arwydd o dywydd gwlyb. Tywydd braf os mai Siân oedd ar ben drws. Dau felly oedd Annie Twm a Twm Annie Twm. Os nad oedd un yn y golwg, yna roedd y llall yn siŵr o fod. Dwi'n cofio bod gen i dipyn o'u hofn nhw pan o'n i'n fach, am eu bod nhw mor gegog, ond roeddan nhw'n ddigon diniwad, a deud y gwir.'

Fraich ym mraich ac mewn tawelwch y trodd y ddau i'r Stryd Fawr.

'Fydd hi fawr o Ddolig arnon ni 'leni, mae gen i ofn,' medda fo ymhen sbel. 'Claddu Yncl Huw ddoe, colli Mam heddiw! Mi eith yn ddydd Gwenar, mae'n siŵr, cyn y cawn ni'i chladdu hi ac mi fydd yn Ddolig ymhen tridia wedyn.'

'Ro'n i wedi gobeithio y deuai Ifan ac Allison ac Arnold draw aton ni ddiwrnod Dolig ond mae'n debyg eu bod nhw wedi cael gwadd i Hoylake, at ei rhieni hi. Ond fydd Ifan ddim yn mynd, medda fo, oherwydd ei fod o ar alwad eto, y Dolig yma. Ond hel esgus mae o, dwi'n ama.'

'Ia, falla. Dydi petha ddim yn rhy dda yn y camp ers tro, dwi'n ofni. A dydi'r ffaith bod Ifan oddi cartra gymaint efo'i waith ddim yn helpu, mae'n siŵr.'

'Wyt ti'n meddwl y medar o ddod i gnebrwn dy fam?'

'Dwi'n hannar madda iddo fo am beidio dod i gnebrwng Yncl Huw – roedd hi'n anodd iddo fo gael amsar o'i waith, mae'n siŵr – ond mi all neud amsar i ddod i gnebrwn ei nain, siawns. Fo a'i chwaer.'

'Mi ddôn, paid â phoeni.' Doedd Anwen ddim am ddilyn y trywydd hwn ymhellach nag oedd raid. 'Ro'n i'n deud, gynna, fod golwg reit lewyrchus ar Lòrdstryd, ond golwg dlodaidd iawn sydd ar siopa'r Stryd Fawr, beth bynnag. Wyt ti'm yn meddwl? Sbia tawal ydi hi yma!'

Aeth rhai eiliada heibio cyn i Arthur ei hateb. 'Ia. Ti'n iawn, hefyd. Mae'n loes calon gen i weld yr hen le. Y capeli a'r siopa'n cau o un i un. Caersalem 'ma fydd nesa, gei di weld.' A nodiodd ei ben i gyfeiriad y capel mawreddog ar y chwith.

'Efo cyn lleiad o bobol o gwmpas, mae'n syn gen i bod y siopa 'ma'n gneud busnas o gwbwl. Be di'r rheswm, medda chdi?'

'Cau'r chwareli, cau'r atomfa, y to ifanc yn gorfod symud o'ma i chwilio am waith, dim gwaed newydd yn dod i mewn . . . Mae hi'n hen stori yma. Mae'r dre 'ma'n marw ar ei thraed ers blynyddoedd. Ac eto,' medda fo, fel petai o'n chwilio am gysur, 'mae 'na rwbath prin ar ôl yma o hyd, wyst ti; rhwbath na chei di mo'no fo ym mhob man; rhwbath na alla i mo'i egluro'n iawn.'

'Ia, mae gen i syniad be ti'n feddwl, Arthur.'

Erbyn hyn, roedden nhw wedi cyrraedd y car unwaith eto.

*   *   *

'Rhyfadd na ddaeth Yncl Rhys yn ôl efo ni am banad,' meddai Megan.

'Dw *i*'m yn rhyfeddu!' meddai ei mam hi, ac estyn am frechdan gig arall oddi ar y plât anferth oedd ar ganol y bwrdd. 'Wyt ti, Arthur?'

'Na, ddim felly,' medda hwnnw'n ddi-hid. '*Gwaith yn galw!* Dyna oedd ei esgus o.'

'Hy! Ac mi allai'r Gloria 'na fentro bod wedi dod efo fo i gladdu'i fam. A'i phlant hi, hefyd, o ran hynny! Roedd hi'n nain iddyn nhwtha, fel ag i Ifan a Megan 'ma.'

Criw bychan oedd wedi dod i'r angladd, a chriw llai na hynny wedyn i'r Queens am 'luniaeth ysgafn'. Erbyn rŵan, dim ond y pedwar ohonyn nhw oedd ar ôl.

'Dwn im pwy sy'n mynd i fŷta'r holl fwyd 'ma, na wn i, wir. Sbiwch y brechdana a'r cacenni sydd ar ôl, bendith y Tad ichi!'

Winciodd Ifan ar ei chwaer. 'Pam nad ewch chi â nhw adra efo chi, Mam?'

'Ia. Falla y gwna i hynny hefyd, gan ein bod ni wedi talu amdanyn nhw. Be ti'n ddeud, Arthur?'

Ond roedd meddwl ei gŵr ar betha eraill. 'Ro'n i'n falch o weld Gordon, fy nghefndar o Lanrwst, yn y cnebrwng. Prin ddaru mi'i nabod o, cofia! Fo na'i wraig. Mae o'n dal i ffarmio Bryn Teg, mae'n debyg, ond mai Ellis y mab sy'n gneud y rhan fwya o'r gwaith yno, bellach. Hwnnw'n hen lanc ac yn byw adra efo'i fam a'i dad. Am ryw reswm, dydan ni rioed wedi gneud rhyw lawar efo ochor Mam o'r teulu. Falla y dylwn i drio gneud mwy. Sut bynnag, chwara teg i'r hen Foster, hefyd, am ddod i gladdu, a fynta ddim hannar da ei hun.'

564

'Faint neith o, rŵan?'

'Tynnu am ei bedwar ugian, siŵr o fod!'

'Mae golwg wantan iawn arno fo,' meddai Anwen Huws.

'Mae'n syn ei fod o cystal, o gofio'r bywyd calad mae'r cradur wedi'i gael. Colli'i deulu i gyd yn y blits ar Lerpwl ers talwm, colli'i wraig yn ifanc, colli'i fusnas i gyd yn y *recession,* ei fab yn colli'i iechyd yn Irac – yn dal i ddiodda'n ddrwg o'r *Gulf War syndrome,* yn ôl pob sôn – y ferch hyna yn byw ym mhellafoedd Lloegar a'i phlant yn tyfu i fyny heb nabod eu taid, a Duw a ŵyr lle mae'i ferch ienga fo erbyn hyn. Dydi'r hen foi ei hun ddim yn gwbod, hyd yn oed, neu dyna ddeudodd o wrtha i ar y ffordd o'r fynwant.'

'Trist ydi gweld teulu'n chwalu fel'na,' meddai ei wraig, yn fwy wrthi'i hun na neb arall.

'Ia'n de! Trist iawn. Mae'n debyg bod y ferch hyna wedi bod yn swnian ar ei thad, ers tro, iddo fo fynd i fyw ati hi a'i gŵr a'i fod o, o'r diwadd, wedi cydsynio. Ond mae rheini'n byw ym mhellafoedd Lloegar yn rhwla! Be neith yr hen Foster mewn gwlad estron felly, medda chdi? Mi fydd o fel sgodyn allan o ddŵr yno, gei di weld.'

'Dydan ninna ddim yn deulu rhy fawr erbyn hyn, ydan ni, Dad?' meddai Megan. 'Oes gynnon ni rywun ar ôl ym Mlaendyffryn 'ma, rŵan, ar ôl i Nain fynd?'

'Un gneithar, dyna i gyd. Esther, merch Anti Elsi, gynt. Hen ferch.' Daeth chwerthiniad bach dihiwmor o wddw Arthur Lòrd Bach. 'Wedi cael tendans gan ei mam a'i chwaer ar hyd y blynyddoedd. Pan fuodd Ruth, ei chwaer hi, farw rhyw ddwy flynadd yn ôl, roedd pawb yn meddwl yn siŵr y byddai'n rhaid i Esther fynd i *nursing home* ond mi gafodd hi ryw adfywiad rhyfeddol

dros nos, a rŵan mae hi'n gneud pob dim drosti'i hun
. . . Llnau, gneud bwyd, mynd allan i siopa . . . *Chwaer
Lasarus* fydda Yncl Huw yn ei galw hi!'

Torrodd llais trwm Ifan ar draws y chwerthin. 'Mae
gen i rwbath i'w ddeud wrthoch chi'ch tri,' medda fo,
gan sefyll wrth ben y bwrdd hir, fel priodfab yn barod i
neud ei araith.

Bu'r olwg ddifrifol ar ei wyneb yn ddigon i dawelu'r
tri arall ond nid i rwystro'i fam, serch hynny, rhag
gwgu ar y peint o gwrw yn ei law. 'Jest cofia dy fod ti'n
dreifio, Ifan!'

'. . . Dydi diwrnod claddu Nain mo'r amsar gora i
ddeud hyn, dwi'n gwbod,' medda fo, gan anwybyddu
ei rhybudd hi, 'ond gan ein bod ni'n pedwar yma
efo'n gilydd, rŵan, yna wela i ddim pwynt mewn
celu'r peth ddim rhagor. Y ffaith ydi bod Allison a
finna wedi gwahanu.'

Syrthiodd mudandod dros y stafell, efo dim ond
clindarddach llestri a chyllyll a ffyrc o'r gegin i dorri
arno.

'Ond . . . ond be am Arnold bach?'

'Mae o wedi mynd efo'i fam. Ond peidiwch â
phoeni, fe geith ddod i edrych amdana i unrhyw bryd
licith o . . . ac atoch chitha hefyd, wrth gwrs, ar wylia
ysgol.'

'Mynd? Dyna ddeudist ti? Mynd i ble, felly?' Ei dad
oedd yn holi, rŵan.

'At ei chariad newydd, Dad! Ym Mhenmaenmawr.'
Er yn gneud ei orau i roi gwynab ar betha, roedd y
crygni yn llais Ifan yn bradychu'i deimlada. Llowciodd
o'r pot peint. 'Mae'r peth yn mynd ymlaen rhyngddyn
nhw ers misoedd . . . Sut bynnag,' medda fo, fel pe na
bai ganddo ddim awydd nac amynedd i egluro mwy,

'fe ddaethon ni i benderfyniad mai gwell oedd gwahanu ac mae hi ac Arnold wedi mynd ato fo i fyw rŵan, a dwi wedi rhoi'r tŷ yng Nghonwy ar werth. Allison isio'i siâr o hwnnw gyntad â phosib, medda hi.' Chwarddodd yn fyr ac yn chwerw. 'Hynny ydi, ei siâr o beth bynnag fydd ar ôl, ar ôl talu'r mòrgej.'

'Ond . . . ond be wnei di, wedyn?'

'Peidiwch â phoeni amdana i, Mam. Fe ffeindia i rwla! A deud y gwir wrthach chi, faswn i ddim yn meindio prynu tŷ ym Mlaendyffryn 'ma. Mae tai yn hurt o rad yma, o gymharu ag unrhyw le arall. A chyn bellad ag y mae fy ngwaith i yn y cwestiwn, mi fydda fa'ma mor hwylus ag unrhyw le arall, am wn i. A meddyliwch, Dad! Fe geuthwn i sgota'r llynnoedd 'ma unrhyw bryd fynnwn i wedyn. Eniwei, ar hyn o bryd, dwi wedi gosod crocbris ar y tŷ yng Nghonwy, rhag i neb ruthro i'w brynu fo cyn i mi gael to arall uwch fy mhen.'

*　　　*　　　*

Dau pur dawedog a gychwynnodd yn ôl am Fangor yn fuan wedyn, a'r brechdana a'r cacenni yn angof o'u hôl. Roedd y Saab wedi dringo'r Bwlch ac i lawr wedyn i ddyffryn afon Lledr cyn i Arthur roi lle i'w rwystredigaeth.

'Fe ddechreuson nhw gyd-fyw yn rhy ifanc o lawar. Dyna dwi'n ddeud! Diawl erioed, dim ond dwy ar bymtheg oedd hi ar y pryd! A doedd Ifan, chwaith, ond ryw flwyddyn neu ddwy yn hŷn!'

Trodd Anwen Huws ei phen draw i guddio'i gwên wan. Roedd hi wedi synhwyro ers meitin bod ei gŵr yn gwasgu mwy nag oedd raid ar lyw y car. 'Ond roedd y ddau mewn cariad ar y pryd, felly . . .'

567

'Cariad o ddiawl!' medda fynta ar ei thraws, gan ddangos amharodrwydd llwyr i ddadla'n rhesymol.

'Rhaid iti gofio hefyd bod Arnold ar y ffordd erbyn hynny. Fasa'n well gen ti i hwnnw fod wedi tyfu i fyny heb nabod ei dad? Na'i nain a'i daid, o ran hynny?'

'Hm!' A brathodd Arthur Lòrd Bach ei dafod rhag atgoffa'i wraig o'i amheuon; amheuon a oedd wedi gwrthod cilio ers geni Arnold, dair blynedd ar ddeg ynghynt. Yn gam neu'n gymwys, daliai i gredu bod Ifan wedi derbyn cyfrifoldeb am y plentyn yn llawer rhy barod, yn enwedig o gofio'r gair a roddid i Allison, bryd hynny, o fod yn bur wyllt a thinboeth. Ond taeru, hyd ddagra, a wnaethai hi efo Ifan na allai neb ond fo fod yn dad i'w phlentyn hi. *Pe bai profion DNA ar gael yn y cyfnod hwnnw,* meddyliodd Arthur, *yna pwy ŵyr sut y byddai petha erbyn heddiw.*

O glywed ei gŵr mor ddistaw, fe dybiodd Anwen Huws ei bod hi wedi cael y gora o'r ddadl a rhoddodd bwniad chwareus iddo yn ei ben-glin. 'Sut bynnag,' medda hi, a'i llais yn llawn direidi, 'doedd Arthur Huws ei hun, chwaith, ddim yn hen ŵr pan briododd o, cofia!'

'Twt! Roedd hynny'n wahanol.' Roedd y tyndra i'w glywed o hyd yn ei lais. 'O leia mi ddaru ni briodi! A rydan ni wedi aros yn briod.'

Y tro yma, gwasgu pen-glin ei gŵr yn ysgafn a wnaeth hi, i gyfleu gwerthfawrogiad mud o'u priodas, yna syrthiodd tawelwch rhyngddyn nhw unwaith eto, heb ddim i dorri arno ond murmur teiars y Saab ar wyneb y ffordd.

I'w ffyrdd eu hunain yr aeth Megan ac Ifan – y naill am ei swyddfa yn yr Wyddgrug, lle'r oedd gwaith yn ei haros, a'r llall yn ôl am dŷ gwag yng Nghonwy.

Yn ôl yr arfer, byddai llymeitwyr selog y Queens yn gwledda'n rhad eto heno, ac un ohonyn nhw'n siŵr o ofyn yr un hen gwestiwn, 'Bwyd-cnebrwn pwy, 'lly?'

Gerbron y Llys

Aeth yn ddechra Ebrill cyn i'r llofrudd ymddangos gerbron y llys yng Nghaernarfon.

'Mae o wedi cael *legal aid* wrth gwrs, Dad, ac wedi cael *barrister* go glyfar hefyd, yn fy marn i.'

Safai'r ddau yng nghysgod drws allanol y Llysoedd Barn, yn syllu trwy'r mwrllwch ar fur tywyll y castell gyferbyn. Dawnsiai dafnau glaw trymion yn wyn ar wyneb y ffordd o'u blaen.

'Waeth gen i pa mor glyfar ydi'i fargyfreithiwr o, Ifan; mae'r dystiolaeth yn erbyn y boi yn gwbwl ddamniol, fel y gwyddost ti o'r gora.'

'Dwi'n gwbod hynny, Nhad, ond peidiwch â disgwyl i'r *evidence* fod mor ddu a gwyn yng ngolwg y *jury* erbyn i'r *barrister* orffan efo nhw. Dwi'n gwbod o brofiad ei fod o wedi cael lot o rai euog yn rhydd, neu lwyddo i gael *sentence* lawar iawn llai na'r disgwyl iddyn nhw. Mae o'n dallt i'r dim sut i chwara efo teimlada'r *jury* a sut i greu *suspicions* yn eu meddylia nhw.'

'Amheuon wyt ti'n feddwl, mae'n siŵr?'

Chwarddodd Ifan yn ymddiheurol wrth glywed y cerydd ysgafn yn llais ei dad. 'Amheuon, ia. Mae gen i ofn bod y terma Susnag yn dod yn haws imi, Dad. Yn y job dwi ynddi, dydw i ddim yn cael cyfla i siarad llawar o Gymraeg, cofiwch. A dydi Conwy mo'r lle mwya Cymreig dan haul chwaith, ydi o?'

'Gora po gyntad y cei di symud i Flaendyffryn, felly! Dwyt ti byth wedi gwerthu'r tŷ?'

'Na. Sawl un wedi bod yn ei olwg o ond neb wedi gneud cynnig, hyd yma. Hynny'n fy siwtio fi'n iawn ar hyn o bryd. Sut bynnag, byddwch yn barod i gael eich croesholi yn bur galad, bora 'ma.'

'Ar be, felly? Fedra i ond deud be dwi'n wbod am Yncl Huw, a dydi hynny ddim llawar.'

'Jest byddwch yn barod. Dyna'r cwbwl ddeuda i.'

*   *   *

'Mr Hughes! Are you an honest man?'

Synnwyd ef gan y cwestiwn agoriadol, yn enwedig gan fod hanner gwên yn chwarae ar wefus isa'r bargyfreithiwr.

'Ydw,' atebodd, gyda mwy o bendantrwydd nag oedd raid.

Roedd y llys yn orlawn a gwyddai Arthur fod sawl cynrychiolydd y wasg yn bresennol, gan gynnwys gohebydd y BBC o'i adran ef ei hun ym Mangor, a gohebydd papur y *Guardian* o Fanceinion.

'Rydych chi bob amser yn dweud y gwir, felly?'

'Ydw, hyd orau fy ngallu.'

'Ac roedd eich atebion i gwestiynau'r erlynydd, funud yn ôl, yn rhai cwbwl onest?'

Dechreuodd Arthur deimlo'n anghysurus, heb ddeall yn iawn pam. Fel tyst dros yr erlyniad, y cwbwl a wnaethai, hyd yma, oedd egluro'i berthynas efo'r diweddar Hugh Hughes a rhoi rhyw fath o eirda i hwnnw; rhoi amlinelliad o'i ddewrder ym mlynydd-oedd y rhyfel a manylion ei anafiada ac yn y blaen. Cafodd hefyd gyfle i ddisgrifio diymadferthedd ei ddewyrth yn dilyn y strôc honno, flynyddoedd yn ôl. Ond ffeithia moel oedden nhw i gyd, felly pam bod cwestiyna annisgwyl y bargyfreithiwr yn ei anniddigo fo gymaint, rŵan?

'Oeddynt, yn gwbwl onest.'

'Rydych chi *yn* cofio wrth gwrs, Mr Hughes, eich bod chi ar eich llw?'

Nid yn unig bod gwên ffals a Saesneg mursennaidd y bargyfreithiwr yn mynd o dan ei groen ond roedden nhw hefyd yn ychwanegu at ei bryderon. Taflodd gip i gyfeiriad Ifan, yng nghefn y llys, a gweld hwnnw'n codi ei aeliau'n arwyddocaol, cystal â deud *Dwi wedi'ch rhybuddio chi!*

'Wel, Mr Hughes?'

'Ydw, wrth gwrs fy mod i'n cofio!'

'Pam, felly, ydych chi'n mynnu dweud bod y diweddar Hugh Hughes yn ewythr ichi?'

Yn niffyg deall y cwestiwn, agorodd llygaid Arthur yn fawr.

'Wel, Mr Hughes? Mae'r Llys i gyd yn aros am eich atebiad!' Awgrymai ei oslef fod y tyst yn gyndyn o ateb oherwydd iddo gael ei ddal yn deud celwydd.

'Mae'n ddrwg gen i, ond dydw i ddim yn deall eich cwestiwn chi.'

'Dowch o'na! Wedi'r cyfan, mae'n gwestiwn digon syml?' Taflodd y dyn grechwen arall i gyfeiriad y rheithgor, cystal â gofyn yr un cwestiwn iddyn nhwtha. 'Pam honni bod y diweddar Hugh Hughes yn ewythr ichi, tra mai cefnder oedd o, mewn gwirionedd?'

Teimlodd Arthur don o ryddhad, o sylweddoli bod ffeithiau'r bargyfreithiwr yn anghywir. 'Nage, wir! Brawd i nhad oedd Hugh Hughes. Sut alla fo fod yn gefnder imi, felly?'

'Fy ngwaith i ydi gofyn y cwestiynau, Mr Hughes!'

571

Ac aeth i estyn dalen o bapur oddi ar y bwrdd, lle'r eisteddai'r cyhuddiedig Adrian Thomas yn barchus ei wisg ond yn afiach iawn ei wedd. 'Fedrwch chi ddeud wrth y llys be ydi hwn, Mr Hughes?'

Craffodd Arthur ar y papur a ddaliwyd o flaen ei drwyn. 'Copi o dystysgrif geni.'

'Tystysgrif geni pwy, Mr Hughes?'

Craffodd eto. 'Fy ewythr, Hugh Hughes.'

'Edrychwch eto! Pwy oedd mam y diweddar Hugh Hughes?'

Craffodd Arthur ar y dystysgrif am yr eildro, gan ddisgwyl gweld enw Alis Hughes, ei nain. Ond daeth cwmwl dros ei wyneb. 'Ym . . . Elsi Hughes,' medda fo'n ddi-ddallt.

'A phwy oedd Elsi Hughes?'

'Ym . . . chwaer fy nhad.'

'Pam ydych chi'n mynnu, felly, a hynny ar lw gerbron y llys, mai ewythr yn hytrach na chefnder ichi oedd y diweddar Hugh Hughes?'

'Ym . . . Wyddwn i ddim! Dwi wedi meddwl erioed . . .'

'Mae gen i ofn eich bod chi wedi camarwain y llys, Mr Hughes.' Gwnâi'r bargyfreithiwr i'r peth swnio'n fwy o gyhuddiad nag o gywiriad, ac edrychodd yn arwyddocaol unwaith eto i gyfeiriad y rheithgor. 'Sut bynnag, a fyddwch chi cystal â deud wrth y llys rŵan pwy oedd tad y diweddar Hugh Hughes?'

Craffodd Arthur unwaith yn rhagor ar y dystysgrif wrth i honno gael ei gwthio eto o dan ei drwyn.

'Ym . . . Dydi enw'r tad ddim yma!'

'Be mae'r dystysgrif yn ddeud, felly, Mr Hughes? Beth yw'r gair arni?'

'Ym . . . *bastard,*' darllenodd Arthur mewn islais.

'Diolch, Mr Hughes. A dyna ni wedi cael at y gwir o'r diwedd,' medda fo, gan droi'n arwyddocaol at y rheithgor, cystal ag awgrymu iddo orfod gwasgu'r gwirionedd allan o'r tyst. 'Wel rŵan ta, Mr Hughes, gobeithio y ca i ateb mwy gonest i'm cwestiwn nesaf. Sut ddyn, meddech chi, oedd eich cefnder?'

'Dwi wedi egluro'n barod . . .'

'Do, do! 'Dach chi wedi'i ddisgrifio fo fel arwr rhyfel, a hefyd wedi cyfeirio at ei anhwylderau, ond sut ddyn oedd o mewn difrif? Fyddech chi'n dweud ei fod yn ddyn hawdd ymwneud â fo?'

'Be 'dach chi'n feddwl?'

'Mae'r cwestiwn yn ddigon syml, ydi o ddim?' Eto'r cip i gyfeiriad y rheithgor, i gael y rheini i gytuno efo fo. 'Oedd o'n ddyn clên? Oedd o'n gymeradwy? Oedd o'n gymeriad cymdeithasol? Oedd ganddo fo gylch eang o ffrindia?'

'Wel . . . na, faswn i ddim yn deud hynny, mae'n siŵr, ond . . .'

'Diolch, Mr Hughes. Fe gewch fynd yn ôl i'ch sedd, rŵan.'

*   *   *

'Arglwydd mawr! Roedd y diawl yn troi pob dim ddeudwn i i'w felin ei hun!'

Nodiodd Ifan yn ddoeth ond atal, serch hynny, rhag atgoffa'i dad iddo gael rhybudd ganddo cyn mynd i mewn i'r llys. Eisteddent yn nhafarn y Black Boy, yn mwynhau tamaid o ginio.

'Ac i feddwl na wyddwn i ddim, nes i hwn'na ddangos imi, mai Anti Elsi oedd mam Yncl Huw. Rhyfadd na fasa Nhad wedi deud wrtha i, flynyddoedd yn ôl. Damia unwaith! Mi fydd y rheithgor rŵan yn ama pob dim arall ddeudis i hefyd.'

'Dyna'r bwriad, wrth gwrs.'

'Fedra i ddim credu ei fod o'n pledio'n ddieuog.'

Gwenodd Ifan yn chwerw. 'Pwy dach chi'n feddwl, Nhad? Adrian Thomas ynte'i fargyfreithiwr o?'

'Hy! Yr un ydi ci a'i gynffon, hyd y gwela i. Ond dydi'r rheithgor ddim yn mynd i gymryd eu twyllo, siawns.'

'Peidiwch â bod mor siŵr! . . . Be 'di *defendant* yn Gymraeg?'

'Diffynnydd.'

'Ia, diffynnydd. Dwi wedi cael cip ar *statement* hwnnw, a'i stori fo ydi hyn – ei fod o'n pasio tŷ Yncl Huw yn hwyr y noson honno a'i fod o wedi gweld y tân; ei fod o wedyn wedi cnocio'r drws i drio deffro Yncl Huw ond methu cael ateb. Wedyn, mi falodd wydyr drws y cefn a chael *cut* go ddrwg yn ei law. Mi fethodd fynd i mewn i'r llofft oherwydd y tân, medda fo. Welodd o mo'r corff o gwbwl, na'r gyllall chwaith. A dyna'i stori fo!'

'Ac mi redodd i ffonio am y frigad dân, mae'n siŵr!' Roedd llais Arthur Lòrd Bach yn llawn eironi a dirmyg.

'Na. Roedd o mewn gormod o sioc, medda fo. Dydi o ddim yn cofio mynd adra; dim ond cofio deffro yn ei wely, y bora wedyn.'

'Arglwydd mawr! Ydi o'n meddwl fod pawb mor hurt â fo'i hun, i goelio'r fath stori? A be am y medala, ta? Sut mae o'n egluro rheini?'

'Digwydd eu gweld nhw ar fwrdd y gegin ar ei ffordd allan, a methu madda i'r demtasiwn, medda fo. Roedd o'n edmygu Yncl Huw am fod hwnnw'n arwr-rhyfel enwog, ac fe gymerodd y medala fel *souvenir*.'

574

'Does neb yn ddigon dwl i goelio stori glwyddog fel'na.'

'Gobeithio ddim!'

Wrth glywed y dinc o amheuaeth yn llais ei fab, trodd Arthur bâr o lygaid anghrediniol arno.

*   *   *

Parhaodd yr achos am saith diwrnod ar hugain. Erbyn hynny, roedd y diffinnydd, ar gyngor ei gwnsler, wedi penderfynu newid ei stori a phledio'n euog i ddynladdiad. Oedd, cyfaddefodd, roedd o wedi torri i mewn i dŷ Hugh Hughes gyda'r bwriad o ladrata oddi yno ond roedd y perchennog wedi ymosod arno'n giaidd efo'i ffon, gan ei orfodi ynta i'w amddiffyn ei hun efo'r gyllell fara oedd yn digwydd bod ar y bwrdd wrth ei ymyl. Roedd y dyn wedi rhuthro amdano fel dyn lloerig drwy'r tywyllwch, meddai, ac roedd ynta, oherwydd ei fod yn pryderu am ei einioes ei hun, wedi gneud ei orau i'w gadw fo draw efo'r gyllell, ond heb allu gweld yn iawn be oedd o'n neud, chwaith, oherwydd ei bod hi mor dywyll yno. Roedd gan Hugh Hughes ragfarn yn ei erbyn ers blynyddoedd, er pan oedd o'n hogyn ifanc, meddai. Ac roedd ganddo dystion i brofi hynny.

'Fedrwch chi egluro i mi, Mr Thomas,' gofynnodd yr erlynydd yn wawdlyd, pan glywodd y dystiolaeth honno, 'sut y gallai hen ŵr yn ei wythdegau, nad oedd hyd yn oed yn gallu sefyll ar ei draed ei hun heb help ffon i'w gynnal, ac nad oedd yn gallu codi'r bore na mynd i'w wely yr hwyr heb gymorth gofalwr . . . sut y gallai dyn mor ddiymadferth â hyn'na ruthro tuag atoch chi drwy'r tywyllwch efo'i ffon yn chwifio uwch ei ben?'

Newidiodd bargyfreithiwr y diffynnydd ei dac wedyn a chanolbwyntio ar y cychwyn anffodus a gawsai ei gleient mewn bywyd, rhwng bod ei dad yn feddwyn a'i fam yn anobeithiol am gadw tŷ. Doedd dim math o reolaeth wedi bod ar ei feddwl anaeddfed, yn blentyn nac yn llanc, felly pa ryfedd nad oedd ganddo, wrth dyfu'n hŷn, unrhyw ganllawiau i ddal gafael ynddynt? A pha ryfedd chwaith ei fod wedi cael ei dynnu i mewn i fyd cyffuriau a bod ei wraig wedi'i adael oherwydd hynny, gan fynd â'u tri phlentyn efo hi? Onid oedd cyffuriau yn broblem cymdeithas gyfan? Ac oni ddylai cymdeithas, felly, ysgwyddo'i siâr o'r bai? Doedd dim gwadu, meddai, nad oedd Adrian Thomas wedi torri i mewn i fynglo Hugh Hughes gyda'r bwriad o ladrata oddi yno . . . roedd y diffynnydd wedi cyfaddef cymaint â hynny . . . ond aeth o ddim yno gydag unrhyw fwriad i ladd neb. Pe bai peth felly ar ei feddwl, oni fyddai wedi mynd ag arf gydag ef? Cyd-ddigwyddiad trasig oedd bod cyllell fara'r ymadawedig yn digwydd bod wrth law ar y noson dyngedfennol honno a bod ei gleient, mewn ffit o banig, wedi cydio ynddi a'i defnyddio i'w amddiffyn ei hun oherwydd, yn ei feddwl dryslyd, fe gredai'n siŵr fod y diweddar Hugh Hughes yn mynd i ymosod yn giaidd arno eto, fel ag y gwnaethai flynyddoedd yn ôl . . .

Bu'r rheithgor yn hirach na'r disgwyl cyn dod i'w penderfyniad – 'Euog o ddynladdiad' – a galwodd y barnwr am adroddiad seiciatryddol cyn penderfynu ar ei ddedfryd.

Roedd Arthur ac Ifan yn y llys, wythnos yn ddiweddarach hefyd, i glywed y ddedfryd honno. Wyth mlynedd o garchar.

'Arglwydd Mawr! Wyth mlynadd! Mi fydd y diawl â'i draed yn rhydd mewn pedair!'

'Bydd, beryg.'

'Dydi'r peth ddim yn gneud unrhyw fath o synnwyr. Does fawr ryfadd bod y wlad 'ma yn y fath bicil, wir Dduw, tra bod petha fel hwn'na . . .' Nodiodd i gyfeiriad y llofrudd wrth i hwnnw gael ei arwain allan trwy ddrws cefn y llys. '. . . yn cael eu dandwn gan y gyfraith. Uffar dân! Mae Yncl Huw yn haeddu mwy o gyfiawndar na hyn'na, yn enwedig ar ôl be wnath o dros ei wlad.'

Gwenodd Ifan ei gydymdeimlad. 'Be wnaech chi efo fo, ta, Dad? Ei grogi?'

'Mi ddeuda i gymaint â hyn wrthat ti, Ifan – ers iddyn nhw neud i ffwrdd â chrogi, mae petha wedi gwaethygu allan o bob rheswm. Mae bywyd yn rhad, bellach, yn enwedig i ryw lwmp o gachu fel nacw. Waeth iti heb â rhoi pregath i rywun fel'na, na slap ar ei law, a bygwth gwaeth cosb y tro nesa os na fydd o'n hogyn da. Fedar rhywun fel'na ddim rhesymu oherwydd nad ydi o rioed wedi dysgu'r gwahaniaeth rhwng da a drwg . . . rhwng be sy'n iawn a be sydd ddim. Ŵyr o ddim be 'di parchu hawlia pobol erill.'

'Dowch! Mi awn ni am damaid o ginio cyn ichi fynd yn ôl at eich gwaith.'

Ond roedd ei dad yn gyndyn o symud. 'Mae lot o'r bai ar y *tabloids*. Dyna dwi'n ddeud! Ac ar y Llywodraeth hefyd, 'tai'n dod i hynny! Maen nhw i gyd yn rhy barod i feio'r ysgolion a'r heddlu. Arglwydd mawr! Mae synnwyr cyffredin yn deud mai cyfrifoldab rhieni ydi dysgu plant i barchu hawlia pobol erill. Ac os nad ydyn nhw'n barod i neud hynny, yna mae isio'u cosbi nhwtha hefyd . . .'

'Waeth ichi heb â chynhyrfu'ch hun. Dowch!'

Ond roedd Arthur ar gefn ei geffyl erbyn rŵan. 'Wnaeth chwip din gall ddim drwg i'r un plentyn erioed. Ond be mae rhieni heddiw'n neud? Dandwn eu plant a'u difetha nhw'n rhacs tra maen nhw'n fach! Gadael iddyn nhw fihafio fel fyd fynnan nhw . . . Rhoi pob dim maen nhw'n ofyn amdano fo . . . Chwerthin am eu penna nhw pan maen nhw'n gneud rhwbath drwg neu wrth eu clywad nhw'n rhegi. Fel 'tai hynny'n gamp! . . . Gadael iddyn nhw watsiad pob math o rwts ar y teledu. Dim disgyblaeth o fath yn byd. Ac yna, un diwrnod, maen nhw'n sylweddoli ei bod hi'n rhy hwyr. Yn bedair ar ddeg ac yn bymthag oed, mae'u plant nhw'n gwbwl anystywallt a does dim gobaith gallu dysgu dim byd iddyn nhw, bellach. Ond ar bawb arall mae'r bai wedyn, wrth gwrs.' Yn araf, a gydag ystum o anobaith am ddyfodol y Ddynoliaeth, cododd Arthur Lòrd Bach i ddilyn ei fab allan o'r llys. 'Doedd gen i fawr o feddwl o Maggie Thatcher a'i chriw ond mae gen i lai fyth o fynadd efo'r Tony Blair 'ma a'i Lafur Newydd. Mae hwnnw a'i debyg wedi difetha'r wlad 'ma trwy ymyrryd efo pob dim. Hyd yn oed y Gwasanaeth Iechyd. Sbia fel maen nhw wedi cachu am ben pob dim y safodd Aneirin Bevan drosto erioed.'

'Fo ydi'r siaradwr a'r dadleuwr gora dwi wedi'i glywad erioed,' meddai Ifan dros ysgwydd, er mwyn tynnu ar ei dad yn fwy na dim arall.

'Siaradwr da o ddiawl! Faint callach wyt ti o gael siaradwr da sy'n deud dim byd o werth? Y? Mae'r Blair 'ma yn llawn addewidion ond dwi'n trystio dim arno fo. Mae'i lygid o yn rhy agos at ei gilydd yn un peth.'

Chwarddodd Ifan efo fo'i hun. Doedd o ddim wedi clywed ei dad yn traethu fel hyn ers blynyddoedd. ''Dach chi'n gneud cam â'r dyn, mae gen i ofn. Dwi'n meddwl bod gynno fo *vision*, beth bynnag ydi hynny yn Gymraeg.'

Tro Arthur oedd chwerthin rŵan, a hynny'n ddirmygus. 'Gweledigaeth? Arglwydd mawr! Gawn ni weld, machgan i! Gawn ni weld!'

Chwilio am y Gwreiddiau

Roedd llwch Fred Gould wedi cael ei chwalu i'r pedwar gwynt yng ngardd yr amlosgfa ym Mangor cyn i Arthur Lòrd Bach wybod ei fod hyd yn oed wedi marw.

'Ffonio o Flaendyffryn ydw i, Nhad. Wedi dod draw yma i gael golwg ar dai. Mae'n edrych yn debyg bod y tŷ yng Nghonwy wedi'i werthu, o'r diwadd. Mae'r pâr yma wedi rhoi *deposit*, felly go brin y byddan *nhw*'n tynnu'n ôl.' Fe gawsai Ifan ei siomi deirgwaith yn barod yn ystod y ddwy flynedd a aethai heibio. Cyplau yn awyddus i symud i Ogledd Cymru ac yn dangos diddordeb gwirioneddol mewn prynu ond yn gorfod tynnu'n ôl wedyn am na allen nhw werthu eu tai eu hunain mewn ardaloedd eraill. 'Mae Allison wedi bod yn swnian a swnian am ei phres ac mi fydd yn dda gen i gael setlo pob dim, unwaith ac am byth. Ond gesiwch be! Gesiwch lle sydd ar werth yn fa'ma!' Am nad oedd ateb parod yn dod o ben arall y lein, prysurodd ymlaen. '. . . Tŷ Nain yn Stryd Lòrd Bach! Dwi'n sbio ar ei lun o, y funud 'ma, yn ffenast yr *estate agents*. Meddwl y liciech chi gael gwbod.'

'O?'

Bron na allai Ifan glywed y cwestiwn nesa'n ffurfio ym meddwl ei dad.

'A be 'di hanas y . . . y Sais 'na a'i ferch? I ble maen *nhw*'n mynd?'

'Mae *o* wedi'i gladdu rai misoedd yn ôl, mae'n debyg. Ei losgi, yn hytrach! Ac mae'i ferch o, rŵan, isio gwerthu'r tŷ. Ro'n i'n meddwl mynd i'w olwg o. Dyna pam dwi'n eich ffonio chi.'

'I'w olwg o? Arglwydd mawr! Dymuniad Nhad oedd mai mrawd a finna oedd i gael y tŷ. A fi oedd i gael y ddresal a'r cloc mawr. 'Tai Mam ond wedi gneud wyllys . . . Fedri di ddallt cymaint o boen ydi o i mi, Ifan, fod cartra'r teulu wedi mynd i ddwylo ryw Ffilistiaid fel'na? Be 'di'i bris o, beth bynnag?'

'*Thirty nine five.*'

'Arglwydd mawr! Deugian mil, fwy na heb? Cheith hi byth hynny am y lle . . . ddim ym Mlaendyffryn, yn reit siŵr. Ond gwranda, mi ddo i efo ti i'w olwg o, os ca i. Mae 'na betha yno sy'n perthyn imi . . . i ni. Petha'r teulu. Ac mae'n bwysig ein bod ni'n eu cael nhw'n ôl, neu mi fyddan wedi mynd rhwng y cŵn a'r brain. Mi ddo i efo ti, fora Sadwrn, os elli di aros tan hynny.'

'Ond mae Arnold yn dod ata i dros y *weekend*, Dad. Dydw i ddim yn cael ei gwmni fo'n amal.'

'Wel tyrd â fo efo chdi, felly! Mi fydd yn gyfla iddo fo ddod i wbod mwy am deulu'i dad.'

*　　　　*　　　　*

Treuliodd Ifan weddill ei bnawn yn edrych ar dai eraill oedd ar werth. Doedd dim prinder, yn reit siŵr, ond tai bychain mewn rhes oedd y rhan fwyaf ohonyn nhw, tra'i fod o yn awyddus i gael lle mwy cyfforddus a mwy preifat iddo'i hun. Ond mwya'n y byd a welai o'r dre, amla'n y byd y codai'r cwestiwn yn ei feddwl – 'Wyt ti'n siŵr dy fod ti isio dod yma i fyw o gwbwl?'

Roedd pob man mor dlawd-yr-olwg – siopa gwag, tai ar werth, Stryd Fawr segur . . . 'Be wnei di yma, ar wahân i bysgota ryw chydig yn yr ha? Be am fisoedd y gaea? Mae'r lle 'ma mor farw!'

Erbyn iddo fynd draw at Pen Cwm, hen gartre Yncl Huw, a gweld walia hwnnw wedi'u gwastatáu yn un â'r llawr, efo drain a danadl poethion yn hawlio'r lle, roedd ei benderfyniad wedi gwanio'n arw. *BUILDING PLOT FOR SALE* meddai'r arwydd, a *GWERTHWYD* ar draws hwnnw wedyn. Er fod tair blynedd o'r bron wedi mynd heibio ers y drasiedi, gallai Ifan daeru fod ogla tân yn dal i godi trwy'r gwyrddni oedd wedi tyfu dros sylfeini'r bynglo. Tynnodd fflasg arian fechan o'i boced a chymryd cegiad go dda allan ohoni.

A dyma faint o barch sydd gan bobol y lle 'ma i'r hen gradur? meddyliodd yn chwerw. *Mae'r hen air yn ddigon gwir. Dydi proffwyd byth yn cael ei gydnabod yn ei wlad ei hun.* Gwenodd. Doedd y gair 'proffwyd' ddim yn gweddu i Yncl Huw, rywsut.

'On'd ydi hi'n bechod gweld yr hen le, deudwch?'

Neidiodd wrth glywed llais mor agos i'w glust a throdd i weld gŵr bychan penfoel, gyda'i lygaid bach tywyll yn pefrio, yn sefyll lai na llathen oddi wrtho.

'. . . *I'm sorry! You don't speak Welsh?'* medda hwnnw wedyn, yn ymddiheurol.

'Ydw, neno'r Tad! Cymro glân, gloyw!' medda Ifan, gyda mwy o bendantrwydd ac o falchder nag a deimlodd ers blynyddoedd.

'O! Da iawn! Ond nid un o Flaendyffryn, chwaith?'

'Nage. O Gonwy.'

'Tewch da chi! Wyddwn i ddim fod neb yn siarad Cymraeg mewn lle felly.' Roedd peth direidi yng ngwên y dyn bach. 'Deud, roeddwn i,' medda fo wedyn, 'ei bod yn bechod gweld y lle 'ma'n edrych mor flêr, yn enwedig o gofio pwy oedd yn arfar byw yma. Wyddoch chi, gyfaill,' eglurodd, 'fod un o arwyr y rhyfal dwytha yn arfar byw yn fama?'

Oni bai ei fod yn gwybod yr ateb yn barod, byddai Ifan wedi gofyn iddo am ba ryfel roedd o'n sôn, o gofio bod bys Prydain wedi bod mewn sawl brwas a sawl cythrwfl arall ers rhyfal Yncl Huw.

'. . . Huw Huws *DFC*! *DFC*, cofiwch! *Distinguished Flying Cross*. Coeliwch chi fi, nid ar chwara bach maen nhw'n rhannu *decorations* fel'na.'

Siaradai gydag awdurdod a chasglodd Ifan ei fod wedi cael profiad o'r lluoedd arfog ei hun.

'. . . Ond mae cangan leol y Lleng Brydeinig . . . y *British Legion,* 'dach chi'n dallt? . . . yn bwriadu gosod plac i ddangos mai yma roedd ei gartra fo'n arfar bod. Ar ôl be ddigwyddodd, dyna'r peth lleia allen ni'i neud.'

O glywed y nodyn o gywilydd yn llais y dyn, gwyddai Ifan mai cyfeirio at y llofruddiaeth roedd o. 'Mae'n dda gen i glywad hynny,' meddai, gyda pheth balchder. 'Roedd o'n frawd i nhaid . . . Nage, yn gefndar i nhad ddylwn i ddeud.'

'Wel taw â deud! A phwy ydi dy dad, felly?' Mwya sydyn, roedd y *'chi'* parchus wedi diflannu.

'Arthur Huws. Ifan Huws oedd fy nhaid.'

Llyncodd y dyn ei dafod am eiliad wrth iddo drio cysylltu'r enwa. 'Nid Ifan Huws Lòrd Bach, rioed?'

'Ia. Dyna fo.'

'Mab Arthur Lòrd Bach wyt ti, felly? Ew! Jentlman o ddyn, os ca i ddeud.'

'Ia.'

'Wel, wel! A finna wedi meddwl, erioed, mai Arthur oedd yr ola o Deulu Lòrd Bach.'

Roedd Ifan isio deud wrtho mai dyna oedd yn wir; mai ei dad oedd yr unig un o'r teulu oedd â'r hawl i'r enw hwnnw, bellach; yr olaf i gael ei fagu ar yr aelwyd yn Stryd Lòrd Bach. Roedd o isio deud hefyd mai fel un o hogia Bangor roedd *o* yn styried ei hun.

'Ond gwranda! Roeddat ti'n iawn y tro cynta, sti. Ynglŷn â'r berthynas rhyngoch chi, dwi'n feddwl. Brawd i dy daid oedd Huw Huws.'

'Ia, wrth gwrs,' medda Ifan gan smalio cydnabod ei gamgymeriad. 'Fi oedd yn drysu.' Dim ond mewn llys barn y ceid hollti blew am betha fel'na, meddai wrtho'i hun.

'A ti wedi dod yma'n unswydd i gael golwg ar ei hen gartra fo? Wel, wel!'

'Wel do, a naddo. Wedi bod yn sbio tai ydw i. Rhyw styriad symud yma i fyw, a deud y gwir.'

'Be? Ti sydd wedi prynu'r *plot* 'ma?'

'Nage, wir,' meddai Ifan, gan wenu wrth glywed y nodyn o gyffro yn llais y dyn bach.

'O, biti! Yr hen gartra yn Stryd Lòrd Bach, ta! Be am fan'no?'

'Na, go brin.'

'Mae hwnnw wedi mynd ar werth yn ddiweddar, sti. Sut mod i'n gwbod? Wel, am y bydda i'n crwydro heibio'r lle yn reit amal, ar fy ffordd i fyny i Chwaral Lòrd. Ro'n i'n arfar gweithio yn fan'no, flynyddoedd yn ôl, ac mi fydda i'n mynd i olwg yr hen le, o bryd i'w gilydd, i godi hiraeth arna i fy hun.' Trawodd ei law ar fraich Ifan cyn ychwanegu, yn ymddiheurol bron, 'Hen ddyn yn byw ar ei atgofion, wel'di.'

Gwenodd Ifan yn ôl arno. 'Roedd cymdeithas dda yn y chwaral bryd hynny, meddan nhw i mi.'

'Chaet ti mo'i gwell hi yn unlla, machgian i. Biti ar

y diawl na fasa gan bobol ifanc heddiw yr un gwerthoedd â'u teidia a'u neinia. Mi fasa'r byd 'ma'n lle dipyn brafiach i fyw ynddo fo, coelia di fi.'

Daeth i feddwl Ifan ei atgoffa bod y teidia a'r neinia wedi gorfod byw trwy ddau ryfel byd ond brathu tafod wnaeth o.

'Sut bynnag, symud yma efo dy waith wyt ti, ia?'

'Ddim yn hollol. A deud y gwir, dydw i ddim mor siŵr be wna i, eto.'

'Wel, mi ddeuda i gymaint â hyn wrthat ti, machgian i. Wnaet ti ddim difaru! Chdi na dy deulu. Buan ar y naw y basach chi'n setlo yma, coelia di fi. Ac mae angan Cymry da arnon ni. Mae'r Saeson yn iawn yn eu gwlad eu hunain, wyst ti, ond dydyn nhw ddim bob amsar yn cofio eu bod nhw wedi croesi Clawdd Offa. Rwyt ti wedi gweld hynny drosot dy hun, mae'n siŵr?'

Nodiodd Ifan gyda hanner gwên.

'. . . Sut bynnag, tyrd ti aton ni i fyw, machgian i, a buan y byddi di'n teimlo'n gartrefol yn ein mysg ni. Deud i mi, wyt ti'n gallu canu? Roedd gan dy daid lais tenor clws, dwi'n cofio.'

'Canu yn y bath, dyna i gyd,' meddai Ifan mewn chwerthiniad bach, a heb ddeall yn iawn be oedd pwrpas yr holi.

'Rhaid iti ddod i berthyn i'r côr, felly. Ac ymaelodi â'r Gymdeithas Hanas a'r Gymdeithas Lenyddol hefyd, wrth gwrs. Dyna sut y doi di i nabod pobol, sti.'

Trodd chwerthiniad Ifan yn chwarddiad mwy rhadlon, wrth iddo ddotio at y ffordd roedd y dieithryn yn cynllunio ar ei ran.

'. . . A be am gapal? Pa enwad wyt ti? Annibynnwr, siŵr o fod? Mi fyddai dy daid yn ben-blaenor yng

Nghapal Caersalem slawar dydd, dwi'n cofio. Neb gwell na fo mewn cwarfod gweddi, meddan nhw i mi.'

'Wel na, dydw i ddim yn gapelwr. Tipyn o ddafad ddu, mae gen i ofn.'

'Da iawn! Mae isio defaid duon hefyd yn yr hen fyd 'ma, wyst ti. Ond dydi hynny ddim yn golygu nad oes lle iddyn nhw yn y gorlan, chwaith. Paid ti ag anghofio hynny!' Estynnodd ei law allan, i Ifan ei hysgwyd. 'Bob Lewis ydi'r enw,' medda fo. 'Ond fel Bob Bach Cae Ffridd mae pawb yn fy nabod i. Gobeithio y cei di afael ar dŷ yn reit fuan.'

Wrth ei wylio'n pellhau, fe deimlodd Ifan rywfaint o gynhesrwydd yn llifo'n ôl i'w galon. 'Fydda i ddim gwaeth o gael golwg ar amball le arall, mae'n siŵr, cyn gadael,' medda fo wrtho'i hun.

*   *   *

'Weli di'r ffenast llofft yn fan'cw? Wel, yn y stafall yna y cafodd dy daid ei eni, cofia!'

Safai'r taid a'i ŵyr ym mhen ucha Lòrdstryd, yn syllu i fyny ar yr unig dŷ oedd yn dal ar ei draed yn Stryd Lòrd Bach, ond bod hwnnw'n dŷ dwbwl ers blynyddoedd. Hyd yn oed o'r pellter hwnnw, gallent weld yr arwydd melyn AR WERTH yn sefyll yn hy yng nghornel yr ardd.

'Flwyddyn ar ôl i'r rhyfal orffan, oedd hynny. *Nineteen forty six!* Dy daid yn mynd yn hen, wel'di!'

Ond ddaeth dim gwên i lygad y bachgen.

'. . . Pan o'n i'n hogyn yn dy oed di, ers talwm, mi fyddwn i'n clywad y rwbal yn rhedag ar y doman, bob nos. Roedd o'n sŵn digon arswydus weithia, cofia . . . yn enwedig ganol nos pan oedd pob man arall fel y bedd. Ac yn ystod y dydd, mi fydden ni'n gwbod i'r dim faint o'r gloch oedd hi bob tro roedden ni'n clywad y corn chwaral. Doedd gan neb ohonon ni wats bryd hynny, wrth gwrs, ddim fel sydd gan blant heddiw. A weli di'r holl dyfiant gwyllt 'ma?' Pwyntiai Arthur, rŵan, i fyny heibio talcen chwith ei hen gartre. 'Roedd 'na inclên yn arfar bod yn fan'na ers talwm, pan o'n i'n hogyn, a llwybyr i fyny i'r chwaral yn cydredag efo hi, ac mi fydda cannoedd o chwarelwrs yn cerddad adra ffor'na o'u gwaith bob dydd. Roedd sŵn eu traed nhw i'w glywad o bell, wysti, a'r ffordd yn crynu i gyd. Ew! Roedd Chwaral Lòrd yn chwaral brysur iawn yn y dyddia hynny. A bob diwadd mis mi fydda 'na wagenni llawn-o-lechi yn cael eu criwlio i lawr yr inclên 'ma fesul tair a phedair – neu *run,* fel y byddai peth felly'n cael ei galw – i'r cei yn Steshon y *GWR,* ac yn cael eu llwytho ar y trên yn fan'no i'w cario o'ma i bob rhan o'r byd.'

Am ei fod wedi ymgolli yn ei atgofion ei hun, doedd Arthur ddim yn sylwi ar anniddigrwydd ei ŵyr. Yn hytrach na gwrando ar ei daid, y cwbwl a wnâi hwnnw oedd syllu'n bryderus i lawr y stryd, at lle'r oedd ei dad wedi aros i siarad efo rhywun neu'i gilydd.

'. . . Ar y trên bach y bydden nhw'n arfar cael eu cludo yn yr hen ddyddia, wrth gwrs . . . i lawr i Borthmadog, i'w llwytho ar longa yn fan'no, ond . . .'

'How long is he going to be?'

Teimlodd Arthur yn ddig wrth yr hogyn am ei amharodrwydd i wrando. 'Twt!' medda fo'n ddi-amynedd. 'Wedi gweld rhywun mae o'n nabod mae o, dyna i gyd. Fydd o ddim yn hir, neno'r Tad!' Nid dyma'r tro cynta iddo gael ei siomi gan fabïeiddiwch ei ŵyr.

Y gwir reswm am y pryder yn llais Arnold, fodd

bynnag, oedd y pedwar hogyn oedd newydd ymddangos yng ngwaelod Lòrdstryd ac oedd yn dod i fyny'n dalog ac yn llond stryd tuag atyn nhw rŵan, pob un yn cario genwair mewn llaw a bag ar ei gefn. Cynyddodd pryder yr hogyn pan welodd ei dad a'r dyn arall yn deud rhywbeth wrthyn nhw, a'r hogia'n deud rhywbeth yn ôl ac yna'n chwerthin yn uchel ac yn bowld cyn ailgychwyn ar eu taith. Siaradent yn uchel a gydag afiaith ymysg ei gilydd am y 'ffycin hwyl' oedd gan y diwrnod i'w gynnig.

Gyda pheth syndod, a mwy na hynny o siom, sylwodd Arthur fod Arnold wedi dod i lechu tu ôl iddo. *Arglwydd mawr!* meddyliodd. *Mae ganddo fo'u hofn nhw!* 'Sut ma'i hogia?' medda fo'n uchel, fel petai o am brofi rhywbeth i'w ŵyr.

'Haia!' meddai'r pedwar pysgotwr ifanc efo'i gilydd, a cherdded heibio heb arafu'u cam.

'A lle mae hi i fod heddiw, ta? Llynnoedd y Barlwyd?'

'Ia,' gwaeddodd y pedwar dros ysgwydd.

'Sut mae rheini'n sgota, y dyddia yma?'

'Go lew, yn de!' gwaeddodd un yn ôl.

Gwenodd Arthur wrth eu gwylio nhw'n pellhau. Roedden nhw'n ei atgoffa o'i blentyndod ei hun. Yn eu hoed nhw, mi fyddai ynta hefyd yn crwydro i fyny i'r llynnoedd i bysgota, pan nad oedd pêl-droed yn galw. Ond erbyn iddo fynd yn rhy hen i redeg ar ôl pêl, roedd o wedi gorfod gadael Blaendyffryn a'i lynnoedd a'i afonydd cyfarwydd, i ennill bywoliaeth mewn tiroedd brasach, di-ddŵr a di-bysgod.

'Be fyddi *di*'n licio'i neud, Arnold? Ar ddydd Sadwrn, dwi'n feddwl . . . neu ar wylia ysgol. Cicio pêl efo dy ffrindia, mae'n siŵr?'

Gwyddai fod y cwestiwn yn un gwirion. Roedd y gor-fraster ar gorff yr hogyn yn tystio i hynny.

'I play with my computer, most of the time.'

'O, deud ti!'

Erbyn rŵan, roedd agwedd surbwch ei ŵyr wedi dechra mynd o dan groen Arthur Lòrd Bach, a gresynai na fasai'r hogyn wedi cael magwraeth debycach i un y pedwar pysgotwr oedd i'w clywed o hyd yn clebran ac yn chwerthin yn y pellter.

'A be sgen ti o dan dy fraich?' Edrychai ar y pad trwchus yng nghesail yr hogyn.

'Sketchbook. I like to draw pictures.'

'A be 'di dy hoff bwnc di yn y Cownti Sgŵl, ta?'

'I don't understand.'

'Your favourite subject in school? Ti'n gorffan dy drydedd flwyddyn yno rŵan, yn dwyt?''

'Art and Design.'

'O! Deud ti!' Roedd trio gneud sgwrs wedi mynd yn straen.

'He's coming now!'

Oedd, roedd rhyddhad amlwg yn llais Arnold wrth iddo weld ei dad yn ffarwelio â'r dyn arall; y math o ryddhad a ddisgwylid gan blentyn hanner ei oed. Teimlodd Arthur ryddhad hefyd, ond am reswm gwahanol.

'Sori i'ch cadw chi,' meddai Ifan wrth ailymuno efo nhw. 'Gareth oedd hwn'na! Mae *o*'n sgota hefyd. Dyna sut dwi'n ei nabod o. Un da iawn am gawio plu, gyda llaw. Nabod y patryma lleol cystal â neb, mae'n debyg. Mi fydd yn gneud amball bluan imi o bryd i'w gilydd.'

Nid am y tro cynta y bore hwnnw, ffroenodd Arthur yr ogla diod ar wynt ei fab a sylwi eto ar y mymryn gwrid ar ei fochau, ond brathodd dafod rhag deud dim.

Yn araf, cychwynnodd y tri i fyny'r pwt gallt am Stryd Lòrd Bach.

'Wyddoch chi be 'di'r cyfeiriad sydd gan yr *estate agents*?' meddai Ifan, fel roedden nhw'n nesáu at y tŷ. '*Number One Little Lord Street* oedd o'n arfar bod, yn de? Wel, *Only One Left* ydi o rŵan.' A chwarddodd yn chwerw. 'Yr unig un ar ôl yn y rhes!'

Tristáu yn hytrach na chwerthin a wnaeth ei dad a gadael i'w lygaid grwydro i fyny tua'r chwarel. 'Hen ffyrdd yn troi'n llwybra a hen lwybra'n diflannu i'r gwyllt,' medda fo'n freuddwydiol.

'Be oedd hyn'na, Nhad?'

'Rhwbath y byddai dy daid yn arfar ei ddeud, ers talwm,' eglurodd Arthur. 'Fe ddaeth ei eiria fo'n ôl imi rŵan, wrth weld yr inclên a Llwybyr y Chwaral wedi tyfu'n wyllt.'

Winciodd Ifan ar Arnold, cystal ag awgrymu i hwnnw bod ei daid ynta hefyd yn byw yn y gorffennol. Yna, ''Dach chi'n meddwl y cawn ni fynd rownd y tŷ ganddi hi?' gofynnodd. '*Viewing by appointment only* maen nhw'n ddeud, fel rheol.'

'Arglwydd mawr! Caniatâd dieithriaid llwyr i fynd rownd fy nghartra fy hun? Dim diawl o beryg!'

Ond roedd siom yn eu haros, serch hynny. Fel y nesaent at yr arwydd, gwelsant y llythrenna breision GWERTHWYD ar ei draws ac am eiliad ni ddywedodd yr un o'r ddau air.

'Damia unwaith!' meddai Arthur o'r diwedd. 'Ddylwn i ddim bod wedi gofyn iti aros. Fe allet ti fod wedi gneud cynnig am y lle pan oeddet ti yma, ganol yr wythnos.'

589

Doedd Ifan ddim yn rhannu siom ei dad, fodd bynnag, oherwydd doedd Stryd Lòrd Bach ddim yn golygu cymaint â hynny iddo fo.

'. . . Dwi am gael gair efo hi, beth bynnag.'

'I be, Dad? Os ydi'r tŷ wedi'i werthu, does dim pwynt, oes 'na?'

'Ond mae 'na betha erill i'w setlo, Ifan. Arhoswch chi'ch dau yn fa'ma, tra bydda i'n mynd i siarad efo hi.'

Wedi gwylio'i dad yn curo'r drws ac yna, ymhen hir a hwyr, yn cael mynediad i'r tŷ, estynnodd Ifan am y fflasg o'i boced a mynd i bwyso yn erbyn y pwt wal oedd rhyngddo a llwybyr yr inclên, gynt. Sylwodd fod Arnold yn sefyllian yn is i lawr ac yn sgriblan yn ddiwyd yn ei lyfr. *'What's an* inclên, Dad?' gwaeddodd ymhen sbel ac eglurodd Ifan iddo.

Ddeng munud yn ddiweddarach, ymddangosodd Arthur unwaith eto yn nrws ei hen gartre, heb unrhyw olwg o ferch Fred Gould i'w ddanfon allan a gwyddai Ifan, oddi wrth y ffordd roedd ei dad yn brasgamu i lawr llwybyr yr ardd efo'i lygaid yn tanio, nad oedd petha wedi mynd yn dda rhwng y ddau.

'Y bitsh ddigwilydd!' meddai Arthur, heb falio pwy arall a'i clywai a gan adael giât yr ardd yn llydan agored o'i ôl. 'Pan ofynnis i pam roedd hi'n gwerthu, wyst ti be ddeudodd hi? Deud nad oes gan yr un o'i merchaid hi ddiddordab mewn dŵad yma i fyw ar ei hôl hi, felly mae hi am werthu'r lle a mwynhau'r pres tra gall hi. Dwn 'im sut y ces i ddigon o ras i gau ngheg, wir Dduw! A phan ofynnis i iddi lle'r oedd hi'n bwriadu mynd i fyw, wyst ti be ddeudodd hi? *"They're building sheltered accommodation for pensioners in the town and I've been promised one of them because I'm disabled." Disabled* o ddiawl!'

590

Daeth i bwyso ar y wal wrth ymyl Ifan a syllu'n hiraethus i fyny tua'r chwarel. 'Meddylia!' medda fo wedyn, efo sŵn dicter cyfiawn yn ei lais. 'Mae hi wedi cael ei chofrestru'n anabal ond does 'na gythral o ddim byd yn bod arni, hyd y gwela i. Mae hi hyd yn oed yn mynd i gael un o'r sgŵtyrs *motability* 'ma, medda hi, iddi gael mynd i siopa ac i'r *bingo* bob wsnos. Arglwydd mawr! Does ryfadd bod y wlad 'ma yn y fath bicil, wir Dduw, rhwng bod rhywun fel'na'n godro'r system ar y naill law, a Tony Blair, ar y llaw arall, yn mynd â'r wlad i'r fath ddylad yn Irac, jest er mwyn cael ei enw mewn llyfra hanas. Pa obaith sydd 'na, medda chdi, i bobol onast grafu bywoliaeth? Dwi wedi tynnu coes Nhad fwy nag unwaith pan oedd hwnnw'n mynd trwy'i betha, ers talwm, am Gyfraith Gwlad a Chyfraith Duw a phetha felly. Smalio'i gymryd o'n ysgafn, jest er mwyn ei wylltio fo. Deud mai rhwbath i bobol capal yn unig oedd Cyfraith Duw . . . Ond diawl erioed, Ifan! Dwi'n gweld be oedd o'n feddwl rŵan. Pan mae'r Prif Weinidog, o bawb, yn deud clwydda er mwyn cael ei ffordd ei hun a phan mae trwch poblogaeth y wlad yn medru derbyn hynny'n ddi-gwestiwn, fel 'tai o'r peth mwya naturiol i'w neud, yna Duw a ŵyr be sydd wedi digwydd i'r wlad 'ma, na be sydd o'n blaena ni . . .'

Chwarddodd Ifan ar ei draws. Roedd wedi clywed ei dad yn rhefru yn erbyn Tony Blair a'i Lafur Newydd fwy nag unwaith cyn rŵan. 'Be arall ddeudodd y Shirley 'na wrthoch chi?'

'Gredi di bod ei thad hi wedi gwerthu'r cloc mawr, a'r cwpwrdd oedd yn y parlwr, yn syth ar ôl i Mam farw? A phan ofynnis i iddi hi am y petha oedd yn arfar cael eu cadw yng ngwaelod y cwpwrdd –

dyddiaduron fy nhad a llythyra Rhys ei frawd o'r Rhyfal Cynta – doedd gynni hi ddim syniad am be ro'n i'n sôn, medda hi. Dim syniad chwaith am y bocs efo llunia'r teulu ynddo fo. Erioed wedi'u gweld nhw, medda hi! Y bitsh glwyddog!'

'A be am y ddresal?'

'Mae honno'n dal yno, am ryw hyd eto. *Antiques dealer* wedi bod yn ei golwg hi ddoe ddwytha, medda hi, ac wedi cynnig dwy fil o bunna iddi amdani. Ond mae hi'n disgwyl gwell cynnig na hyn'na, mae'n debyg.'

'Ddaru *chi* neud cynnig amdani, ta?'

'Be? Cynnig talu am rwbath sydd i fod i berthyn imi beth bynnag . . . ac i chdi ar f'ôl i? Dim diawl o beryg! Dwn 'im sawl tro y deudodd Nhad mai fi oedd i gael y ddresal a'r cloc. Ac roedd Yncl Huw yr un mor daer ynglŷn â'r peth, hefyd. Ond dydw i ddim yn mynd i dalu am fy mhetha fy hun, siŵr Dduw! Yn enwedig i ryw bry fel hon'na, sydd wedi codi oddi ar gachu.'

'Roedd 'na fai ar Nain hefyd, cofiwch.'

Nodiodd Arthur ei ben yn ddig. 'Dwi'n gwbod. Roedd 'na fai arni am beidio gneud wyllys. Ond roedd 'na fai arna inna hefyd. Fe ges gynnig mynd â nhw o'ma, flynyddoedd yn ôl, ond gwrthod wnes i, rhag tlodi'i chartra hi. Sut bynnag, mae pob dim wedi mynd i'r diawl rŵan – y tŷ, y dodran, yr holl lyfra a llythyra efo hanas y teulu – a fydd 'na'm byd o werth i'w basio mlaen i ti nac i Arnold.' Chwiliodd Arthur am ei ŵyr a'i weld yn dal i sgriblan yn brysur yn ei lyfr-tynnu-lluniau. 'Be mae o'n neud, beth bynnag?' gofynnodd yn ddigon diamynedd.

'Duw a ŵyr! Tynnu llunia ydi'i betha fo.'

'Mae o'n hogyn bach nerfus, Ifan.' Brathodd y taid

ei dafod rhag ychwanegu *ac yn dipyn o snwlyn hefyd, mae gen i ofn.* 'Dydi o ddim yn cael ei fwlio yn yr ysgol, gobeithio?'

'Ydi mae o, yn ôl Allison. Mae hi wedi cwyno digon wrth y prifathro, medda hi, ond dydi hwnnw'n gneud dim o gwbwl ynglŷn â'r peth. Neu dyna'i stori hi, o leia.' Edrychodd ar ei wats. 'Sut bynnag, be wnawn ni rŵan?'

'Wel, be am fynd am damad o ginio i ddechra? A gan ein bod ni yma, ro'n i'n meddwl y gallen ni gerddad i fyny i'r chwaral, er mwyn i Arnold gael gweld lle'r oedd ei hen daid o, a'i hen hen daid o, yn arfar gweithio. Ac wedyn, gan fod y tywydd mor braf, mi allen ni fynd i lawr i Goed Cwm am dro, iddo fo gael gweld lle mae plant Blaendyffryn wedi arfar chwara erioed. Be ti'n ddeud?'

'Ia, iawn ta.' Ond doedd fawr o awydd yn llais Ifan. 'Ond mi fydd raid imi fod yn ôl yng Nghonwy erbyn chwech o'r gloch, cofiwch. Dwi wedi trefnu i gwarfod rhywun.'

Pan sylweddolodd Arthur nad oedd Ifan yn mynd i ymhelaethu, 'Dyna ni, ta!' medda fo. 'Mi awn ni i chwilio am damad i'w fwyta.'

*   *   *

'Does gynnoch chi ddim syniad mor brysur oedd y lle 'ma flynyddoedd yn ôl, pan o'n i'n blentyn . . .'

Roedd y tri wedi dod i olwg Ponc Isa Chwarel y Lòrd ac yn camu, rŵan, ar draws diffeithwch diwydiannol.

'. . . Dyma lle bu fy nhad a'i dad ynta yn gweithio ar hyd eu hoes, a dwi'm yn ama i fy hen daid i fod yma hefyd . . .'

O leia mae Ifan yn dangos diddordab, meddai Arthur wrtho'i hun. Mi fasa'n rheitiach i'r Arnold 'ma hefyd neud yr un peth, yn hytrach na scriblan yn ddi-ddiwadd yn ei blwmin llyfr.

'. . . Mi fyddwn i a fy ffrindia yn dod yma, weithia, yn syth o'r matinî-pnawn-Sadwrn ym mhicjwrs y *Forum*, i chwilio am damad o lechan i naddu siâp gwn allan ohoni, er mwyn cael dynwarad Tom Mix a Roy Rogers a Gene Autrey . . .' Gwenodd yn hiraethus cyn egluro, 'Cowbois oedd rheini sti, Arnold!'

Ond prin bod yr hogyn yn gwrando.

Roedden nhw rŵan yn nesu at adeilad hir oedd wedi hen fynd â'i ben iddo. 'Dyma felin Bonc Isa. Yn fan hyn y dechreuodd Nhad – hen daid i ti, Arnold! – weithio, yn syth o'r ysgol. Pedair ar ddeg oed oedd o, cofia! Dy oed ti, rŵan! Ac roedd ei dad o, sef fy nhaid i a dy hen hen daid ti, yn criwlio wagenni ar yr inclên acw ar y Bonc Ganol. Ond creigiwr oedd o cyn hynny, wrth gwrs . . . yn gweithio dan ddaear, iti gael dallt . . . nes iddo fo gael damwain go ddrwg. Bron colli'i goes, cofia! Doedd gynno fo ddim dewis wedyn, wrth gwrs, ond derbyn gwaith criwliwr. Mi ddaru hynny dorri'i galon o, maen debyg. Ti'n gweld, machgian i,' medda fo, yn benderfynol o ddal llygad a sylw ei ŵyr, 'roedd creigiwr yn cael ei styried yn grefftwr yn y chwaral radag honno, ond fe allai unrhyw un ddysgu sut i griwlio wagenni.'

'Ydach chi'n cofio'ch taid?' gofynnodd Ifan, i geisio gneud iawn am ddiffyg diddordeb ei fab.

'Bobol bach, nac'dw! Fe fuodd o farw ugian mlynadd, o leia, cyn i mi gael fy ngeni. O ganlyniad i'r ddamwain, yn ôl be ddeudodd Nhad wrtha i, rywdro.'

Syllodd y ddau ddyn o'u cwmpas mewn

distawrwydd am rai eiliada. 'Mae'r lle 'ma mor *derelict*,' meddai Ifan o'r diwedd. 'Hollol *dead*! Anodd credu eich bod chi'n ddigon hen i gofio pobol yn gweithio yma o gwbwl.'

'Ydi, mae'r hen le wedi dadfeilio'n arw. A sbia fel mae'r gwair wedi tyfu ar bob inclên. Buan y mae Natur yn llyfu'i chlwyfa, wel'di.' Cododd ei fraich a phwyntio. 'Weli di weddillion adeilad i fyny yn fan'cw? Wel, dyna iti lle roedd Melin Bonc Ucha yn arfar bod. Does neb, erbyn heddiw, sy'n cofio honno'n gweithio, wrth gwrs, ond mi glywis Nhad yn deud mai yn fan'no yr oedd ei frawd mawr yn arfar gweithio . . . yn hollti a naddu . . . a bod hwnnw, hefyd, wedi cael damwain yma. Meddylia, Ifan. Y fath eironi! Dod adra'n groeniach o'r Rhyfal Mawr, dim ond i golli'i fysedd ym melin Bonc Ucha! Ac yn fuan iawn wedyn fe gollodd ei waith hefyd. Fo a'i dad yn cael eu cardia ar yr un diwrnod!'

'Pam?'

'Pwy ŵyr? Perchnogion y chwaral â'u llach arnyn nhw, mae'n debyg. Hen ddiawliaid oedd teulu Lord Oldbury wyst ti. Yn ôl pob sôn, doedd gynnyn nhw ddim hyn'na . . .' – a rhoddodd Arthur glec rhwng bys a bawd i awgrymu *Dim o gwbwl* – 'o barch tuag at eu gweithwyr. Er, cofia, chlywis i rioed mo Nhad yn deud yr un gair yn eu herbyn nhw, chwaith. Sut bynnag, dyna'r math o annhegwch oeddat ti'n gael yn y dyddia hynny. A dyna pam, yn y diwadd, y cafodd yr Undeba Llafur eu ffurfio; er mwyn rhoi stop ar y math yna o anghyfiawndar.'

'Rhys Hughes oedd y brawd mawr, ia? Hwnnw y cafodd ei fedala fo eu dwyn efo rhai Yncl Huw?'

'Ia, dyna ti. Ro'n i mor falch o gael rheini'n ôl, cofia.

Nhw ydi'r unig betha sydd gen i, bellach . . . i gofio.'
Daeth tinc dig i'w lais. 'Cartra'r teulu wedi mynd . . . y
ddresal . . . y cloc mawr . . . dyddiaduron fy nhad . . .
rheini'n llawn o hanas y teulu ac o hanas yr ardal . . .
Wyst ti be? Mi allwn i dagu'r bitsh Shirley 'na!'

Rhag gweld ei dad yn cynhyrfu eto, torrodd Ifan ar
ei draws – 'Mi wnâth brodyr Taid eu siâr o warchod yr
hen wlad 'ma, felly, Nhad? Y brawd hyna yn y Rhyfal
Cynta ac Yncl Huw yn yr Ail. Ond be oedd hanas Taid
ei hun? Fuodd o yn y rhyfal o gwbwl? '

'Mae'n bechod na fasa'r hogyn 'ma'n dangos mwy
o ddiddordab yn hanas ei deulu, ti'm yn meddwl?'
meddai Arthur, gan smalio nad oedd wedi clywed y
cwestiwn.

Roedd Arnold, erbyn rŵan, wedi crwydro wysg ei
drwyn ar draws y bonc i astudio rhai o'r adfeilion yn
fan'no.

'. . . Efail y gof oedd hwn'na'n arfar bod!'
gwaeddodd ei daid arno, yn ymwybodol ei fod yn
dandwn mwy nag oedd raid ar yr hogyn. 'A'r Cwt
Pwyso oedd y llall 'na!' Yna pwyntiodd i gyfeiriad arall
– 'A nacw oedd y Caban! Roedd hwnnw'n lle difyr iawn
yn ei ddydd.' Trodd ei sylw yn ôl at Ifan: 'I fa'ma
roeddwn inna isio dod, hefyd sti, ar ôl gadael ysgol . . .'

Yn yr eiliad honno, cafodd Ifan olwg ddiarth ar ei
dad – pylni'r llygaid, tyndra croen y gwyneb,
teneuwch anghyfarwydd y gwar a'r gwddf. 'Mae'r hen
ddyn wedi torri mwy nag o'n i'n feddwl,' medda fo
wrtho'i hun. 'Wnes i ddim sylwi, tan rŵan. Ond dyna
fo. Mae o'n mynd yn hŷn, wrth reswm.'

'. . . Ond wnâi Nhad ddim styried imi neud y fath
beth, wrth gwrs! Addysg oedd yr atab i bob dim
ganddo fo, a'r chwaral oedd y lle ola y cawn i fynd iddi

i weithio. *Rhaid iti gael coleg, Arthur, er mwyn iti gael job iawn; job efo pensiwn iddi.* Dyna'i bregath o, bob amser!' Lledodd gwên chwerw-felys dros ei wyneb a daeth sŵn breuddwydiol i'w lais. 'Ond wyst ti be, Ifan? Mi fyddai gweithio yn y chwaral wedi bod yn addysg imi, hefyd, cofia. Yn well addysg nag addysg prifysgol, dwi'n siŵr. Chei di ddim ysgol well nag ysgol brofiad. Cofia hynny!' Gwelodd Arnold yn crwydro'n ôl tuag atyn nhw a'i lyfr-tynnu-lluniau wedi'i gau erbyn hyn. 'Wel? Be ti'n feddwl o'r lle 'ma, machgian i?'

'*Spooky!*' meddai hwnnw'n swta.

'Ydi, debyg,' meddai'r taid, gan swnio fel petai dŵr oer wedi cael ei daflu drosto. 'Waeth inni ei throi hi am adra, felly.'

O glywed y siom yng ngoslef ei dad, 'Fe ddaru chi sôn am ddangos Coed Cwm inni hefyd,' meddai Ifan, ond heb lwyddo i ddangos gwir ddiddordeb, chwaith.

'Na,' meddai Arthur Lòrd Bach yn dawel. 'Does fawr o bwynt. Mi fydd ysbrydion yn fan'no hefyd, mae'n siŵr.' Yna, trodd ar ei sawdl. 'Dowch!' medda fo. 'Mi awn ni'n ôl am y car.'

Cymylau'n Crynhoi

'Dwi am bicio drosodd i'r Jyncshyn i nôl take-away inni i swpar. Be sgen ti awydd? Ffish a tships? . . . Chinese? . . . Indian? . . .'

'*I'll come with you.*'

Wrth weld yr hogyn yn gneud ati i godi, gosododd Ifan ei law ar ei ysgwydd a'i ddal i lawr yn ei gadair.

'*But I'm taking the bike, not the car, and you know how you hate riding pillion. Anyway, I have to go and see someone first . . . something to do with my job . . . and*' *that'll take about twenty minutes. You don't want to be waiting around all that time for me, do you?'*

Trwy droi i'r Saesneg, teimlai fod ganddo well gobaith o ddwyn perswâd ar yr hogyn.

Daeth golwg bwdlyd i wyneb Arnold. Roedd o'n difaru dod yma, o gwbwl. Mi fasa'n well o lawar ganddo fod adra efo'i fam, ond roedd honno wedi mynd i ffwrdd dros y Sul, efo'r Eddie 'na, ei phartner newydd.

'I'll be back in less than an hour, I promise. What shall I bring you? Fish and chips, ia?'

'If I can't come, then can I go on your computer?'

'Yes, alright! Be tisio neud arno fo? Gwaith ysgol, gobeithio?'

'I want to look things up on the Internet.'

'Iawn ta! I'll switch it on for you and type in my password. Ym mha flwyddyn wyt ti rŵan, dŵad? *What year?'*

'Year ten.'

'O! Deud ti! A be oedd hynny ers talwm, sgwn i? *Form Four,* ia?'

'Starting my GCSEs this year,' eglurodd y bachgen.

'O! Da iawn! Gwna di dy ora, felly!'

Funudau'n ddiweddarach, wrth i'w dad, ar yr Yamaha, adael castell a phontydd Conwy o'i ôl, a hynny o dan awyr oedd yn bygwth cawod drom unrhyw funud, roedd Arnold yn pwyso botwm *Write e-mail* ac yn dechra teipio – *'To Gary Parkinson. You are a big ugly bully and I am going to come to your house to . . .'*

Estynnodd am y 'Chambers Thesaurus' oddi ar silff gyfagos a dechra chwilio am eiria gwell na *'kill'* neu *'mangle',* geiria a fyddai'n cadw Gary Parkinson yn effro trwy'r nos mewn ofn. Roedd o wedi bod yn cynllunio hyn ers talwm iawn a rŵan, mwya sydyn, roedd ei gyfle wedi dod.

'. . . *to slaughter and to mutilate you in bed and yore blood will be all over the flore and on the walls and everywhere, like in a horror movie. You are doomed. Sined – The Black Avenger.*

Trodd i gefn ei lyfr-tynnu-llunia lle'r oedd dau gyfeiriad e-bost wedi cael eu cofnodi'n ofalus ganddo. Teipiodd y cynta ohonynt – *jparky@tiscali.co.uk* – a phwyso SEND. Gwenodd. Fe fyddai tad Gary Parkinson yn dychryn yn ofnadwy wrth ddarllen y geiria yna, ac wedi iddo fo ddangos y neges i'w fab, mi fyddai hwnnw hefyd yn siŵr o gachu brics.

Yna, ar ôl gneud y mân newidiada angenrheidiol, anfonodd yr un neges i dad Mark Williams, y bwli arall, ar *row@btinternet.com.*

Bu'n ddigon craff i wylio'i dad yn teipio'r *password*; felly, os câi gyfle eto fory, cyn mynd adra'n ôl at ei fam, fe anfonai neges arall iddyn nhw; un waeth hyd yn oed na'r gynta. Ac un arall wedyn hefyd, pe bai raid, i neud yn siŵr bod y ddau fwli'n dysgu eu gwers, reit ar ddechra blwyddyn ysgol fel hyn, a hynny heb i'r un ohonyn nhw wybod hyd yn oed pwy oedd *The Black Avenger.*

*   *   *

'You'll have a drink before you go.'

Gwyliodd Ifan ei chorff noeth yn diflannu allan o'r llofft. Falla nad oedd gan Joan wyneb digon del i droi penna dynion ond roedd ei chorff hi gyda'r mwya siapus iddo gael ei ddwylo arno erioed. Edrychodd ar ei wats, rhegi dan ei wynt a brysio i wisgo'i ddillad.

Doedd o ddim wedi cael cwmni Arnold ers dechra'r ha, pan fuon nhw ym Mlaendyffryn efo'i gilydd, a dyma fo rŵan wedi'i adael o ar ei ben ei hun am awr a hanner!

'*No, I can't stay, love,*' gwaeddodd yn ôl. '*Honestly.*'

'*Huh! Not like you to turn down a Scotch!*' Doedd dim cuddio'r edliw yn ei llais. '*Anyway, you men are all the fuckin same. You're only after one thing and once you've 'ad it, you can't get away fast enough.*'

Gwingodd Ifan wrth i'w dirmyg aflednais hi ddod i fyny'r grisia i'w gyfarfod.

'*Well, okay then, as long as it's just a small one,*' gwaeddodd yn ôl.

'*A small one? I'm used to small ones!* You *should fuckin know!*'

Fe wyddai'n iawn be oedd y rheswm am ei thymer anwadal hi oherwydd roedd wedi sylwi, pan gyrhaeddodd y tŷ, ar y botel *methadone* wag ar fwrdd y gegin gefn. Gwyddai hefyd mai ei phroblem cyffuriau oedd wedi creu'r rhwyg rhyngddi a thad ei dau blentyn, y brodyr pump a thair oed oedd rŵan yn gwylio DVD yn y stafell fyw, o dan siars eu mam i beidio mentro o'no nes iddi hi ddod i lawr yn ôl o'r llofft.

Llowciodd Ifan y wisgi ar ei dalcen, rhoi cusan ysgafn ar foch oedd yn cael ei throi oddi wrtho'n bwdlyd ac yna brysio allan o'r tŷ ac yn ôl at ei feic.

*　　　　*　　　　*

'*A dyma benawdau'r Newyddion am wyth o'r gloch fore Mercher, y seithfed o Fedi, gyda Rhian Haf yn darllen:*

'*Bore da. Rydym newydd glywed bod ffrwydriad mawr wedi digwydd, o fewn yr awr ddiwethaf, mewn warws ym mhorthladd Caergybi. Deallwn fod dwsin o frigadau tân Ynys Môn ac Arfon wedi cael eu galw yno i frwydro yn erbyn y fflamau a bod eu gwaith yn cael ei wneud yn anoddach gan y gwynt cryf sy'n chwythu dros yr ynys. Ni wyddom, eto, beth achosodd y ffrwydriad, na chwaith os oes tebygrwydd o ragor o ffrwydriadau. Dywed yr heddlu na allant, ar hyn o bryd, ddiystyru'r posibilrwydd mai gweithred derfysgol oedd hon. Gobeithiwn allu cynnwys mwy o fanylion yn ein bwletin nesaf . . .'*

Taenodd Ifan drwch o farmalêd ar ei dôst, 'Mi fydd y ffôn yn canu gyda hyn,' meddai wrtho'i hun, 'a hynny cyn imi gael gorffan fy mrecwast, mae'n siŵr.'

*　　　　*　　　　*

Yn y stiwdio ym Mryn Meirion, Bangor, roedd Arthur Lòrd Bach hefyd yn gwrando ar yr un newyddion ac yn pryderu. Yn rhinwedd ei swydd, byddai Ifan yn siŵr o gael gorchymyn i archwilio'r safle yng Nghaergybi. Beth pe bai dyfais arall wedi cael ei gosod yno? A honno'n ffrwydro yn ystod yr ymchwiliad? Dyna ffordd terfysgwyr o weithredu, wedi'r cyfan.

Dros y misoedd diwetha, bu Anwen ac ynta'n poeni mwy na'u siâr ynghylch eu mab, er bod hwnnw'n ddyn yn ei oed a'i amser. Poeni o'i weld yn colli gafael ar ei blentyn ac ar ei gartre . . . poeni ei fod yn troi mwy a mwy at ddiod am gysur . . . poeni rhag iddo gael damwain ar y ffordd, yn enwedig efo'r *hen foto-beic gwirion 'na*, chwedl Anwen . . . poeni rhag iddo golli ei swydd . . . poeni bod golwg ddi-raen yn mynd arno. Mewn gair, poeni am bob dim yn ei gylch!

Roedd Arthur wedi difaru llawer ers y diwrnod a dreuliodd efo Ifan ac Arnold ym Mlaendyffryn. Difaru, yn un peth, bod cyfle wedi ei golli i brynu'r hen gartre yn Stryd Lòrd Bach, yn enwedig gan fod Ifan yn gorfod symud allan o'r tŷ yng Nghonwy o fewn y pythefnos nesa. Difaru hefyd na fyddai wedi gneud yn fwy o'i gyfle, y diwrnod hwnnw, i greu gwell cyfathrach rhyngddo ac Arnold, yr ŵyr nad oedd ond prin yn ei nabod.

'Os bydd raid, Anwen, dwi am brynu tŷ i Ifan ym Mlaendyffryn. Dwi'n siŵr y byddai Yncl Huw, druan, yn fwy na hapus imi neud hynny efo pres y wyllys.'

'Ond fyddai hynny ddim yn deg â Megan. Ma hitha'n stryglo i dalu am ei thŷ hefyd, cofia.'

Yn hytrach na'i hateb, syllodd Arthur draw yn freuddwydiol. 'Ers marw Mam, ddwy flynadd yn ôl, dwi'n teimlo mod i wedi colli pob cysylltiad â'r lle – nid jest y cartra yn Stryd Lòrd Bach ond y dre hefyd. Does dim i nhynnu fi'n ôl yno erbyn heddiw ac mae meddwl hynny yn fy ngneud i'n reit drist, cofia.'

*   *   *

'Maen nhw wedi mynd dros ben llestri efo'r lol terfysgaeth 'ma,' meddai Ifan wrtho'i hun fel roedd o'n crafangu allan o'i ofarôl lychlyd. Edrychodd ar ei wats. Deng munud i chwech. 'Ond dydw i ddim yn cwyno, chwaith,' meddyliodd. 'Efo cymaint ohonon ni wedi bod wrthi, dwi'n cael mynd adra rŵan yn gynt na'r disgwyl.'

Yn hytrach na'r ddau neu dri ymchwilydd arferol, roedd cymaint â phedwar tîm o SOCOs wedi glanio fel locustiaid ar borthladd Caergybi y bore hwnnw. Prawf pellach, yn ei feddwl ef, bod y Swyddfa Gartref yn gneud môr a mynydd o fygythiad Al Qaeda, a hynny'n fwriadol er mwyn cyfiawnhau penderfyniad Blair i fynd i ryfel yn erbyn Irac. Yr un esgus yn union â thros osod gwarchae milwrol ar faes awyr Heathrow, yn ddiweddar. Creu bygythiad lle nad oedd dim un yn bod cyn hynny!

Erbyn canol pnawn, pan sylweddolwyd nad dyfais ffrwydrol a achosodd y llanast wedi'r cyfan, ond yn hytrach bod nam trydanol wedi creu tân a hwnnw wedyn wedi peri i danciau nwy yn y warws ffrwydro, fe heliodd y tri thîm arall eu pac a gadael i'r tîm lleol – tîm gogledd-orllewin Cymru – sef Ifan a'i ddau gyfaill, ddelio â'r manylion oedd yn weddill. Ac erbyn cael pob dim felly o'r ffordd, roedd hi rŵan yn tynnu am chwech o'r gloch.

Gwthiodd Ifan ei goesa i mewn i'w drowsus lledar du. 'Ar ôl hyn'na i gyd, mi fydd peint yn fwy na derbyniol,' medda fo wrtho'i hun. 'Mae ngwddw fi'n sych fel cesail camal.'

Yn ei feddwl, roedd o eisoes wedi penderfynu mai'r Newborough Arms yn y Gaerwen fyddai ei ffynnon ar y ffordd adre. Fe gâi beint neu ddau yn fan'no, a rhywbeth i'w fwyta'n ogystal. Yna, taith ugain munud yn ôl adre i Gonwy.

*   *   *

Lled-orweddai Arnold yn ddiog o flaen y set deledu yn ei gartre ym Mhenmaenmawr, efo bag o *jelly babies* ar ei lin. Gary Parkinson oedd y babis du a'r rhai coch a'r rhai gwyn, Mark Williams oedd y gwyrdd a'r melyn a'r oren. Yr un ddefod ddienyddio oedd ganddo efo pob un, waeth pwy oedd o na beth oedd ei liw – brathu'r pen i ffwrdd yn gynta, wedyn y coesa ac yna taflu'r bol droedfedd neu ddwy i'r awyr a cheisio'i ddal yn ei geg agored.

Edrychodd i'r bag. Pedwar yn weddill! Tri Gary Parkinson ac un Mark Williams!

Dros ddeuddydd, roedd y ddau fwli wedi cadw'u pellter ar iard yr ysgol. Ac i'r e-bostiau yr oedd y diolch am hynny, wrth gwrs, oherwydd, dros y Sul, fe lwyddodd y *Black Avenger* i anfon cymaint â saith neges yr un iddyn nhw. Ond bnawn heddiw yn yr ysgol, ac ynta'n meddwl yn siŵr eu bod nhw wedi dysgu'u gwers, dyma gael pwniad ciaidd yn ei gefn gan un ohonyn nhw a'i alw'n 'hen bwff bach tew' gan y llall. Amser i'r *Black Avenger* eu bygwth eto, felly, gynted ag y deuai'r cyfle.

*   *   *

Pan gyrhaeddodd ei gartre yng Nghonwy, cynhyrfodd Ifan o weld car heddlu yn sefyll o flaen y tŷ, a sarjant a chwnstabl yn aros yn amyneddgar i rywun ateb cloch y drws. Edrychodd ar ei wats. '*Eight twenty seven!* Be ddiawl maen nhw isio 'radag yma o'r nos?' Ei ofn oedd bod rhywbeth wedi digwydd i un o'i rieni.

'*What's up, Dave?*' gofynnodd, a brysio tuag atynt gan dynnu'i helmed yr un pryd. Roedd y sarjant ac ynta'n nabod ei gilydd ers sawl blwyddyn bellach, nid yn unig trwy gysylltiada gwaith ond hefyd yn gymdeithasol, yn y clwb golff. Nid bod Ifan yn olffiwr o fath yn y byd ond roedd y clwb yn lle hwylus iddo bicio yno weithia am beint tawel neu ambell gêm o snwcer. Trwy fod yn 'aelod cymdeithasol' yn fan'no doedd dim rheidrwydd arno wedyn i fynychu tafarna'r dre.

'A! O'r diwedd!' meddai'r swyddog a chasglodd Ifan iddynt fod yno fwy nag unwaith yn barod, yn chwilio amdano.

'Oes rhwbath yn bod?'

Roedd y sarjant ar fin ateb pan sylwodd Ifan arno'n dechra ffroeni ac yna'n taflu cip arwyddocaol i gyfeiriad ei gwnstabl.

'Dydach chi ddim wedi bod yn yfed alcohol, ydach chi, syr?'

'*Shit!*' meddai Ifan wrtho'i hun. Yn ei ddychryn o'u gweld, doedd o ddim wedi cofio am yr ogla cwrw ar ei wynt.

'Dduw annwyl, naddo! Hannar peint bach efo mwyd ar y ffordd adra, dyna i gyd.' Ceisiai swnio'n ddidaro, rhag i'w lais fradychu curiad trwm ei galon.

'. . . Wedi bod yn gweithio trwy'r dydd ar y busnas 'na ym mhorthladd Caergybi,' eglurodd. Byddai'r sarjant heb amheuaeth wedi clywed am y ffrwydriad ac yn gwybod, felly, pa waith roedd o'n sôn amdano. 'Pedwar tîm i gyd, Dave! Fedri di gredu'r peth? Y blydi Swyddfa Gartra ac MI5 yn codi bwganod eto!' A chwarddodd yn ysgafn i roi'r argraff nad oedd ganddo ddim byd o gwbwl i bryderu yn ei gylch. 'Dwi'n deud wrthat ti! Maen nhw wedi mynd yn paranoid yn Llundain ynglŷn â'r busnas Al Qaeda 'ma.' Daliai i wenu er mwyn cuddio'i bryder. 'Sut bynnag, be ddôth â chi yma i ngweld i? Dim byd rhy ddifrifol, gobeithio?'

Ond doedd Dave na'r cwnstabl ifanc ddim yn gwenu'n ôl. Os rhywbeth, roedd llygada'r ddau wedi culhau a'u gwyneba wedi caledu.

'Wnewch chi chwythu i hwn, os gwelwch yn dda, syr?' Ac fel cwningen wyrthiol yn ymrithio allan o het consuriwr, ymddangosodd y teclyn bygythiol yn llaw'r sarjant.

'Dwyt ti ddim o ddifri, rioed? Arglwydd mawr, Dave! Dim ond hannar peint dwi 'di gael, 'achan!' Ond wrth i oblygiada'r munuda nesa fflachio trwy'i

ben – lliw y swigan lysh yn troi'n goch . . .
ymddangosiad llys . . . colli ei drwydded yrru . . . colli
ei job – fe aeth yn anoddach iddo gelu'i bryder ac, er ei
waetha, fe deimlodd Ifan ei ysgwydda'n crymu ac yn
mynd yn llipa.

"Dach chi ddim yn gwrthod, ydach chi, syr?'

Damia'i ffurfioldeb dideimlad o! 'Gwrthod? Diawl
erioed, nacdw! Ddeudis i mod i'n gwrthod?'
gofynnodd yn edliwgar.

Ac i brofi ei barodrwydd, a'i deimlad o fod yn cael
cam, chwythodd yn ddig i mewn i'r teclyn a diodde'r
artaith tragwyddol o aros, i weld y gola bach yn
neidio, fel gola traffig, o wyrdd i felyn a hwnnw
wedyn yn crynu'n ansicir cyn troi'n goch. Yna clywed
y ddedfryd anochel: 'Evan Hughes, rhaid imi ofyn ichi
ddod efo ni i'r stesion.'

Nid cais ond gorchymyn, y tro yma. Dim sôn am y
'syr' parchus, chwaith.

'. . . Yno, mi fyddwch chi'n cael prawf arall ac os
ydi hwnnw hefyd yn bositif, yna byddwn yn eich
tsharjio chi o yrru beic modur tra dan ddylanwad
alcohol.'

'Arglwydd mawr! Sgynnoch chi ddim byd gwell i'w
neud efo'ch amser, deudwch?'

Oedd, roedd ei bryder a'i ofn wedi cilio mwya
sydyn, gan roi lle i ddicter hunangyfiawn. Pa bwynt
mewn trio bod yn glên efo nhw bellach, beth bynnag?
Ac i feddwl bod y cachwr Dave 'ma wedi smalio bod
yn ffrind iddo, tan rŵan! Yn ddigon parod i dderbyn
sialens ar y bwrdd snwcer yn y clwb! Ac yn fwy na
pharod hefyd, bob amser, i dderbyn wisgi wrth y bar!
Ond nefyr agén! Be ddeudodd ei Daid Lòrd Bach
wrtho, rywdro? *Cofia di hyn, machgan i! Mae'n well iti*

elyn wynab-galad na ffrind dauwynebog.' Mor wir, meddyliodd rŵan. Mor uffernol o wir!

'Mi ddo' i efo chi, ond rhaid imi gael mynd i'r tŷ bach yn gynta,' medda fo'n swta, gan chwilio ym mhoced ei siaced ledar am oriad y drws.

'Na! Fe gewch gyfle i neud peth felly yn y stesion.'

'Arglwydd mawr! 'Sa waeth gen i'r ffycin Gestapo ddim!' Ond wrth droi'n ddiamynedd i ufuddhau, gofynnodd, 'Be uffar oeddach chi'n neud yma, yn y lle cynta, beth bynnag?'

Dyna pryd y cofiodd y sarjant am ei neges wreiddiol. 'Ydw i'n iawn i feddwl bod gynnoch chi gyfrifiadur?' gofynnodd, a hynny mewn goslef oedd yn awgrymu ei fod wedi hen arfer ag athrod dynion euog.

Rhythodd Ifan yn hurt arno cyn ateb. 'Oes, mae gen i liniadur! Ond be ddiawl s'gen hynny i neud â chdi?'

'Ac rydych yn defnyddio'r Rhyngrwyd yn amal?'

'Be? Ti'n deud bod peth felly hefyd yn torri'r gyfraith, wyt ti?'

Unwaith eto, fe anwybyddodd y sarjant y coegni a'r dicter yn llais Ifan. 'Rhaid mynd â'ch cyfrifiadur chi efo ni, felly. Ewch i'w nôl o, os gwelwch yn dda?'

Tuedd reddfol Ifan oedd gwrthod, a mynnu cael gweld *search warrant*. 'Ond i be?' meddyliodd wedyn. Estynnodd am y goriad a'i wthio i'r clo. 'O leia mi fedri di ddeud wrtha i be ddiawl sy'n mynd ymlaen.'

'Rydym wedi derbyn cwynion eich bod yn defnyddio'r Rhyngrwyd i anfon negeseuon bygythiol at bobol. Bygythion dienw!'

*   *   *

607

Dros y dyddia nesa, fe brofodd Ifan bob emosiwn dan haul, trwy ddechra, y noson honno, efo'r gollyngdod aruthrol o glywed y sarjant yn deud, ar ôl yr ail brawf, bod lefel yr alcohol yn ei waed fymryn yn is na'r trothwy ac na fyddid, felly, yn ei jarjio am yrru o dan ddylanwad.

'Ti wedi bod yn lwcus iawn iawn, Evan,' medda fo, a thôn ei lais yn debycach i'r hyn yr arferai fod wrth fàr y clwb golff ac o gwmpas y bwrdd snwcer. 'Tria fod yn fwy gofalus o hyn allan, wir Dduw!'

Er gwaetha'i iwfforia, cyndyn ar y naw oedd o i ysgwyd llaw y sarjant wrth i honno gael ei chynnig iddo. Roedd yn amlwg mai llaw i geisio cymod ac adfer cyfeillgarwch oedd hi, ond doedd o ddim yn teimlo'n faddeugar o gwbwl, yn enwedig o gofio'r cyhuddiad arall, hefyd, a wnaed i'w erbyn.

'*Black Avenger?* Arglwydd mawr, ddyn! Dwyt ti rioed yn meddwl y basa rhywun yn ei oed a'i amsar, fel fi, yn gyrru negeseuon plentynnaidd fel'na i neb? A hynny gan wbod o'r gora bod fy nghyfeiriad e-bost i fy hun yn mynd efo nhw? Callia, wir Dduw! Alla i ond meddwl mai'r mab sydd wedi bod wrthi, a hynny tu ôl i nghefn i.'

Fu dim rhaid iddo grafu pen i gofio pryd y cawsai Arnold ei gyfle cynta. Na chwaith, o gywilydd, yr amgylchiada a roddodd iddo'r cyfle hwnnw!

'. . . Felly, gad i *mi* ddelio efo fo. Mi wna i'n siŵr na neith y diawl bach ddim byd fel'na eto. Ond mae'n amlwg hefyd, on'd ydi, o ddarllan y negeseuon 'ma, ei fod ynta wedi bod yn cael ei fwlio yn yr ysgol? Felly, ti'm yn meddwl ei bod hi'n ddyletswydd arnat titha i gael gair efo'r prifathro, a chael hwnnw hefyd i neud ei job yn iawn?'

Rhag ymddangos yn rhy bwdlyd a difanars, cydiodd rŵan â llaw lipa yn un y sarjant a rhyddhau ei afael bron yn syth wedyn.

'Sut ei di adra? Mae hi'n bwrw'n drwm, tu allan. Ga i ffonio am dacsi iti?'

Roedd ar flaen ei dafod i ateb 'Stwffia dy ffycin tacsi!' ond gan i ganlyniad y prawf fod o'i blaid fe benderfynodd fod yn fwy mawrfrydig. 'Na, ddim diolch. Sut bynnag, mae arna i angan y glaw i olchi ogla'r lle 'ma oddi arna i.'

Tra'n trafod efo'r sarjant, doedd o ddim wedi sylwi ar y ferch walltddu yn oedi wrth y drws i dynhau belt ei chôt-law, a synnodd ei chlywed hi'n ei gyfarch, rŵan.

'Dwi ar gychwyn am adra. Ga i gynnig lifft ichi?'

Llond ceg o Gymraeg annisgwyl!

'Ym . . .'

Roedd ei phrydferthwch – ei llygaid gloyw, ei gwefusa coch, ei gwallt llaes graenus, siap anhygoel ei chorff, pob dim yn ei chylch – yn cydio yn ei anadl nes peri swildod anghyfarwydd.

'Ym . . . Diolch yn fawr.'

'Fedrwn i ddim peidio clywad y sarjant yn siarad efo chi,' medda hi'n ymddiheurol. 'Mae hi'n tresio'r glaw tu allan ac mi fyddech chi'n wlyb at eich croen ymhen dim.'

Wrth ei dilyn hi drwy'r drws, llygadodd Ifan ei choesa siapus a dotio at sicrwydd ei cherddediad ar y sodlau stileto uchel.

'Yma 'dach chi'n gweithio, felly, ia?'

'Ia, tan bump bob dydd. Ysgrifenyddas i'r Inspector, ymysg petha eraill. Ond ro'n i wedi gadael rhwbath pwysig ar ôl, heddiw . . .' Daliodd fag plastig i fyny, fel prawf. '. . . ac mi fu'n rhaid imi ddod yr holl ffordd yn ôl yma, i'w nôl o.'

'O! Fy lwc i, felly.'

'Ia, debyg,' meddai hitha, gan droi ei phen fymryn i wenu arno dros ysgwydd.

Gwenodd Ifan hefyd, a hynny am y tro cynta ers oria. Faint oedd ei hoed hi, tybad? Canol ei thridega, falla? Rhyw flwyddyn neu ddwy yn iau na fo'i hun, o bosib.

'Oes gynnoch chi ffordd bell i fynd?' gwaeddodd drwy'r glaw, gan ddechra rhedeg ar ei hôl ar draws y ffordd, at lle'r oedd ei char wedi'i barcio. Gwelodd lygada oren yn wincio'n wlyb ar hwnnw wrth i'w ddrysa ddatgloi.

'Llanrwst,' medda hi, a phrysuro i gysgod sedd y gyrrwr.

Brysiodd ynta rownd blaen y car i ymuno efo hi, ac wrth dynnu'r gwregys ar draws ei frest sylwodd fel roedd y gwlybaniaeth ar ei ddillad lledar yn adlewyrchu goleuadau oren y stryd tu allan.

'Ar hyd yr hen ffordd fyddwch chi'n mynd adra?'

'Ia.'

'O, da iawn! Mi fyddwch chi'n pasio'r stryd lle dwi'n byw, felly.'

'Byddaf. Dyna pam y cynigiais i lifft ichi.'

Roedd hi'n gwybod lle'r oedd o'n byw! Rhyfadd! 'Un o fan'no oedd Nain. O Lanrwst, dwi'n feddwl.'

'Tewch â deud!' Ond doedd ei goslef ddim yn awgrymu llawer o ddiddordeb, serch hynny.

'Ia. Merch ffarm oedd hi. Ond does gen i ddim syniad be oedd enw'r lle, chwaith.'

Wrth iddi roi'r car mewn gêr, sylwodd Ifan ar y fodrwy briodas yn disgleirio ar ei bys a theimlodd blwc o siom. Ond dyna fo! Doedd dim disgwyl i hogan handi fel hon fod heb ddyn yn ei bywyd.

'Ifan Huws ydi'r enw, gyda llaw.'

'Ia, dwi'n gwbod,' medda hi'n ddidaro. 'A Nia Harris ydw inna.'

Gwybod ei enw hefyd! Rhyfeddach fyth! 'O! Mae'n dda gen i'ch cwarfod chi!'

Roedd o isio ysgwyd llaw â hi, er mwyn cael y wefr o deimlo'i chroen a'i chnawd, ond roedd hi'n rhy brysur yn gyrru. Isio gofyn hefyd sut y gwyddai hi ei enw, a sut y gwyddai hi lle'r oedd o'n byw. 'Mi ddaru chi greu tipyn o draffarth ichi'ch hun, heddiw, felly?'

'Pardwn?'

'Yn anghofio fel'na! Tipyn o ffordd i ddod yn ôl yma o Lanrwst, yn doedd?'

Gwelodd hi'n gwenu'n ofidus a sylwodd fel roedd y glaw a syrthiai ar y sgrîn wynt, a llif cyson y weipars wrth i'r rheini ei sgubo ymaith, yn taflu cysgodion oren aflonydd dros ei gwyneb. Oedd, roedd hi'n dipyn o bishyn, meddyliodd eto.

'Anghofio presant y mab wnes i. Mae o'n cael ei ben blwydd fory, 'dach chi'n gweld, ac ro'n i wedi picio i Landudno, yn ystod yr awr ginio, i brynu rhwbath iddo fo. Crys rygbi'r *All Blacks*, os gwelwch chi'n dda!'

Wrth ei chlywed hi'n chwerthin, dotiodd Ifan at y sŵn.

'. . . Ond mynd adra hebddo fo wnes i, wedyn! . . . Dow! Be sy'n mynd ymlaen yn fa'ma, deudwch?'

Ar balmant chwith y ffordd, roedd rhyw gythrwfwl ar droed. Nifer o lancia mewn lliwia pêl-droed yn gwthio'i gilydd yn ôl a blaen yn y glaw, ac yn bygwth dyrna.

'Twt! Dim byd mawr! Criw ifanc wedi cael gormod

o *shandy*, dyna i gyd.' Doedd o ddim am i ryw iobs swnllyd ddwyn ei sylw hi oddi arno. 'A faint o blant sgynnoch chi, felly?'

'Dau fab. Yr hyna'n bedair ar ddeg fory a'r llall yn ddeuddag ers dechra Mehefin. Crys y *Springboks* gafodd hwnnw!'

'O! Rygbi ydi'u petha nhw, felly?'

'Argol fawr, ia! Mi fuodd eu tad nhw'n chwara efo tîm Nant Conwy am flynyddoedd, ac yn hyfforddi un o'r timau iau ar ôl hynny . . . Sy'n f'atgoffa i! Mae'r sesiyna hyfforddi at y tymor newydd yn dechra fora Sadwrn nesa, felly dyna lle y bydda inna hefyd, mae'n beryg.'

'O! 'Dach *chitha*'n gefnogwr rygbi?'

Wrth i oleuada gwlyb y stryd tu allan olchi'n aflonydd dros ei gwyneb gwelw hi, gwelodd Ifan y wên fach drist yn ffurfio.

'Matar o raid, mae gen i ofn. Mae tada rhai o'r hogia eraill yn mynd yno, 'dach chi'n gweld, i ddangos cefnogaeth.'

A be am eu tad nhw? Dyna oedd Ifan isio'i ofyn ond brathodd ei dafod.

'. . . Be amdanoch chi, ta? Oes gynnoch chi blant?'

'Un hogyn. Mae o newydd gael ei bymthag.'

'O! Da iawn.'

Wrth synhwyro bod y sgwrs yn colli ei blas iddi, brysiodd Ifan i egluro ymhellach, 'Ond byw efo'i fam mae o, wrth gwrs. Byw fy hun ydw i, rŵan.'

'O! Deudwch chi. Does gen inna neb ond y meibion, chwaith, erbyn heddiw. Ond mi wyddoch chi hynny, wrth gwrs.'

Fe gymerodd eiliad neu ddwy i'w geiria hi gymryd ystyr. Yna craffodd arni'n ddi-ddallt.

'. . . 'Dach chi ddim yn cofio, ydach chi?' medda hi wedyn, yn synhwyro'i ddryswch, a throdd ei phen i edrych arno, er mwyn rhoi cyfle iddo gael gweld ei gwyneb hi'n llawn.

Yn y cip cyflym hwnnw, fe welodd Ifan fwy na phrydferthwch; gwelodd hefyd dristwch ac unigrwydd yn y llygaid tywyll. 'Be? Ydw i fod i'ch nabod chi?'

'Na. Does dim disgwyl ichi gofio, wrth gwrs, ond mi rydw *i*'n eich cofio *chi*. Dyna sut ddaru mi'ch nabod chi yn y stesion, gynna. Chi oedd yn rhoi tystiolaeth yn y cwest i farwolaeth fy ngŵr, dair blynadd yn ôl.'

'Be? Dyn o Lanrwst?' Stopiodd Ifan i feddwl. 'Nid y dyn a gafodd ei . . . a gollodd ei fywyd pan . . .?'

O weld ei anghysur, gorffennodd Nia Harris y frawddeg drosto. '. . . pan gollodd y dreifar hwnnw reolaeth ar ei lorri a'i daro fo fel roedd o'n cerddad adra. Mi fu'ch tystiolaeth chi yn y cwest o help mawr, nid yn unig i glirio enw Ron ond hefyd i orfodi'r cwmni insiwrans i dalu iawndal teilwng imi. Roedd hynny'n bwysig iawn i mi. Yn bwysig bod fy mhlant i'n cael pob chwara teg ar ôl colli'u tad. Mi fydda i'n ddiolchgar am byth ichi am be naethoch chi.'

Teimlodd Ifan gynhesrwydd sydyn yn llifo trwy'i wythienna. Oedd, roedd yn cofio'r achos yn iawn. Gan nad oedd tystion i'r ddamwain, roedd gyrrwr y lorri wedi honni bod Ron Harris wedi camu allan i'r ffordd, o'i flaen, gan ei orfodi ynta i ddringo'r pafin i geisio'i osgoi. Ond roedd o, Ifan, trwy archwilio'r safle'n fanwl, wedi gallu profi bod y dyn a laddwyd, pan welodd y lorri'n dod amdano, wedi troi ar ei sawdl i geisio dianc o'i ffordd, a'i fod o, trwy neud hynny, wedi sgythru gwadan ei esgid ar wyneb y pafin gan

613

adael rhywfaint o'i lledar ar ôl yno. Y dystiolaeth honno, yn fwy na dim arall, yn ogystal â'r ffaith bod rhywfaint o alcohol yng ngwaed y gyrrwr, er nad digon i fod yn torri'r gyfraith chwaith, a barodd i hwnnw newid ei stori yn y llys yn ddiweddarach, a phledio'n euog i gyhuddiad o achosi marwolaeth trwy yrru'n beryglus.

'Gneud fy ngwaith, dyna i gyd,' medda fo'n wylaidd. 'Ond dwi'n falch mod i wedi gallu'ch helpu chi.'

'Finna hefyd!' medda hi, a'i gwên yn crychu cornel ei llygaid a chnesu'r awyrgylch rhyngddyn nhw. Ond yna daeth ei geiria nesa fel huddug i botas blasus, 'Hon ydi'ch stryd chi, ia?'

Oedd, roedd hi'n gwybod yn union lle'r oedd o'n byw.

'Ia, gwaetha'r modd!' medda fo, heb geisio cadw'r siom o'i lais.

Trodd hitha i'w wynebu, ac i wenu'n llawnach arno rŵan, i ddangos ei bod hi'n dallt ei awgrym.

'. . . Ond ddim yn hir eto, mae gen i ofn. Dwi wedi gwerthu'r tŷ ac mae disgwyl imi ei wagio fo o fewn y pythefnos nesa.'

'I ble'r ewch chi wedyn?'

'Dim syniad, a deud y gwir. Rhyw feddwl chwilio am le ym Mlaendyffryn. Tai yn rhad yn fan'no.'

'Mi fydd hynny'n dipyn o newid byd ichi!'

Tybiodd am eiliad bod ei gwên yn difrïo Blaendyffryn.

'. . . O leia mi gewch chi fyw yng nghanol Cymry, yn fan'no, a chlywad Cymraeg iawn bob dydd.'

Gwelodd Ifan hi'n craffu ar ei wats, rŵan, cystal ag awgrymu ei bod hi ar frys. Yn gyndyn, dringodd allan

614

o'r car, i deimlo dafnau oer y glaw yn dawnsio ar ledar caled ei ysgwydda ac yn treiddio trwy'i wallt, i wlychu croen poeth ei ben. Yn hytrach na brysio i gau'r drws ar ei ôl, fodd bynnag, plygodd i barhau'r sgwrs.

'Ym . . . 'Dach chi'n enedigol o Lanrwst, felly?'

'Na. O bentra bach Dol-y-gwydd.'

'Tewch â deud! Un o'r ochor arall i'r Bwlch ydi Nhad, wyddoch chi? O Flaendyffryn. Yno mae'i deulu fo i gyd wedi'u claddu.'

'Ia, wir?' Ond chwerthin roedd hi. 'Maddeuwch imi am chwerthin,' medda hi wedyn, 'ond fyddwch chi fawr callach o fod wedi cael lifft gen i, os 'dach chi am ddal i sefyll yn fan'na yn y glaw. Mi fyddwch chi'n wlyb at eich croen yn fuan iawn.'

Chwarddodd ynta. 'Mwynhau'r cwmni, dyna pam!'

'Ia, dwi'n gwbod,' medda hi, fel 'tai hi'n dallt ei deimlada. 'Wel, mi fydd yn rhaid imi fynd. Dydw i ddim wedi golchi'r llestri swpar eto.'

'Mi fydd y meibion wedi gneud hynny ichi, siawns?'

Eto'r chwerthiniad hudolus. 'Dim peryg yn byd! Allan yn crwydro'r stryd maen nhw, mae'n siŵr . . . glaw neu beidio.'

'Ar ôl merchaid?'

'Synnwn i ddim!' medda hi rhwng difri a chwara. 'Mae Alun wedi dechra dangos diddordab yn barod, dwi'm yn ama. Be am eich mab chi?'

'Pwy? Arnold? . . . Ydi. Hwnnw hefyd, mae'n siŵr,' medda Ifan yn gelwyddog a heb arlliw o argyhoeddiad yn ei lais.

'Wel, mi fydd yn rhaid imi'i throi-hi, mae gen i ofn. Dwi'n poeni pan mae'r hogia allan mor hwyr â hyn.'

'Ydach, wrth gwrs.' Tybed oedd hi'n clywed y siom yn ei lais? 'Diolch am y lifft, beth bynnag.'

Roedd ar fin rhoi clep ysgafn i'r drws pan glywodd hi'n deud, yn ymddiheurol bron, 'Dwi mor falch bod petha wedi gweithio allan yn iawn ichi, yn y stesion, gynna. Gobeithio na fyddwch chi'n meddwl mod i'n busnesu, ond y sarjant oedd yn iawn, gynna, wyddoch chi.'

Wrth glywed y gêr yn cydio a'r brêc yn gollwng ei afael, camodd Ifan yn ôl ar y pafin, i'w gwylio hi'n mynd, a theimlo'r glaw yn gwlychu ei wyneb.

'A dyna'r cyfla yna wedi mynd!' medda fo wrth y nos wlyb o'i gwmpas, a'i eiria'n gymysgedd o siom a chywilydd a rhwystredigaeth. Siom a rhwystredigaeth am iddo golli cyfle i drefnu cyfarfod â hi eto, rywbryd. Cywilydd o sylweddoli ei bod hi wedi dallt pam ei fod o yn y stesion o gwbwl, y noson honno, yn enwedig o gofio bod y gyrrwr lorri hwnnw a laddodd ei gŵr hi, dair blynedd yn ôl, hefyd wedi bod yn yfed.

'Blydi anobeithiol! Dyna wyt ti, Ifan!' medda fo'n ddig, gan wylio gola coch ei char yn diflannu i'r caddug. 'Ond dwi wedi dysgu un wers heno, beth bynnag.' A gwyliodd gynnwys ei fflasg yn llifo allan ohoni ac yn colli ei liw yn nŵr y gwter.

*   *   *

Pan gyrhaeddodd y tŷ, roedd tair neges ffôn yn aros amdano. Llais Allison oedd y gynta: *'Phone back, as soon as you get in! Arnold wants help with his homework.'* Ei fam oedd wedi gadael yr ail neges: 'Ifan, rho ganiad gyntad ag y cei di gyfla. Plîs!' Yna, llais Allison eto, ond yn dipyn mwy blin rŵan: *'I left you a message hours ago! Why the hell haven't you phoned back? Arnold is in tears because he needs your help with his homework.*

He has to hand the bloody thing in first thing tomorrow morning, and he's driving me mad. So phone him, for Christ's sake! You're his fuckin father!'

Edrychodd ar ei wats. *Nine twenty!* Deialodd.

'Mam! Be sy'n bod?'

'O! Diolch dy fod ti wedi ffonio!' Roedd ei rhyddhad hi'n amlwg.

'Oes rhwbath wedi digwydd?'

'Mae dy dad wedi cael ei gadw i mewn yn Sbyty Gwynedd ers pnawn 'ma.'

Gallai ei chlywed hi'n tagu ar ei geiria.

'Ei gadw i mewn? Be 'dach chi'n feddwl, Mam? Be sy'n bod arno fo?'

'Wedi bod yn cael rhyw boena mae o, ers tro. Chawn i ddim deud wrthat ti, wrth gwrs . . . wrthat ti na Megan. Mi wyddost ti fel mae o! Ddim isio'ch poeni chi heb achos, medda *fo.*'

'Be ddigwyddodd iddo fo orfod mynd i'r sbyty o gwbwl ta, Mam?' Cofiai'r olwg a gawsai ar ei dad pan aethon nhw i fyny i Chwaral y Lòrd yn ddiweddar ac ychwanegai hynny at ei bryder rŵan.

'Ers wythnosa, dwi wedi bod yn swnian arno fo i fynd at y doctor. Mi aeth o, o'r diwadd, ac wythnos dwytha mi gafodd weld arbenigwr . . .'

Wrth glywed y cryndod yn llais ei fam, gwyddai Ifan nad oedd dagra yn rhy bell chwaith.

'. . . Mi ddaru mi fynnu ei fod o'n talu am gael mynd yn breifat. Cymaint o *waiting list,* fel arall. Ac mae'n dda ei fod o wedi gneud hynny, erbyn rŵan. Mi gafodd o nifar o brofion gwaed ac yna, ddoe, dyma fi'n cael galwad ffôn gan ysgrifenyddas y sbeshalust, i ddeud bod hwnnw isio gweld dy dad eto, bnawn heddiw, yn ei glinig.'

Clywodd Ifan hi'n snwfflan a chynyddodd hynny ei bryder. 'A be ddigwyddodd, Mam?'

'Ei gadw fo i mewn, i neud rhagor o brofion.'

'Pa fath o brofion?'

'Alla i ddim deud wrthat ti. Mae dy dad yn trio gneud yn fach o'r peth, wrth gwrs – mi wyddost ti fel mae o! – ond dwi'n ei nabod o'n well na mae o'n feddwl, Ifan. A dwi'n gwbod o'r gora ei fod ynta hefyd yn poeni.'

'Ylwch, Mam! Rhaid ichi beidio mynd i gwarfod gofid. Poeni bod cansar arno fo ydach chi, yn de?'

Roedd y distawrwydd o ben arall y lein yn gadarnhad ynddo'i hun.

'Be am Megan? Ydach chi wedi gadael iddi hi wbod?'

'Do. Mae hi am ddod draw, ddydd Sadwrn, i'w weld o.'

Eiliad gymerodd Ifan i feddwl. 'Gwrandwch, Mam. Wnewch chi neud gwely'n barod imi? Mi fydda i'n aros efo chi heno. Dwi'n cychwyn am Fangor, rŵan.'

*   *   *

Pan gerddodd Megan i mewn i'r ward, fore Sadwrn, dychrynodd at y newid yn ei thad. Ers iddi ei weld ddiwetha, roedd y pwysi wedi syrthio oddi arno, a'i lygaid mewn cleisiau duon yn ei ben.

Dim ond ei mam oedd wrth y gwely. Doedd dim sôn am Ifan.

Cofleidiodd y ddwy, i gynnig cysur i'w gilydd yn fwy na dim arall. Roedd yn gyfle, hefyd, i Megan guddio'i braw.

'Wel?' medda hi, gan blygu i roi cusan ar groen tyn talcen ei thad. 'A sut ydach chi erbyn hyn, Nhad?'

'Dal i aros y canlyniada, rhen hogan. Mae'n siŵr y ca i fynd adra ddechra'r wythnos, wyst ti,' medda fo, gyda gwên wan. Ond doedd y wên ddim yn cuddio'r hunan-dwyll, na gofid y llygaid llonydd.

'Cewch, debyg! 'Dach chi mewn dwylo da, beth bynnag,' medda hi, a gwenu yr un mor ofer yn ôl. 'Gyda llaw, fuodd Ifan yma'n eich gweld chi?'

Ei mam a atebodd. 'Do. Ddoe a heddiw. Ac mi ddaw yn ôl eto heno, medda fo. Mae o wedi gorfod mynd i rwla, bora 'ma . . . efo'i waith, dwi'n meddwl.'

*   *   *

Er i'r tywydd fod yn braf dros Fangor a Sir Fôn, roedd copaon Eryri o'r golwg mewn niwl wrth i'r beic nadreddu'i ffordd i fyny Nant Ffrancon, ac erbyn iddo gyrraedd Llyn Ogwen, roedd y glaw mân wedi llyncu pawb a phopeth. Serch hynny, doedd diflastod y bore ddim yn ddigon i ladd ysbryd y cerddwyr a'r dringwyr, oherwydd roedden nhw yno, yn un haid arferol, eu ceir a'u faniau a'u bwsiau-mini yn hawlio pob modfedd bosib o le parcio.

'Parcio di-dâl, wrth gwrs!' meddyliodd Ifan yn chwerw. Doedd ond mis ers iddo fo ei hun gael trigain punt o ddirwy am barcio'i gar yn anghyfreithlon, bum milltir i lawr y lôn ym Methesda. 'Mae isio sbio'u penna nhw, wir Dduw, yn mentro yn y fath dywydd. Ond dyna fo! Does dim dysgu ar y diawliaid gwirion.'

Cafodd ffordd wlyb wedyn nes cyrraedd Betws-y-coed, ond wrth adael yr A5 yn fan'no, a dilyn yr A470 i lawr Dyffryn Conwy, daeth clytia mwy croesawus o awyr las i'r golwg.

Er gwaetha'i bryder am iechyd ei dad, prin bod Nia Harris wedi bod allan o'i feddwl, ers y lifft adra ganddi

619

nos Fercher. Ac roedd yn fwy na pharod i gyfadde iddo'i hun, rŵan, wrth nesu am Lanrwst, ei fod yn ysu am ei gweld hi unwaith eto.'*Fel hogyn ysgol am ei gariad cynta,*' meddai llais bach yn ei ben.

'*Ond mae 'na un gwahaniaeth, cofia!*' meddai llais Rheswm yn ôl wrtho. '*Dydi hi ddim* yn *gariad iti. Nac yn debygol o fod, chwaith.*'

'*Ond mae ganddi ddiddordab, mae'n rhaid,*' meddai llais bach Gobaith yn ôl, '*neu fasa hi ddim yn gwbod cymaint amdana i . . . F'enw i . . . lle dwi'n byw, ac ati.*'

'*Arglwydd mawr! Paid â thwyllo dy hun, wàs!*' Llais Rheswm eto! '*A hitha'n gweithio yn y stesion yng Nghonwy, ac yn ysgrifenyddas i'r Inspector, mae hi siŵr Dduw o wbod dy gyfeiriad di, a chyfeiriad pob CSI arall yng ngogledd Cymru hefyd, o ran hynny.*'

O fewn yr awr nesa, siawns y câi wybod i sicrwydd pa lais i wrando arno.

*　　　*　　　*

Daeth y *staff nurse* i sefyll at draed y gwely.

'Rhaid imi ofyn ichi adael y ward am chydig,' medda hi'n ymddiheurol. 'Mae Mr Mason y *consultant* ar ei ffordd yma ac mi fydd o isio gair efo Mr Huws.'

Gwelodd Megan yr ofn yn neidio i wyneb ei mam. 'Dowch!' medda hi. 'Mi awn ni i lawr i'r caffi am banad.'

Yn bur gyndyn, fodd bynnag, y dilynodd Anwen Huws ei merch, a hyd yn oed wedyn bu'n rhaid iddi gael troi yn nrws y ward i wenu'n gysurlon a chodi llaw ar ei gŵr.

'Wyddwn i ddim bod consyltants yn mynd o gwmpas y wardia ar fora Sadwrn,' medda hi, pan oedden nhw allan o glyw ei gŵr. 'Ti'm yn meddwl mai dŵad yn unswydd i weld dy dad efo rhyw newydd drwg mae o, wyt ti?'

'Twt lol, Mam! Rhaid ichi beidio mynd i gwarfod gofid fel'na! Mewn sbyty fawr fel hon, mae'r consyltants i'w gweld o gwmpas y lle bob dydd o'r wythnos, siŵr iawn.' Doedd wiw iddi gyfadde ei bod hi'n siarad ar ei chyfer a'i bod hi, mewn gwirionedd, yn rhannu'r un consýrn yn union â'i mam.

'Ond wyt ti'm yn meddwl y dylwn i fod efo dy dad, i glywad be fydd gan y dyn 'ma i'w ddeud?'

'Mi fyddai'r nyrs wedi gofyn ichi neud hynny, Mam, pe bai raid.'

*   *   *

Hyd y gallai Ifan weld, roedd yno bedair carfan yn ymarfer ar nifer o gaea gwastad, rhai cyn ienged â saith neu wyth oed. Y garfan hyna oedd yn hawlio'r cae agosa at y maes parcio; y rheini oddeutu'r pymtheg oed, ym marn Ifan. Yma ac acw o gwmpas y gwahanol ymarferiada, safai rhesi o ddynion yn gwylio ac yn gweiddi anogaeth. 'Y tada, mae'n siŵr!' meddai fo wrtho'i hun. 'Ond lle mae *hi*?'

Rhag i neb ei gamgymryd am un o'r tada balch, fe oedodd rai llathenni'n brin o gae y chwaraewyr hŷn. Doedd ond pump yn gwylio'r rhain – tri dyn efo'i gilydd ar yr ochr draw a gŵr a gwraig efo'u cefna ato, ar yr ochr yma. Ffarmwr a'i wraig, yn ôl pob golwg. Fo mewn trowsus melfaréd mwdlyd-ei-odreuon ac efo cap stabal ar ochor ei ben; hi mewn pâr o *wellingtons* pinc, ac anorac lwyd oedd o leia ddau faint yn rhy fawr iddi. Rhaid nad oedd hi wedi sylweddoli bod y glaw wedi peidio, oherwydd roedd cwfl yr anorac yn dal i fod yn dynn am ei phen.

'Dau od!' meddai Ifan wrtho'i hun, wrth weld y bwtan o wraig yn cerdded ac aros, cerdded ac aros, gan ddilyn rhediad y chwaraewyr ar y cae, a fynta'i gŵr yn ei dilyn yn ôl a blaen, fel ci bach, heb ddangos fawr o ddiddordeb yn y chwarae.

Gadawodd Ifan i'w lygaid grwydro o gwmpas y caeau eraill ond doedd dim sôn am Nia Harris yn fan'no, chwaith. Prin y gallai guddio'i siom. 'Cael pen bar ar ôl hyn'na i gyd!' medda fo'n flin, gan fenthyca un o ddywediada'i daid, ers talwm, i fynegi ei siom, a theimlo'n dipyn o ffŵl yr un pryd. Dod yr holl ffordd o Fangor ar siwrna seithug!

O wel! Châi'r siwrna honno ddim bod yn gwbwl ofer, chwaith. Yn hytrach na dychwelyd i Fangor y ffordd y daeth, fe âi yn ei flaen rŵan am Gonwy ar hyd yr A470 neu, yn well fyth, ar hyd yr hen ffordd trwy Drefriw. Cael cawod a dillad glân yn fan'no, yna dilyn yr A55 wedyn yn ôl am Fangor, i gwblhau taith gron wastraffus.

Fel roedd yn troi ei gefn pwdlyd ar y chwarae, daeth gwaedd uchel – 'Y bêl!' – oddi wrth sawl un o'r chwaraewyr a throdd ynta i weld y siâp wy yn hedfan amdano gan fygwth dianc dros ei ben. Yn reddfol, neidiodd cyn uched ag y gallai amdani a'i theimlo hi'n glynu'n wyrthiol bron yng nghledr ei law. Waw! Doedd o ddim wedi cydio mewn pêl rygbi ers ei ddyddia yn Ysgol Tryfan, ers talwm. Ac yn reit siŵr, doedd o rioed wedi dal pêl mor ddeheuig â hyn'na yn ei ddydd.

'Sori!' meddai'r bachgen gyda gwên fwdlyd. 'Cic gam mae gen i ofn.'

Gwenodd Ifan yn ôl arno. 'Rhaid iti fynd â dy draed i'r efail felly, boi.'

622

'Be?'

Chwarddodd wrth weld y dryswch ar wyneb yr hogyn. 'Ffordd o siarad, dyna i gyd!' A thaflodd y bêl yn ôl iddo.

'Diolch,' medda hwnnw, ac ychwanegu dros ysgwydd: ''Sa chi'n grêt mewn leinowt.'

Roedd o ar gychwyn eto am y beic pan glywodd lais merch yn galw'i enw yn gynhyrfus a chafodd sioc o weld y wraig yn y *wellingtons* pinc a'r anorac anferth yn prysuro tuag ato gan wthio'r cwfl yn ôl oddi ar ei phen. Mwy o sioc oedd sylweddoli pwy oedd hi.

'Nia! Wnes i mo dy nabod di!' medda fo, a'i wên yn lledu'n gyflym.

'O! Dwi mor falch dy fod ti wedi dod.'

Prin y gallai gredu'r diffuantrwydd yn ei chroeso a'r rhyddhad yn ei llais. Roedd hi'n ymddwyn fel 'taen nhw'n hen gydnabod. Ac yn hytrach na stopio o'i flaen, fe ruthrodd yn syth i'w freichia ac ymestyn i roi cusan ar ei foch.

'Finna hefyd, yn enwedig o gael croeso fel'na!' medda fo, yn cuddio'i syndod a'i bleser tu ôl i'r direidi yn ei lais.

'Plîs smalia dy fod ti'n gariad neu rwbath imi,' medda hi'n ymbilgar, a'i gwên wedi diflannu mwya sydyn. 'Mae nacw drosta i, ers meitin, fel plâ.'

Dalltodd Ifan mai cyfeirio at y ffarmwr roedd hi a bod hwnnw'n eu llygadu nhw'n eiddigeddus rŵan.

'. . . Mae o'n gneud tipyn o niwsans ohono'i hun a deud y gwir. Does gynno fo ddim math o ddiddordab mewn rygbi ond roedd o'n gwbod o'r gora mai yn fa'ma y baswn i bora 'ma.'

'Mi fydd hynny'n beth hawdd iawn i'w neud.'

Crychodd ei thalcen. 'Be, felly?'

'Wel, smalio bod yn gariad iti.'

Gyda gwên ddireidus, bachodd hi ei braich am ei fraich ef a'i dynnu'n ôl at y cae. 'Tyrd! Iti gael gweld Alun yn ymarfar. Ti wedi'i gwarfod o'n barod. Fo ddaeth i nôl y bêl gen ti.'

'A!' medda Ifan yn chwareus. 'Y boi efo'r traed cam!' A chafodd bleser o'i theimlo hi'n gwasgu ei fraich i'w geryddu. 'Be am y mab arall, ta? Ydi o ddim yma?' Yn ei feddwl roedd o'n gofidio'n barod na fuasai ei fab ei hun yn debycach i Alun.

'Na. Ddim heddiw. Mae o'n ymarfar ei delyn. Arholiad gradd pedwar, wythnos nesa.'

'Rhaid bod gynno fo fam greulon, yn ei orfodi fo i bractisio telyn yn hytrach na chwara rygbi.'

Chwarddodd Nia yn iachach nag oedd raid iddi, i daflu mwy o lwch i lygad y ffarmwr oedd rŵan wedi penderfynu gadael y cae.

'Na. A deud y gwir, mae Owain wrth ei fodd yn practisio. Mae o'n gerddorol iawn, er mai fi sy'n deud. Yn dda iawn ar y piano'n ogystal . . . Mae hwn hefyd yn chwara'r piano,' medda hi, gan nodio'i phen i gyfeiriad ei mab hyna, a doedd dim gwadu'r balchder yn ei llais. 'Tynnu ar ôl Mam maen nhw. Roedd hitha'n gerddorol iawn, cyn i'r arthritis gael gafael yn ei dwylo hi.' Yna, roedd hi'n chwerthin eto, a'i llygaid tywyll yn disgleirio'n gellweirus. 'Gyda llaw, ti'n licio nghôt i, gobeithio?'

Gollyngodd ei gafael ar ei fraich a chamu'n ôl, iddo gael gweld y logo a darllen y geiria *Clwb Rygbi Nant Conwy* arni.

'Côt Alun!' eglurodd, gan ei hagor i'w thynnu, rŵan. 'Cymryd ei benthyg hi wnes i, oherwydd y glaw, gynna.'

'Mae hi'n dy ffitio di i'r dim,' gwamalodd ynta. 'Er, mae'n rhaid imi gyfadda bod yn well gen i yr hyn dwi'n weld rŵan,' medda fo, gan lygadu'n hy y siwmper ddu, dynn oedd yn amlygu pâr o fronnau cadarn. Doedd ei throwsus hi, o'r un lliw, yn gneud dim chwaith i guddio siâp deniadol ei chlunia a'i phen-ôl. 'Waw!' medda fo efo gwên ddigywilydd, er mwyn pwysleisio'i gynnwrf a chywilyddio'n syth wedyn o sylweddoli ei fod yn cymryd gormod yn ganiataol. Wedi'r cyfan, dim ond smalio diddordeb ynddo wnaeth hi. Ei ddefnyddio fel esgus i gael gwared â'r ffarmwr.

Ond gwenu gyda phleser a wnâi hi, serch hynny, fel un oedd wedi hen arfer â dynion yn ei llygadu hi'n chwantus. 'Ond deud ti'r gwir, rŵan! Ffansïo'r *wellingtons* wyt ti go iawn, yn de?'

'Wrth gwrs!' medda fynta, yn falch o'r cyfla i guddio'i hyfdra.

A chwarddodd y ddau.

Ar yr eiliad honno, clywsant chwiban yr hyfforddwr ac yna'i lais yn gweiddi'n flin, 'Be uffar sy'n bod arnat ti heddiw, Alun? Dyna'r trydydd tro o fewn y pum munud dwytha iti fethu dal d'afael ar y bêl!'

Nid y ffarmwr oedd yr unig un, felly, i sylwi ar be oedd yn mynd ymlaen oddi ar y cae.

*   *   *

Roedd yr awyrgylch o gwmpas y gwely yn llethol; Arthur yn fud ac yn syfrdan, Anwen yn gwasgu ei law ac yn snwfflan i fygu'i dagra a Megan, ar goll am rywbeth i'w ddeud, yn gwasgu ei law arall. Y tri wedi cael eu dal mewn hunlle; yr hunlle o glywed y meddyg yn cyhoeddi'n ddi-flewyn-ar-dafod: 'Mae'r cansar wedi crwydro, mae gen i ofn . . . o'r coluddyn i'r iau . . . Waeth imi heb â chymryd arnaf bod y rhagolygon yn dda, oherwydd dydyn nhw ddim . . .'

Dydi'r rhagolygon ddim yn dda. Roedd y geiria'n canu fel cnul ym mhen pob un o'r tri.

'Mi fasa'n dda calon gen i 'tai Ifan yn dod, cofia.'

'A finna hefyd, Arthur!'

'Mi ddaw gyda hyn, gewch chi weld.'

Ond doedd geiria gwag Megan yn cynnig dim cysur i neb. Ers dedfryd y doctor, roedd hi wedi gweld newid mawr yn ei rhieni. Eu gweld nhw'n heneiddio blynyddoedd o flaen ei llygaid. Ac roedd hitha hefyd yn dyheu am weld Ifan yn cyrraedd; am ei weld yn cerdded i mewn i'r ward, i rannu'r cyfrifoldeb efo hi ac i hawlio'i siâr o awyrgylch lethol y gwely. Am y tro cynta ers iddi adael cartre, fe deimlai Megan yr angen am rywun i fod yn gefn iddi hitha.

'Gobeithio na fydd o'n hir, beth bynnag.'

'Dwi wedi trio'i ffonio fo fwy nag unwaith, Dad, ond mae o wedi switsio'i ffôn i ffwrdd, am ryw reswm. Dim *signal*, falla.'

'A finna wedi gobeithio cael ymddeol yn gynnar, gwanwyn nesa!' meddai Arthur, ei feddwl eisoes ar drywydd arall. 'Cael chydig o hamdden i arddio . . . Mynd i Farrar Road, amball Sadwrn, i wylio Bangor yn chwara . . . Picio draw i Flaendyffryn, o bryd i'w gilydd, i grwydro'r hen lwybra ac i sgwrsio efo pobol ar y stryd . . .'

Doedd dim gwadu'r oslef hunandosturiol yn ei lais.

'Ac fe gewch chi hefyd, Nhad! Efo help y cemotherapi mi fedrwch chi drechu'r hen aflwydd 'ma. Meddwl yn bositif sydd isio.'

Wnaeth o ddim byd ond gwenu'n wan a mwmblan bod triniaeth go fawr yn ei aros.

*   *   *

Wrth yrru'n ôl trwy Drefriw, roedd gwahoddiad Nia yn dal i ganu yn ei ben – '*Fydd yr hogia ddim adra ddydd Sadwrn nesa. Mae ganddyn nhw gêm yn y Bala. Felly, be am ddod acw, ganol dydd, am ginio?*' Ac yna'i gwên awgrymog wrth ychwanegu, '*Fe gawn ni'r tŷ i ni'n hunain!*'

Efo'r geiria hynny yn ei glust, a'i dad ymhell o'i feddwl, y teithiodd Ifan yn ôl i Gonwy y pnawn hwnnw, yn methu'n lân â chelu ei bleser na'i syndod bod Nia wedi ymateb fel ag y gwnaeth hi. Roedd hi wedi dal i wenu arno a thynnu ei goes, hyd yn oed ar ôl i'r ffarmwr fynd, a buont yn siarad yn hir am y peth yma a'r peth arall, a'r ymarfer rygbi yn angof gan y ddau.

Pan gyrhaeddodd y tŷ, roedd sioc yn ei aros. Yno, ar wal isel yr ardd, eisteddai bachgen unig a diysbryd iawn yr olwg, efo bag wrth ei draed.

'Arnold!' medda fo'n syn, ar ôl parcio'r beic a thynnu ei helmed yn frysiog. 'Be ar y ddaear wyt *ti*'n neud yn fa'ma?

'*Mam sent me to get help with my homework.*'

Shit! meddyliodd Ifan. Roedd neges ymosodol Allison, ganol yr wythnos, wedi mynd yn angof llwyr ganddo.

'Gwranda, boi! Mae'n wir ddrwg gen i na wnes i ffonio'n ôl, nos Ferchar, i dy helpu di, ond mi ges alwad i Fangor, sti. Dy daid ddim hannar da, yn Sbyty Gwynedd.' A theimlodd bang o euogrwydd gwahanol

627

wrth sylweddoli bod oria wedi mynd heibio ers iddo feddwl ddiwetha am ei dad, hefyd.

'That's okay. I did that. But I've got GCSE folio work in English and I don't understand it very well. Mam says . . .'

'Tyrd i mewn!'

Gwyrodd y bachgen i godi ei fag ac wrth iddo sythu gosododd Ifan law gyfeillgar ar ei ysgwydd, i'w arwain i'r tŷ. 'Ti wedi tyfu, choelia i byth!' medda fo. 'Ond gwranda, 'rhen ddyn! Tria siarad Cymraeg efo fi. Ti'n medru'n iawn, dwi'n gwbod. Rŵan, dos trwodd i'r gegin, i neud diod i ti dy hun, tra bydda i'n cael *shower* sydyn a newid fy nillad.'

Ugain munud yn ddiweddarach, roedd Ifan yn ôl.

'Reit ta, boi!' medda fo, yn parhau yn ei hwylia da am fod y trefniant efo Nia yn dal ar ei feddwl. 'Gad imi weld be 'di'r broblem.'

'Ma fi isio sgwennu *essay* i Macbeth ar *English poetry, but I don't understand it, Dad.*'

Gwyddai Ifan mai pennaeth Adran Saesneg yr ysgol oedd Macbeth a bod cenedlaetha o blant wedi arfer cyfeirio ato wrth y llysenw hwnnw. Fe gai ei adnabod wrth sawl enw arall hefyd, yn dibynnu ar sut y byddai'r disgyblion yn dehongli ei dymer ar y diwrnod. 'Iago' pan fyddai'n ddichellgar, 'Malvolio' pan fyddai'n sych a dihiwmor, 'Brutus' pan riportiai rhywun i'r prifathro . . . Ond efo enw fel Thomas Shakespeare, be arall allai athro Saesneg ei ddisgwyl?

'Pa fath o farddoniaeth, felly?' Doedd o ddim am gyfadde bod barddoniaeth yn beth digon diarth iddo ynta, hefyd.

'*War poetry.*'

Agorodd Arnold ei lyfr gwaith cartre a dangos y testun i'w dad – '*My subject is War, and the pity of War. The poetry is in the pity.'* How applicable are these words by Wilfred Owen to the three poems from the 1st World War period that we studied in class, namely 'Suicide in Trenches' by Siegfried Sassoon, 'The Dead' by Rupert Brooke and Owen's own 'Dulce Et Decorum Est'? Intelligent use of quotations will be rewarded.' Yna, daliodd yr hogyn lun-gopi o'r cerddi i'w dad eu gweld, ynghyd â rhestr o lyfra o dan y pennawd *Background Reading.*

'Arglwydd mawr!' medda Ifan wrtho'i hun. 'Does gen i ddim cof am gael gwaith mor anodd â hyn yn yr ysgol, erioed. Yn enwedig yn bymthag oed!' Ond fe wyddai hefyd ei bod yn gŵyn gyson ymysg y rhieni bod Macbeth yn gosod gwaith rhy uchelgeisiol o lawer i'r plant.

'Mae Gary Parkinson deud bod *poets* i gyd yn *gays* a *cowards.'*

'Be? Mae hwnnw'n ffrind iti rŵan, ydi o?'

'*Well, not exactly,* ond ma fo gwell, rŵan.'

'Be? Ar ôl yr *e-mails*? Gwranda, Arnold! Ro'n i wedi meddwl cael gair efo chdi ynglŷn â rheini hefyd . . .'

Torrodd y bachgen ar ei draws, '*Sorry, Dad! It won't happen again,* ond mae Gary Parkinson yn gwell ar ôl i Mark Williams mynd.'

'Mynd? Mynd i ble, 'lly?'

'Ma fo ddim yn ysgol rŵan. Ma fo'n *expelled* am gwerthu *drugs* i plant.'

'Arglwydd mawr! Eitha peth i'r cythral bach, felly. Mae o'n haeddu stîd iawn, 'sa ti'n gofyn i mi!'

Byddai Arnold wedi ymateb eto, falla, pe gwyddai beth oedd ystyr 'stîd'.

'Reit ta! Gad inni ddarllan y farddoniaeth 'ma efo'n gilydd.'

Funuda'n ddiweddarach, roedd Ifan mewn llawn cymaint o niwl â chynt. 'Gwranda, rhen ddyn!' medda fo, wrth i syniad ddod i'w ben. 'Oes gen ti awydd dod efo fi i Fangor, i weld dy daid yn y sbyty? Dwi'n siŵr y medra fo dy roi di ar ben ffordd yn well na fi efo'r gwaith 'ma.'

Meddyliodd Arnold am eiliad cyn ateb. 'Geith fi fynd i tŷ fi gynta? Gyn fi *present* i Taid.'

Gollyngodd Ifan ochenaid fechan o ryddhad. 'Grêt! Dyna wnawn ni, felly!'

*   *   *

'Oes 'na rwbath 'dach chi'i isio, Dad? Rhwbath 'dach chi isio i mi ei neud?'

'Oes,' meddai Arthur Lòrd Bach, efo gwên lesg. 'Mynd â fi i Flaendyffryn, i mi gael un olwg arall ar yr hen gartra!'

Er eu bod yn gwybod mai rhwng difri a chwara y gwnaed y cais, eto i gyd fe edrychodd Megan a'i mam yn fingam ar ei gilydd, a heb ddeud dim.

'. . . Os gwn i pwy a'i prynodd o? Ei brynu fo o dan drwyn Ifan! Arna i roedd y bai. 'Tawn i heb . . .' Rhaid na theimlai fod angen gorffen y frawddeg. 'Os gwn i a ydyn nhw'n hapus yno, pwy bynnag ydyn nhw? Mor hapus ag y buon ni, fel teulu, ers talwm.'

Pe bai'n gwybod y gwir, gwybod fel roedd y prynwr diarth wedi cyrraedd, drannoeth i Shirley symud allan, a mynd ati ar ei union i roi gwedd newydd ar y tŷ – mân-drwsio yma ac acw a rhoi llyfiad o baent lliwgar i'r ffenestri a'r drysau a giât yr ardd, peintio a phapuro'r stafelloedd i gyd, i guddio pob arwydd o damprwydd, torri gwair yr ardd ffrynt a'r ardd gefn yn gymen a phlannu amrywiaeth deniadol o blanhigion parod-yn-eu-blodau ac yna, o fewn deufis, ei roi ar werth eto, am bum mil ar hugain yn fwy nag a dalwyd amdano, a *chael* y pris hwnnw hefyd! – yna byddai Arthur wedi digalonni mwy fyth. Serch hynny, parhau'n wag a thywyll yr oedd yr hen gartre o hyd, heb arwydd bod y perchennog newydd am symud i mewn. Roedd trigolion Lòrdstryd wedi hen flino holi ymysg ei gilydd be oedd yn mynd i ddigwydd i'r lle.

'Dwi'n addo yr awn ni yno, ar ôl iti gael dy gefn atat,' meddai Anwen. 'Ddoi di efo ni, Megan?'

'Wrth gwrs!' medda honno, yn gneud ei gora i swnio mor awyddus â'i mam. 'Dw inna isio gweld y lle, hefyd, Dad. Dydw i ddim wedi bod yn ôl yno ers claddu Nain, cofiwch. Ond gadwch inni gael y gaea drosodd yn gynta, ichi gael eich cefn atach, fel mae Mam yn ddeud.'

Unig ymateb ei thad fu mwmblan 'Mi wellaf pan ddaw'r gwanwyn' yn bwdlyd a dienaid.

Ar y gair, 'O! O'r diwadd!' meddai Anwen mewn ebychiad o ryddhad. 'Mae Ifan wedi cyrradd! A sbia pwy sydd efo fo, Arthur! Arnold, o bawb! Wedi dod yn unswydd i weld ei daid.'

A daeth ebychiada tebyg oddi wrth Arthur a Megan hefyd wrth i Ifan hwylio i mewn i'r ward fel chwa o awyr iach.

'A sut mae petha erbyn hyn, Nhad?' medda fo'n galonnog. ''Dach chi'n teimlo'n well, gobeithio? A chditha, Megan? Wyt ti'n iawn? Mae'n dda dy weld ti.'

Cyn aros am ateb, na gweld ei fam a'i chwaer yn trio dal ei lygad i'w rybuddio, gwthiodd Ifan ei fab at erchwyn gwely'r claf.

'Mae o wedi tyfu, choelia i byth,' medda hwnnw, a

mymryn o fywiogrwydd yn dod i'w lais a'i lygad. 'Tyrd yma, machgian i, imi gael ysgwyd llaw efo chdi.'

'Helô, Taid! Ti gwell?'

Synnwyd y claf gan y wên fach annisgwyl a ddaeth gyda'r cwestiwn. Ac nid fo oedd yr unig un i weld newid yn yr hogyn. Yn ystod y daith o Gonwy, ar ôl galw yn y tŷ ym Mhenmaenmawr ar y ffordd, roedd Ifan hefyd wedi cael ei synnu ar yr ochor ora gan agwedd ei fab. Nid yn unig ei fod o wedi prifio'n gorfforol ond roedd o hefyd, mewn mater o chydig wythnosa, wedi aeddfedu'n rhyfeddol yn ei ymarweddiad ac yn ei sgwrs. Oedd, roedd rhywfaint o'r swildod yno o hyd, yn ogystal â rhywfaint o'r elfen ferchetaidd atgas, ond roedd yr ochor bwdlyd wedi diflannu'n llwyr, a bu'r daith yn gyfle da i'w dad ei holi a dod i'w nabod yn well. Sut oedd petha adra? *Ddim yn dda iawn. Doedd o ddim yn hapus o gwbwl o fod yn byw dan yr un to ag Eddie, cariad ei fam. Hwnnw'n feddw a chegog yn amal.* Be am yr ysgol, ta? *Ddim yn meindio fan'no erbyn rŵan. Hyd yn oed yn mwynhau rhai pynciau'n fawr iawn. Arlunio yn arbennig. Ac wedi cael athrawes Gymraeg newydd. Un ifanc, annwyl!* A be am deulu'i fam? Oedd o'n gweld rhywfaint arnyn nhw, weithia? Kevin, ei brawd hi, er enghraifft? *Na. Hwnnw byth yn galw yn y tŷ rŵan. Fo ac Eddie ddim yn dod ymlaen efo'i gilydd o gwbwl. Y ddau wedi cael ffrae fawr ac Eddie wedi galw Kevin yn 'effing queer'.* Ond be amdano fo, Arnold ei hun? Be oedd *o'*n feddwl o Kevin? *'I don't like him either, Dad.'*

Bu clywed hynny'n ollyngdod i Ifan a gallodd glosio'n haws at yr hogyn weddill y daith. A rŵan, fe deimlai mor falch fod Arnold a'i dad yn ymateb mor dda i'w gilydd, hefyd.

'Mae o'n gobeithio cael dipyn o help gynnoch chi,

Nhad, efo'i *homework*.' Chwarddodd Ifan yn ysgafn. 'Mae'r gwaith tu hwnt i mi, mae gen i ofn. Be 'dach chi'n ddeud? 'Dach chi'n teimlo'n ddigon cry iddo fo'ch holi chi?'

Tyfodd y disgleirdeb yn llygaid Arthur Lòrd Bach. 'Pam nad ewch chi'ch tri i lawr i'r caffi am banad?' medda fo, gan wincio ar ei wraig a'i blant, a thynnu ei ŵyr ato, i eistedd ar erchwyn y gwely, 'fel ein bod ni'r dynion yn cael llonydd. Rŵan, be sy 'na i'w drafod, machgian i?'

*   *   *

'Dod ag Arnold efo chdi oedd y peth gora allet ti fod wedi'i neud,' meddai Anwen Huws wrth Ifan am y canfed tro, wrth iddyn nhw gerdded yn ôl am y ward. 'Mae o wedi bod yn help mawr i symud ei feddwl o.'

Uwchben paned yng nghaffi'r WRVS, fe gafodd y ddwy gyfle i ailadrodd wrth Ifan bob dim oedd wedi digwydd yn ystod y bore, ac i ddisgrifio iddo'r effaith a gafodd geiria'r arbenigwr ar ei dad.

'A be 'di'r cam nesa, ta?'

'Dydi'r doctor ddim wedi penderfynu eto, pa un ai opyrêtio'n syth neu roi cwrs o cemotherapi'n gynta, i drio crino'r tyfiant.'

'Talu am *second-opinion* felly! Mi ofala i am y trefniada,' medda Ifan, fel petai gan neb arall lais yn y mater. 'A gwrandwch, Mam,' ychwanegodd. 'Waeth gen i be ddeudodd y doctor am y rhagolygon, mae Nhad yn *mynd* i wella. Mae'n *rhaid* ichi feddwl felly . . . er ei fwyn o ac er eich mwyn eich hun. Diawl erioed! Mae doctoriaid yn gallu gneud gwyrthia y dyddia yma. Ac mi ddeuda i hynny wrth Nhad hefyd, pan awn ni'n ôl i'r ward.'

A rŵan, ddeng munud yn ddiweddarach, roedd ei agwedd bendant wedi rhoi gobaith newydd i'r ddwy ac wedi codi rhywfaint ar eu calonna.

'*Dulce et decorum est pro patria mori*. Fe weli di mai dyna sut mae Wilfred Owen yn gorffan ei gerdd . . .'

Rhoddodd Ifan ei fraich allan, i atal ei fam a'i chwaer yn nrws y ward. 'Mi safwn ni yn fa'ma am eiliad, i wrando,' medda fo'n ddistaw.

'Fedra i ddim credu'r gwahaniaeth ynddo fo,' sibrydodd ei fam yn ôl, wrth weld ei gŵr yn ailosod y sbectol gul ar flaen ei drwyn ac yn craffu eilwaith ar y llyfr yn ei law.

'Fel y deudsoch chi, Mam, mae cael cwmni Arnold yn symud ei feddwl o. Ac mae'n gneud byd o les i Arnold hefyd. Sbïwch fel mae o'n gwrando ar Nhad yn ecsplênio.'

'. . . Wel rŵan ta, machgian i! Gad inni weld faint o Ladin ddysgis i yn yr Ysgol Cownti ym Mlaendyffryn, stalwm . . . *Iawn o beth ydi i ddyn farw dros ei wlad.* Dyna sut mae Wilfred Owen yn gorffan ei gerdd, wel'di.'

'*What does that mean*, Taid?'

'*It is fitting that one should die for one's country.* Be ti'n ddeud, Arnold? Wyt ti'n cytuno efo geiria fel'na?'

'Ond ma fo deud bod mai *lie* ydyn nhw.'

'Ia. Da iawn chdi! *The old lie.* Be mae Wilfred Owen yn ddeud, ti'n gweld, ydi bod gwleidyddion a *brigadiers* a *generals* a dynion felly, wedi defnyddio yr un hen gelwydd, ar hyd y canrifoedd, i gyfiawnhau mynd i ryfal. A maen nhw'n dal i wthio'r syniad hwnnw hyd yn oed heddiw, wel'di, ei fod o'n beth da iti farw dros dy wlad . . . ac nid jyst dy wlad dy hun chwaith, erbyn heddiw, ond dros wledydd pobol eraill hefyd, cyn

634

bellad â bod hynny o fantais iddyn nhw, y gwleidyddion . . .'

Synhwyrodd Arnold y dirmyg yng ngeiria'i daid. *'Like they're doing in Iraq*, ia Taid? *For the oil?'*

'Ia, dyna ti, machgian i! Yn union yr un fath! Ond i fynd yn ôl at gerdd Sassoon – fe weli di ei fod ynta, hefyd, yn deud rhwbath tebyg ym mhennill ola'i gerdd "*Suicide in Trenches*" . . .

> *You smug-faced crowds with kindling eye*
> *Who cheer when soldier lads march by,* medda fo,
> *Sneak home and pray you'll never know*
> *The hell where youth and laughter go . . .'*

'So, does that mean that Gary Parkinson was right, after all? Bod mae *poets* i gyd yn *cowards?'*

'Arglwydd mawr, nage! Roedd Wilfred Owen a Sassoon yn gwbod yn iawn am be roeddan nhw'n sôn. Fe gawson nhw brofiada mawr yn y *trenches* yn Ffrainc, ac mi enilliodd y ddau y *Military Cross* am eu dewrder. Ac mi gollodd Wilfred Owen ei fywyd yno hefyd, cofia. Reit ar ddiwadd y rhyfal, os cofia i'n iawn.'

'But not the other one?'

'Rupert Brooke wyt ti'n feddwl? Na. Dydw i ddim yn meddwl ei fod o wedi cael medal ond mi ddaru ynta golli'i fywyd hefyd, sti. Yng Ngwlad Groeg os cofia i'n iawn . . .'

'Wyddoch chi be?' meddai Anwen Huws, a'i gwên yn llawn balchder a rhyddhad, 'Mae o cystal ag unrhyw dîtshar. 'Dach chi'm yn meddwl? Wyddwn i rioed ei fod o'n gwbod cymaint.'

'Cofiwch bod gynno fo radd mewn Susnag, wedi'r cyfan, Mam!' meddai Megan.

'Ia, ond . . .'

'Sh!' medda Ifan ar ei thraws. 'Maen nhw wedi ymgolli yn y *discussion* ac mi fasa'n biti eu styrbio nhw.'

'. . . Ti'n gweld, felly, machgian i, sut i fynd o'i chwmpas hi i atab y cwestiwn?'

'Grêt, Taid! Diolch i ti.'

'Ac fe weli di fod yr athro wedi awgrymu rhai llyfra darllan i ti ddewis ohonyn nhw, hefyd. Llyfra digon anodd i hogyn o dy oed di, a deud y gwir. *Goodbye To All That* – mae hwn'na'n llyfr da gan Robert Graves. A sbia! Sassoon ei hun ydi awdur hwn – *Memoirs Of An Infantry Officer*. A Chymro o'r enw David Jones ydi awdur y trydydd – *In Parenthesis*. Roedd o yn un da iawn am neud llunia i gyd-fynd efo'i gerddi, sti . . .'

Dyna pryd y sylwodd Arthur ar y tri oedd yn hanner cuddio yn nrws y ward. 'O! Maen nhw'n ôl yn barod, yli!' medda fo gan dynnu'i sbectol ddarllen a'i tharo hi'n ôl yn ei chas.

'Wel? Gawsoch chi hwyl ar drafod, Nhad?'

'Do wir, fachgian! Roedd yn dod â llawar o betha'n ôl imi. Mae'r athro Susnag 'ma'n disgwyl cythral o lot gan rywun pymthag oed, ddeudwn i. Ond dyna fo! Neith o ddim drwg i'r hogyn. Wrthi'n sôn roeddwn i, pan ddaethoch chi i mewn, am y llyfra sy'n cael eu hawgrymu yn y rhestr 'ma. Dwi'n cofio bod y ddau yma – llyfra Graves a Sassoon – yn arfar bod gan fy nhad, ers talwm, ond dwi'n ama ei fod o wedi'u rhoi nhw i Yncl Huw . . .'

Nodiodd Ifan ei ben i gytuno. 'Roedden nhw ymysg y llyfra a gafodd eu difetha yn y tân, dwi'n siŵr . . . neu gan y dŵr, yn hytrach. Fi gafodd y job o chwilio drwy'r parlwr, os cofiwch chi,' eglurodd, 'ac roedd yn

636

rhaid mynd trwy bob dim efo crib fân, wrth gwrs. Dwi'n cofio sylwi nad enw Taid nac enw Yncl Huw oedd ar rai o'r llyfra ond enw rhyw weinidog neu'i gilydd.'

'Sy'n f'atgoffa i!' meddai Arthur, gan droi eto at ei ŵyr. 'Wyddost ti fod brawd hyna Nhad hefyd yn cwffio allan yn Ffrainc a'i fod o wedi diodda'n ofnadwy oddi wrth *shellshock*. Yn union fel ddigwyddodd i Wilfred Owen a Sassoon! Rhys oedd ei enw fo, sti, ond dydw *i* ddim yn ei gofio fo, wrth gwrs. Roedd o wedi marw ymhell cyn i mi gael fy ngeni. Mi fyddai Nhad bob amsar yn deud bod Yncl Huw yn debyg iawn i Rhys, cyn iddo fo gael ei anafu a'i hagru yn y rhyfal dwytha. Teulu Lòrd Bach yn ei nerth! Dyna fyddai Nhad yn arfar ei ddeud am Yncl Huw. Ac amdanat titha hefyd, Ifan! A phe bai o yma, rŵan, dwi'n siŵr y bydda fo'n deud yr un peth yn union am yr hogyn 'ma, hefyd.' I neud iawn am y diffyg argyhoeddiad yn ei lais, cydiodd Arthur ym mraich ei ŵyr a'i gwasgu hi'n gyfeillgar.

'Llythyra Rhys oedd y rhai aeth ar goll, ia ddim?'

'Ia. Ac i feddwl bod Nhad wedi'u cadw nhw i gyd yn saff ar hyd y blynyddoedd a bod yr hen hogan ddigwilydd 'na wedi gneud i ffwrdd â nhw.'

'Dŵr o dan y bont, bellach, Nhad! Waeth ichi heb â chynhyrfu yn eu cylch nhw.'

'Ond roeddan nhw'n llythyra difyr i gyd. Pob un yn disgrifio bywyd yn y *trenches* yn Ffrainc.' Ysgydwodd ei ben yn ddig. 'I feddwl bod yr hen hogan Shirley 'na wedi'u difa nhw i gyd!' medda fo eto. 'Y llythyra, y llunia, holl ddyddiaduron Nhad . . . Arglwydd mawr!'

Plygodd Ifan ymlaen i sibrwd rhywbeth yng nghlust ei fab ac estynnodd hwnnw am ei ffolder.

'Gyn fi *present* i ti, Taid.'

'Presant i mi! Wel, wir!' Aeth ei hwylia drwg yn angof a winciodd ar y lleill, gyda gŵen oedd yn awgrymu nad oedd o'n disgwyl fawr o anrheg gan fachgen ysgol.

Ymbalfalodd Arnold yn ei ffolder cyn tynnu dalen o bapur maint A3 ohoni a'i chyflwyno i'w daid. Diflannodd gwên hwnnw'n syth, rhythodd yn gegrwth am eiliad neu ddwy, yna llanwyd ei lygaid â dagra. 'Nid ti nâth hwn, rioed?' medda fo'n anghrediniol, a'i lais yn crygu'n ddagreuol.

Nodiodd y bachgen yn bryderus, yn poeni mai fo oedd achos dagra'i daid.

'Gadewch inni'i weld o, Nhad!' meddai Ifan, o droed y gwely, gan estyn am y ddalen o law ei dad. 'Nid ti ddaru neud hwn, rioed?' medda fynta rŵan, a rhyfeddu gyda balchder tadol at y llun celfydd o Stryd Lòrd Bach fel yr arferai honno fod yn yr hen ddyddia, ac efo Llwybyr y Chwarel a'r inclên i'w gweld yn glir. 'Dydw *i*, hyd yn oed, ddim yn cofio'r lle fel hyn. Sut gwyddet ti faint o dai oedd yno? Sut gwyddet ti am yr inclên?'

'Taid *described everything, didn't he, when we were there.*'

'Be? Defnyddio dy *imagination* wnest ti?'

'Ia.' Yn sydyn, pwyntiodd y bachgen at un o'r ffenestri yn y llun. 'Taid cael ei geni yn *bedroom* yna. Do, Taid?'

Ond roedd Taid o dan ormod o deimlad i'w ateb.

'Wyst ti be, Arnold? Mae hwn yn dda iawn,' meddai Ifan gyda boddhad amlwg. 'Yn dda iawn, hefyd!'

'Yn dda ddeudist ti?' meddai Anwen Huws. 'Yn

wych, ti'n feddwl! A sbïwch! Mae o wedi seinio'i enw, mwya del, ar y gwaelod – *I Taid gyn Arnold*. Mi gawn ni fframio hwn, Arthur, ac fe geith Ifan ei roi o i hongian yn ein llofft ni, gartra. Be ti'n ddeud?'

Ond roedd holl emosiwn y dydd wedi mynd yn drech nag Arthur Lòrd Bach ac roedd o rŵan yn crio fel babi, er mawr ddryswch a phryder i'w ŵyr.

*   *   *

Bnawn trannoeth, cafodd sawl aelwyd ar Lòrdstryd ei styrbio gan gnoc galed ar ddrws y ffrynt a chais annisgwyl i gyd-fynd â hi: *'Can yu ask yur 'usband to move 'is car, luv? We can' ge' thru, see.'* Yng ngwaelod y stryd, yn refio'n ddiamynedd, cystal â deud *'Symudwch eich effing ceir o'r ffordd!'*, safai lorri *low-loader* lydan, gyda Hy-mac mawr melyn ar ei chefn. Ond fe aeth deng munud arall heibio cyn i bawb yn y stryd ufuddhau. Wedi'r cyfan, nid pob tanysgrifiwr i *Sky Sports* oedd yn barod i golli eiliada prin o'r frwydyr bnawn Sul rhwng Arsenal a Spurs.

Dewisodd nifer o'r gwragedd loetran yn nrysau eu tai i fod yn dystion i'r ddrama ac i weld drostynt eu hunain be oedd bwriad y ddau ddieithryn diamynedd efo'u *low loader*.

'Troi i fyny am Stryd Lòrd Bach mae hi, beth bynnag,' gwaeddodd un ar ei chymdoges. 'Os gwn be sy'n mynd i ddigwydd yno?'

'Clirio chydig ar y Doman Isa, falla,' awgrymodd un arall.

'Ond fedran nhw ddim mynd at y doman,' meddai'r gynta. 'Ddim heb chwalu'r tŷ yn gynta.'

'Hy! Waeth iddyn nhw hynny ddim! Os ceith y lle

lonydd i fod yn wag yn hir iawn eto, yna mynd â'i ben iddo neith o, fel y tai erill oedd yn arfar bod yno.'

'Ia'n de.'

*   *   *

''Dach chi'n edrych yn well heddiw, Nhad. Sut noson gawsoch chi?'

'Eitha,' meddai hwnnw, a'i flinder yn bradychu'i gelwydd. Edrych at ddrws y ward, yn hytrach nag ar Ifan, roedd o. 'Ddôth Arnold ddim efo chdi?' Swniai'n siomedig.

'Naddo. Roedd o am fynd i'r afael â'i waith cartra heddiw, medda fo, tra'i fod o'n cofio pob dim ddeudsoch chi wrtho fo am y farddoniaeth 'na. Mae o'n hynod o ddiolchgar ichi am ei roi o ar ben ffordd efo'r gwaith. Finna hefyd, wrth gwrs!'

'Doeddwn i ddim wedi sylweddoli ei fod o'n gystal artist, cofia, yn enwedig ag ynta mor ifanc!'

'Na finna chwaith, Nhad. Mi fasa'n werth ichi weld rhai o'r llunia erill oedd gynno fo yn ei ffoldyr. Un llun o Chwaral Lòrd Bach, cofiwch! 'Dach chi'n cofio'r diwrnod yr aethon ni'n tri i fyny yno am dro? A fynta'n sgriblan yn ei lyfr yn hytrach na gwrando arnoch chi'n siarad? Wel, gneud sgets sydyn o'r Bonc Isa oedd o ac ar ôl mynd adra'n ôl, mi wnaeth lun iawn o'r lle. Ond rhaid ei fod o wedi gwrando arnoch chi hefyd, wyddoch chi, oherwydd mae'r llun yn dangos y bonc bron yn union fel ag yr oedd hi'n arfar bod, efo'r felin a'r gwahanol adeilada yn ôl ar eu traed a wagenni llawn o lechi yn aros i gael eu criwlio i lawr yr inclên. Mae o isio defnyddio'r llun hwnnw yn ei ffolio Jî-sî-es-î, medda fo, ond roedd o'n gofyn os basach chi'n licio'i gael o wedyn.'

'Wrth gwrs y baswn i!' meddai'r claf yn frwdfrydig, a doedd dagra ddim ymhell, rŵan chwaith. 'Roedd Yncl Huw yn un da iawn ei law hefyd, wyst ti.'

'Oedd, dwi'n gwbod. Llunia eroplêns oedd ei betha fo, wrth gwrs. 'Dach chi'n cofio'r llun hwnnw oedd yn arfar hongian ar wal ei lofft o? Llun ei eroplên ola.'

'Ia'n de!' Daeth y cysgod yn ôl dros wyneb y tad. 'Ond mynd yn y tân wnaeth hwnnw hefyd, mae'n siŵr, fel pob dim arall o bwys.'

'Dyna lle y cafodd Arnold ei dalent, mae'n debyg.'

'Ia, a gan Rhys, brawd hyna dy daid. Roedd hwnnw hefyd yn un da'i law, yn ôl pob sôn. Llunia soldiars a phetha felly. Dwi'n cofio gweld un ymysg ei lythyra fo; y llythyra sydd wedi mynd ar goll.'

'Mae talent yn amal iawn yn neidio cenhedlaeth, meddan nhw. Dwy genhedlaeth weithia!' Chwarddodd Ifan. 'Mi neidiodd drosta i, beth bynnag.'

'Ond mae gen ti ddigon o dalenta eraill, Ifan,' meddai Anwen Huws, yn amddiffynnol. Ac yna'n gellweirus, 'Sut bynnag, mae'n siŵr mai etifeddu talenta fy nheulu i wnest ti. O wrando ar dy dad, 'sa rhywun feddwl mai dim ond Teulu Lòrd Bach gafodd eu bendithio ag unrhyw dalent erioed.'

'A dyna sydd wir, wrth gwrs!' meddai Arthur yn smala, cyn difrifoli'n syth, 'Deud i mi, Ifan! Gest ti hanas tŷ, eto?'

'Na, ddim yn hollol, Dad.'

'Be mae hynny'n feddwl? Wyt ti wedi gweld rhwla ym Mlaendyffryn sy'n apelio?'

'Na, ddim wir. Falla mai chwilio yn rhwla arall y bydda i, rŵan.'

'O? Fel lle, 'lly?' Doedd dim celu'r siom yn llais y tad.

'A deud y gwir, mi fasa rhwla yn Nyffryn Conwy yn fwy hwylus imi efo ngwaith. Llanrwst, falla!'

'O! Un o fan'no oedd dy nain. Mae gen i gefndryd yno, hyd heddiw, fel y gwyddost ti.'

'Ond be wnei di yn y cyfamsar?' holodd y fam. 'Wedi'r cyfan, mae disgwyl iti symud allan o'r tŷ yng Nghonwy cyn diwadd yr wythnos.'

'Cael rhwla dros dro, ar rent. Dwi wedi trefnu'n barod. Felly does dim rhaid ichi fwydro'ch pen yn fy nghylch i, Mam.'

Gobeithiai Ifan nad oedd ei gelwydd yn dangos.

*   *   *

Aeth yn fore Mercher cyn i unrhyw brysurdeb arall ddod i Stryd Lòrd Bach.

Am wyth o'r gloch ar ei ben, cyrhaeddodd lorri fechan. *CAMBRIAN DEVELOPMENT* meddai'r llythrenna breision ar ddrws y dreifar. Roedd yno hefyd rif ffôn diarth. Ac ar y drws gyferbyn, mewn paent glân, y fersiwn Gymraeg – *CAMBRIAN DATPLYGIAIDAU* – a'r un rhif ffôn eto. Rhannai dau labrwr cydnerth y sedd flaen gyda'r gyrrwr, tra swatiai dau arall yn welw oer yng nghefn agored y lorri. Ar ôl rhynnu'n anghyfreithlon yn fan'no am ddwyawr a mwy – a diodde gwynt a glaw mân hefyd am ran o'r daith – nhw ill dau oedd fwyaf awyddus, rŵan, i gael eu traed ar ddaear galed, ac i neidio yn eu hunfan wedyn i geisio adfer cylchrediad y gwaed a chael gwared â'u fferdod. Yn y cyfamser, roedd y gyrrwr wedi crwydro draw at yr Hy-mac melyn, i lygadu'r offer llywio oedd ar hwnnw, gan mai fo fyddai'n gyfrifol am ei ddefnyddio.

O glywed sŵn y lorri'n cyrraedd, ymddangosodd

chweched gŵr, hefyd mewn dillad gwaith, yn nrws y tŷ gwag a phrysuro i lawr llwybyr yr ardd tuag atyn nhw, i ysgwyd llaw a chyflwyno'i hun i bob un o'r pump yn ei dro. Go brin y byddai trigolion Lòrdstryd, pe baen nhw o fewn clyw, wedi deall yr un gair o'r cyfarchion, ar wahân, falla, i'r enw 'Robin Kowalski'.

Yna, tawelodd pawb mwya sydyn wrth i gar Mercedes ymddangos rownd y tro a sibrwd ei ffordd i fyny'r pwt gallt tuag atynt, arian ei baent yn fflachio yn yr haul cynnar, nes i Domen Bonc Isa daflu ei chysgod, fel newyddion drwg, drosto.

Closiodd y pum gweithiwr at ei gilydd, yn dwr bach parchus, rŵan, i ddisgwyl i yrrwr y car, gŵr y siwt a'r tei, ddod i ben â'i alwad ffôn. Aros yr un mor amyneddgar wedyn, hefyd, i'w wylio'n tynnu sigarét bwyllog o'i phaced, a'i thanio. Ond roedd y chweched dyn, y sawl a fu'n cyflwyno'i hun wrth yr enw Robin Kowalski, wedi camu ymlaen i groesawu'r ymwelydd, ac i'w glywed yn gorchymyn mewn Saesneg sarrug trwy ffenest gaeedig y car, 'Gwna dy hun yn ddefnyddiol! Estyn y plania oddi ar y sêt gefn ac agor nhw allan ar fonet y car.'

Ufuddhaodd Kowalski yn ddi-ruthr.

'Reit!' meddai gŵr y siwt a'r tei, ar ôl dringo allan o'r car. 'Yn gynta, fe gei di anghofio'r hen blania. Mae'r rhain yn newydd sbon.'

Craffodd y llall arnynt am rai eiliada. 'Un ar bymtheg o fflatia?' medda fo'n anghrediniol. 'Chwalu hwn a chodi dau dŷ ddeudsoch chi gynta!'

'Dwi'n gwbod hynny! Ond mae petha wedi newid erbyn hyn. Mae'n debyg bod galw mawr am dai fforddiadwy ac am fflatia *DHSS* yn y dre 'ma, felly dwi am ddatblygu'r safle gyfan. Digon o le i wyth o dai neu

un ar bymthag o fflatia – dyna'r dewis oedd gen i. Y
fflatia aeth â hi yn y diwedd. Mi dalith yn well imi
osod rheini i'r *DHSS*, heb yr hàsl o orfod casglu rhent.
Un siec *giro* drwy'r post bob mis. Ond fy musnas i ydi
hynny; does a wnelo fo ddim â chdi. Sut bynnag,
mae'r cynllunia newydd 'ma wedi cael eu pasio gan yr
Adran Gynllunio.'

Craffodd Kowalski unwaith eto ar y cynllunia. 'Ydi
hyn yn golygu eich bod chi wedi prynu'r stryd gyfan?'
gofynnodd, o sylwi rŵan bod y datblygiad yn mynd i
lenwi pob modfedd eitha o'r tir oedd ar gael, o ffin y
gerddi ffrynt hyd at y crawiau terfyn yn y cefn.

'Pa ffycin stryd?' Roedd tinc ddilornus i'r cwestiwn.
'Wela i ddim ffycin stryd. Weli di?' A syllodd
perchennog y Mercedes i'r gwagle lle bu cartrefi'r Eos a
Gaenor Goch, gynt.

'Prynu'r tir o'n i'n feddwl.'

Daeth sŵn rhagor o ddirmyg trwy wefusau caeedig.
Yna, 'Iesu Grist, Kowalski! Mae'n amlwg nad oes gan
neb ddiddordab yn y ffycin lle neu mi fasan nhw wedi
gneud rhwbath efo fo, cyn hyn. Tir adfail ydi o! Felly,
pwy sy'n mynd i gwyno? Gneud uffar o ffafr â phobol
y lle 'ma fydda i, siŵr Dduw! Dod â gwaith yma . . .
helpu'r economi . . .'

'Iawn, ta! Chi ydi'r bòs! Ond mae'r contract yn
dipyn mwy erbyn rŵan, yn dydi?'

'Paid â phoeni! Fel fforman, ti'n siŵr o gael dy
gydnabod, dim ond i ti ofalu gneud job dda ohoni.'

'Dydi petha ddim cweit mor syml â hynny, ydyn
nhw?' A chyfeiriodd Kowalski at y pum labrwr oedd
yn dal i sefyll yn amyneddgar rai llathenni i ffwrdd. 'Er
enghraifft, oes gan rhain unrhyw brofiad o weithio ar
safle adeiladu?'

Daeth sŵn chwerthin bach sych o wddw gŵr-y-siwt-a'r-tei, rŵan. 'Faint o ffycin profiad sydd isio, beth bynnag? Maen nhw'n hogia cryfion a does ganddyn nhw ddim ofn gwaith. Chei di ddim labrwrs gwell na rhain yn unlla. Dy le di, fel fforman, fydd cadw llygad arnyn nhw a'u rhoi nhw ar ben ffordd. A gwna di'n blydi siŵr nad ydyn nhw'n gneud dim byd gwirion, chwaith! Y peth ola 'dan ni isio ydi tynnu'r ffycin Adran Iechyd a Diogelwch i'n penna. Felly, deud wrthyn nhw am fod yn ofalus, wir Dduw!'

'Dwi'n cymryd bod ganddyn nhw i gyd hawl i fod yma? Bod ganddyn nhw fîsa a thrwydded waith a phetha felly?'

'Sut uffar wn i? Chdi sy'n siarad eu hiaith nhw, nid fi!'

Nid am y tro cynta, brathodd Robin Kowalski ei dafod. Fe wyddai o'r gora mai'r unig reswm iddo gael y job fforman o gwbwl oedd ei allu i siarad Pwyleg yn rhugl. Ac, i raddau llai, ei allu i siarad Cymraeg hefyd, oherwydd doedd CAMBRIAN DATPLYGIAIDAU ddim am gael eu cyhuddo o fod yn hiliol nac o wrthod llafur lleol.

'Pryd gest ti gyfla i ddysgu'r iaith, beth bynnag?'

'Pwyliad ydi 'nhad, a Phwyliaid oedd fy nhaid a nain. Fe ddaethon nhw i fyw i Ben Llŷn ddiwedd yr Ail Ryfal Byd.'

'Nid sôn am Bwyleg ydw i, siŵr Dduw! . . . Efo enw fel Kowalski, mae disgwyl iti allu siarad y ffycin iaith honno! Sôn am Gymraeg o'n i. Pam trafferthu i ddysgu honno, liciwn i wbod.'

'Ei dysgu hi? Dyna dwi wedi'i siarad erioed . . . efo Mam, adra, ac efo fy ffrindia yn yr ysgol. Mae Nhad yn ei siarad hi hefyd.'

'O, deud ti!' meddai gŵr y Mercedes, yn amlwg wedi colli diddordeb, a dechra rowlio'r cynlluniau pensaernïol at ei gilydd. 'Rŵan, ta! Mi ddylai'r sgaffaldia, a'r sgip hefyd, gyrraedd o fewn yr awr nesa. Dwi'n disgwyl gweld hwn,' medda fo, gan bwyntio efo'r rowlyn papur at gartre Teulu Lòrd Bach gynt, 'wedi'i ddymchwel erbyn bora Llun, a'r safle i gyd wedi'i glirio. A thra bydd y criw yma'n gneud hynny, dwi'n disgwyl y byddi ditha wedi dechra marcio'r *footings*. Jest cofia bod colli amser yn golli ffycin elw!'

*　　*　　*

Cydiodd hi â llaw wlyb yn y ffôn. 'Helô?'

'Hiraeth am glywad dy lais di, dyna i gyd!'

Chwarddodd Nia Harris i ddangos ei phleser. Dim ond newydd adael y tŷ am yr ysgol oedd ei meibion ac roedd hitha, rŵan, yn rhedeg dŵr i olchi'r llestri brecwast cyn cychwyn am Gonwy, i'w gwaith. 'Mae'n dda clywad dy lais ditha hefyd.'

Nid bod y llais hwnnw wedi bod yn ddiarth iddi dros y dyddia dwytha.

'Wyt ti'n cael llonydd gan y ffarmwr, rŵan?'

'Pwy? Ellis Bryn Teg?' Chwarddodd Nia eto. 'Paid â deud dy fod ti'n jelys?'

'Wel, mae ei fanc-acownt o yn siŵr o fod yn dipyn iachach na f'un i.'

'Wyst ti be?' medda hi, gan smalio difrifoli. 'Ddaru mi ddim meddwl am hynny! Falla y dylwn i annog mwy arno fo, felly.'

Er bod y nodyn cellweirus yn ei llais yn deud wrtho mai dal i wamalu roedd hi, eto i gyd, gwrthod gadael roedd ei anniddigrwydd. 'Gŵr gweddw ydi o?'

646

'Nage, wir! Hen lanc ariannog, yn byw adra ar y ffarm efo'i fam a'i dad. Mae o'n werth ei bwysa mewn aur, meddan nhw i mi. Hen lanc mwya *eligible* Dyffryn Conwy, i ti gael dallt!'

'O! Deud ti!'

Roedd y tynnu coes yn rhy agos at yr asgwrn iddo allu chwerthin a sylweddolodd hitha hynny. 'Anghofia amdano fo, wir!' medda hi'n ddiamynedd. 'Pam oeddat ti'n ffonio, beth bynnag?'

'Gweld yr amsar yn llusgo ydw i.'

Fe wyddai hi beth oedd ar ei feddwl.

'Ydi, i minna hefyd. Sut mae dy dad, erbyn hyn?'

'Mae'n cael mynd adra pnawn 'ma. Disgwyl galwad yn ôl yn o fuan, am opyrêshyn, mwy na thebyg.'

'Hei lwc, felly!'

'Ia. Ond deud i mi, Nia, oes raid imi aros tan ddydd Sadwrn cyn cael dy weld di? Fedri di ddim galw heibio, ar dy ffordd adra o'r gwaith? Be am neud hynny heno? Dwi ar gychwyn am Gaernarfon rŵan. Rhyw achos bach isio sylw yn fan'no. Dim byd mawr; jest y *volume crime* arferol. Fe ddylwn i fod wedi gorffan erbyn canol pnawn, sy'n golygu y bydda i adra mewn da bryd cyn i ti orffan dy waith. Fydd dim cyfla ar ôl heddiw – dyna pam dwi'n gofyn. Mi fydd y tŷ'n cael ei wagio ddydd Gwenar a'r dodran i gyd yn mynd i'r ocsiwn.'

'A be amdanat *ti*, wedyn?'

'Mynd i aros efo Mam a Nhad ym Mangor, am wn i. O leia nes y ca i le i mi fy hun.'

'A lle fydd hynny, ti'n meddwl?'

'Fawr o ddewis ond cael lle ar rent, dros dro. Os clywi di am rwla . . .'

'Gyda llaw,' medda hi, yn dewis troi'r stori, 'mi ges

647

i'r *third degree* gan Alun ar y ffordd adra ddydd Sadwrn. Roedd o isio gwbod pwy oedd y boi moto-beic a gafodd gusan gen i.'

'A be ddeudist ti?'

'Y gwir. Be arall? Deud mai dy ddefnyddio di roeddwn i, i gael gwarad â'r ffarmwr.'

'O!'

Aeth eiliad neu ddwy heibio cyn iddi chwerthin eto am ben y siom yn ei lais. 'Ond mi es i gam ymhellach na hynny, hefyd, gan ei fod o wedi codi'r peth. Mi ddeudis i wrtho fy mod i wedi dy wadd di i ginio, ddydd Sadwrn, ac mi ofynnis os oedd ganddo fo unrhyw wrthwynebiad.'

'O? A be ddeudodd o?'

'Gosod amoda, mae gen i ofn.'

Petrusodd Ifan wrth glywed y dôn ddifrifol yn ei llais, eto fyth. 'O? Pa fath o amoda, felly?'

'Wel, yn gynta, dy fod ti'n dangos iddo fo sut mae neidio a dal pêl rygbi efo un llaw.'

Tro Ifan oedd chwerthin, rŵan. 'Arglwydd mawr! Ffliwc hollol oedd imi ddal y bêl na fel y gwnes i.'

'Nid dyna mae Alun yn feddwl. Mae o'n credu'n siŵr dy fod ti'n chwaraewr profiadol. Proffesiynol hyd yn oed.'

Chwarddodd Ifan eto. 'A be am yr amoda eraill?'

'Dim ond un arall, sef dy fod ti'n rhoi pàs adra iddo fo o'r ysgol, ryw ddiwrnod, ar yr Yamaha. Er mwyn i'r plant i gyd gael ei weld o ar y *pillion*, dwi'n ama. Ro'n i'n gwrando'n slei bach arno fo a'i frawd yn siarad amdanat ti wedyn, a gesia be? Mae gan y ddau fwy o ddiddordab yn y beic nag ynot ti.'

'Ydi hynny'n beth da ta drwg?'

'Da, ddwedwn i.'

'A be am fy nghwestiwn arall i, ta? Wyt ti am alw heibio, heno?'

'Am ryw awran, falla. Mi geith yr hogia aros am eu swpar.'

*   *   *

Roedd yn ddiwedd pnawn pan glywodd Robin Kawalski y floedd o ben y sgaffaldia.

'Be sy?' gwaeddodd, wrth weld un o'r dynion yn chwifio'i freichia i dynnu ei sylw.

Fe gawsai ei synnu ar yr ochor ora gan ddygnwch y Pwyliaid. Erbyn canol pnawn, roedd y sgaffaldia i gyd wedi'u gosod, yn garchar cadarn am yr adeilad, a rŵan, awr a hanner yn ddiweddarach, roedd o leia chwarter y llechi wedi cael eu tynnu oddi ar y to a'u gosod yn bentwr taclus yng ngwaelod yr ardd ffrynt, yn barod i gael eu gwerthu yn ail-law.

Be gythral sy'n bod ar y dyn? meddyliodd yn flin, wrth weld y llall yn pwyntio'n gynhyrfus i mewn o dan y to. Roedd y gwaith wedi mynd rhagddo'n hwylus iawn, hyd yma. *Gobeithio nad ydi nacw wedi ffeindio problem, wir Dduw!*

'Mi ddo i atat ti rŵan!' gwaeddodd, a'i gneud hi am yr ystol. Yna, ar ôl cyrraedd, 'Be sy'n bod?' gofynnodd.

Unig ateb y Pwyliad oedd pwyntio i mewn i'r daflod, at focs cardbord oedd yn llechu yn fan'no, lathen neu ddwy o'i gyrraedd. Yn ymyl y bocs roedd trapddor bychan, prin digon mawr i ddyn gael ei ysgwydda trwyddo.

'Wyt ti isio imi fynd i'w nôl o?' gofynnodd y gweithiwr, gan siapio i roi ei droed ar un o'r distia, i ddringo i mewn o dan y to.

649

'Arglwydd mawr nagoes!' meddai Kowalski'n rhybuddiol, yn gweld y peryg o ddamwain. 'Gad o i mi!' Rhuthrodd i lawr yr ystol ac i mewn i'r tŷ, lle'r oedd dau o'r dynion wrthi'n rhwygo canllaw y grisia o'i le a dau arall yn dyrnu'r palis rhwng y gegin fyw a'r parlwr gora. Deuddydd eto ac ni fyddai'r adeilad yn ddim ond cragen wag, ei furia allanol yn barod i'r Hy-mac neud ei ddifrod terfynol. Gwaeddodd ar y pedwar i roi'r gora i'w gwaith am funud ac arwyddodd ar un ohonynt i'w ddilyn i'r llofft. Yno, gyda chymorth, dringodd at y trapddor bychan a gwthio'i ben a'i freichia i mewn i'r atig. Gyda pheth trafferth, tynnodd y bocs cardbord i lawr a mynd â fo allan i ola dydd.

*   *   *

'Fedra i ddim deud wrthat ti mor braf ydi cael bod adra, cofia.'

'I gael dy dendans fel hyn, mae'n siŵr,' meddai Anwen Huws yn gellweirus, gan osod yr hambwrdd yn ofalus ar arffed ei gŵr yn ei wely ac, yn yr un symudiad, i daro cusan hefyd ar ei dalcen. 'A fedra inna ddim egluro i titha, chwaith, mor braf ydi dy *gael* di adra, Arthur . . . O!' medda hi'n rhybuddiol. 'Bydd ofalus o'r llun, rhag iti golli te drosto fo.'

Ers iddo ddod adre o'r sbyty, doedd darlun Arnold o Stryd Lòrd Bach ddim wedi bod allan o gyrraedd Arthur am eiliad. Edrychodd arno eto rŵan, gyda balchder a llawer o hiraeth. 'Dwi am gael fframio hwn,' medda fo, 'a'i hongian o ar y wal yn fan'cw, lle y medra i ei weld o. Wyddost ti? Bob tro dwi'n edrych arno fo, dwi fel 'tawn i'n gweld Mam yn sefyll yn nrws y tŷ, a Nhad a'r chwarelwyr eraill yn martsio yn un

650

rhes hir i lawr Llwybyr y Chwaral, a sŵn eu traed nhw i'w glywad o bell.' Daeth deigryn i'w lygad. 'Fel mae'r oes wedi newid, yn de! Y chwaral yn gwbwl segur ers blynyddoedd a'r inclên a'r Llwybyr wedi hen ddiflannu i'r gwyllt. Ond, o leia, mae'r hen gartra yno o hyd, ac mae hynny'n gysur imi . . . Wyst ti be, Ani? Mi fyddai'n dda calon gen i 'tai Ifan yn gallu rhoi trefn ar ei fywyd, cofia.'

'Arthur bach!' medda hitha, yn gweld trywydd ei feddwl. 'Mae o'n ddyn yn ei oed a'i amsar ac yn ddigon abal i edrych ar ei ôl ei hun, siawns.'

'Dwn 'im be am hynny. Yn ddeunaw ar hugian oed, fydd gynno fo ddim to uwch ei ben mewn chydig ddyddia.'

'Gwranda, nghariad i!' meddai Anwen Huws, gan redeg bysedd cysurlon trwy wallt tena'i gŵr. 'Dydw i ddim yn meddwl bod angan inni boeni rhyw lawar, sti. Synnwn i ddim nad oes gan Ifan ddynas arall yn ei fywyd, erbyn rŵan.'

Syllodd Arthur Lòrd Bach gydag amheuaeth gobeithiol i lygaid ei wraig. 'Ti mond yn deud hyn'na i mi deimlo'n well. Sut gwyddost ti?'

Gwenodd hitha'n ôl. 'Mother's intuition! Pam, medda chdi, roedd o'n swnio mor hapus ar y ffôn, gynna? A pham y diddordab, mwya sydyn, mewn mynd i Lanrwst i fyw?'

'Gobeithio dy fod ti'n iawn. A gobeithio y bydd hi'n well peth na'r Allison 'na, beth bynnag. Ddaru mi rioed gymryd at honno. Mae angan rhywun go gall i gadw trefn ar Ifan.'

Gwnaeth ei wraig sŵn cytuno a syrthiodd tawelwch rhwng y ddau am rai eiliada.

'Mae'n beth rhyfadd i'w ddeud, dwi'n gwbod, ond

dwi'n edrych ymlaen, rŵan, at y driniaeth 'ma, er mwyn cael y cyfan drosodd, y naill ffordd neu'r llall.'

'Finna hefyd, Arthur, iti gael gwella. Dwi mor falch bod Ifan wedi gofyn am *second opinion*, cofia. Roedd Doctor Andrew yn rhoi gwedd dipyn mwy gobeithiol na'r llall, wyt ti'm yn meddwl?'

'Oedd, falla,' medda fynta'n gyndyn, 'ond dyn gwael ydw i o hyd, cofia. Dyna pam mod i isio gofyn rhwbath iti.'

'Nid gofyn am fwy o dôst, yn amlwg!' medda hitha'n smala, wrth sylwi nad oedd wedi cyffwrdd tamaid o'i frecwast, hyd yma.

'Na, dwi am iti fod o ddifri am funud. Isio gofyn ydw i – lle basat ti'n licio cael dy gladdu?'

'*Licio* cael fy nghladdu, ddeudist ti?' medda hi, a'i chwerthiniad yn chwerthin gneud. 'Arthur bach! O gael dewis, dwi ddim isio cael fy nghladdu o gwbwl.'

'Na, bydd o ddifri am eiliad. Wyt ti wedi meddwl am y peth, erioed?'

Doedd wiw iddi gydnabod bod y cwestiwn wedi croesi ei meddwl yn ddiweddar. 'Wel naddo siŵr! Mae gynnon ni'n dau flynyddoedd eto o'n blaen, siawns.'

'Chdi, oes . . . ond nid fi, mae arna i ofn. Be ddeudet ti pe bawn i'n gofyn am gael fy nghladdu ym Mlaendyffryn, efo gweddill fy nheulu? Hynny ydi, fydda fo o wahaniaeth gen titha gael dy gladdu yno hefyd, pan ddaw dy amsar? A derbyn, wrth gwrs, na fyddi di wedi ailbriodi erbyn hynny.'

Roedd Anwen Huws wedi llwyddo i gadw wyneb, hyd yma, ond fe dorrodd i lawr yn llwyr, rŵan. 'Paid â siarad yn wirion, Arthur,' medda hi'n ddig, gan dagu ar ei dagra. 'Os byddi di farw o mlaen i, yna mi fydd fy mywyd inna hefyd wedi dod i ben. Ac os mai ym

652

Mlaendyffryn wyt ti isio cael dy gladdu, yna yn fan'no y baswn inna hefyd yn *licio* cael fy nghladdu. Ydi hyn'na'n atab dy gwestiwn di?'

Estynnodd am ei llaw ac aeth yr eiliad yn drech na'r ddau.

*   *   *

Fel roedd hi'n agor y drws i'w dderbyn, cydiodd Ifan yn Nia a'i thynnu'n dynn ato, heb geisio celu ei awydd amdani.

'Gan bwyll, Tarsan!' medda hi, yn fwy o ddifri nag mewn chwarae, gan neud ei gorau i'w wthio draw. 'Aros imi gau'r drws, wir, neu mi fydd pobol y lle 'ma i gyd yn siarad amdana i.'

'Twt! Be dio bwys? Gad iddyn nhw siarad.'

Doedd hwnnw mo'r ymateb callaf.

'Mae o bwys i *mi*, i ti gael dallt!' medda hi'n siort a fflach ddig yn tanio'i llygad. 'Dydw i ddim am golli fy enw da yn y dre 'ma, i ti na neb arall. Mae gen i Alun ac Owain i feddwl amdanyn nhw.'

Sobrodd Ifan drwyddo wrth sylweddoli ei fod wedi'i thramgwyddo. 'Ym . . . wrth gwrs. Mae'n . . . mae'n ddrwg gen i,' ceciodd. 'Do'n i ddim wedi bwriadu . . .'

Dyna pryd y canodd y ffôn yn ei boced ac yn hytrach nag anwybyddu'r sŵn, brysiodd i'w ateb. 'Be ddiawl mae hon isio rŵan?' mwmiodd, wrth weld enw Alison yn ymddangos ar y sgrîn. '*What the hell do you want?*' cyfarthodd wedyn yn filain i'r teclyn.

Wrth i ateb dagreuol ddod o ben arall y sgwrs, gwyddai Ifan fod Nia yn clywed pob gair.

'*Come home, for God's sake. The police are here with Arnold.*'

'*Police?* Arglwydd mawr! *What's he done now?*'

Yn bytiog a thrwy igian crio y daeth yr eglurhad. '*Somebody's reported him . . . they say he's been abusing their son . . . in the school toilets . . .*'

Rywle o'i ôl, clywodd Nia Harris yn dal ei gwynt mewn dychryn.

'Dduw mawr! *Is there any truth in it?*'

'*How the hell should I know?*' Sŵn mwy o grio. '*You've got to come here, Evan! I can't deal with this on my own.*'

'*Let Eddie handle it!*' Diawl erioed, hwnnw oedd ei phartnar hi rŵan!

'*He's gone. Can you come? . . . Please?*'

Trodd at Nia a chael cip o ffieidd-dra yn llygaid honno.

'Rhaid imi fynd, mae gen i ofn,' medda fo. 'Fe ffonia i di. Iawn?'

Clywodd hi'n mwmblan yn aneglur ac roedd rhywbeth yn derfynol yn y ffordd y cafodd y drws ei gau yn araf yn ei wyneb.

*　　　*　　　*

'Oes 'na bres neu rwbath o werth ynddo fo?'

Craffodd perchennog y Mercedes i mewn i'r bocs, heb osgo baeddu'i ddwylo yn y llwch a'r llwydni. Ar wahân i domen o gerrig, llond sgip o rwbel a rhai cannoedd o lechi ail-law yn barod i gael eu cludo ymaith i'w gwerthu, yr unig beth yn weddill o Stryd Lòrd Bach oedd y bocs cardbord yng nghist car Robin Kowalski.

'Mae'n dibynnu be 'dach chi'n styried yn rhwbath o werth,' meddai Kowalski yn ôl. 'Hen lunia a llythyra a

654

dyddiaduron, rhai ohonyn nhw'n mynd yn ôl i gyfnod y Rhyfal Cynta. Dwi wedi cael cip trwyddyn nhw a be sydd 'ma, hyd y gwela i, ydi hanas mwy nag un genhedlaeth o'r teulu a fu'n byw yma. A rŵan, does neb ar ôl, mae'n debyg. Trist! 'Dach chi'm yn meddwl?'

Syllodd y Sais i lawr ei drwyn i'r bocs. 'Fyddai'r petha 'ma'n gwerthu mewn ocsiwn, ti'n meddwl?'

'Go brin, ddim ar ôl bod yn yr atig damp 'na am flynyddoedd. 'Taen nhw yn Saesneg, wel . . . Pwy a ŵyr?'

'Be?' meddai dyn y siwt a'r tei yn anghrediniol ar ei draws. 'Ti'n deud mai Cymraeg ydyn nhw?'

'Ia.'

'Prrr!' wfftiodd y llall trwy wefusa llac. 'Da i ddiawl o ddim i neb, felly. Tafla nhw i'r sgip! Rŵan, gad inni weld sut mae petha'n mynd ymlaen yma.'

'Ga i'ch caniatâd chi i'w cynnig nhw i rywun fasa gyn ddiddordab? Y Llyfgell Genedlaethol, er enghraifft?'

'Gwna fel fyd fynni di efo nhw . . . ond yn dy amsar dy hun! Rŵan, tyrd! Mae 'na waith i'w neud. Colli amser, colli elw! Cofia hynny!'